D1504051

LA AMÉRICA REAL
Y LA AMÉRICA MÁGICA

A TRAVÉS DE SU LITERATURA

MERCEDES SUÁREZ

LA AMÉRICA REAL Y LA AMÉRICA MÁGICA

A TRAVÉS DE SU LITERATURA

Con la colaboración de
Natalia Pérez de Herrasti y Mercedes Pico de Coaña

EDICIONES UNIVERSIDAD DE SALAMANCA

BIBLIOTECA DE AMÉRICA, 11

1.ª edición: diciembre 1996
ISBN: 84-7481-847-8
Depósito Legal S. 1066-1996

Motivo de cubierta:
Jaguar
(Anónimo)

Ediciones Universidad de Salamanca
Apartado 325
E-37080 Salamanca (España)

Impreso en España-Printed in Spain

♠

CEP. Servicio de Bibliotecas

SUÁREZ, Mercedes
La América real y la América mágica a través de su literatura / Mercedes Suárez ; con la colaboración de Natalia Pérez y Mercedes Pico de Coaña. - Salamanca : Ediciones Universidad de Salamanca, 1996
(Biblioteca de América; 11)

1. Literatura latinoamericana - Siglo XX - Antologías. I. Pérez, Natalia. II Pico de Coaña, Mercedes.
821.134.2 (7/8) (082.21)

América,
no invoco tu nombre en vano

PABLO NERUDA, *Canto General*

ÍNDICE

III. REALIDADES Y FANTASÍAS

PRÓLOGO

La afirmación nerudiana del *Canto general,* «América, no invoco tu nombre en vano» que Mercedes Suárez ha colocado como lema en el umbral de esta antología es una ajustada apreciación del contenido de la misma. La América que vive en estas páginas es entrañablemente cierta y está invocada desde una pasión respetuosamente medida. Que la literatura sustituye con ventaja a la historia es un aserto bien comprobado. Pero también auxilia y hasta puede reemplazar holgadamente a la sociología y a la antropología, de modo que una ordenación de textos literarios desde perspectivas socio-antropológicas, como sucede en esta recopilación, entra en el orden más natural de las cosas y es a la vez todo un hallazgo. No resulta, por cierto, casual que la autora sea una acreditada profesora de literatura con titulación de socióloga.

El mundo hispanoamericano de nuestra centuria desfila por estas páginas asediado por creadores muy distintos. Diferentes estilos, perspectivas, focalizaciones, ideologías se conjugan en estas visiones de una realidad múltiple en lo humano, lo cronológico –en percepciones diacrónica y sincrónica– y lo espacial. Los más variados semas que determinan la complejidad de esa constelación de culturas abiertas, cuyo eje es lo indígena y lo hispánico, comparecen aquí exigiéndose paso unos a otros. Mercedes Suárez ha huido de los criterios basados en las siempre controvertidas periodizaciones acuñadas para ofrecernos pasajes literarios agrupados por temas. El inventario es grande pero podría prolongarse; los autores seleccionados son muchos y bien representativos de tendencias variadas, pero cabría, sin duda, pensar en no pocos otros más. Una antología es siempre un reto, una decisión personal que, por su propia índole, no puede satisfacer todas las demandas. Evitaré, por eso, precisar las carencias que, como uno más entre muchos receptores, podría señalar, por tratarse de una empresa tan fácil como injusta, frente al extraordinario valor de la selección hecha y al esfuerzo que ha supuesto, sin que ello me impida una recomendación final que tiene un valor diferente.

Una literatura que cuenta bien un mundo, cuenta también el mundo. Hace años, Susan Sontag arremetió *contra la interpretación* en una defensa cerrada de la autonomía del texto literario. «En lugar de una hermenéutica, necesitamos –dijo– una erótica del arte». Pero si el arte –la literatura– es, como quería Borges, una cosa «agregada al mundo» y no su espejo, nadie podrá negar que, irremediablemente, tiene en ese mundo su referente y, en cualquier caso, nos ayuda a conocerlo y entenderlo, con lo cual no vemos que la erótica y la hermenéutica sean disociables en la consideración de los textos.

Los que aquí tenemos hacen absolutamente viable esta posición. La erótica del texto funciona no menos intensamente en los fragmentos de Juan Rulfo que en la «Sonatina» dariana –por señalar dos piezas muy opuestas de un gran todo– y aunque este poema parece mostrar que, como también señaló Borges, «la realidad no es continuamente criolla», es tan americano como aquéllos en cuanto está hecho con la sustancia de las ansias que un criollo tuvo de exaltar la nostalgia de la libertad desde un lenguaje que conmovió las viejas estructuras expresivas del español.

La escasez de antologías de las letras hispanoamericanas –que quien suscribe trató de paliar hace algunos años por lo que se refiere al tiempo anterior al siglo XX con excelentes colaboradores– hace especialmente oportuna la que ahora tenemos el gusto de introducir. Este instrumento de trabajo, cada una de cuyas partes está presentado con puntualizaciones, a veces breves, pero siempre oportunas, y donde queda señalada la buena selección de las ediciones de las que se ha partido, por no hablar de la acertada biobibliografía y el glosario que cierran la obra, se anuncia como una excepcional oferta de notoria utilidad en los distintos niveles del campo del americanismo. La autora nos permitirá que la instemos a que en futuras y deseables ediciones haga lo posible por dar entrada a la literatura dramática e incrementar la presencia del ensayo, comprendiendo las razones, sin duda vinculadas a la propia amplitud del material ofrecido, que en esta primera salida la han llevado a centrarse en otros géneros. Pero quede bien claro para concluir que, si nuestro saber y nuestro hacer son empresas comunitarias como querían Alfonso Reyes y Neruda, Mercedes Suárez nos convierte (y se convierte ella misma) en deudores de un afán que aquí se abre y se adelanta con verdadera ejemplaridad.

Luis Sáinz de Medrano
Catedrático de Literatura Hispanoamericana
Universidad Complutense de Madrid

Introducción

Esta antología es fruto tanto de la actividad docente como de experiencias personales. Haber nacido en México y haber vivido diecisiete años en diferentes países americanos sin duda ha contribuido a mi dedicación a la Literatura Hispanoamericana y al español de América. El conocimiento de diferentes realidades del Continente y la posibilidad de estudiar *in situ* muchas de las obras maestras de la poesía y narrativa me hizo comprobar que éstas reflejan dimensiones socioeconómicas, políticas y psicológicas de ese vasto territorio que sólo en el campo de la literatura llegó a realizar el sueño unitario de Simón Bolivar. Constatar que mi visión del mundo americano estaba contenida en la literatura me llevó a seleccionar textos literarios que reflejaran aspectos geográficos y culturales de Iberoamérica, la riqueza de sus Letras y las amplias posibilidades de nuestra lengua. Además, la carencia en editoriales y bibliotecas de antologías del siglo XX que compendiaran narrativa, poesía y ensayo continentales ha servido de estímulo para la investigación.

Así, de vivencias americanas, del disfrute y la docencia de la literatura y del vacío editorial, arrancó el proyecto de este trabajo que tiene por objeto difundir el español de América, lo universal y genuino del territorio y la riqueza de las letras hispanoamericanas.

La crestomatía no puede ser imparcial o exhaustiva. La objetividad puede quedar a veces enturbiada por la pasión o por limitaciones personales o geográficas. El ámbito de mi quehacer ha sido inmenso y la riqueza de la literatura inagotable. También hay que dejar claro que los puntos de vista de los autores antologados no coinciden necesariamente con los míos; su transcripción puede deberse al deseo de dejar constancia de la existencia de tales creencias o corrientes de opinión.

***

América no solamente ha sabido enriquecer el español con la incorporación de términos locales y audaces innovaciones léxicas; ha logrado conservar, pulir y ennoblecer innumerables vocablos y modismos que, incluso en España, han sido desterrados por el empuje de anglicismos, galicismos u otros neologismos. En todos los países hispanos, el pueblo, tanto el culto como el llano, conserva y recrea bellísimas palabras y evocadoras expresiones que están en desuso en la Península y otros países americanos. Espero, con los siguientes textos, despertar la sensibilidad del lector a la magia y esplendor del español de ultramar y que estas páginas sirvan de vasos comunicantes entre los diferentes pueblos hispanos. Animo también a sus habitantes a valorar el milagro de la palabra que nació en Castilla. Una vez más, podrán apreciar en esta obra que nuestra lengua es capaz de aunar etnias, nacionalidades y culturas y hacer posible el conocimiento entre cuatrocientos millones de hombres y mujeres. Confío en que los lectores de estos textos lleguen, como Alfonso Reyes, a considerar «un privilegio hablar español y entender el mundo en español».

Asimismo, pretendo dar acceso a un mundo fascinante en tipos, costumbres y tradiciones; a diferentes paisajes, a concepciones del tiempo y del espacio que no habían sido reflejadas en nuestra literatura, y que en América se empiezan a experimentar a partir del Modernismo. Contamos en este siglo con un elenco amplísimo de poetas y novelistas, de ensayistas e intelectuales que han sabido captar el mundo que les rodea y que han logrado comunicar de forma muy personal sus hallazgos y experiencias. Otros, a partir de Rubén Darío, han destacado por la creación de ámbitos imaginarios o acontecimientos fantásticos. Ambas actitudes no están claramente diferenciadas, pero siempre comparten la sensibilidad ante lo hispanoamericano. Se presentan aquí, a modo de instantáneas, diferentes aspectos de la América real y mágica que nos han legado sus literatos del siglo XX.

Además, los textos han sido seleccionados con la intención de reflejar la riqueza y renovación de las formas. Nuevas actitudes ante lo real y lo fantástico han dado lugar a cambios revolucionarios en la estructura y contenido de todos los géneros. De forma especial, poesía y narrativa han sufrido importantes transformaciones que, a su vez, han repercutido en otras literaturas. Para ilustrar esta renovación lingüística y literaria disponemos de una innumerable cantidad de textos. Su magnitud y su complejidad (sintaxis heterodoxa, estructuras revolucionarias e incorporación de léxico local, nuevo y arcaico) han posibilitado y también limitado la recopilación.

***

La investigación ha sido muy gratificante y ha superado las expectativas iniciales. Me vi sumergida en un universo opulento, riquísimo en imágenes y en palabras, en ideas y actitudes, plural en paisajes y en costumbres, con sueños y realidades muy diferentes. Huelga decir que, precisamente por esa abundancia, la selección final ha sido difícil y, en muchos casos, dolorosa. Teniendo en cuenta las limitaciones editoriales, he tenido que aplicar la tijera a textos muy representativos y abreviar diálogos o poemas notorios. Muy a menudo, he sido víctima del desencanto: obras que en su conjunto reflejan uno de los temas no contienen textos claros, cortos y suficientemente explícitos para ser reproducidos en una antología. Por imperativos de espacio, han sido relegados muchos autores y obras importantes. Quedan también por describir insólitos rincones, tipos y opiniones representativos de la idiosincrasia iberoamericana. La recopilación no pretende ser exhaustiva y se reduce a cincuenta y nueve autores que considero relevantes por su calidad literaria y su capacidad descriptiva.

Intencionadamente, presento diferentes enfoques sobre cada uno de los temas. En la variedad del mundo americano y de su literatura está el interés y atractivo que pueda albergar esta antología temática; intento representar facetas singulares o universales de los distintos aspectos y ofrecer variantes geográficas de los mismos. También, buscando la diversidad, se ofrecen, entrelazados, pequeños cuentos y extractos de famosas novelas y poemas, artículos de periódicos y fragmentos de ensayos. El lector podrá pasar de espacios reales a escenarios surrealistas y contemplar aspectos, objetivos o mágicos, de diversos personajes, lugares y cosas.

Confío en que la recopilación sea de gran utilidad para su uso en el aula literaria, sociológica y antropológica. Los comentarios que preceden a los textos servirán para fomentar su análisis, discusión y juicio crítico. También espero que este compendio sirva para alentar y estimular otras investigaciones que podrían tomar como punto de partida algunos capítulos de la obra.

La presente colección de textos va dirigida tanto a diletantes como a estudiosos que quieran enriquecerse con el *español de América* y sumergirse en las peculiaridades espaciales, étnicas y culturales del Nuevo Mundo. No existe nada más ilustrativo para conocer esa realidad que acercarse a su producción literaria. Ésta ha alcanzado en determinadas décadas tal exuberancia y originalidad que ha sido universalmente denominada el *Boom Hispanoamericano*.

***

Para la agrupación de los textos he preferido descartar los criterios cronológicos o la clasificación por géneros o autores. A fin de facilitar la comprensión del mundo iberoamericano han sido ordenados por *temas*. El primer bloque temático intenta reflejar lo más interesante de cualquier espacio geográfico: sus *GENTES*. Pretende ser, por un lado, una galería de personajes cotidianos y universales, y, por otro, presentar a aquellos que alcanzan ya la categoría de arquetipos, como el *tiranosaurio* o dictador americano.

A continuación, paso a la descripción de la *NATURALEZA Y OTROS ESCENARIOS* e intento, con pinceladas prestadas, retratar lugares tan dispares como la selva y la pampa, la cárcel y el burdel, el palacio del aristócrata y el rancho del pobre. Asimismo, quiero destacar la relación vinculante de los americanos con su hábitat.

Finalmente, en el apartado *REALIDADES Y FANTASÍAS* se reproducen, a modo de cajón de sastre, diversos textos de contenido muy diferente, con el fin de reflejar algunos aspectos de la dimensión real y fantástica del mundo americano. A las más objetivas descripciones de cosas se yuxtaponen pasajes del mundo de los sentidos, las creencias, los mitos y los sueños. En este capítulo la materia se mezcla con lo intangible, los objetos con el espíritu, lo palpable con lo onírico.

Cada tema contiene una breve introducción. Los textos van precedidos de una corta explicación sobre el contexto y el autor. Los títulos de los textos están entresacados de los pasajes o versos reproducidos; solamente las obras antologadas, en su mayor parte, conservan la denominación otorgada por el autor. Se ofrece al lector un breve panorama de la Literatura Hispanoamericana, un glosario de *español de América* y una *Biobibliografía*. Se han confeccionado dos índices, uno temático y otro de autores, que servirán para facilitar el seguimiento del plan general y de los literatos representados en la obra.

***

Con los criterios y objetivos aquí expuestos acometo el desafío de presentar una crestomatía sobre la América real y la América mágica. Reto bellísimo, tanto por el vehículo, el español de América, como por el ámbito: un mundo seductor, lleno de misterio, de razones y sinrazones. Ambos son suficientemente atractivos como para afrontar el laborioso estudio de tantos autores, nacionalidades, ambientes y generaciones. ¡Ojalá sea un vínculo más entre los países hispánicos!

***

Antes de iniciar una revisión de las principales tendencias y factores determinantes de la Literatura Hispanoamericana, sólo queda agradecer la ayuda de numerosos colaboradores, todos entusiastas de las letras hispánicas y de la lengua española. Sin el asesoramiento literario y lingüístico de Natalia Pérez de Herrasti y Mercedes Pico de Coaña *La América real y la América Mágica* no habría conseguido el rigor finalmente logrado. La primera, especialista en Literatura Hispanoamericana, contribuyó a la riqueza temática y propuso cambios e innovaciones técnicas y estilísticas. La segunda colaboró desde el primer día en la estructura del índice y en la selección y corrección de todos los textos. Mi familia ha demostrado paciencia inagotable y sensibilidad exquisita para criticar y estimular la investigación. Desde que conoció el bosquejo inicial de la obra, el doctor Juan Gustavo Cobo Borda le insufló aliento americano, aportó nuevas perspectivas e hizo sugerencias sobre la lista de autores. Los doctores Marina Gálvez y Jesús Benítez estimularon el desarrollo de la antología y el catedrático Luis Sáinz de Medrano apoyó el proyecto en su primera fase. José Antonio Sánchez Paso y Vicente Forcadell, de Ediciones Universidad de Salamanca hicieron gala de la tradicional acogida salmantina al español de América y acometieron con entusiasmo la edición de la obra. Magdalena Sánchez y Socorro López pulieron el estilo y ordenaron el manuscrito. Beatriz Galindo y Luján Martínez colaboraron en la corrección de pruebas. Finalmente, Manuel Fato y Jaume Compàc facilitaron el procesamiento de los textos. A todos les queda mi agradecimiento y el orgullo de haber contribuido a la difusión de una literatura de gran relevancia y singularidad y a la descripción de un universo que recorre una fascinante andadura.

La literatura hispanoamericana del siglo XX

No es arriesgado afirmar que la riqueza y singularidad de la Literatura Hispanoamericana residen en la relación íntima de la Literatura Española y las literaturas indígenas[1]. El «mestizaje» de filosofías y formas estéticas, aparentemente tan distintas, ha encontrado su cauce en la lengua española y ha sido potenciado de forma original por la desbordante imaginación americana. La pronta asimilación de otras literaturas contemporáneas ha universalizado sus formas y contenidos, dando lugar a la expresión artística que recientemente ha sorprendido al mundo.

Sin lugar a duda, los Comentarios del Inca Garcilaso y los villancicos de Sor Juana Inés de la Cruz son españoles y americanos, pues recogen esencias peninsulares y la impronta de glifos, poemas y leyendas autóctonos. Sin embargo, hasta bien avanzado el siglo XX la Literatura Hispanoamericana no ha encontrado plenamente su verdadera identidad. Con el transcurso de los siglos, las letras mestizas han ido desarrollando valores propios y han dejado de mirar a España y a Europa como únicas referencias para la creación literaria. Hoy, los escritores exploran preferentemente ámbitos locales o diferenciaciones nacionales, sin dejar de contemplar corrientes europeas o fenómenos literarios universales.

Este brevísimo panorama de la Literatura Hispanoamericana se inicia, como la antología misma, con la corriente modernista, por considerar que con la plenitud de su lírica se inicia la mayoría de edad de la Literatura Hispanoamericana. Antes, España había inspirado al Nuevo Mundo; a partir de Rubén Darío, América ilumina la Literatura Española llegando a veces a ensombrecerla. Además, durante esta segunda mitad del siglo XX, escritores de todos los continentes se inspiran y se interesan por la Literatura Hispanoamericana. El flujo de traducciones y ediciones en otras lenguas es hasta hoy imparable.

Es difícil resumir en pocas páginas la rica y compleja producción literaria de tantas décadas y países. La asombrosa coincidencia de centenares de figuras genia-

[1] Giuseppe Bellini habla acertadamente de sus vinculaciones íntimas, espirituales y expresivas.

les que se expresan en la misma lengua surgidas en un mismo (aunque heterogéneo) ámbito geográfico requeriría laboriosas explicaciones. Aquí nos limitaremos a destacar los factores que han determinado el resurgimiento de la Literatura Hispanoamericana y las principales tendencias poéticas, narrativas y ensayísticas resultantes de esta dinámica.

FACTORES DETERMINANTES Y PRINCIPALES TENDENCIAS

Tres han sido los principales agentes del espectacular florecimiento de las letras americanas de nuestro siglo y que, a su vez, han determinado las principales corrientes literarias: la recuperación de la identidad continental, la apertura hacia el exterior y, por supuesto, los acontecimientos históricos, locales y universales. La combinación de estos factores ha impulsado la riqueza y singularidad de las literaturas en lengua española, que han alcanzado una proyección universal inusitada por consituir un rico mosaico de voces y de estilos.

I. Recuperación de la identidad americana

Los movimientos independentistas defendieron la autonomía política y fomentaron nacionalismos incipientes, pero fueron a la zaga de ideas y formas foráneas. Sólo a finales del siglo XIX, empezó a gestarse en América Latina la búsqueda de peculiaridades continentales. Durante las primeras décadas del XX, rigurosos intelectuales reivindicaron rasgos diferenciales (geográficos, culturales, lingüísticos, étnicos e históricos) e impulsaron el orgullo y desarrollo de esas características. Las propuestas de los *americanistas* calaron hondo en las conciencias y sintonizaron con el gusto de los hombres de letras que, poco a poco, fueron «americanizando» su obra. En el campo literario esta renovación «hacia adentro» se manifestó en dos vertientes fundamentales:

a) *Cambio de actitud ante la Naturaleza:* los escritores habían ido descubriendo la originalidad y esplendor de la Naturaleza americana (gigantismo, exuberancia frente a extremada aridez, diversidad, exotismo, protagonismo de los animales...) pero se limitaban a describirla con mayor o menor objetividad. Progresivamente, fueron surgiendo ante sus ojos otras posibilidades del paisaje americano. El escritor empezó a desentrañar los rasgos «personales» de la Naturaleza y a reflejar en la literatura la relación vinculante del hombre con su hábitat. Tal cambio de perspectiva literaria no fue un juego de imaginación, ni una figura estilística, sino el resultado de la observación directa y de la expresión de vivencias personales: los habitantes de América hablan con los árboles, las flores y los animales; recriminan resignadamente a la Tierra por las calamidades que les ocasiona y le agradecen efusivamente sus dádivas. El éxito de los autores consistió y consiste todavía en reflejar estas relaciones afectivas de los americanos con los elementos de la Naturaleza, a los que dotan de vida propia. En la Literatura Hispanoamericana los árboles ven, la selva devora, los terremotos castigan y los animales se confabulan contra el hombre que los agrede.

La personificación de la Naturaleza y de las fuerzas ocultas que la animan comienza a cobrar importancia a finales del siglo XIX; el nuevo tratamiento se inicia con el CUENTO FANTÁSTICO DE LA SELVA y con el MOVIMIENTO MODERNISTA, y se prolonga hasta el día de hoy. Los modernistas, amantes de los símbolos y del misterio, de lo exótico, del color y el movimiento, encontraron en la flora y en la fauna motivos para sus poemas y relatos; también redescubrieron parajes desérticos y ruinas precolombinas para desahogar su melancolía.

LAS NOVELAS DE LA TIERRA (género de gran auge en los años veinte), en su intento de reflejar la lucha entre el hombre y la Naturaleza, hostil y gigantesca, nos legan una descripción realista del paisaje local y del talante del hombre americano, que lucha por dominarla. De esta pugna secular destacan tanto el grandioso protagonismo del territorio como la idiosincrasia de sus habitantes. La superación de esta corriente *regionalista* no supondrá nunca el abandono de la exaltación de la tierra y todavía hoy aparece el paisaje como héroe o antihéroe de sugerentes narraciones o poemas.

b) *Valoración y desarrollo de elementos propios.* Frente a la tradicional exaltación de valores foráneos, los escritores pasan a explorar y enaltecer lo «americano». En el siglo XX las manifestaciones socioculturales del continente empiezan a acaparar el interés de los artistas; las etnias, los mitos coloniales y prehispánicos, la historia y las tradiciones americanas ocupan parte central de la temática artística. En el campo de las letras, el mestizaje literario comienza a generalizarse y a hacerse más explícito con la incorporación consciente de ingredientes lingüísticos, temáticos o expresivos, propios de cada región o país. El DISCURSO AMERICANISTA de entreguerras, de gran contenido emocional, ético y hasta científico inició una mística continental que propició el culto y desarrollo de valores autóctonos.

Además, la inmersión en «lo propio» habría de potenciar lo genuinamente americano inherente a cada artista; esto facilitó el desarrollo de la creatividad y fantasía de escritores indios y criollos que, lógicamente, tienen características específicas.

El interés por la historia nacional y el desarrollo de peculiaridades ha dado lugar a una temática regional iniciada por la NOVELA DE LA REVOLUCIÓN MEXICANA. Este ciclo narrativo, inaugurado por Mariano Azuela en 1916, supone una revisión de acontecimientos histórico-locales y presenta un enfoque sociológico y crítico que se opone al triunfalismo político. Más que literatura revolucionaria, este género expresa escepticismo o nostalgia ante una Revolución inconclusa. Incorpora, además, nuevas técnicas narrativas, entre las que destaca el uso de la instrospección para describir la visión subjetiva de personajes y acontecimientos.

LA NOVELA INDIGENISTA surge de la preocupación social de los escritores y revela uno de los aspectos más importantes de la búsqueda de valores locales realizada por la literatura realista. Sin embargo, en su patético intento de defender al nativo americano frente al terrateniente criollo o extranjero, los indigenistas caen a menudo en un sentimentalismo maniqueo. De cualquier modo, esta corriente ha supuesto la reivindicación de la dignidad de los olvidados indígenas y la exaltación de sus mitos y costumbres. Una vez cerrado este ciclo, la inquietud por la problemática indígena ha seguido palpitante en otras tendencias literarias (realismo mágico, narrativa fantástica y neorrealista...).

Asimismo, el interés por temas autóctonos se manifiesta en LA POESÍA DE LA NEGRITUD, que da un gran vuelco temático a la lírica hispánica para penetrar en los sustratos africanos de la cultura caribeña. Esta poesía se inspira en la magia, ritmos y canciones antillanas y refleja la preocupación por el estado de injusticia en que viven negros y mulatos.

Ya en la segunda mitad del siglo, LA NOVELA NEORREALISTA y su subgénero, LA NOVELA URBANA, se distancian de la narrativa realista al introducir grandes cambios estructurales y técnicos. Nuevos novelistas, generalmente comprometidos ante la sociedad en la que viven, rompen con el academicismo literario al considerar sus normas insuficientes para reflejar la compleja problemática americana. Describen con detalle los aspectos de la realidad que más les interesan, abandonando, sin embargo, las concepciones tradicionales de tiempo y espacio. Destacan, así, nuevas perspectivas de los acontecimientos y presentan con gran crudeza los males endémicos que afectan a sus países, muchas veces concentrados en las grandes ciudades. Narradores y poetas hispanoamericanos incorporan hoy al mundo de lo real mitos y tabúes precolombinos y presentan nuevos aspectos de viejos temas, como el de la vida misma y el de la omnipresencia de la muerte, ambos palpitantes en el pensamiento prehispánico.

LA LITERATURA FANTÁSTICA hispanoamericana es muchas veces inclasificable por su originalidad e independencia formal y conceptual. El género tiene poco que ver con las literaturas fantásticas europeas de dragones, duendes y hadas; es más bien resultado de la potenciación de las singularidades de cada artista (creatividad y fantasía, subjetivismo, imaginación exuberante o espíritu libertario). La tendencia natural de los criollos a crear ámbitos propios y a descomponer la visión aparentemente única de la realidad da lugar a mundos insólitos, desmitificaciones, cuestionamientos, conjeturas, planteamientos ambiguos, visiones polivalentes y referencias oníricas. Viejas fábulas, mitos, historia, arquetipos y acontecimientos cotidianos son «recontados» y presentados desde puntos de vista subjetivos. (Como se verá más adelante, también la fuerte influencia de las vanguardias europeas favorece esta forma de expresión literaria.) En esta corriente hay que destacar sobre todo las obras de Borges y Cortázar quienes, a la fábula mítica y cotidiana y a la ficción fantástica, agregan un abundante contenido intelectual.

Por otro lado, Alejo Carpentier, una vez descubierta la narrativa fantástica extranjera, se da cuenta de que un caribeño no necesita artificios literarios para crear mundos mágicos. No hay por qué recurrir a fantasías inventadas: la realidad americana, afirma, encierra en sí misma suficientes prodigios para seducir y sorprender. La fórmula de LO REAL MARAVILLOSO que, según el cubano «presupone una fe» y conlleva «una exaltación del espíritu», ha sido adoptada por numerosos artistas que, siempre según Carpentier, fueron favorecidos por «una revelación privilegiada de la realidad» y se dedicaron con gran éxito a desentrañar y comunicar el sentimiento maravilloso que se desprende del mundo americano. La riqueza de posibilidades de esta perspectiva, que supone un rechazo de la lógica y razón convencionales, es inmensa y ha sido sabiamente expresada en poesía y narrativa.

Igualmente, los seguidores del REALISMO MÁGICO se distancian del realismo decimonónico, al buscar y encontrar una dimensión más amplia de lo que hasta entonces se había dado en llamar realidad: la contemplación de los aspectos mágicos (milagros y prodigios, mitos y leyendas populares, *adivinación poética* de poderes ocultos...) asegura, proporciona una perspectiva más transcendente y, por lo tanto, más verdadera. En efecto, este enfoque de la Literatura Hispanoamericana ha posibilitado la comprensión universal de aspectos desconocidos o despreciados de la idiosincrasia continental y ha cautivado a numerosos lectores en el mundo entero. El REALISMO MÁGICO ha potenciado el descubrimiento de la verosimilitud de lo que el lector europeo siempre creyó inverosímil.

II. APERTURA AL EXTERIOR Y ORIGINAL ASIMILACIÓN DE IDEOLOGÍAS Y TENDENCIAS LITERARIAS EXTRANJERAS

Como ya se ha apuntado, la literatura americana ha sufrido también grandes transformaciones originadas por el contacto con las grandes literaturas occidentales. Los avances de los medios de comunicación han estimulado las inquietudes internacionales de poetas y narradores, que pronto se convirtieron en famosos cosmopolitas. Algunos, conscientes de la necesidad de afianzar sus conocimientos y exponer los resultados de sus propias investigaciones, recorrieron universidades americanas y europeas. Otros buscaron la aventura literaria y se establecieron como estudiantes en el extranjero. Numerosos escritores, con el fin de ampliar su ámbito artístico, solicitaron puestos diplomáticos en el exterior; mientras tanto, funcionarios internacionales destacados en Europa y Estados Unidos se sumergieron en los ambientes literarios, fueron seducidos por las nuevas corrientes artísticas y se pusieron a escribir. Destacados políticos e intelectuales comprometidos socialmente se exiliaron voluntaria o involuntariamente; en el destierro pudieron expresar su denuncia por medio de la literatura y ampliar su marco ideológico. Todos los artistas viajeros, al regresar a sus países (porque casi todos volvieron), lo han hecho con un gran bagaje doctrinal, cultural y literario. Por lo tanto, la avidez viajera y el aprendizaje de nuevas técnicas y formas de expresión no han supuesto pérdida alguna para la literatura local. Todo lo contrario: ésta se ha visto sumamente enriquecida por el cosmopolitismo. Los autores casi siempre conservaron a América como fuente de inspiración y marco de referencia; incluso se podría asegurar que muchos autores descubrieron América en Europa y que, a mayor distanciamiento de la patria, se observa mejor comprensión e interés por la problemática latinoamericana.

A pesar de que Bécquer y el simbolismo francés habían inspirado a Rubén Darío y marcado el nuevo rumbo que supuso EL MODERNISMO, hasta los años veinte no se produjo en el Continente el gran impacto de las letras europeas y norteamericanas. La Literatura Hispanoamericana empieza entonces a recibir la influencia de las vanguardias. Madrid fue el puente utilizado por los escritores para establecer contacto con Europa, y fue en España donde muchos comenzaron su renovación y dejaron sus primeras huellas literarias. París fue la meca de los grandes cambios artísticos de la primera mitad del siglo y por Francia pasaron casi todos los grandes poetas de ultramar, asimilando y enriqueciendo simultáneamente el renacimiento estético y conceptual. LA POESÍA DE VANGUARDIA hispanoamericana generó sus propios movimientos (por ejemplo, EL CREACIONISMO de Huidobro) y se inspiró en el arte europeo para desterrar los rescoldos modernistas, inaugurando una nueva poesía. EL ULTRAÍSMO ARGENTINO tuvo sus orígenes en el primer viaje a España de Borges y consiguió adeptos en todo el Continente.

Sin embargo, fueron los grandes movimientos artísticos europeos –Cubismo, Dadaísmo y Surrealismo– los que inspiraron el gran vuelco de la poesía. De forma especial, el Surrealismo encontró eco en la sensibilidad americana. El talante libérrimo y la poderosa imaginación de los americanos descubrieron en este movimiento la vía para expresar los registros más íntimos y las voces más profundas de los poetas. La singular profusión de imágenes, símbolos y sueños de los americanos encontró cómodo cauce en el verso libre. La riqueza expresiva de la lengua española, muchas veces reinventada en Ultramar, potenció también una nueva poesía cuyos rasgos se prolongan hasta nuestros días. La exploración lingüística y literaria, y la libertad formal son todavía una constante de la Literatura Hispanoamericana; la proliferación de revolucionarios antipoemas, jitanjáforas, caligramas, etc. es resultado del aprovechamiento de renovaciones iniciadas en el extranjero; otros juegos fonéticos y tipográficos, además de investigaciones técnicas y lingüísticas han emanado asimismo de las vanguardias norteamericanas y europeas.

También LA NUEVA NARRATIVA habría de entresacar de las nuevas tendencias artísticas y filosóficas formas expresivas inéditas, y temas y espacios novedosos: símbolos y figuraciones surrealistas invaden relatos y novelas; el «yo» cobra importancia frente al «ellos»; la introspección y el mundo de los mitos y los sueños empiezan a formar parte de la realidad que describen los prosistas. Las vanguardias y sus secuelas favorecieron el descubrimiento y valoración de las múltiples dimensiones del mundo antes llamado *real*. Cuentistas y narradores, al modo cubista, descomponen la visión convencional de la realidad, del tiempo y del espacio. En el campo de la literatura es evidente la huella dejada en la nueva novela por Woolf, Kafka, Faulkner, Joyce, Sartre y Camus, entre otros. La lectura de obras anglosajonas, francesas y alemanas perfiló las singulares vertientes de la nueva narrativa hispanoamericana. Estas y otras corrientes artísticas estimularon la latente creatividad de los narradores hispanoamericanos, incitándolos a ampliar su ficción y el ámbito de contemplación de la realidad. Es así como la novela contemporánea de Hispanoamérica, renovando técnicas y estructuras, llega a desintegrar la percepción tradicional del universo y a ofrecer una visión más personal y menos solemne del mismo.

Las nuevas concepciones del tiempo, la valoración del subjetivismo y la representación literaria del subconsciente son resultado de experiencias surrealistas y psicoanalíticas; aun en aras del equilibrio formal, el Expresionismo propugnó la vehemencia expresiva. El espíritu anárquico de los artistas europeos fomentó el individualismo americano y condujo al rechazo de la lógica y de los academicismos, con el consiguiente estudio de nuevas técnicas narrativas. Como consecuencia del arraigo occidental del Existencialismo, los autores pasaron a reflejar la angustia vital y el sentimiento de soledad que genera la sociedad contemporánea. En el Cono Sur se desarrolló, con acento americano, LA NOVELA DE LA INCOMUNICACIÓN, DEL VACÍO EXISTENCIAL Y DE LA SOLEDAD que alcanzó gran calidad en la obra de Sábato y Onetti. Asimismo, el Marxismo y otras corrientes filosóficas dieron vida a la literatura de denuncia. La LITERATURA TESTIMONIAL recoge el clamor desesperado de los escritores americanos ante las situaciones de injusticia. La tiranía y el despotismo empiezan a ser contestados en los años veinte y la condena de atropellos políticos y sociales cobra virulencia con el discurrir del siglo[2]. La explotación de los débiles, las discriminaciones racistas, los abusos de terratenientes y multinacionales son denunciados con toda crudeza por novelistas y poetas que, sin duda, han contribuido con sus críticas a una regeneración ética y política del continente y han acelerado el advenimiento de la democracia en muchos países.

III. DINÁMICA DE LA HISTORIA CONTINENTAL Y UNIVERSAL

Iberoamérica, cada vez más integrada en el mundo occidental, ha sufrido las incidencias de las dos Grandes Guerras y de la Revolución Soviética. Migraciones, cambios económicos y el flujo de corrientes políticas y sus vertientes extremas (totalitarismos fascistas y comunistas) cambiaron el panorama social de toda América y definieron el posicionamiento político de los escritores. También la dinámica del subcontinente generó sus propias revoluciones, tendentes a derrocar a numerosos tiranos. La Revolución Mexicana, anterior a la Soviética, se constituyó en paradigma de todos los sectores deseosos de cambios políticos y sociales en sus propios países. La Revolución Cubana colmó de esperanza el ánimo de casi todos los intelectuales hispanoamericanos y la muerte del *Che* Guevara en Bolivia afianzó el compromiso político de narradores y poetas. Sólo la persecución del poeta revolucionario Herberto Padilla por Fidel Castro hizo cambiar de rumbo a escritores filomarxistas (Vargas Llosa, Carlos Fuentes y Jorge Edwards, entre otros). Algunos, como Octavio Paz, tras la matanza de Tlatelolco por un gobierno *revolucionario*, cambiaron de rumbo ideológico a causa de acontecimientos locales. La Revolución Sandinista de Nicaragua siguió entusiasmando a muchos, pero la caída del muro de Berlín (que curiosamente coincide con el ocaso de las dictaduras americanas) distanció a muchos autores de la utopía revolucionaria.

[2] Es de especial relevancia el subgénero de LA NOVELA DEL TIRANO HISPANOAMERICANO que fue y sigue siendo cultivada desde diferentes perspectivas.

Por otro lado, la proximidad y el poderío económico y cultural de los Estados Unidos (que produjo también una original literatura, punto de referencia para muchos hispanoamericanos) facilitó a Latinoamérica, a través del comercio y de las multinacionales, innovaciones tecnológicas y culturales. Los excesos de las compañías europeas y norteamericanas dieron lugar a denostadas denuncias literarias y a frecuentes nacionalizaciones. La LITERATURA COMPROMETIDA contribuyó con su protesta ética o con manifestaciones abiertamente revolucionarias al afianzamiento del antiimperialismo, a la toma de conciencia sobre problemas locales y al triunfo de gobiernos revolucionarios.

Los grandes cambios sociales que tuvieron lugar en el mundo occidental también llegaron a América. La problemática de la gran ciudad tuvo y tiene en el subcontinente una nueva dimensión: la explosión demográfica y el subdesarrollo empujaron a ingentes muchedumbres a abandonar el campo para hacinarse en monstruosas ciudades. Por tanto, LA NOVELA URBANA hispanoamericana contempla, además de la problemática existencial de la llamada novela urbana contemporánea, problemas específicos de la integración ciudadana de ingentes masas de indígenas y de un campesinado casi arcaico.

También el cambio de situación legal, política y social de la mujer promocionó la LITERATURA FEMENINA. Ya en los albores del siglo, varias poetisas contribuyeron a la liquidación del Modernismo. Reivindicaron una poesía más humana y la atención a los problemas personales de la mujer. Su acento intimista o su tempestuoso estallido ha abierto camino a muchas escritoras que en la actualidad producen originales narraciones o exquista poesía.

En esta última década del siglo XX la Literatura Hispanoamericana sigue siendo creativa e investigadora. Los grandes cuestionadores del lenguaje continúan la búsqueda de nuevas posiblidades expresivas. Muchos alcanzan un notable virtuosismo técnico que seduce a sus colegas pero no consigue llegar al público; la nueva experimentación poética y narrativa adolece a menudo de un rebuscado intelectualismo. El teatro hispanoamericano sigue su trayectoria, pero no alcanza todavía la resonancia universal de la poesía o la narrativa. Sin embargo, muchos autores hacen una literatura personal, cuyo concierto polifónico sacia los gustos de diferentes sensibilidades. Numerosos novelistas perpetúan la senda del realismo mágico, que todavía hoy consigue asombrosos éxitos editoriales y comerciales. Grandes ensayistas y novelistas neorrealistas siguen rastreando los signos de la identidad americana; los contadores de cuentos y los historiadores desentierran narraciones legendarias o hechos históricos continentales que suscitan gran interés internacional. El gran vuelco iniciado por las grandes obras de los años cuarenta no ha terminado aún y la Literatura Hispanoamericana sigue renovándose. Mientras tanto, un grupo numeroso de autores hispanoamericanos han pasado a ser considerados «clásicos» de la Literatura Universal.

I. GENTES

El indio huyó desde su piel al fondo
de antigua inmensidad de donde un día
subió como las islas: derrotado,
se transformó en atmósfera invisible...

PABLO NERUDA

Resulta que el indio lo andamos* dentro. Debemos hacerle hablar, darle la palabra, recreando sus grandes mitos, sus grandes logros poéticos.

PABLO ANTONIO CUADRA

...no habían visto descollar a un indio, distinguirse, imponerse, dominar, hacerse obedecer de los blancos.

ALCIDES ARGUEDAS

«-A los indios los ponemos en vereda fácilmente. ¡Esclavos por siglos, no tienen olfato ni coraje! Orines en vez de sangre. El Perú caminará bien y con poca pólvora mientras tengamos indios.»

JOSÉ MARÍA ARGUEDAS

¡Qué bien armonizan con la flor la sonrisa y el sollozo del indio! ¡Qué hechas, sus manos, para cultivar y acariciar flores!

ALFONSO REYES

I. LOS INDIOS

Reacia a la aculturación, gran parte de la población americana conserva patrones culturales autóctonos y coloniales. Dejados de la mano de muchos gobiernos, anclados en el pasado y acusados de pasividad e indolencia, los indígenas resisten los embates de nuevas civilizaciones y, a veces, reaccionan con larvada virulencia ante los abusos y agresiones de blancos, cholos* y mestizos.

Todavía se debate el origen de los primeros americanos: unos apuntan que pertenecen a las tribus que poblaban la Atlántida antes de desgajarse ésta de América; otros aseguran que llegaron de Asia por vía marítima. Hoy parece imponerse la tesis de que los aborígenes proceden de pueblos mongoles que llegaron a América a través del estrecho de Bering. Existen muchas diferencias entre las distintas etnias americanas. Entre las tribus del Amazonas y los escasos indígenas que sobreviven en las pampas hay muchas variantes de razas y costumbres. Las poblaciones que viven en los grandes altiplanos de México, Guatemala, Perú, Ecuador y Bolivia son las que han conservado más usos y creencias precolombinos; además, han asimilado mejor la civilización colonial, lo que hace que constituyan riquísimas y muy personales culturas.

Los indios, sus ritos y tradiciones han sido objeto de numerosos estudios antropológicos y de originales manifestaciones artísticas. La mayoría de los autores hispanoamericanos valoran positivamente la idiosincrasia indígena y achacan a la explotación y a la xenofobia de otras razas la situación de retraso y miseria en que viven estos pueblos.

La feria es una colección de imágenes y recuerdos de la infancia de Juan José Arreola. En la obra, como en su memoria, las conversaciones evocadas se ven interrumpidas por descripciones de lugares o de cosas que, a su vez, están intercaladas por diálogos sobre distintos temas. Finalmente, la obra nos deja una satírica y peculiar visión de la problemática mexicana. A continuación, el autor resucita una vieja polémica, presentando diferentes valoraciones sobre el carácter de los indígenas.

VENDEN LA CASITA Y EL BURRO

—¿Justicia? Yo les voy a dar su justicia a todos estos indios argüenderos*, despachando al otro barrio a dos o tres de los más alebrestados*. Además, no es cierto que nadie les haya quitado nada. Ellos lo han perdido todo por güevones*, borrachos, gastadores y fiesteros. Aunque les volvieran a dar todo lo que piden (entre paréntesis, yo no sé a qué le van tirando*), le aseguro que en dos o tres años ya se les habría acabado en azúcar, pólvora y alcohol. Con el pretexto de festejar a la Santa Cruz o a San Cuilmas el Petatero, y por la presunción de ser Capitán de Vivas o Capitán de Enrosos, cualquiera de ellos, dígame si no, es capaz de quedarse hasta sin calzones...

—Un momentito por favor, permítame usted un momentito. Estoy de acuerdo en que estas gentes todo se lo beben, de acuerdo. Venden la casita y el burro y hasta la madre si usted quiere, pero lo que no podían vender eran las tierras comunales y mucho menos las capillas... Ésas, me va a perdonar que se lo diga aquí entre nos, ésas se las quitamos nosotros a la brava, o con trampa, como usted quiera, que para el caso es igual. Y ni siquiera les dimos a cambio el azúcar, el alcohol, y la pólvora para sus *argüendes**... [...]

—Yo no estoy de acuerdo en que los indios sean por naturaleza indolentes y viciosos. Si son así, no tienen la culpa. También yo me puse ya a leer papeles viejos y hasta un libro de historia. ¿Usted cree que le iban a tener apego a la vida, o que iban a sentir amor por sus cosas, y hasta por su propia familia, aquellas gentes que fueron tratadas como animales? ¿No ha oído usted hablar de los repartos de indios? Si era usted hacendado en aquel entonces, por el simple hecho de tener tierras y ser gente de razón, usted podía solicitar que le dieran indios, como ahora se les dan bueyes a los medieros*. Y *nomás** venía *la realada**, como si fuera una leva. Usted pedía veinte o treinta, o cien indios, pongamos por caso, y se los mandaban a Zalcoalco o hasta a Guadalajara, de aquí o de San Gabriel, así *nomás* como si fueran bestias. Y esa gente no volvía a saber de hijos ni de mujer, aunque las leyes decían que para cada hacienda debían llevarse indios de lugares cercanos y que no tuvieran familia y que había que pagarles tanto más cuanto. Nadie hacía caso. Los trataban como esclavos, y para lo que *te truje**, ponte a trabajar hasta que te mueras...

JUAN JOSÉ ARREOLA, *La feria.* (1963). Ed. Joaquín Mortiz, Serie del volador, México, D. F., 1970. Pp. 35-36 y 37.

Con muy pocas pinceladas, Miguel Ángel Asturias traza un veraz retrato de los sufridos indígenas guatemaltecos, de sus rasgos étnicos y de sus componentes socio-culturales. En este breve texto también se trasluce la compasión y respeto que le inspiran sus marginados compatriotas.

CARAS DE COBRE

Amanecía...

Las cuadrillas de indios que barrían durante la noche las calles céntricas regresaban a sus ranchos uno tras otro, como fantasmas vestidos de jerga*, riéndose y hablando en una lengua que sonaba a canto de chicharra en el silencio matinal. Las escobas a manera de paraguas cogidas con el sobaco. Los dientes de turrón en las caras de cobre. Descalzos. Rotos*. A veces se detenía uno de ellos a la orilla del andén y se sonaba al aire, inclinándose al tiempo de apretarse la nariz con el pulgar y el índice. Delante de las puertas de los templos todos se quitaban el sombrero.

Amanecía...

MIGUEL ÁNGEL ASTURIAS, *Obras completas:* «El Señor Presidente». (1946). Aguilar, Madrid, 1967. Tomo I, p. 300.

Vargas Llosa vive la pasión de la literatura; la política, la amistad, la sociología y el arte colman su vicio de escribir. En *El hablador* refleja algunos de sus anhelos e inquietudes: la admiración por un viejo amigo y el interés por conocer las tribus que pueblan la Amazonía. El peruano también participa en el debate progreso-conservación de la Naturaleza y cuestiona la aculturación de las minorías. Se reproducen aquí algunas de sus observaciones sobre los indios machiguengas obtenidas durante una expedición a la selva, y extractos de la discusión sostenida con su amigo Mascarita. Éste, dejando su profesión, se integrará en la tribu amazónica y se convertirá en *hablador*.

LOS MACHIGUENGAS

Lo que los Schneil habían podido averiguar de su mitología, creencias y costumbres, insinuaba la dureza de la existencia que habían llevado y dejaba entrever briznas de su historia. Habían sido soplados por el dios Tasurinchi, creador de todo lo existente, y carecían de nombres propios. Su nombre era siempre provisional, relativo y transeúnte: el que llega o el que se va, el esposo de la que acaba de morir o el que baja de la canoa, el que nació o el que disparó la flecha. Su idioma sólo admitía estas cantidades: uno, dos, tres y cuatro. Todas las otras se expresaban con el adjetivo «muchas». Su noción del paraíso era modesta: un lugar donde los ríos tenían peces y los bosques, animales para cazar. Asociaban su vida nómada al tránsito de los astros por el firmamento. El índice de muertes voluntarias entre ellos era altísimo. Los Schneil nos refirieron algunos casos que habían presenciado de machiguengas –hombres y mujeres, pero, principalmente, estas últimas– que se quitaban la vida clavándose espinas de chambira en el corazón o en las sienes, o tomando bebedizos ponzoñosos, por motivos fútiles, como una discusión, fallar la flecha o haber sido reprendidos por un familiar. Una contrariedad insignificante podía empujar al machiguenga a matarse. Era como si su voluntad de vivir, su instinto de supervivencia, se hubiera reducido a su mínima expresión.

La menor enfermedad solía acabar con ellos. Tenían un miedo cerval al catarro, como muchas tribus de la Amazonía –estornudar delante suyo significaba, siempre, espantarlos– pero, a diferencia de otras, se negaban a sanar cuando caían enfermos. Al primer dolor de cabeza, hemorragia, accidente, se disponían a morir. Rechazaban tomar medicinas o dejarse curar. «Para qué, si de todas maneras hemos de irnos», respondían. Sus brujos o curanderos –los seripigaris– eran consultados y requeridos para exorcizar los malos espíritus y los daños del alma; pero una vez que éstos se manifestaban en males del cuerpo los tenían poco menos que por irreparables. Era un espectáculo frecuente, entre ellos, ver que el enfermo se iba a acostar junto al río, a esperar la muerte.

Su susceptibilidad y desconfianza hacia los forasteros eran extremadas, así como su fatalismo y timidez. Los sufrimientos experimentados por la comunidad durante la época del caucho, cuando eran cazados por los «habilitadores» de los asentamientos o por indios de otras tribus que de este modo pagaban sus deudas con los patronos, habían dejado una impronta de terror en sus mitos y leyendas referidos a aquella época, a la que denominaban la sangría de árboles. Tal vez era cierto, como sostenía un misionero dominico, el Padre José Pío Aza –el primero en estudiar su idioma–, que ellos eran los últimos vestigios de una civilización panamazónica (sobre la que atestiguarían los misteriosos petroglifos dispersos por el Alto Urubamba) que, desde su choque con los Incas*, habían venido sufriendo derrota tras derrota y paulatinamente extinguiéndose. [...]

A veces, para ver hasta dónde podía llevarlo «el tema», yo lo provocaba. ¿Qué proponía, a fin de cuentas? ¿Qué, para no alterar los modos de vida y las creencias de unas tribus que vivían, muchas de ellas, en la Edad de Piedra, se abstuviera el resto del Perú de explotar la Amazonía? ¿Deberían dieciséis millones de peruanos renunciar a los recursos naturales de tres cuartas partes de su territorio para que los sesenta u ochenta mil indígenas amazónicos siguieran flechándose tranquilamente entre ellos, reduciendo cabezas y adorando al boa constrictor? ¿Debíamos ignorar las posibilidades agrícolas, ganaderas y comerciales de la región para que los etnólogos del mundo se deleitaran estudiando en vivo el potlach, las relaciones de parentesco, los ritos de la pubertad, del matrimonio, de la muerte, que aquellas curiosidades humanas venían practicando, casi sin evolución, desde hacía cientos de años? No, Mascarita, el país tenía que desarrollarse. ¿No había dicho Marx que el progreso vendría chorreando sangre? Por triste que fuera, había que aceptarlo. No teníamos alternativa. Si el precio del desarrollo y la industrialización, para los dieciséis millones de peruanos, era que esos pocos millares de calatos* tuvieran que cortarse el pelo, lavarse los tatuajes y volverse mestizos –o, para usar la más odiada palabra del etnólogo: aculturarse–, pues, qué remedio. [...]

—¿Nos dan derecho nuestros autos, cañones, aviones y Coca-Colas a liquidarlos porque ellos no tienen nada de eso? ¿O tú crees en lo de «civilizar a los chunchos*», *compadre*? ¿Cómo? ¿Metiéndolos de soldados? ¿Poniéndolos a trabajar en las chacras*, de esclavos de los criollos tipo Fidel Pereira? ¿Obligándolos a cambiar de lengua, de religión, de costumbres, como quieren los misioneros? ¿Qué se gana con éso? Que los puedan explotar mejor, nada más. Que se conviertan en zombies, en las caricaturas de hombres que son los indígenas semi aculturados de las calles de Lima.

MARIO VARGAS LLOSA, *El hablador.* (1987). Seix Barral, Barcelona, 1991. Pp. 81-83, 23-24 y 28.

La paciencia del indígena también tiene límites y el estallido de su latente violencia puede alcanzar una intensidad insospechada. Icaza, que siempre considera al indio víctima del blanco y del mestizo, narra cómo un ambicioso latifundista despoja a los runas* de sus pequeñas parcelas de tierra (huasipungos). El objetivo del terrateniente es dar acceso a sus propiedades a una multinacional extranjera. La reacción de los campesinos ante la vil sarta de abusos y vejaciones surge liderada por Andrés. El novelista ecuatoriano describe, con gran fuerza expresiva y abundantes términos locales, el avance y clamor de la multitud suicida.

REBELDÍA ANCESTRAL

En espera de algo providencial, la indiada*, con los labios secos, con los ojos escaldados, escudriñaba en la distancia. De alguna parte debía venir. ¿De dónde? ¿De dónde, carajo? De... De muy lejos al parecer. Del corazón mismo de las pencas de cabuya*, del chaparro*, de las breñas* de lo alto. De un misterioso cuerno que alguien soplaba para congregar y exaltar la rebeldía ancestral. Sí, llegó. Era Andrés Chiliquinga que, subido a la cerca de su huasipungo* –por consejo e impulso de un claro coraje en su desesperación–, llamaba a los suyos con la ronca voz del cuerno de guerra que heredó de su padre.

Los huasipungueros del cerro –en alerta de larvas venenosas– despertaron entonces con alarido que estremeció el valle. Por los senderos, por los *chaquiñanes**, por los caminos corrieron presurosos los pies desnudos de *las longas** y de los muchachos, los pies calzados con *hoshotas** y con alpargatas de los runas*. La actitud desconcertada e indefensa de los campesinos se trocó al embrujo del alarido ancestral que llegaba desde el huasipungo de Chiliquinga en virilidad de asalto y barricada.

De todos los horizontes de la ladera y desde más abajo del cerro llegaron los indios con sus mujeres, con sus guaguas*, con sus perros, al huasipungo de Andrés Chiliquinga. Llegaron sudorosos, estremecidos por la rebeldía, chorreándoles de la jeta el odio, encendidas en las pupilas interrogaciones esperanzadas:

—¿*Qué haremus, caraju?* [...]

La multitud campesina –cada vez más nutrida y violenta con indios que llegaban de toda la comarca–, llevando por delante el grito ensordecedor que les dio Chiliquinga, se desangró chaquiñán abajo. Los runas más audaces e impacientes precipitaban la marcha echándose en el suelo y dejándose rodar por la pendiente. [...]

En mitad de aquella mancha parda que avanzaba, al parecer lentamente, las mujeres, desgreñadas, sucias, seguidas por muchos críos de nalgas y vientre al aire, lanzaban quejas y declaraban vergonzosos ultrajes de los blancos para exaltar más y más el coraje y el odio de los machos.

—¡*Ñucanchic* huasipungo!

Los muchachos, imitando a los longos mayores, armados de ramas, de palos, de leños, sin saber hacia dónde les podía llevar su grito, repetían:

—¡*Ñucanchic* huasipungo! [...]

A la mañana siguiente fue atacado el caserío de la hacienda. Los indios, al entrar en la casa, centuplicaron los gritos, cuyo eco retumbó en las viejas puertas de labrado aldabón, en los sótanos, en el oratorio abandonado, en los amplios corredores, en el cobertizo del horno y del establo mayor. Sin hallar al mayordomo, a quien hubieran aplastado con placer, los huasipungueros dieron libertad *a las servicias**, *a los huasicamas**, a los pongos*. Aun cuando las trojes y las bodegas se hallaban vacías, en la despensa hallaron buenas provisiones. Por desgracia, cuando llegó el hartazgo, un recelo supersticioso cundió entre ellos y huyeron de nuevo hacia el cerro de sus huasipungos, gritando siempre la frase que les infundía coraje, amor y sacrificio:

—¡*Ñucanchic* huasipungooo!

Desde la capital, con la presteza con la cual las autoridades del Gobierno atienden estos casos, fueron enviados doscientos hombres de infantería a sofocar la rebelión.

JORGE ICAZA, *Huasipungo.* (1934). Periolibro, México, D.F., mayo de 1993. Pp. 32-33.

En *Balún-Canán* Rosario Castellanos recrea su infancia en el estado mexicano de Chiapas. La niña contempla atónita el drama de la población indígena, que es violentada y maltratada por sus padres y parientes. En la siguiente escena, el padre de la pequeña narradora enseña al hijo ilegítimo de su hermano cómo obtener el máximo rendimiento de las tierras y de los indios de la hacienda. El finquero y el aspirante a latifundista exponen sin pudor sus criterios racistas.

—AHÍ ESTÁN LAS INDIAS A TU DISPOSICIÓN, ERNESTO

—Usted no tiene de qué quejarse. Le tocó el casco de la hacienda.

—Soy el mayor. También me correspondía la indiada* para desempeñar el trabajo.[...]

Todavía cuando iban por la vereda que serpentea entre los jacales*, su paso despertaba el celo de los perros, flacos, rascándose la sarna y las pulgas, ladrando desaforadamente. Las mujeres, que molían el maíz arrodilladas en el suelo, suspendieron su tarea y se quedaron quietas, con los brazos rígidos, como sembrados en la piedra del metate*, con los senos fláccidos colgando dentro de la camisa. Y los miraron pasar a través de la puerta abierta del jacal o de la rala trabazón de carrizos de las paredes. Los niños, desnudos, panzones*, que se revolcaban jugando en el lodo confundidos con los cerdos, volvían a los jinetes su rostro chato, sus ojos curiosos y parpadeantes.

—Ahí están las indias a tu disposición, Ernesto. A ver cuándo una de estas criaturas resulta de tu color.

A Ernesto le molestó la broma porque se consideraba rebajado al nivel de los inferiores. Respondió secamente:

—Tengo malos ratos pero no malos gustos, tío.

—Eso dices ahora. Espera que pasen unos meses para cambiar de opinión. La necesidad no te deja escoger. Te lo digo por experiencia.

—¿Usted?

—¿Qué te extraña? Yo. Todos. Tengo hijos regados entre ellas.

Les había hecho un favor. Las indias eran más codiciadas después. Podían casarse a su gusto. El indio siempre veía en la mujer la virtud que le había gustado al patrón. Y los hijos eran de los que se apegaban a la casa grande y de los que servían con fidelidad.

Ernesto no se colocaba, para juzgar, del lado de las víctimas. No se incluia en el número de ellas. El caso de su madre era distinto. No era una india. Era una mujer humilde, del pueblo. Pero blanca. Y Ernesto se enorgullecía de la sangre de Argüello. Los señores tenían derecho a plantar su raza donde quisieran.

ROSARIO CASTELLANOS, *Balún-Canán.* (1957). Fondo de Cultura Económica, México, 1957. Pp. 78 y 79-80.

Primero fui el notario
polvoriento y sin prisa,
que inventó el inventario.

NICOLÁS GUILLÉN

Si usted nace tonto en Rumania
sigue la carrera de tonto, [...]
Pero si usted nace tonto en Chile
pronto lo harán Embajador.

PABLO NERUDA

Ambos, el ingeniero y el minero, creían ser los únicos que habían sobornado al Jefe de Correos...

JOSÉ MARÍA ARGUEDAS

...miembros de una minoría tocada en la frente por la diosa fortuna, pues por modesta y monótona que sea su vida, tienen trabajo, un sueldito, seguridad social y garantía de jubilación.

MARIO VARGAS LLOSA

2. FUNCIONARIOS Y OFICINISTAS

Burócratas y chupatintas gozan de un *status* privilegiado en un subcontinente donde la clase media es débil y poco numerosa. El pueblo contempla con respeto, envidia o temor a los que desempeñan un trabajo no manual o trabajan para el Estado. Escritores e intelectuales condenan sus abusos, ridiculizan sus pretensiones o compadecen las miserias de los que, a cambio de un sueldo fijo, se encuentran atrapados bajo el peso del trabajo rutinario.

En la actualidad, a causa de la crisis económica que azota al Continente y de la devaluación galopante de muchas monedas, los servidores públicos sobreviven malamente con salarios miserables, lo que muchas veces favorece *coimas* o *mordidas*, es decir, pagos a funcionarios en concepto de soborno.

Cortázar es siempre anárquico e irónico. Agudo narrador de cuentos, en sus relatos subyace una caricatura de los valores burgueses. En «Ocupaciones raras», serie a la que pertenece este relato, describe con grandes dosis de humor e imaginación escenas de la vida cotidiana. En este caso vemos como una familia normal adopta actitudes excéntricas al pasar a engrosar las filas de empleados del Estado.

CORREOS Y TELECOMUNICACIONES

Una vez que un pariente de lo más lejano llegó a ministro, nos arreglamos para que nombrase a buena parte de la familia en la sucursal de correos de la calle Serrano. Duró poco, eso sí. De los tres días que estuvimos, dos los pasamos atendiendo al público con una celeridad extraordinaria que nos valió la sorprendida visita de un inspector del Correo Central y un suelto laudatorio en *La Razón*. Al tercer día estábamos seguros de nuestra popularidad, pues la gente ya venía de otros barrios a despachar su correspondencia y a hacer giros a Purmamarca y a otros lugares igualmente absurdos. Entonces mi tío el mayor dio piedra libre, y la familia empezó a atender con arreglo a sus principios y predilecciones. En la ventanilla de franqueo, mi hermana la segunda obsequiaba un globo de colores a cada comprador de estampillas*. La primera en recibir su globo fue una señora gorda que se quedó como clavada, con el globo en la mano y la estampilla de un peso ya humedecida que se le iba enroscando poco a poco en el dedo. Un joven melenudo se negó de plano a recibir su globo, y mi hermana lo amonestó severamente mientras en la cola de la ventanilla empezaban a suscitarse opiniones encontradas. Al lado, varios provincianos empeñados en girar insensatamente parte de sus salarios a los familiares lejanos, recibían con algún asombro vasitos de grapa* y de cuando en cuando una empanada de carne, todo esto a cargo de mi padre, que además les recitaba a gritos los mejores consejos del viejo Vizcacha. Entretanto, mis hermanos, a cargo de la ventanilla de encomiendas*, las untaban con alquitrán y las metían en un balde lleno de plumas. Luego las presentaban al estupefacto expedidor y le hacían notar con cuánta alegría serían recibidos los paquetes así mejorados. «Sin piolín* a la vista», decían. «Sin el lacre tan vulgar, y con el nombre del destinatario que parece que va metido debajo del ala de un cisne, fíjese.» No todos se mostraban encantados, hay que ser sincero.

Cuando los mirones y la policía invadieron el local, mi madre cerró el acto de la manera más hermosa, haciendo volar sobre el público una multitud de flechitas de colores fabricadas con los formularios de los telegramas, giros y cartas certificadas. Cantamos el himno nacional y nos retiramos en buen orden; vi llorar a una nena que había quedado tercera en la cola de franqueo y sabía que ya era tarde para que le dieran un globo.

JULIO CORTÁZAR, *Historias de cronopios y de famas*:«Ocupaciones raras». (1962). Edhasa, Barcelona, 1992. Pp. 34-35.

En forma de diario íntimo y con técnica realista no exenta de lirismo e ironía, *La tregua* narra el desencanto de un oficinista que se refugia en la monotonía del trabajo. El autor, virtuoso del análisis psicológico y la introspección, declaró que la obra pretendía describir a un representante de la sociedad uruguaya: *el trabajador que sólo espera la jubilación*. Sorprende la capacidad de Benedetti, poeta de verso desnudo y depurado, para describir detalles de tareas contables y burócraticas.

VIERNES, 15 DE FEBRERO

Para rendir pasablemente en la oficina, tengo que obligarme a no pensar que el ocio está relativamente cerca. De lo contrario, los dedos se me crispan y la letra redonda con que debo escribir los rubros primarios, me sale quebrada y sin elegancia. La redonda es uno de mis mejores prestigios como funcionario. Además, debo confesarlo, me provoca placer el trazado de algunas letras como la M mayúscula o la b minúscula, en las que me he permitido algunas innovaciones. Lo que menos odio es la parte mecánica, rutinaria, de mi trabajo: el volver a pasar un asiento que ya redacté miles de veces, el efectuar un balance de saldos y encontrar que todo está en orden, que no hay diferencias a buscar. Ese tipo de labor no me cansa, porque me permite pensar en otras cosas y hasta (¿por qué no decírmelo a mí mismo?) también soñar. Es como si me dividiera en dos entes dispares, contradictorios, independientes, uno que sabe de memoria su trabajo, que domina al máximo sus variantes y recovecos, que está seguro siempre de dónde pisa, y otro soñador y febril, frustradamente apasionado, un tipo triste que, sin embargo, tuvo, tiene y tendrá vocación de alegría, un distraído a quien no le importa por dónde corre la pluma ni qué cosas escribe la tinta azul que a los ocho meses quedará negra.

En mi trabajo, lo insoportable no es la rutina; es el problema nuevo, el pedido sorpresivo de ese Directorio fantasmal que se esconde detrás de actas, disposiciones y aguinaldos, la urgencia con la que se reclama un informe o un estado analítico o una previsión de recursos. Entonces sí, como se trata de algo más que rutina, mis dos mitades deben trabajar para lo mismo, ya no puedo pensar en lo que quiero, y la fatiga se me instala en la espalda y en la nuca, como un parche poroso. ¿Qué me importa la ganancia probable del rubro Pernos de Piston en el segundo semestre del penúltimo ejercicio? ¿Qué me importa el modo más práctico de conseguir el abatimiento de los Gastos Generales?

Hoy fue un día feliz; sólo rutina.

MARIO BENEDETTI, *La tregua.* (1973). Cátedra, Letras Hispánicas, Madrid, 1991. Pp. 82 y 83.

Cuando llega el primer funcionario a Macondo, sus habitantes viven felices al margen de la ley. Muchas cosas todavía no tienen nombre; el pueblo no tiene cementerio. Pero la llegada de autoridades civiles y religiosas, de comerciantes y multinacionales interrumpe la placidez idílica. Este fragmento describe la reacción del fundador de Macondo ante la primera ordenanza del Corregidor. La figura del Corregidor (cuyo nombramiento correspondía al Rey de España en la época de la Colonia) es uno de los elementos que contribuyen a que *Cien años de soledad* no pueda ser localizada en un momento histórico concreto.

EL CORREGIDOR

Don Apolinar Moscote, el corregidor, había llegado a Macondo sin hacer ruido. Se bajó en el Hotel de Jacob –instalado por uno de los primeros árabes que llegaron haciendo cambalache de chucherías por guacamayas*– y al día siguiente alquiló un cuartito con puerta hacia la calle, a dos cuadras de la casa de los Buendía. Puso una mesa y una silla que le compró a Jacob, clavó en la pared un escudo de la república que había traído consigo, y pintó en la puerta el letrero: *Corregidor.* Su primera disposición fue ordenar que todas las casas se pintaran de azul para celebrar el aniversario de la independencia nacional. José Arcadio Buendía, con la copia de la orden en la mano, lo encontró durmiendo la siesta en una hamaca* que había colgado en el escueto despacho. «¿Usted escribió este papel?», le preguntó. Don Apolinar Moscote, un hombre maduro, tímido, de complexión sanguinea, contestó que sí. «¿Con qué derecho?», volvió a preguntar José Arcadio Buendía. Don Apolinar Moscote buscó un papel en la gaveta* de la mesa y se lo mostró: «He sido nombrado corregidor de este pueblo». José Arcadio Buendía ni siquiera miró el nombramiento.

—En este pueblo no mandamos con papeles– dijo sin perder la calma–.Y para que lo sepa de una vez, no necesitamos ningún Corregidor porque aquí no hay nada que corregir.

Ante la impavidez de don Apolinar Moscote, siempre sin levantar la voz, hizo un pormenorizado recuento de cómo habían fundado la aldea, de cómo se habían repartido la tierra, abierto los caminos e introducido las mejoras que les había ido exigiendo la necesidad, sin haber molestado a gobierno alguno y sin que nadie los molestara. «Somos tan pacíficos que ni siquiera nos hemos muerto de muerte natural», dijo. «Ya ve que todavía no tenemos cementerio.» No se dolió de que el gobierno no los hubiera ayudado. Al contrario, se alegraba de que hasta entonces los hubiera dejado crecer en paz, y esperaba que así lo siguiera dejando, porque ellos no habían fundado un pueblo para que el primer advenedizo les fuera a decir lo que debían hacer. Don Apolinar Moscote se había puesto un saco* de dril, blanco como sus pantalones, sin perder en ningún momento la pureza de sus ademanes.

—De modo que si usted se quiere quedar aquí, como otro ciudadano común y corriente, sea muy bienvenido –concluyó José Arcadio Buendía–.Pero si viene a implantar el desorden obligando a la gente que pinte su casa de azul, puede agarrar sus corotos* y largarse por donde vino. Porque mi casa ha de ser blanca como una paloma.

Don Apolinar Moscote se puso pálido. Dio un paso atrás y apretó las mandíbulas para decir con una cierta aflicción:

—Quiero advertirle que estoy armado.

José Arcadio Buendía no supo en qué momento se le subió a las manos la fuerza juvenil con que derribaba un caballo. Agarró a don Apolinar Moscote por la solapa y lo levantó a la altura de sus ojos.

—Esto lo hago –le dijo– porque prefiero cargarlo* vivo y no tener que seguir cargándolo muerto por el resto de mi vida.

Así lo llevó por la mitad de la calle, suspendido por las solapas, hasta que lo puso sobre sus dos pies en el camino de la ciénaga. Una semana después estaba de regreso con seis soldados descalzos y harapientos, armados con escopetas, y una carreta de bueyes donde viajaban su mujer y sus siete hijas. Más tarde llegaron otras dos carretas con los muebles, los baúles y los utensilios domésticos. Instaló la familia en el Hotel de Jacob, mientras conseguía una casa, y volvió a abrir el despacho protegido por los soldados. Los fundadores de Macondo, resueltos a expulsar a los invasores, fueron con sus hijos mayores a ponerse a disposición de José Arcadio Buendía. Pero él se opuso, según explicó, porque don Apolinar Moscote había vuelto con su mujer y sus hijas, y no era cosa de hombres abochornar a otros delante de su familia. Así que decidió arreglar la situación por las buenas.

GABRIEL GARCÍA MÁRQUEZ, *Cien años de soledad.* (1967). Cátedra, Letras hispánicas, Madrid, 1987. Pp. 132-134

El Señor Presidente describe la violenta dictadura de Estrada Cabrera en Guatemala. El tirano dispone de un refinado aparato represor, del que forman parte crueles oficiales que disfrutan tanto con una buena taza de chocolate como aplicando penas de muerte. Mediante extravagantes imágenes, Asturias confiere rasgos esperpénticos al Auditor y a la función que realiza y nos ofrece una vigorosa caricatura del sádico funcionario del departamento de guerra.

LAS CUENTAS Y EL CHOCOLATE

El Auditor de guerra acabó de tomar su chocolate de arroz con una doble empinada de pocillo, para beberse hasta el asiento; luego se limpió el bigote color de ala de mosca con la manga de la camisa y, acercándose a la luz de la lámpara, metió los ojos en el recipiente para ver si se lo había bebido todo. Entre sus papelotes y sus códigos mugrientos, silencioso y feo, miope y glotón, no se podía decir, cuando se quitaba el cuello, si era hombre o mujer aquel licenciado en Derecho, aquel árbol de papel sellado, cuyas raíces nutríanse de todas las clases sociales, hasta de las más humildes y miserables. Nunca, sin duda, vieran las generaciones un hombre tal de papel sellado. Al sacar lo ojos del pocillo, que examinó con el dedo para ver si no había dejado nada, vio asomar por la única puerta de su escritorio a la sirvienta, espectro que arrastraba los pies como si los zapatos le quedaran grandes, poco a poco, uno tras otro, uno tras otro. [...]

Leyó y releyó los artículos del *Código Militar*, que ya se sabía de memoria, en todo lo concerniente a los encubridores, y como el que se regala con una salsa picante, la dicha le brillaba en los ojos de basilisco* y en la piel de brin al encontrar en aquel cuerpo de leyes por cada dos renglones esta frasecita: *pena de muerte,* o su variante: *pena de la vida.*

MIGUEL ÁNGEL ASTURIAS, *Obras completas:* «El Señor Presidente». (1946). Aguilar, Madrid, 1967. Tomo I, Pp. 301 y 304.

...un saltimbanqui polvoriento exhibía una mujer amaestrada.

JUAN JOSÉ ARREOLA

...tornarán las noches ahogadas, en que se debata la estéril rebeldía de las solteras, el deseo impotente de haber sido siquiera engañadas, la convicción agónica de no haber logrado ni una piadosa mentira, ni el don de precario interés.

AGUSTÍN YÁÑEZ

«Nosotras, las pobres hembras, aprendiendo el arte de transformar la violación en posibilidad de amor. Desde chiquitas moviéndonos por el mundo como quien atraviesa un criadero de caimanes*...»

ABEL POSSE

Y su luna no se volvió blanca como la de las mujeres que conciben, sino que se tiñó de rojo como la luna de las solteras y de las viudas. Como la luna de las hembras de placer.

ROSARIO CASTELLANOS

Llevaban todo el peso de la casa encima. Sin embargo, aquel heroísmo, por agotador e ingrato que fuera, era una justificación de sus vidas.

GABRIEL GARCÍA MÁRQUEZ

3. MUJERES

Frente a colosales figuras de ficción (productos de la observación realista o de desbordante fantasía) que se oponen a los designios que les impone la sociedad, desfilan por la literatura sumisas mujeres que sucumben o se acomodan a su ancestral destino: la maternidad. Otras encuentran la felicidad en el matrimonio y la vida familiar; muchas son utilizadas como objeto de placer. El machismo, la injusticia y la escasísima formación cultural hacen que la mujer iberoamericana, siendo muchas veces el sostén de la familia y de las economías locales, no tenga voz ni voto a nivel personal o comunitario. A principios de siglo, la figura femenina es sujeto de idealización o de retórica literaria y solamente es ensalzada cuando acata las normas convencionales, renunciando a su libertad e independencia. Poco a poco, a medida que se inicia la emancipación de la mujer, empiezan a aparecer en las letras hispánicas excepcionales retratos de singulares mujeres que forjan destinos, propios y ajenos, y superan prejuicios y discriminaciones.

Sábato pinta la sociedad de Buenos Aires, ciudad culta y pujante aunque también *inmunda y perversa*, donde estudiantes e intelectuales viven inmersos en la corriente existencialista. Alejandra, la atormentada protagonista de *Sobre héroes y tumbas,* busca un sentido a la vida y es incapaz de encajar la frustración que le produce el enfrentamiento entre sus ideales y la sociedad que la rodea. Al final, empujada por una turbulenta trama familiar, sucumbirá a su trágico destino.

ALEJANDRA

Y mientras Bruno asentía, sonriendo para sus adentros ante aquella candorosa expresión de orgullo, pensó que así era en efecto, y que siempre y donde fuese Alejandra despertaba la atención de los hombres y también de las mujeres. Aunque por motivos diferentes, porque a las mujeres no las podía ver, las detestaba, sostenía que formaban una raza despreciable y sostenía que únicamente podía mantenerse amistad con algunos hombres; y las mujeres, por su parte, la detestaban a ella con la misma intensidad y por motivos inversos, fenómeno que a Alejandra apenas le suscitaba la más desdeñosa indiferencia. Aunque seguramente la detestaban sin dejar de admirar en secreto aquella figura que Martín llamaba *exótica* pero que en realidad era una paradojal manera de ser argentina, ya que ese tipo de rostro es frecuente en los países sudamericanos, cuando el color y los rasgos de un blanco se combinan con los pómulos y los ojos mongólicos del indio. Y aquellos ojos hondos y ansiosos, aquella gran boca desdeñosa, aquella mezcla de sentimientos y pasiones contradictorias que se sospechaban en sus rasgos (de ansiedad y de fastidio, de violencia y de una suerte de distraimiento, de sensualidad casi feroz y de una especie de asco por algo muy general y profundo), todo confería a su expresión un carácter que no se podía olvidar.

ERNESTO SÁBATO, *Sobre héroes y tumbas.* (1961). Editorial Sudamericana, Buenos Aires, 1970. P. 18.

García Márquez crea apasionantes y veraces personajes femeninos. Aquí vemos resumida la vida de Rebeca, que llegó a Macondo siendo niña; solamente llevaba consigo una mecedora y un saco con los huesos de sus padres. Fue acogida por los Buendía y, como todos ellos, también parecía estar condenada a la soledad. Profundamente enamorada y comprometida con Pietro Crespi, prototipo de elegancia y caballerosidad, Rebeca es presa de una profunda ansiedad ante los continuos aplazamientos de su boda. Si ya de pequeña sentía necesidad de comer tierra y cal, la frustrante búsqueda del amor acentúa sus gustos secretos. Sin embargo, inesperadamente, Rebeca sucumbe ante el brutal atractivo de su falso hermano, con el que aplacará su angustia tras contraer matrimonio.

REBECA

[La niña]

Desde el momento en que llegó se sentó a chuparse el dedo en el mecedor y a observar a todos con sus grandes ojos espantados, sin que diera señal alguna de entender lo que le preguntaban.[...]

No lograron que comiera en varios días. Nadie entendía cómo no se había muerto de hambre, hasta que los indígenas, que se daban cuenta de todo porque recorrían la casa sin cesar con sus pies sigilosos, descubrieron que a Rebeca sólo le gustaba comer la tierra húmeda del patio y las tortas de cal que arrancaba de las paredes con las uñas. Era evidente que sus padres, o quienquiera que la hubiese criado, la habían reprendido por ese hábito, pues lo practicaba a escondidas y con conciencia de culpa, procurando trasponer las raciones para comerlas cuando nadie la viera. Desde entonces la sometieron a una vigilancia implacable.[...] Rebeca era tan rebelde y tan fuerte a pesar de su raquitismo, que tenían que barbearla* como a un becerro para que tragara la medicina, y apenas si podían reprimir sus pataletas y soportar los enrevesados jeroglíficos que ella alternaba con mordiscos y escupitajos, y que según decían los escandalizados indígenas eran las obscenidades más gruesas que se podían concebir en su idioma. Cuando Úrsula lo supo, complementó el tratamiento con correazos. No se estableció nunca si lo que surtió efecto fue el ruibarbo o las tollinas, o las dos cosas combinadas, pero la verdad es que en pocas semanas Rebeca empezó a dar muestras de restablecimiento.[...] No tardaron en considerarla como un miembro más de la familia.[...]

[La novia de Pietro Crespi]

Hacia la media noche, Pietro Crespi se despidió con un discursito sentimental y prometió volver muy pronto. Rebeca lo acompañó hasta la puerta, y luego de haber cerrado la casa y apagado las lámparas, se fue a su cuarto a llorar. Fue un llanto inconsolable que se prolongó por varios días, y cuya causa no conoció ni siquiera Amaranta. No era extraño su hermetismo. Aunque parecía expansiva y cordial, tenía un carácter solitario y un corazón impenetrable. Era una adolescente espléndida, de huesos largos y firmes, pero se empecinaba en seguir usando el mecedorcito de madera con que llegó a la casa, muchas veces reforzado y ya desprovisto de brazos. Nadie había descubierto que aún a esa edad, conservaba el hábito de chuparse el dedo. Por eso no perdía ocasión de encerrarse en el baño, y había adquirido la costumbre de dormir con la cara vuelta a la pared. En las tardes de lluvia, bordando con un grupo de amigas en el corredor de las begonias, perdía el hilo de la conversación y una lágrima de nostalgia le salaba el paladar cuando veía las vetas de tierra húmeda y los montículos de barro construidos por las lombrices en el jardín. Esos gustos secretos, derrotados en otro tiempo por las naranjas con ruibarbo, estallaron en un anhelo irreprimible cuando empezó a llorar. Volvió a comer tierra. La primera vez lo hizo casi por curiosidad, segura de que el mal sabor sería el mejor remedio contra la tentación. Y en efecto no pudo soportar la tierra en la boca. Pero insistió, vencida por el ansia creciente, y poco a poco fue rescatando el apetito ancestral, el gusto de los minerales primarios, la satisfacción sin resquicios del alimento original. Se echaba puñados de tierra en los bolsillos, y los comía a granitos sin ser vista, con un confuso sentimiento de dicha y de rabia, mientras adiestraba a sus amigas en las puntadas más difíciles y conversaba de otros hombres que no merecían el sacrificio de que se comiera por ellos la cal de las paredes. Los puñados de tierra hacían menos remoto y más cierto al único hombre que merecía aquella degradación, como si el suelo que él pisaba con sus finas botas de charol en otro lugar del mundo, le transmitiera a ella el peso y la temperatura de su sangre en un sabor mineral que dejaba un rescoldo áspero en la boca y un sedimiento de paz en el corazón.[...]

Rebeca esperaba el amor a las cuatro de la tarde bordando junto a la ventana. Sabía que la mula del correo no llegaba sino cada quince días, pero ella la esperaba siempre, convencida de que iba a llegar un día cualquiera por equivocación. Sucedió todo lo contrario: una vez la mula no llegó en la fecha prevista. Loca de desesperación, Rebeca se levantó a media noche, y comió puñados de tierra en el jardín, con una avidez suicida, llorando de dolor y de furia, masticando lombrices tiernas y astillándose las muelas con huesos de caracoles. Vomitó hasta el amanecer. Se hundió en un estado de postración febril, perdió la conciencia, y su corazón se abrió en un delirio sin pudor. Úrsula, escandalizada, forzó la cerradura del baúl, y encontró en el fondo, atadas con cintas color de rosa, las dieciséis cartas perfumadas y los esqueletos de hojas y pétalos conservados en libros antiguos y las mariposas disecadas que al tocarlas se convirtieron en polvo.[...]

[La mujer de José Arcadio]

La tarde en que lo vio pasar frente a su dormitorio pensó que Pietro Crespi era un currutaco de alfeñique junto a aquel protomacho cuya respiración volcánica se percibía en toda la casa. Buscaba su proximidad con cualquier pretexto. En cierta ocasión José Arcadio le miró el cuerpo con una atención descarada, y le dijo: «Eres muy mujer, hermanita». Rebeca perdió el dominio de sí misma. Volvió a comer tierra y cal de las paredes con la avidez de otros días, y se chupó el dedo con tanta ansiedad que se le formó un callo en el pulgar. Vomitó un líquido verde con sanguijuelas muertas. Pasó noches en vela tiritando de fiebre, luchando contra el delirio, esperando, hasta que la casa trepidaba con el regreso de José Arcadio al amanecer. Una tarde, cuando todos dormían la siesta, no resistió más y fue a su dormitorio. Lo encontró en calzoncillos, despierto, tendido en la hamaca* que había colgado de los horcones* con cables de amarrar barcos. La impresionó tanto su enorme desnudez tarabiscoteada que sintió el impulso de retroceder. «Perdone», se excusó. «No sabía que estaba aquí.» Pero apagó la voz para no despertar a nadie. «Ven acá», dijo él. Rebeca obedeció. Se detuvo junto a la hamaca, sudando hielo, sintiendo que se le formaban nudos en las tripas, mientras José Arcadio le acariciaba los tobillos con la yema de los dedos, y luego las pantorrillas y luego los muslos, murmurando: «Ay, hermanita; ay, hermanita». Ella tuvo que hacer un esfuerzo sobrenatural para no morirse cuando una potencia ciclónica asombrosamente regulada la levantó por la cintura y la despojó de su intimidad con tres zarpazos, y la descuartizó como a un pajarito. Alcanzó a dar gracias a Dios por haber nacido, antes de perder la conciencia en el placer inconcebible de aquel dolor insoportable, chapaleando* en el pantano humeante de la hamaca que absorbió como un papel secante la explosión de su sangre.

Tres días después se casaron en la misa de las cinco.

GABRIEL GARCÍA MÁRQUEZ, *Cien años de soledad.* (1967). Cátedra, Letras Hispánicas, Madrid, 1987. Pp. 116-119, 139, 140, 142, 143, 168 y 169.

Sorprende la genialidad de Gallegos para describir la grandeza del llano venezolano y su maestría para pintar las criaturas que genera la violencia de la sabana. El retrato que nos deja de Doña Bárbara es veraz, vigoroso e implacable: nada parece detener la ambición de la devoradora de hombres y de tierras. Sin embargo, la nostalgia romántica de Gallegos deja en el alma del «marimacho» un rescoldo de pureza que hará posible su redención final.

LA DEVORADORA DE HOMBRES

¡De más allá del Cunaviche, de más allá del Cinaruco, de más allá del Meta! De más lejos que más nunca –decían los llaneros del Arauca, para quienes, sin embargo, todo está siempre «ahí mismito, detrás de aquella mata». De allá vino la trágica guaricha*. Fruto engendrado por la violencia del blanco aventurero en la sombría sensualidad de la india, su origen se perdía en el dramático misterio de las tierras vírgenes. [...]

Ni aun la maternidad aplacó el rencor de la devoradora de hombres; por el contrario, se lo exasperó más: un hijo de sus entrañas era para ella una victoria del macho, una nueva violencia sufrida, y bajo el imperio de este sentimiento concibió y dio a luz una niña, que otros pechos tuvieron que amamantar, porque no quiso ni verla siquiera. [...]

Desatada la codicia dentro del tempestuoso corazón, se propuso ser dueña de todo el cajón del Arauca, y asesorada por las extraordinarias habilidades de litigante de Apolinar, comenzó a meterles pleitos a los vecinos, obteniendo de la venalidad de los jueces lo que la justica no pudiera reconocerle, y cuando ya nada tenía que aprender del nuevo amante y todo el dinero de éste había sido empleado en el fomento de la finca, recuperó su fiera independencia haciendo desaparecer, de una manera misteriosa, a aquel hombre que podía jactarse en llamarla suya. [...]

En cuanto a la conseja de sus poderes de hechicería, no todo era tampoco invención de la fantasía llanera. Ella se creía realmente asistida de potencias sobrenaturales y a menudo hablaba de un «Socio» que la había librado de la muerte, una noche, encendiéndole la vela para que se despertara a tiempo que penetraba en su habitación un peón pagado para asesinarla, y que desde entonces se le aparecía a aconsejarle lo que debiera hacer en las situaciones difíciles o revelarle los acontecimientos lejanos o futuros que le interesara conocer. Según ella, era el propio milagroso Nazareno de Achaguas; pero lo llamaba simplemente y con la mayor naturalidad «El Socio», y de aquí se originó la leyenda de su pacto con el diablo. [...]

Tocante a amores, ya ni siquiera [sic] aquella mezcla salvaje de apetitos y odio de la devoradora de hombres. Inhibida la sensualidad por la pasión de la codicia, y atrofiadas hasta las últimas fibras femeniles de su ser por los hábitos del marimacho –que dirigía personalmente las peonadas, manejaba el lazo y derribaba un toro en plena sabana como el más hábil de sus vaqueros, y no se quitaba de la cintura la lanza y el revólver, ni los cargaba* encima sólo para intimidar–, si alguna razón de pura conveniencia –la necesidad de un mayordomo incondicional en un momento dado, o, como en el caso de Balbino Paiba, de un instrumento suyo en el campo enemigo– la movía a prodigar caricias, más era hombruno tomar que femenino entregarse. Un profundo desdén por el hombre había reemplazado al rencor implacable.

No obstante este género de vida y el haber traspuesto ya los cuarenta, era todavía una mujer apetecible, pues si carecía en absoluto de delicadezas femeniles, en cambio, el imponente aspecto del marimacho le imprimía un sello original a su hermosura: algo de salvaje, bello y terrible a la vez.

Tal era la famosa doña Bárbara: lujuria y superstición, codicia y crueldad, y allá en el fondo del alma sombría, una pequeña cosa pura y dolorosa: el recuerdo de Asdrúbal, el amor frustado que pudo hacerla buena. Pero aun esto mismo adquiría los terribles caracteres de un culto bárbaro que exigiera sacrificios humanos: el recuerdo de Asdrúbal la asaltaba siempre que se tropezaba en su camino con un hombre en quien valiera la pena hacer presa.

RÓMULO GALLEGOS, *Doña Bárbara.* (1929). Espasa Calpe, Col. Austral, Madrid, 1975. Pp. 26, 32, 34, y 35-37.

La mujer sin nombre no es frecuentemente retratada en la literatura. Sin embargo, Bosch dedica uno de sus mejores cuentos a describir su miseria y servidumbre. Tras el anonimato de la protagonista, se esconde la tragedia de millones de mujeres americanas: no solamente sufren pasivamente la tiranía masculina, sino que defienden los vínculos de dependencia y la vida del hombre que las esclaviza. El político dominicano consigue también trazar un sugestivo aguafuerte de la desoladora sabana, donde la carretera, el sol y el viento, el color y los sonidos adquieren un protagonismo indiscutible.

LA MUJER

La carretera muerta, totalmente muerta, está ahí, desenterrada, gris. La mujer se veía, primero como un punto negro, después como una piedra que hubieran dejado sobre la momia larga. Estaba allí, tirada, sin que la brisa le moviera los harapos. No la quemaba el sol; tan sólo sentía dolor por los gritos del niño. El niño era de bronce, pequeñín, con los ojos llenos de luz, y se agarraba a la madre tratando de tirar de ella con sus manecitas. Pronto iba la carretera a quemar el cuerpecito, las rodillas por lo menos, de aquella criatura desnuda y gritona.

La casa estaba allí cerca, pero no podía verse.

A medida que se avanzaba, crecía aquello que parecía una piedra tirada en medio de la gran carretera muerta. Crecía, y Quico se dijo: «Un becerro, sin duda, estropeado por auto».

Tendió la vista: la planicie, la sabana. Una colina lejana, con pajonales*, como si fuera esa colina sólo un montoncito de arena apilada por los vientos. El cauce de un río; las fauces secas de la tierra que tuvo agua mil años antes de hoy. Se resquebrajaba la planicie dorada bajo el pesado acero transparente. Los cactos, los cactos, coronados de aves rapaces.

Más cerca ya, Quico vio que era persona. Oyó distintamente los gritos del niño.

El marido le había pegado. Por la única habitación del bohío*, caliente como horno, la persiguió, tirándola de los cabellos y machacando a puñetazos su cabeza.

—¡Hija de mala madre! ¡Hija de mala madre! ¡Te voy a matar como a una perra, desvergonsá!

—¡Pero si nadie pasó, Chepe, nadie pasó! –quería ella explicar.

—¿Qué no? ¡Ahora verá!

Y volvía a golpearla.

El niño se agarraba a las piernas de su papá. Él veía la mujer sangrando por la nariz. La sangre no le daba miedo, no, solamente deseos de llorar, de gritar mucho. De seguro mamá moriría si seguía sangrando.

Todo fue porque la mujer no vendió la leche de cabra, como él se lo mandara; al volver de las lomas, cuatro días después, no halló el dinero. Ella contó que se había cortado la leche; la verdad es que la bebió. Prefirió no tener unas monedas más a que la criaturita sufriera hambre tanto tiempo.

Le dijo después que se marchara con su hijo:

—¡Te mataré si vuelves a esta casa!

La mujer estaba tirada en el piso de tierra; sangraba mucho y nada oía. Chepe, frenético, la arrastró hasta la carretera. Y se quedó allí, como muerta, sobre el lomo de la gran momia.

Quico tenía agua para dos días más de camino, pero casi toda la gastó en rociar la frente de la mujer. La llevó hasta el bohío, dándole el brazo, y pensó en romper su camisa listada para limpiarla de sangre. Chepe entró por el patio.

—¡Te dije que no quería verte *má* aquí, *condená*!

Parece que no había visto al extraño. Aquel acero blanco, transparente, le había vuelto fiera, de seguro. El pelo era estopa y las córneas estaban rojas.

Quico le llamó la atención, pero él, medio loco, amenazó de nuevo a su víctima. Iba a pegarla ya.

Entonces fue cuando se entabló la lucha entre los dos hombres.

El niño pequeñín, pequeñín, comenzó a gritar otra vez; ahora se envolvía en la falda de su mamá.

La lucha era como una canción silenciosa. No decían palabra. Sólo se oían los gritos del muchacho y las pisadas violentas.

La mujer vio cómo Quico ahogaba a Chepe: tenía los dedos engarfiados en el pescuezo de su marido. Éste comenzó por cerrar los ojos; abría la boca y le subía la sangre al rostro.

Ella no supo qué sucedió; pero cerca, junto a la puerta, estaba la piedra; una piedra como lava, rugosa, casi negra, pesada. Sintió que le nacía una fuerza brutal. La alzó. Sonó seco el golpe. Quico, primero, soltó el pescuezo del otro, luego dobló las rodillas, después abrió los brazos con amplitud y cayó de espaldas, sin quejarse, sin hacer un esfuerzo.

La tierra del piso absorbía aquella sangre tan roja, tan abundante. Chepe veía la luz brillar en ella.

La mujer tenía las manos crispadas sobre la cara, todo el pelo suelto y los ojos pugnando por saltar. Corrió. Sentía flojedad en las coyunturas. Quería ver si alguien venía; pero sobre la gran carretera muerta, totalmente muerta, sólo estaba el sol que la mató. Allá, al final de la planicie, la colina de arenas que amontonaron los vientos. Y cactos, embutidos en el acero.

JUAN BOSCH, *Obras Completas*: «La mujer». (1989). Ed. Corripio, Santo Domingo, 1989, Tomo I, pp. 29-31.

Cuando son enviados a mantener el orden en pueblos y ciudades, los triunfantes militares de la Revolución Mexicana llevan consigo los trofeos conseguidos en la contienda. Elena Garro narra en *Los recuerdos del porvenir* el papel jugado por las amantes de los oficiales del destacamento que ocupa Ixtepec. Sacadas a la fuerza de sus hogares y convertidas en prisioneras privilegiadas serán, en principio, antagonistas de los ixtepequeños. De manera especial, Julia Andrade será culpada de la represión. Su belleza e indiferencia desatan los celos del general, que siempre desencadenan matanzas de indios y rebeldes. La autora describe con verosimilitud cómo, a medida que los trágicos sucesos exigen de los personajes un posicionamiento, las queridas de los militares se liberan del yugo masculino y toman decisiones personales.

LAS QUERIDAS DE LOS MILITARES

La hermosa Julia, la querida del general, envuelta en una bata de fulgurante rosa, con el pelo suelto y los zarcillos de oro enredados en los cabellos, dormitaba en su hamaca*, cerca de ellos. Como si sintiera la presencia extraña, abrió los ojos y miró soñolienta y curiosa al extranjero. No pareció sobresaltarse, aunque ella era capaz de disimular más de un sobresalto. Desde la tarde que la vi desembarcar del tren militar me pareció mujer de peligro. Nunca había andado nadie como ella en Ixtepec. Sus costumbres, su manera de hablar, de caminar y mirar a los hombres, todo era distinto en Julia. Todavía la veo paseándose por el andén, olfateando el aire como si todo le pareciera poco. Si alguien la veía una vez, era difícil que la olvidara, de modo que no sé si el extranjero ya la conocía; el hecho es que no pareció sorprenderse del encuentro ni de su belleza. Se acercó a ella y platicó largo rato, inclinado sobre la hermosa. Don Pepe no pudo recordar nunca lo que había oído. Julia, tendida en la hamaca, con su bata entreabierta y el cabello revuelto, escuchó al forastero.

Ni ella ni don Pepe parecían darse cuenta del peligro que corrían. El general podía llegar y sorprender aquella charla, él siempre tan celoso ante la sola idea de que un hombre pudiera hablar con su querida, mirar sus dientes y la punta rosada de su lengua cuando sonreía. Por eso, cuando llegaba el general, Don Pepe se precipitaba a su encuentro para decirle que la señorita Julia no había hablado con nadie. Por la noche Julia se vestía con un traje de seda rosa cubierto de chaquiras* blancas, se adornaba con collares y pulseras de oro y el general, apesadumbrado, la sacaba a dar una vuelta a la plaza. Parecía una alta flor iluminando la noche y era imposible no mirarla. Los hombres sentados en las bancas o paseándose en grupos la veían con miradas nostálgicas. Más de una vez el general dio de fuetazos* a los atrevidos y más de una vez abofeteó a Julia cuando devolvía la mirada. Pero la mujer parecía no temerlo y permanecía indiferente ante su ira. Decían que se la había robado muy lejos, ninguno sabía precisar dónde, y decían también que eran muchos los hombres que la habían amado.

La vida en el Hotel Jardín era apasionada y secreta. Las gentes husmeaban por los balcones tratando de ver algo de aquellos amores y de aquellas mujeres, todas hermosas y extravagantes y todas queridas de los militares.

Desde la calle se oían las risas de Rosa y Rafaela, las hermanas gemelas, queridas las dos del teniente coronel Cruz. Eran norteñas y volubles y cuando se enojaban tiraban sus zapatos a la calle. Si estaban contentas se ponían tulipanes rojos en el pelo, se vestían de verde y se paseaban provocando miradas. Las dos eran altas y fuertes y en las tardes, sentadas en su balcón, comían fruta y regalaban sonrisas a los transeúntes. Siempre tenían las persianas levantadas y ofrecían generosas su intimidad a la calle. Allí estaban las dos, tendidas en la misma cama de colcha de puntilla blanca, mostrando sus piernas bien torneadas, y en medio de ellas el teniente coronel Cruz acariciándoles los muslos al mismo tiempo que sonreía con ojos turbios. Cruz era de buen natural y a las dos consentía por igual. [...]

Antonia era una costeña rubia y melancólica; le gustaba llorar. Su amante, el coronel Justo Corona, le llevaba regalos y serenatas, pero nada la consolaba y decían que en la noche padecía terrores. Era la más joven de todas y nunca salía sola a la calle. «¡Es una niña!», exclamaban las señoras de Ixtepec, escandalizadas cuando los jueves y domingos Antonia llegaba a la serenata, pálida y asustada del brazo del coronel Corona.

Luisa pertenecía al capitán Flores y por su mal genio era temida por su amante y por los demás huéspedes del hotel. Era mucho mayor que el capitán, pequeña de estatura, de ojos azules y pelo oscuro; andaba escotada y con los pechos sueltos. Por las noches Julia la oía pelear con Flores y después salir al corredor y arrastrar sus tacones de arriba a abajo. [...]

Francisco Rosas fumaba mientras duraban los gritos. Echado boca arriba espiaba a Julia, tendida junto a él e impávida. ¿Y si alguna vez ella le hiciera un reproche? Pensó que se sentiría aliviado. Le acongojaba verla siempre tan perezosa, tan indiferente. Era igual que él llegara o que no llegara en muchos días: el rostro, la voz de Julia no cambiaban. Bebía para darse valor frente a ella. A media noche, conforme se iba acercando al hotel, un temblor siempre nuevo se apoderaba de él. Con los ojos empañados, a caballo, llegaba hasta su habitación.

—Julia, ¿te vienes conmigo?

Su voz cambiaba delante de la mujer. Le hablaba en voz muy baja pues su presencia le ahogaba las fuerzas en la garganta. La miraba a los ojos, quería saber qué era lo que ella tenía detrás de los párpados, más allá de ella misma. Su querida se escondía de su mirada, ladeaba la cabeza sonriente, se miraba los hombros desnudos y se recogía en un mundo lejano, sin ruido, como los fantasmas.

—¡Vente, Julia! –suplicaba vencido el general, y ella, a medio vestir y siempre risueña, montaba en el mismo caballo de su amante. Salían al galope por mis calles para irse de lunada hasta Las Cañas, el lugar del agua. De lejos, a caballo también, los seguían los asistentes. Ixtepec la oía reir a medianoche, pero no tenía el derecho de mirarla así, corriendo a la luz de la luna, llevada por su amante taciturno.

En el hotel, las otras esperaban la vuelta de los hombres. Luisa en camisón, en una mano un quinqué y en la otra un cigarrillo, salía al corredor a golpear las puertas de los cuartos vecinos.

—¡Ábreme, Rafaela!

—¡Déjate de cosas y vete a dormir! –le contestaban las gemelas.

—Vinieron por Julia y no van a volver hasta que raye el día –suplicaba Luisa pegando los labios a la rendija de la puerta.

—Y a ti qué te importa. Duérmete...

—No sé que me pasa; tengo el estómago frío.

—Pues vete a buscar a Antonia, es mochuelo como tú –contestaban las hermanas con la voz llena de sueño.

Antonia desde el cuarto contiguo escuchaba el diálogo y se hacía la dormida. Oía cómo Rafaela, al final, encendía el quinqué, y ella se escondía debajo de las sábanas calientes, con los ojos muy abiertos, perdida en aquella oscuridad extraña. «A estas horas, ¿qué estará haciendo mi papá? De seguro todavía me anda buscando...» Hacía ya cinco meses que el coronel Corona se la había robado allá en la costa.

Luisa llamó a su puerta. Antonia se tapó la boca con la mano para sofocar el grito.

—¡Vente con las muchachas! ¿Qué estás haciendo ahí tan sola?

Ella no respondió. Así llamaron a la puerta de su casa aquella noche: «Anda, Antonia, ve a ver quién llama a estas horas», dijo su padre. Ella abrió la puerta y vio unos ojos fulgurantes que le echaron una cobija* a la cabeza, la envolvieron, la levantaron en vilo y la arrancaron de su casa. Eran muchos hombres. Ella oía las voces: «¡Pásamela rápido!» Unos brazos la entregaron a otros, la subieron a un caballo. A través de la manta sintió el calor del cuerpo del animal y del cuerpo del hombre que la llevaba. Partieron a toda carrera. Se iba ahogando debajo de la cobija como ahora que Luisa la llamaba y que ella se cubría la cabeza con las sábanas sin saber por qué.

ELENA GARRO, *Los recuerdos del porvenir.* (1963). Joaquín Mortiz, Col. Lecturas mexicanas, México, 1985. Pp. 39-43.

Soldados: Colombia os debe la gloria que nuevamente le dais; el Perú, vida, libertad y paz. La Plata y Chile también os son deudores de inmensas ventajas.

SIMÓN BOLÍVAR

Los soldados llegaron a Tomachi al mando de un comandante –héroe de cien cuartelazos y de otras tantas viradas y reviradas–,...

JORGE ICAZA

Ellos trajeron aquí sus fusiles repletos
de pólvora, ellos mandaron el acerbo
[exterminio,...

...se encaraman en sus monturas
los generales derrotados
y rompen cielos a pistolazos.

PABLO NERUDA

De una plumada los militares cambiaron la historia universal, borrando los episodios, las ideologías y los personajes que el régimen desaprobaba.

ISABEL ALLENDE

4. SOLDADOS Y MILITARES

Los ejércitos latinoamericanos son fuertes y poderosos. Con la excepción de Costa Rica (donde no existe el ejército) y de México (cuyos altos mandos son fieles subordinados del partido en el poder), los militares participan o pretenden participar en las decisiones políticas. A menudo, se consideran llamados por Dios y por el pueblo para solventar crisis políticas y económicas, y su presencia constituye en muchos países una amenaza para los dirigentes elegidos democráticamente. Generales y otros oficiales, que han propiciado la Independencia y han heredado de España la afición por los pronunciamientos, han protagonizado desde entonces revoluciones, revueltas y golpes de estado. Educados en escuelas donde se fomenta la violencia y el personalismo, cuando llegan al poder por las armas, organizan sórdidos aparatos represivos para posibilitar su permanencia. Otras veces, apoyan regímenes autoritarios y casi todos los gobiernos, aunque hayan sido elegidos por el pueblo, se ven obligados a contemporizar con las fuerzas armadas.

El pueblo, que a menudo ha gustado de la parafernalia militar y de la seguridad que parece inspirar el ejército, reiteradamente les ha otorgado su confianza y ha consentido el reclutamiento, muchas veces violento, de los hombres de tropa. Éstos casi nunca comparten las causas que promueven los profesionales de la guerra y participan escépticos en revoluciones y reyertas; los soldados que se enrolan de forma voluntaria buscan en los ejércitos un medio de subsistencia y a veces también aprovechan guerras y revueltas para enriquecerse. La literatura ha sabido reflejar la problemática militar iberoamericana y ha retratado a militares crueles y ambiciosos, y a hombres generosos que se han entregado a nobles causas nacionales.

Arciniegas, que ha criticado *la simpatía de algunos generales hacia la filosofía totalitaria,* se refiere aquí a la penuria económica como una de las causas del militarismo americano. Reproducimos también algunas de sus reflexiones sobre el tamaño de los ejércitos y sobre el presupuesto dedicado al mantenimiento de las fuerzas armadas por considerar que contribuyen a explicar el alcance del poderío militar y la abundancia de dictaduras militares en el Continente.

MISIÓN PROVIDENCIAL

Las crisis económicas golpearon duramente a la América Latina. Anteriormente, las soluciones que se buscaban tendían a robustecer la democracia representativa y se hacía responsable de la mala administración a la vieja política. Luego, se fueron señalando fallas* en el sistema tradicional que no había podido progresar tanto como para hacer frente a las sorpresas de un mundo en crisis. Creció la agitación social. En los cuarteles, los militares que nada habían tenido que ver en las crisis económicas, pero que tampoco habían estudiado nada que los capacitara para resolverlas, se consideraron destinados a la misión providencial de enderezar con mano dura lo que veían torcido por culpa de los regímenes nacidos de una democracia representativa. Para imponerse, acabaron convirtiendo los «golpes» en maniobras de rutina. Su vanidad creció como espuma y lo mismo los flamantes uniformes y las asignaciones.[...]

Perón en la Argentina, Trujillo en Santo Domingo, Pérez Jiménez en Venezuela, Odría en el Perú, Stroessner en el Paraguay, Rojas Pinilla en Colombia, Remón en Panamá, Batista en Cuba, Bush en Bolivia... Desde sargento hasta generalísimo, militares de todas las graduaciones llenan entonces en un solo fresco el muro de la América Latina. A veces, se hacen dictaduras con algunos toques de progreso. A veces, con paraísos artificiales. Siempre con manchas sombrías de pavoroso despotismo. El grito del general español en Salamanca, delante de Unamuno: «¡Abajo la inteligencia!», se multiplica en la Argentina cuando los fanáticos de Perón desfilan ante la Universidad al grito de: «¡Alpargatas sí, libros no!». Perón tuvo la astucia y agudeza de colocarse como un caudillo popular que pedía para el pueblo cosas justas que los dirigentes civiles olvidaron. Con todo, el resultado fue un crecimiento monstruoso de las fuerzas armadas.

Dentro de la única región del mundo que de veras está asegurada contra toda guerra internacional –el mecanismo de la organización de Estados Americanos automáticamente congela cualquier conflicto– había en 1955 ejércitos que sumaban 541.000 hombres. Esta cifra va en aumento por el impulso natural desatado, y por la nueva circunstancia de haberse desprendido del sistema Cuba, montando con la ayuda rusa el ejército más poderoso de la América Latina. Los presupuestos nacionales pasaron a convertirse en presupuestos de guerra... en el continente donde no hay guerra. El 25, el 30, el 35 por 100 lo consumen las fuerzas armadas, a más de las ayudas americanas.

GERMÁN ARCINIEGAS, *El continente de siete colores.* (1965). Editorial Sudamericana, Buenos Aires, 1970. Pp. 615-617.

Mario Vargas Llosa estuvo interno en un colegio militar durante dos años. Estas academias son frecuentes en América, y en ellas los muchachos son educados para convertirse en «hombres». A continuación se transcribe una secuencia de *La ciudad y los perros,* despiadada crítica a la educación militar, que desprecia los nobles sentimientos y fomenta el sadismo y la tortura como recurso para autoafirmar la personalidad. Una noche, los alumnos mayores «bautizan» a los recién llegados; los novatos más fuertes crean el Círculo, que tomará el relevo de la violencia. Una vez más, mediante la profundización en las realidades más sórdidas de su país, Vargas Llosa denuncia, inquieta y provoca.

EL BAUTIZO

El pensó: «Ya terminaron». Pero sólo acababan de comenzar.

—¿Usted es un perro o un ser humano? –preguntó la voz.

—Un perro, mi cadete.

—Entonces, ¿qué hace de pie? Los perros andan a cuatro patas.

El se inclinó, al asentar las manos en el suelo, surgió el ardor en los brazos, muy intenso. Sus ojos descubrieron junto a él a otro muchacho, también a gatas.

—Bueno –dijo la voz–.Cuando dos perros se encuentran en la calle, ¿qué hacen? Responda, cadete. A usted le hablo.

El Esclavo recibió un puntapié en el trasero y al instante contestó:

—No sé, mi cadete.

—Pelean –dijo la voz–.Ladran y se lanzan uno encima del otro. Y se muerden.

El Esclavo no recuerda la cara del muchacho que fue bautizado con él. Debía ser de una de las últimas secciones, porque era pequeño. Estaba con el rostro desfigurado por el miedo y, apenas calló la voz, se vino contra él, ladrando y echando espuma por la boca y de pronto el Esclavo sintió en el hombro un mordisco de perro rabioso y entonces todo su cuerpo reaccionó y mientras ladraba y mordía, tenía la certeza de que su piel se había cubierto de una pelambre dura, que su boca era un hocico puntiagudo y que, sobre su lomo, su cola chasqueaba como un látigo.

—Basta –dijo la voz–.Ha ganado usted. En cambio, el enano nos engañó. No es un perro sino una perra. ¿Saben qué pasa cuando un perro y una perra se encuentran en la calle?

—No, mi cadete –dijo el Esclavo.

—Se lamen. Primero se huelen con cariño y después se lamen.

Y luego lo sacaron de la cuadra* y lo llevaron al estadio y no podía recordar si aún era de día o había caído la noche. Allí lo desnudaron y la voz le ordenó nadar de espaldas, sobre la pista de atletismo, en torno a la cancha de fútbol. Después lo volvieron a una cuadra de cuarto y tendió muchas camas y cantó y bailó sobre un ropero, imitó a artistas de cine, lustró varios pares de botines, barrió una loseta con la lengua, fornicó con una almohada, bebió orines, pero todo eso era un vértigo febril y de pronto él aparecía en su sección, echado en su litera, pensando: «Juro que me escaparé. Mañana mismo». La cuadra estaba silenciosa. Los muchachos se miraban unos a otros y, a pesar de haber sido golpeados, escupidos, pintarrajeados y orinados, se mostraban graves y ceremoniosos. Esa misma noche, después del toque de silencio, nació el Círculo.

MARIO VARGAS LLOSA, *La cuidad y los perros.* (1962). Seix Barral. Biblioteca Breve de Bolsillo, Buenos Aires, 1972. Pp. 47-49.

Para Roa Bastos, que ha vivido casi siempre en el exilio, en El Paraguay la Historia se repite. En *Hijo de hombre*, una vez más, el Ejército pone en marcha su aparato represor para capturar a Cristóbal Jara, que ha iniciado una revuelta popular. Pero los oficiales no cuentan con la colaboración de los campesinos. Éstos recuerdan anteriores intervenciones militares y resisten valientemente torturas y vejaciones sin delatar al fugitivo. La novela es una constante denuncia de la prepotencia militar y del sufrimiento del pueblo guaraní*. Ofrecemos al lector escenas de la sangrienta persecución y de la conmovedora charla de dos soldados de tropa, a quienes el escritor no considera culpables de las masacres.

¡META BALA SIN COMPASIÓN! ORDEN ES ORDEN

La persecución continuó incansable. Tres días atrás había sido capturado el último grupo que resistió en un horno hasta que se le agotaron los proyectiles. Fueron cazados a tiros. Entre los sobrevivientes se hallaba Silvestre Aquino, el cabecilla de la montonera*, con el muslo atravesado por un balazo. Lo torturaron bestialmente; hubo hasta simulacros de fusilamiento, pero no sacaron en limpio gran cosa.

Desde entonces los efectivos del escuadrón de caballería batían a todas horas los bañados y las selvas del Kaañavé, en un radio de varias leguas en torno a las ruinas del vagón, que había sido el cubil clandestino de los montoneros. Los restos carbonizados seguían humeando en medio del monte. Frente al esqueleto de hierro, que ahora sí se parecía a un vigía muerto aunque todavía erguido, había un puesto de guardia. Los retenes se escalonaban de trecho en trecho formando en torno a los bañados un verdadero cordón, mientras las patrullas barrían los recovecos de un lado a otro con los cascos de sus caballos.

Hurgaron uno por uno los ranchos* de Costa Dulce. Sólo ante las inmundas cabañas de los leprosos se detuvieron, pero las vicheaban* a distancia, los oficiales con sus gemelos, desde los puestos de centinela que las flanqueaban.

El cargamento de carne rebelde puesta en vagón, ya estaba en viaje. Pero seguían buscando a ese único hombre que había hecho la hazaña de escapárseles de las uñas, desluciendo un poco la fulminante acción de la caballería de Paraguarí.

Procuraron hacer hablar a los viejos, a la mujeres y a los chicos de *la olería** y los arrozales, con amenazas y hasta con promesas de bastimentos y de dinero. Pero nadie sabía nada o nadie podía despegar los labios, esos dientes apretados por el encono muy nuevo de lo que habían visto hacer y por aquel otro resentimiento más antiguo, agrandado ahora por la salvaje represión tan semejante, en la memoria de los adultos, a la del año 12, con la que se aplastó el levantamiento de los campesinos y que volvía como entonces a despoblar de sus hombres al estero.

Allanaron también las casas del pueblo. Lo revolvieron todo, de arriba abajo. Registraron la iglesia, los corrales, los pozos, hasta el último aljibe. En determinado momento daban la impresión de que estaban buscando un botín muy valioso, escondido por la complicidad general, y no al hombre que solía conducir el destartalado camión de una de las ladrillerías, cuyo dueño naturalmente tampoco sabía nada. [...]

—Yo no sé por qué vinimos a matar a estos prójimos –dijo el del pecho lampiño, casi para sí–.¡Meta bala sin compasión! No habían hecho nada todavía.

—Orden es orden –replicó el otro, que parecía dormido bajo la gorra–.Nosotros estamos sirviendo a la patria y se acabó. Para qué vamos a *plaguearnos** de balde.

—No entiendo eso, Luchí. ¿Servir a la patria entonces quiere decir matarnos los unos a los otros?

—Estos se quisieron levantar contra el gobierno.

—Porque el gobierno apreta desde arriba.

—Para eso es gobierno.

—Pero no apreta a sus correligionarios.

—¡*Guaúnte**! Papá es liberal y abuelo también era liberal. Pero nunca salieron de pobre. Nuestra chacrita* de Limpio cada vez es más chica porque hay más que comemos y la tierra no crece.

—Papá no era ni liberal ni colorado. Y lo mataron. Porque quiso esconder su caballo de los gubernistas, como ser, de nosotros ahora.

—¿Esconder su caballo?

—Un parejero* malacara* que no tenía contrario en todo Kaaguasú. Lo metió en la pieza cuando llegaron las fuerzas, como nosotros aquí, de repente. Papá se escondió junto al malacara en el trascuarto. Durante tres días estuvieron allí, esperando que se fueran las tropas. Una tarde el malacara relinchó. Los soldados entraron y se quisieron llevar a los dos. Papá se retobó* y entonces lo balearon y se lo llevaron al parejero. Todavía me acuerdo de mamá lamentándose sobre el cadáver y retando a los soldados. Papá tenía los ojos abiertos. Miraba hacia afuera. Yo pensé que estaba mirando cómo el sargento hacía tornear a su malacara mientras lo llevaba, sin poder decir nada. Pero ya estaba muerto y las moscas se estaban juntando sobre su sangre en el suelo.

—Si hubiera sido liberal, Juandé, por lo menos no le hubieran matado.

—No. Luchí. No hay liberal ni colorado. Hay paquete* y descalzo solamente. Los que están arriba y los que están abajo. Eso *no más** es lo que hay... –el pecho lampiño se agitaba bajo la blusa desgarrada.

—¡Y qué vamos a remediar nosotros! –farfulló la voz bajo la gorra.

—Te dan un máuser y te ordenan: ¡Meta bala! Y hay que meter bala contra los contrarios del gobierno. Aunque sea tu propio padre.

—Para eso estamos en el ejército, *vyro**...

—Si, orden es orden. Y uno no es más que un conscripto...

AUGUSTO ROA BASTOS, *Hijo de hombre.* (1960). Argos Vergara, Libros DB, Barcelona, 1979. Pp. 181-182 y 187-188.

Del compromiso social de Guillén y de su hábil manejo del verso tradicional popular surge una de las más bellas y pegadizas defensas de la paz. Los soldados van a la contienda embaucados por armas, estandartes y briosos caballos, y vuelcan odio y resentimientos personales en la lucha. La paloma dialoga con ellos y con sus mujeres y nos muestra los macabros desastres de la guerra. La balada tiene hondas raíces hispánicas y trae a nuestra memoria formas e imágenes de nuestro Romancero, de García Lorca, Alberdi, Manuel Machado y Picasso.

BALADA

Ay, venga, paloma, venga
y cuénteme usted su pena.
–Pasar he visto a dos hombres
armados y con banderas;
el uno en caballo moro,
el otro en potranca negra.
Dejaran casa y mujer,
partieran a lueñes tierras;
el odio los acompaña,
la muerte en las manos llevan.
¿A dónde vais?, preguntéles,
y ambos dos respondieran:
Vamos andando, paloma,
andando para la guerra.
Así dicen, y después
con ocho pezuñas vuelan,
vestidos de polvo y sol,

armados y con banderas,
el uno en caballo moro,
el otro en potranca negra.
Ay, venga, paloma, venga
y cuénteme usted su pena.

–Pasar he visto a dos viudas
como jamás antes viera,
pues que de una misma lágrima
estatuas parecen hechas.
¿A dónde váis, mis señoras
pregunté a las dos al verlas.
Vamos por nuestros maridos,
paloma, me respondieran.
De su partida y llegada
tenemos amargas nuevas;
tendidos están y muertos,
muertos los dos en la hierba,
gusanos ya sobre el vientre
y buitres en la cabeza,
sin fuego las armas mudas
sin aire las banderas;
se espantó el caballo moro,
huyó la potranca negra.
Ay, venga paloma, venga
y cuénteme usted su pena.

NICOLÁS GUILLÉN, *Summa poética*: «*Tengo*». (1964). Cátedra, Col. Letras Hispánicas, Madrid, 1990. Pp. 207-208.

Pensando que a ninguna tierra le hacía tanta falta la simiente de Dios, decidió quedarse una semana más para cristianizar a circuncisos y gentiles, legalizar concubinatos y sacramentar moribundos.

GABRIEL GARCÍA MÁRQUEZ

El bajo clero de la América española empezó a publicar periódicos incendiarios como *La aurora de Chile* del padre Camilo Hernández en Santiago, o animando reuniones conspirativas disfrazadas de tertulias literarias como la del padre Hidalgo en la provincia mexicana.

CARLOS FUENTES

Después de ocupar a Valladolid y Guadalajara [el cura] Hidalgo, con cerca de cien mil hombres, acompañado de Allende, se acercó a la capital. Tropas del Virrey a las órdenes de Trujillo fueron derrotadas en las Cruces.

JOSÉ VASCONCELOS

La gente empezó a rezongar, porque se supo que el cura no había consagrado con vino sino con una mezcla de cañazo* y aloja*, pues la botella de vino que trajo se la bebió anoche en la borrachera que se aplicó en compañía de don Juan Plaza.

CIRO ALEGRÍA

Y me cuenta que el Padre Miguel, un párroco del barrio que desapareció misteriosamente hacía un par de años, es al parecer el famoso Camarada Leoncio que dirigió el sangriento asalto al Palacio del Gobierno el mes pasado.

MARIO VARGAS LLOSA

5. CURAS Y SANTONES

El clero católico, autóctono o misionero, ha jugado un papel importante en América. Desde los evangelizadores (amantes y defensores de los indios y, en muchos casos, catalizadores de la cultura indígena) hasta los actuales curas y monjas seguidores de la Teología de la Liberación, aparecen en la Historia y en la Literatura singulares personajes y recurrentes estereotipos: en ambas observamos obispos inquisidores, clérigos que propiciaron la Independencia y sufridos monjes, párrocos prepotentes, religosos abusivos y santones heterodoxos que han condicionado vidas y acontecimientos políticos y sociales. La presencia activa de la jerarquía católica en todas las esferas ha generado movimientos clericales y anticlericales muy violentos. En la actualidad el pueblo es muy sensible a la llamada de pastores protestantes y poblados enteros se hacen miembros de diferentes sectas. Las Letras de la primera mitad del siglo han prestado especial atención a sacerdotes autoritarios y rigurosos, criticando su hipocresía e intolerancia y dotándolos de rasgos fantásticos o demoniacos. Hoy se tiende a reconocer la labor humanitaria realizada por religiosos y religiosas, y a retratar sacerdotes implicados en movimientos revolucionarios.

Fascinado por el Brasil, su historia y los personajes fantásticos que lo pueblan, Vargas Llosa traspasa fronteras geográficas, temporales y personales para narrar la guerra santa que tiene lugar en Bahía a finales del siglo pasado. Dirigida por un visionario, la *Santa Cruzada* arremete contra la joven República, el orden establecido y las nuevas instituciones. El carisma de «o Conselheiro» enfervorece a muchedumbres famélicas y a individuos insólitos que entablan una auténtica guerra, que llega a desestabilizar la República, considerada como El *Anticristo.* La narración se basa en datos históricos que son sabiamente ordenados e imaginativamente enriquecidos por el peruano. En los siguientes fragmentos ofrece un magistral retrato del Consejero y de su capacidad de enardecer a las masas, y describe una victoria de sus *cruzados.* La inmersión de Vargas Llosa en la problemática brasileña se trasluce incluso en la frecuente utilización de términos portugueses.

O CONSELHEIRO

El hombre era alto y tan flaco que parecía siempre de perfil. Su piel era oscura, sus huesos prominentes y sus ojos ardían con fuego perpetuo. Calzaba sandalias de pastor y la túnica morada que le caía sobre el cuerpo recordaba el hábito de esos misioneros que, de cuando en cuando, visitaban los pueblos del sertón bautizando muchedumbres de niños y casando a las parejas amancebadas. Era imposible saber su edad, su procedencia, su historia, pero algo había en su facha tranquila, en sus costumbres frugales, en su imperturbable seriedad que, aun antes de que diera consejos, atraía a las gentes.

Aparecía de improviso, al principio solo, siempre a pie, cubierto por el polvo del camino, cada cierto número de semanas, de meses. Su larga silueta se recortaba en la luz crepuscular o naciente, mientras cruzaba la única calle del poblado, a grandes trancos, con una especie de urgencia. Avanzaba resueltamente entre cabras que campanilleaban, entre perros y niños que le abrían paso y lo miraban con curiosidad, sin responder a los saludos de las mujeres que ya lo conocían y le hacían venias y se apresuraban a traerle jarras de leche de cabra y platos de *farinha* y fréjol. Pero él no comía ni bebía antes de llegar hasta la iglesia del pueblo y comprobar, una vez más, una y cien veces, que estaba rota, despintada, con sus torres truncadas y sus paredes agujereadas y sus suelos levantados y sus altares roídos por los gusanos. Se le entristecía la cara con un dolor de retirante al que la sequía ha matado hijos y animales y privado de bienes y debe abandonar su casa, los huesos de sus muertos, para huir, huir, sin saber adónde. A veces lloraba y en el llanto el fuego negro de sus ojos recrudecía con destellos terribles. Inmediatamente se ponía a rezar. Pero no como rezan los demás hombres o mujeres: él se tendía de bruces en la tierra o las piedras o las lozas desportilladas, frente a donde estaba o había estado o debería estar el altar, y allí oraba, a veces en silencio, a veces en voz alta, una, dos horas, observado con respeto y admiración por los vecinos. Rezaba el Credo, el Padre Nuestro y los Avemarías consabidos, y también otros rezos que nadie había escuchado antes pero que, a lo largo de los días, de los meses, de los años, las gentes irían memorizando ¿Dónde está el párroco?, le oían preguntar, ¿por qué no hay aquí un pastor para el rebaño? Pues, que en las aldeas no hubiera un sacerdote, lo apenaba tanto como la ruina de las moradas del Señor. [...]

La voz del santo resonó bajo las estrellas, en la atmósfera sin brisa que parecía conservar más tiempo sus palabras, tan serena que disipaba cualquier temor. Antes de la guerra, habló de la paz, de la vida venidera, en la que desaparecerían el pecado y el dolor. Derrotado el Demonio, se establecería el Reino del Espíritu Santo, la última edad del mundo antes del Juicio Final. ¿Sería Canudos la capital de ese Reino? Si lo quería el Buen Jesús. Entonces se derogarían las leyes impías de la República y los curas volverían, como en los primeros tiempos, a ser pastores abnegados de sus rebaños. Los sertones verdecerían con la lluvia, habría maíz y reses en abundancia, todos comerían y cada familia podría enterrar a sus muertos en cajones acolchados de terciopelo. Pero, antes, había que derrotar al Anticristo. Era preciso fabricar una cruz y una bandera con la imagen del Divino para que el enemigo supiera de qué lado estaba la verdadera religión. E ir a la lucha como habían ido los Cruzados a rescatar Jerusalén: cantando, rezando, vitoreando a la Virgen y a Nuestro Señor. Y como éstos vencieron, también vencerían a la República los cruzados del Buen Jesús.

Nadie durmió esa noche en Canudos. Unos rezando, otros aprestándose, todos permanecieron de pie, mientras manos diligentes clavaban la cruz y cosían la bandera. Estuvieron listas antes del amanecer.[...]

La victoria no fue rápida. Hubo muchos mártires en esas horas ruidosas. A las carreras y a los disparos sucedían paréntesis de inmovilidad y silencio que, un momento después, eran de nuevo violentados. Pero antes de media mañana los hombres del Consejero supieron que habían vencido, cuando vieron unas figurillas desaladas, a medio vestir, que, por orden de sus jefes o porque el miedo los había vencido antes que los yagunzos, escapaban a campo traviesa, abandonando armas, guerreras, polainas, botines, morrales. Les dispararon, sabiendo que no los alcanzarían, pero a nadie se le ocurrió perseguirlos. Poco después huían los otros soldados y, al escapar, algunos caían en los nidos de yagunzos que se habían formado en las esquinas, donde eran ultimados a palazos y cuchilladas en un santiamén. Morían oyéndose llamar canes, diablos, y pronosticar que sus almas se condenarían al mismo tiempo que sus cuerpos se pudrían.

MARIO VARGAS LLOSA, *La guerra del fin del mundo.* (1981). Plaza & Janés, Col. Literaria, Barcelona, 1981. Pp. 15, 76-77 y 78-79.

En Yahualica, *pueblo de mujeres enlutadas,* siete curas se empeñan en controlar las pasiones de sus habitantes. El Cura Párroco, austero, coherente y entregado, reconoce al final de *Al filo del agua* los errores de su mensaje pastoral y su fracaso como hombre. María, una de sus sobrinas, acaba de huir con las tropas revolucionarias llenándolo de dolor y cubriéndolo de oprobio ante sus más adeptos fieles. En este momento de clarividencia, don Dionisio revive las dramáticas vicisitudes de algunos de sus feligreses y la tragedia colectiva de su parroquia. La preocupación por Marta, la otra sobrina, la vulnerabilidad momentánea del personaje y su fe en Dios cierran las páginas de la magistral novela de Yáñez. Las últimas palabras en latín, que tanto repetía Gabriel, su antiguo protegido, sugieren la recuperación moral del sacerdote ante el sádico silencio de los parroquianos que desean su derrota.

¡MISERABLE PASTOR QUE SE HA DEJADO ROBAR LAS OVEJAS!

—Como todos los días– esta fue la terminante respuesta que dio el Señor Cura al sacristán, que se atrevió a entrar para preguntarle si celebraría la primaria misa, dentro de pocas horas, cuando la noche –la funesta noche– terminara. El sacristán pretendió llevar su oficiosidad a términos de solicitud cariñosa para inducirlo al reposo, para pedirle que no se levantara temprano; al menos, preguntarle si algo se le ofrecía; parte, por sincera compasión; parte, por morbosa curiosidad.[...]

Postrado, inmóvil, quedó una hora. De su mortal inercia vino a sacarlo el sacristán, para en seguida tornar al huerto miserando: *transfer calicem... transfer calicem... verumtamen non mea voluntas... omnia tibi posibilia... transfer calicem... sed non quod ego volo...* Con la oración luchaban las imágenes del mundo, las ternuras de la tierra, el dolor de la infamia, el porvenir punzante. María pequeñita, María consentida, María precoz, ya impaciente, preguntona. Quemaban con lumbre de infierno los recuerdos de filiales halagos, caricias y zalamerías. Luego, la hosca figura de Gabriel, zumbido de campanas, Gabriel huido del colegio, robado por aquella mujer. A ninguno pudo defender. No pudo defender a Luis Gonzaga, ni a Mercedes Toledo, ni a Micaela Rodríguez, ni a Rito Becerra, ni al Padre Islas, ni a la viuda de Lucas, ni a don Timoteo, ni a Damián. ¡Miserable pastor que se ha dejado robar las ovejas! ¡Miserable pastor que ha dejado rodar las canicas y no ha podido enderezarles el camino! Año con año se frustran más y más vocaciones de jóvenes que habrían de trabajar la Viña del Señor. Con más horrendo escándalo ha ido a la perdición creciente número de doncellas. Aquello que más deseó, aquello por lo que más trabajó es lo primero que arrastra la furia adversa. Muchas veces lo halagó pensar que trabajaba bien: Dios castiga su soberbia con derrota espantosa, hiriéndole la más vulnerable afección. Por siempre será ludibrio de sus fieles: ni a la oveja que traía contra el pecho pudo salvar, antes la perdió con mayor escarnio.

Largo rato hace –una, dos horas– que se apagó la luz dentro de la bombilla. Es el reinado de las tinieblas. Toda oración es arrollada por imágenes de amargura: su estéril celo por la pureza, su casa para ejercicios espirituales, los largos años inútiles de severidad contraproducente. ¡Si hubiera dejado que la ternura se le derramara! Ya es insoportable la fatiga de sus piernas, le tiemblan las manos, las rodillas; debe recostarse. No. No. Aunque lo cubra frío sudor. Debe castigar la inutilidad, el fracaso de su vida.[...]

Un vivo dolor no causado por el flagelo hace que cesen los azotes. ¡Cuán duro y difícil aceptar esta desgracia –que pone fin a la vida, que hace inútiles los esfuerzos ¡tantos! de toda una larga vida– como gusto de Dios! ¡Cuán duro pensar, decir: «Bendita seas, María, bendita sea tu perdición...»! La segunda llamada salvó de sus propios pensamientos al anciano; como no se había desvestido en la noche, salió luego de su cuarto, llegó a la sacristía; pero no tuvo fuerzas para ir al confesionario, como todas las mañanas.

Pese al insomnio, a los terrores, a la inseguridad, el templo estaba lleno como si fuese domingo ese día. Llegaban a los oídos del Cura las toses y el murmullo; era como si lo esperasen mil ávidas fauces que prolongarían el martirio, como el rumor de multitud pagana en el circo. ¡Sus fieles! ¡La curiosidad mortificante de su feligresía! ¡Qué vergüenza!

Con aparente calma termina de revestirse casulla y manípulo. Al comenzar la última llamada toma el cáliz con decisión y avanza; sube rígidamente al presbiterio; calmadamente, mecánicamente coloca el corporal, se dirige al atril y abre las hojas del misal, desciende la grada erguidamente y, con la misma voz de todos los días, prorrumpe: *In nomine Patris, et Filii, et Spiritu Sancti. Amén.* Calmadamente, devotamente, junta las manos delante del pecho. Como todos los días.

Introibo ad altare Dei...

Un sollozo ahogado de mujer en el expectante silencio de la nave. Marta. Quizás Marta. El Cura domina sus reflejos; pero, mecánicamente, repite las palabras que acaba de decir el sacristán:

Ad Deum qui laetificat juventutem mean...

¡La alegría de su juventud! Ola de amargura baña la garganta del anciano. Desfallece. ¡Su juventud! Alterado el orden, hay una breve interrupción. El celebrante se sobrepone y anuda el hilo del oficio. Como todos los días, hace treinta y cuatro años. Las manos cadavéricas temblándole junto al pecho. ¿Alcanzará a consumir este cáliz de hoy? ¿podrá vencer el vértigo que lo derrumba, la caída que todos esperan con sádico silencio?

Judica me, Deus, et discerne causam mean de gente non sancta: ab homine iniquo et doloso erue me...

Y de nuevo la obsesión de romper el orden para decir las palabras que tantas veces oyó en labios de Gabriel:

Ad Deum qui laetificat juventutem meam...

AGUSTÍN YÁÑEZ, *Al filo del agua.* (1947). Casa de las Américas, La Habana, 1967. Pp. 446-449.

Isabel Allende ha sabido hacerse un lugar en la más reciente narrativa hispanoamericana. La fluidez de su prosa, su aguda psicología y su capacidad para entender y describir los aspectos reales y mágicos de los acontecimientos consiguen crear un clímax que capta al lector. También sus extravagantes personajes son capaces de interesar o fascinar a los que se adentran en sus cuentos o novelas. En *La casa de los espíritus* el párroco utiliza amenazas infernales para sacudir las conciencias de los fieles. Sin embargo, este cura inquisidor, que doctrinalmente vive anclado en el pasado, nunca dejará de lado a las familias Trueba y del Valle, protagonistas de la novela, y los confortará en todas sus tragedias y vicisitudes.

¡ARREPENTÍOS, PECADORES!

Nadie se habría atrevido a desobedecerle. El sacerdote estaba provisto de un largo dedo incriminador para apuntar a los pecadores en público y una lengua entrenada para alborotar los sentimientos.

—¡Tú, ladrón que has robado el dinero del culto! –gritaba desde el púlpito señalando a un caballero que fingía afanarse en una pelusa de su solapa para no darle la cara–.¡Tú, desvergonzada que te prostituyes en los muelles! –y acusaba a doña Ester Trueba, inválida debido a la artritis y beata de la Virgen del Carmen, que abría los ojos sorprendida, sin saber el significado de aquella palabra ni adónde quedaban los muelles–.¡Arrepentíos, pecadores, inmunda carroña, indignos del sacrificio de Nuestro Señor! ¡Ayunad! ¡Haced penitencia!

Llevado por el entusiasmo de su celo vocacional, el sacerdote debía contenerse para no entrar en abierta desobediencia con las instrucciones de sus superiores eclesiásticos, sacudidos por vientos de modernismo, que se oponían al cilicio y a la flagelación. Él era partidario de vencer las debilidades del alma con una buena azotaina de la carne. Era famoso por su oratoria desenfrenada. Lo seguían sus fieles de parroquia en parroquia, sudaban oyéndolo describir los tormentos de los pecadores en el infierno, las carnes desgarradas por ingeniosas máquinas de tortura, los fuegos eternos, los garfios que traspasaban los miembros viriles, los asquerosos reptiles que se introducían por los orificios femeninos y otros múltiples suplicios que incorporaba en cada sermón para sembrar el terror de Dios. El mismo Satanás era descrito hasta en sus más íntimas anomalías con el acento de Galicia del sacerdote, cuya misión en este mundo era sacudir las conciencias de los indolentes criollos.

ISABEL ALLENDE, *La casa de los espíritus.* (1982). Plaza y Janés, Col. Literaria, Barcelona, 1992. Pags. 10-11.

No, aún no secaban las banderas,
aún no dormían los soldados
cuando la libertad cambió de traje,
se transformó en hacienda:
de las tierras recién sembradas
salió una casta, una cuadrilla
de nuevos ricos con escudo,
con policía y con prisiones.

PABLO NERUDA

«Crees que tenemos aún derecho a poseer siervos? ¿Crees que los siervos constituyen un bien productivo? Son un peso muerto. Ahora los necesito... y los explotaré misericordiosamente y a fondo...»

JOSÉ MARÍA ARGUEDAS

El dinero es el gran prestidigitador.
Evapora todo lo que toca:
tu sangre y tu sudor,
tu lágrima y tu idea.
El dinero te vuelve ninguno

OCTAVIO PAZ

¡Ande desnudo, en pelo, el millonario!
¡Desgracia al que edifica con tesoros su lecho de muerte!

CÉSAR VALLEJO

6. RICOS SEÑORITOS Y ARISTÓCRATAS

En Iberoamérica la distribución de la riqueza es abrumadoramente desigual. La Independencia de España y la desaparición de las *encomiendas* en el siglo XVIII no supusieron el fin del régimen feudal de tenencia de la tierra ni el término de los grandes latifundios; tampoco las revoluciones y posteriores reformas agrarias fueron capaces de repartir los recursos naturales ni de crear una clase media en el Continente; todavía hoy se puede afirmar que los latinoamericanos, de forma general, pueden ser clasificados en ricos y pobres. Un altísimo porcentaje de los medios de producción se encuentra en manos de unos pocos privilegiados, cuyo nivel de opulencia suele ir parejo a la la falta de sensibilidad para con los indigentes. La alta burguesía, instalada en el poder de antiguos linajes, en la fuerza del dinero o en el monopolio de la cultura, es a menudo insolidaria y se aprovecha de la pobreza e ignorancia de sus compatriotas. Numerosas obras literarias condenan o satirizan los abusos y extravagancias de ricos, rancios aristócratas y trasnochados señoritos.

En muchos casos, las reformas constitucionales han supuesto un retroceso en el reparto de la riqueza: tierras comunales, que incluso la Colonia había respetado, fueron confiscadas y pasaron a manos de crueles aventureros y mestizos desalmados. Alcides Arguedas relata como, en tiempos del dictador Melgarejo, los indios bolivianos dejaron de ser propietarios de ejidos para convertirse en peones de *señores* «de instintos feroces». *Raza de bronce* describe las penurias de los indígenas, que son obligados a desplazarse periódicamente por territorios inhóspitos para recoger las cosechas de las remotas haciendas de desconocidos caciques. Arguedas, perteneciente él mismo a la aristocracia colonial, sustituida por estos «nuevos señores», no escatima maniqueísmos para pintar la crueldad y avaricia de los advenedizos, frente a la absoluta bondad de los indios.

IMPROVISADOS TERRATENIENTES

Ellos, los amos, por economizar unos céntimos y poner a prueba su mansedumbre [de los peones], urdían ardides para hacerles caer en faltas, y luego, por castigo, enviarlos a esas regiones malditas, donde atrapaban dolencias a veces incurables, sin recibir ninguna recompensa y más bien utilizando sus bestias, que a raíz de cada viaje resultaban enfermas por meses de meses, y a veces definitivamente; ellos...

En todas las casas, de todas las bocas se elevó, en secreto, un coro de anatemas contra los criollos detentadores de esas sus tierras, que, por tradición, habían pertenecido a sus antepasados, y de las que fueron desposeídos, hace medio siglo, cuando sobre el país, indefenso y acobardado, pesaba la ignorante brutalidad de Melgarejo.

Entonces, so pretexto de poner en manos diligentes y emprendedoras la gleba en la suyas infecunda, arrancaron, con mendrugos o a balazos, la tierra de su poder, para distribuirla, como gaje de vileza, entre las mancebas y los paniaguados del mandón, cayendo así en su aridez de ahora, porque el brazo indígena, que por interés, codicia y sarcasmo, dieron en llamar inactivo los congresales* de ese año triste de 1868, resultó más pobre, más ocioso, que el de los improvisados terratenientes, que sólo tuvieron la habilidad de encontrar en el indio un producto valioso de fácil explotación y el talento de inventar nuevas cargas, sin osar ningún esfuerzo de modernización, inhábiles del todo para emprender...

La familia ilegítima del caudillo bárbaro fue la primera en acaparar, aunque sin provecho, extraordinarias extensiones de tierras feraces a orillas del lago; y el despojo se consumó vertiendo a torrentes la sangre de más de dos mil indios que rehuyeron aceptar los mendrugos señalados como precio de su heredad. [...]

Así, a fuerza de sangre y lágrimas, fueron disueltas, en tres años de lucha innoble, cosa de cien *comunidades* indígenas, que repartieron entre un centenar de propietarios nuevos, habiendo no pocos que llegaron a acaparar más de veinte kilómetros seguidos de tierras de pan llevar. De este modo, más de trescientos mil indígenas resultaron desposeídos de sus tierras, y muchos emigraron para nunca más volver, y otros, vencidos por la miseria, acosados por la nostalgia indomable de la heredad, resignáronse a consentir el yugo mestizo y se hicieron colonos para llegar a ser, como en adelante serían, esclavos de esclavos...

Con estos procedimientos, había logrado entrar en posesión de la comunidad de Kohahuyo don Manuel Pantoja, el padre del actual poseedor de la hacienda en que servían nuestros maltraídos viajeros.

Asociado a un general favorito de Melgarejo, hombre de instintos feroces, cobarde pero traidor y malo, borrachín y sucio, había asolado las regiones de Chililaya, Aigachi y Taraco, lanzando a la soldadesca iletrada contra los comunarios*, que, no obstante su pavor, apercibiéronse para la defensa de sus tierras adjudicadas a don Manuel por un alto precio nominal, pero casi de balde, porque sólo alcanzó a cubrir menos de un tercio del valor estipulado; y sus hazañas, silenciadas entonces por la prensa servil, sólo llegaron a conocerse tarde ya, cuando se hubo disipado con la muerte la sombra del soldado audaz y nuevos hombres se hicieron cargo de los destinos de la nación agonizante.

Entonces apareció la figura de don Manuel en toda su fea desnudez moral.

Incondicional partidario de Melgarejo, le había servido con decisión inquebrantable, primero en calidad de escribiente, y luego como su secretario de Hacienda; y su labia fácil aunque vulgar, que se desbordaba cálida y humilde en los orgiásticos banquetes servidos con cualquier motivo en palacio, le valieron la singular estima de Melgarejo, que le placía verse comparado con las más grandes figuras de la Historia por sus ministros juguetes y sus demás obedientes servidores, civiles y militares, quienes sabían que adular al amo era conseguir sus favores y, con ellos, fortuna y honores.

Aduló como nadie don Manuel; fue obediente y comedido; supo ser feliz y bastante cínico en sus discursos de bacanal y sus escritos de prensa, y Melgarejo lo premió concediéndole enormes extensiones de tierras comunarias y pasando por alto su morosidad de deudor insolvente.

Hizo más.

Le prestó la ayuda de uno de sus generales para reducir a la obediencia a los comunitarios rebeldes y castigar a aquellos que se negasen a entregar su suelo fecundo con el sudor de interminables generaciones de indios, agotados en el cultivo de esas tierras magras y frías.

ALCIDES ARGUEDAS, *Raza de bronce.* (1919). Planeta-Agostini, Barcelona, 1985. Pp. 91-93.

La casa de los espíritus narra la historia de la familia Trueba del Valle. Allende describe, además de los avatares de cuatro generaciones, los cambios de la sociedad chilena y culpa a la oligarquía criolla (sobre todo a los nuevos ricos) de los males endémicos del país. La Primera Guerra Mundial, nos cuenta esta secuencia, forzó el exilio de numerosos europeos que llevaron a América otros estilos de vida y nuevas ideas. Las clase dominante, mientras tanto, absorta en frivolidades y caros pasatiempos, se distancia de los problemas reales y no se da cuenta de las tansformaciones sociales que sufre la nación y que acarrearán el debilitamiento de su bienestar y privilegios.

LAS RIQUEZAS FÁCILES DE LA POSTGUERRA

La guerra en Europa había terminado y los vagones llenos de muertos eran un clamor lejano, pero que aún no se apagaba. De allá estaban llegando las ideas subversivas traídas por los vientos incontrolables de la radio, el telégrafo y los buques cargados de emigrantes que llegaban como un tropel atónito, escapando al hambre de su tierra, asolados por el rugido de las bombas y por los muertos pudriéndose en los surcos del arado. Era año de elecciones presidenciales y de preocuparse por el vuelco que estaban tomando los acontecimientos. El país despertaba. La oleada de descontento que agitaba al pueblo estaba golpeando la sólida estructura de aquella sociedad oligárquica. En los campos hubo de todo: sequía, caracol, fiebre aftosa. En el Norte había cesantía y en la capital se sentía el efecto de la guerra lejana. Fue un año de miseria en el que lo único que faltó para rematar el desastre fue un terremoto.

La clase alta, sin embargo, dueña del poder y de la riqueza, no se dio cuenta del peligro que amenazaba el frágil equilibrio de su posición. Los ricos se divertían bailando el charlestón y los nuevos ritmos del *jazz,* el *fox-trot* y unas cumbias de negros que eran una maravillosa indecencia. Se renovaron los viajes en barco a Europa, que se habían suspendido durante cuatro años de guerra y se pusieron de moda otros a Norteamérica. Llegó la novedad del golf, que reunía a la mejor sociedad para golpear una pelotita con un palo, tal como doscientos años antes hacían los indios en esos mismos lugares. Las damas se ponían collares de perlas falsas hasta la rodilla y sombreros de bacinilla hundidos hasta las cejas, se habían cortado el pelo como hombres y se pintaban como meretrices, habían suprimido el corsé y fumaban pierna arriba. Los caballeros andaban deslumbrados por el invento de los coches norteamericanos, que llegaban al país por la mañana y se vendían el mismo día por la tarde, a pesar de que costaban una pequeña fortuna y no eran más que un estrépito de humo y tuercas sueltas corriendo a velocidad suicida por unos caminos que fueron hechos para los caballos y otras bestias naturales, pero en ningún caso para máquinas de fantasía. En las mesas de juego se jugaban las herencias y las riquezas fáciles de la post-guerra, destapaban el champán y llegó la novedad de la cocaína para los más refinados y viciosos. La locura colectiva parecía no tener fin.

Pero en el campo los nuevos automóviles eran una realidad tan lejana como los vestidos cortos y los que se libraron del caracol y la fiebre aftosa lo anotaron como un buen año. Esteban Trueba y otros terratenientes de la región se juntaban en el club del pueblo para planear la acción política antes de las elecciones. Los campesinos todavía vivían igual que en tiempos de la Colonia y no habían oído hablar de sindicatos, ni de domingos festivos, ni de un salario mínimo, pero ya comenzaban a infiltrarse en los fundos los delegados de los nuevos partidos de izquierda, que entraban disfrazados de evangélicos, con una biblia en un sobaco y sus panfletos marxistas en el otro, predicando simultáneamente la vida abstemia y la muerte por la revolución.

ISABEL ALLENDE, *La casa de los espíritus.* (1982). Plaza y Janés, Barcelona, 1992, pags. 65-66.

Carlos Fuentes centra gran parte de su actividad literaria en retratar el México de la Revolución de 1910. A continuación vemos cómo el autor, por boca de un revolucionario, acusa y desprecia a la oligarquía improductiva y decadente que, sin piedad, abusaba del poder que habían heredado de sus antepasados.

LOS SEÑORITOS SE ABURRÍAN

Se aburrían: los señoritos de la hacienda sólo venían aquí de vez en cuando, de vacaciones. El capataz les administraba las cosas. Ya no eran los tiempos del encomendero siempre presente, al pie de la vaca y contando los quintales. Cuando venían, se aburrían y bebían coñac. También toreaban a las vaquillas. También salían galopando por los campos de labranza humilde para espantar a los peones doblados sobre los humildes cultivos chihuahuenses*, de lechuguilla*, y el trigo débil, los frijoles*, y los más canijos les pegaban con los machetes planos en las espaldas a los hombres y se lanzaban a las mujeres y luego se las cogían* en los establos de la hacienda, mientras las madres de los jóvenes caballeros fingían no oír los gritos de nuestras madres y los padres de los jóvenes caballeros bebían coñac en la biblioteca y decían son jóvenes, es la edad de la parranda, más vale ahora que después. Ya sentarán cabeza. Nosotros hicimos lo mismo.[...]

—Yo soy el hijo de la parranda, el hijo del azar y la desgracia, señorita. Nadie defendió a mi madre. Era una muchachita. No estaba casada ni tenía quien la defendiera. Yo nací para defenderla. Mire, *miss.* Nadie defendía a nadie aquí. Ni siquiera a los toros. Castrar toros, eso sí que era más excitante que cogerse campesinas. Vi cómo les brillaban los ojos al castrar y gritar: ¡Buey, buey!

CARLOS FUENTES, *Gringo Viejo.* (1985). Mondadori, Madrid, 1990. Pp. 68-69.

La aristocracia criolla ha favorecido el progreso económico y cultural, y ha luchado por la independencia del Continente. Pero el empobrecimiento físico y espiritual de muchas estirpes da lugar a ambientes de miseria moral como el que domina en *El obsceno pájaro de la noche.* La sórdida obsesión por la descendencia, la pasividad de la mujer y el destino que le dan los Azcoitía a la casona familiar crean el ámbito esperpéntico de la narración de Donoso.

LOS AZCOITÍA SE CUBRIERON DE GLORIA

Pero los Azcoitía, desde siempre, fueron gente muy de a caballo, muy pendenciera, de modo que en cuanto estallaron las guerras de la Independencia organizaron montoneras* tan feroces que la comarca al sur del Maule resultó infranqueable para el enemigo español. Los Azcoitía se cubrieron de gloria. Todos los patriotas hablaban de ellos. Pero su número quedó muy mermado.

Además, como por una maldición, durante el siglo que siguió a la Independencia, la familia Azcoitía produjo más que nada hembras, bellas y acaudaladas y virtuosas, que se casaban pronto y bien, emparentando a los Azcoitía con toda la sociedad de la época por *la sábana de abajo*, manejando el poder que emerge del corrillo junto al brasero, moviendo los hilos tenues que enredan a los hombres con sus cuchicheos y murmuraciones, con ese beso nocturno que rige el sueño de sus hijos, con la sonrisa de despedida que destruye o preserva reputaciones y tradiciones, mujeres discretas, silenciosas en su mundo de costuras y sirvientes y enfermedades y visitas y novenas, con los ojos gachos sobre las sedas multicolores del bastidor, mientras las ásperas voces masculinas se enardecen discutiendo cosas que nosotras no entendemos ni debemos entender porque nosotras sólo entendemos cosas sin importancia como el calado que adorna el borde de un escote, o si vale la pena encargar a Francia guantes de cabritilla, o si el cura de Santo Domingo es buen o mal predicador. Y mientras el poder de la familia cundía, oculto bajo generaciones de mujeres emparentadas, pero incapaces de transmitir el apellido ni conservar la unidad de la familia, la línea masculina de los Azcoitía se fue debilitando: cada generación producía muchas mujeres, pero un solo hombre, menos en el caso del clérigo don Clemente de Azcoitía, hermano del padre de don Jerónimo. El apellido corría peligro de extinguirse y, con él, prebendas, derechos, posesiones, poder, sinecuras, honores, que al repartirse entre primos de otros apellidos disolverían la fuerza de ese único Azcoitía necesario en cada generación.

Inés y Jerónimo no han tenido hijo. El apellido desaparecerá después de ellos. Eso lo saben. La fortuna se repartirá entre parientes que no los estiman, instituciones que no les interesan, legados, caridades.

JOSÉ DONOSO, *El obsceno pájaro de la noche.* (1970). Seix Barral, Biblioteca Breve, Barcelona, 1970. Pp. 50-51.

LA MADRE TRISTE

Duerme, duerme, dueño mío,
sin zozobra, sin temor,
aunque no se duerma mi alma,
aunque no descanse yo.

GABRIELA MISTRAL

«—*La mera** verdad, yo no sé para qué mi mamá me dejó casar con todo lo delicada que es. Desde el día de la boda no hubo noche que nos dejara en paz, allí sentada en medio de las dos camas. De día, cuando aquél se iba a trabajar, me dejaba encerrada con llave cada que salía.

—¿Y cómo nació Filemón?»

JUAN JOSÉ ARREOLA

Era la madre del Pelele, querida de un gallero que tocaba la guitarra con uñas de pedernal y víctima de sus celos y sus vicios.

MIGUEL ÁNGEL ASTURIAS

Señora tan respetada,
la pobre doña María,
con un hijo policía,
y ella que no sabe nada.

NICOLÁS GUILLÉN

7. LA MADRE

A pesar de pertenecer a sociedades machistas, muchas madres americanas conservan grandes parcelas de poder. En el Continente abundan familias de régimen matriarcal y a menudo estas madres fomentan a su antojo cierto tipo de sexismo. En unas complicadas relaciones de poder, la mujer alimenta en su marido e hijos actitudes de falsa hombría, dirigidas, en realidad, a esconder y fomentar la debilidad masculina. Sin embargo, en líneas generales, la capacidad de decisión de la mujer es limitada y su poder se manifiesta más en forma de sutil influencia.

Vemos desfilar por la realidad americana y por su literatura a una extensa gama de madres: madres crueles y madres víctimas, madres solteras, egoistas matronas, ridículas *mamás* y adorables *mamacitas**. Muchas mujeres, figuras centrales de familias muy numerosas, dedicadas a tiempo completo a cuidar de su familia, conservan el afecto de sus hijos y muchos autores recrean en sus obras la intimidad que mantuvieron con sus madres.

Úrsula Iguarán es la *madre por excelencia* de la Literatura Hispanoamericana. Realista y dotada de poderes mágicos, fuerte y trabajadora, vive obsesionada por el incesto que, según la tradición familiar, traeará a la estirpe de los Buendía un hijo con cola de cerdo. Úrsula, matriarca indiscutible, es también prototipo de *la mujer fuerte* de Iberoamérica, sostén de la familia y de la sociedad. Frente a los sueños y delirios de su marido, el instinto de supervivencia de Úrsula y su sentido práctico traerán la bonanza a Macondo. Longeva, verá nacer y morir a varias generaciones, y su orgullo y tenacidad le ayudarán a superar la vejez y la soledad. A pesar de que su entierro está acompañado signos mágicos, Úrsula, igual que muchas grandes mujeres, muere en el anonimato. Se reproducen algunos fragmentos que describen el carácter y avatares de la madre de los Buendía.

ÚRSULA IGUARÁN

[Afanes y desvelos]

La laboriosidad de Úrsula andaba a la par con la de su marido. Activa, menuda, severa, aquella mujer de nervios inquebrantables, a quien en ningún momento de su vida se la oyó cantar, parecía estar en todas partes desde el amanecer hasta muy entrada la noche, siempre perseguida por el suave susurro de sus *pollerines* de olán**. Gracias a ella, los pisos de tierra golpeada, los muros de barro sin encalar, los rústicos muebles de madera construidos por ellos mismos estaban siempre limpios, y los viejos arcones donde se guardaba la ropa exalaban un tibio olor de albahaca. [...]

En aquella casa extravagante, Úrsula pugnaba por preservar el sentido común, habiendo ensanchado el negocio de animalitos de caramelo con un horno que producía toda la noche canastos y canastos de pan y una prodigiosa variedad de pudines, merengues y bizcochuelos, que se esfumaban en pocas horas por los vericuetos de la ciénaga. Había llegado a una edad en que tenía derecho a descansar, pero era, sin embargo, cada vez más activa. [...]

[Mujer de sólidos principios, arremete contra su nieto Arcadio que, en la furia revolucionaria, manda fusilar injustamente al Corregidor. Restablece los hábitos cotidianos en Macondo]

Cuando Úrsula irrumpió en el patio del cuartel, después de haber atravesado el pueblo clamando de vergüenza y blandiendo de rabia un rebenque* alquitranado, el propio Arcadio se disponía a dar la orden de fuego al pelotón de fusilamiento.

—¡Atrévete, bastardo! –gritó Úrsula.

Antes de que Arcadio tuviera tiempo de reaccionar, le descargó el primer vergajazo. «Atrévete, asesino», gritaba. «Y mátame también a mí, hijo de mala madre. Así no tendré ojos para llorar la vergüenza de haber criado un fenómeno». Azotándolo sin misericordia, lo persiguió hasta el fondo del patio, donde Arcadio se enrolló como un caracol. Don Apolinar Moscote estaba inconsciente, amarrado al poste donde antes tenían al espantapájaros despedazado por los tiros de entrenamiento. Los muchachos del pelotón se dispersaron, temerosos de que Úrsula terminara desahogándose con ellos. Pero ni siquiera los miró. Dejó a Arcadio con el uniforme arrastrado, bramando de dolor y rabia, y desató a don Apolinar Moscote para llevarlo a su casa. Antes de abandonar el cuartel, soltó a los presos del cepo.

A partir de entonces fue ella quien mandó en el pueblo. Restableció la misa dominical, suspendió el uso de los brazales rojos y descalificó los bandos atrabiliarios. Pero a despecho de su fortaleza, siguió llorando la desdicha de su destino. Se sintió tan sola, que buscó la inútil compañía del marido olvidado bajo el castaño. [...]

[Vejez, enfermedad y muerte]

Aunque ya era centenaria y estaba a punto de quedarse ciega por las cataratas, conservaba intactos el dinamismo físico, la integridad del carácter y el equilibrio mental. Nadie mejor que ella para formar al hombre virtuoso que había de restaurar el prestigio de la familia, un hombre que nunca hubiera oído hablar de la guerra, los gallos de pelea, las mujeres de mala vida y las empresas delirantes, cuatro calamidades que, según pensaba Úrsula, habían determinado la decadencia de su estirpe. [...]

Todavía en sus últimos años, cuando ya no podía levantarse de la cama, parecía simplemente que estaba vencida por la decrepitud, pero nadie descubrió que estuviera ciega. [...] No se lo dijo a nadie, pues habría sido un reconocimiento público de su inutilidad. Se empeñó en un callado aprendizaje de las distancias de las cosas, y de las voces de la gente, para seguir viendo con la memoria cuando ya no se lo permitieran las sombras de las cataratas. Más tarde habría de descubrir el auxilio imprevisto de los olores, que se definieron en las tinieblas con una fuerza mucho más convincente que los volúmenes y el color, y la salvaron definitivamente de la vergüenza de una renuncia. En la oscuridad del cuarto podía ensartar la aguja y tejer un ojal, y sabía cuándo estaba la leche a punto de hervir. [...]

En la casa, sencillamente creían que desvariaba, sobre todo desde que le dio por andar con el brazo derecho levantado, como el arcángel Gabriel. Fernanda se dio cuenta, sin embargo, de que había un sol de clarividencia en las sombras de ese desvarío, pues Úrsula podía decir sin titubeos cuánto dinero se había gastado en la casa durante el último año. [...]

Poco a poco se fue reduciendo, fetizándose, momificándose en vida, hasta el punto de que en sus últimos meses era una ciruela pasa perdida dentro del camisón, y el brazo siempre alzado terminó por parecer la pata de una *marimonda**. [...] Parecía una anciana recién nacida. [...] Un domingo de ramos entraron al dormitorio mientras Fernanda estaba en misa, y cargaron* a Úrsula por la nuca y los tobillos.

—Pobre la tatarabuelita –dijo Amaranta Úrsula–, se nos murió de vieja.

Úrsula se sobresaltó.

—¡Estoy viva! –dijo.

—Ya ves –dijo Amaranta Úrsula, reprimiendo la risa–, ni siquiera respira.

—¡Estoy hablando! –gritó Úrsula.

—Ni siquiera habla –dijo Aureliano–. Se murió como un grillito.

Entonces Úrsula se rindió a la evidencia. «Dios mío», exclamó en voz baja. «De modo que esto es la muerte». Inició una oración interminable, atropellada, profunda, que se prolongó por más de dos días, y que el martes había degenerado en un revoltijo de súplicas a Dios y de consejos prácticos para que las hormigas coloradas no tumbaran la casa, para que nunca dejaran apagar la lámpara frente al daguerrotipo de Remedios, y para que cuidaran de que ningún Buendía fuera a casarse con alguien de su misma sangre, porque nacían hijos con cola de puerco. [...]

Amaneció muerta el jueves santo. La última vez que la habían ayudado a sacar la cuenta de su edad, por los tiempos de la compañía bananera, la había calculado entre los ciento quince y los ciento veintidós años. La enterraron en una cajita que era apenas más grande que la canastilla en que fue llevado Aureliano, y muy poca gente asistió al entierro, en parte porque no eran muchos quienes se acordaban de ella, y en parte porque ese mediodía hubo tanto calor que los pájaros desorientados se estrellaban como perdigones contra las paredes y rompían las mallas metálicas de las ventanas para morirse en los dormitorios.

GABRIEL GARCÍA MÁRQUEZ, *Cien años de soledad.* (1967). Cátedra, Letras Hispánicas, Madrid, 1987. Pp. 80, 82, 130, 181, 266-267, 322-323 y 415-416.

Lezama Lima, humanista y barroco, cosmopolita e intimista, vierte en *Paradiso* sus experiencias personales. Vivió inseparablemente unido a su madre y sólo después de la muerte de ésta, cuando el poeta tenía 54 años, contrajo matrimonio. También José Cemí, el protagonista de su novela, tiene una profunda fijación materna. En este párrafo, Cemí describe, mientras su madre se recupera de una operación quirúrgica, la admiración y voluntaria dependencia que sentía por ella.

SÓLO LAS MADRES SABEN MIRAR

Al entrar en el cuarto vio como los ojos de su madre caían sobre su rostro. Aquellos ojos tiernos, acuosos, esperanzadores, que lo bañaban siempre en su cercanía y en su lejanía. Que tenían esa facultad sorprendente y única: le acercaban lo lejano, le alejaban lo cercano. Borraban para él lo inmediato y lo distante, para lograr el apego tierno, la compañía omnicomprensiva. Aquella mirada, aunque estuviese enterrada, parecería siempre que lo seguía mirando, como si le diese una interminable alegría su llegada, como si disculpase sus despedidas. Sólo las madres poseen esa mirada que entraña una sabiduría triste y noble, algo que jamás se podrá precisar lo que es, pero que necesita el regio acompañamiento de la mirada de las madres. Sólo las madres saben mirar, tienen la sabiduría de la mirada, no miran para seguir las vicisitudes de una figura en el tiempo, el desplazamiento del móvil en las carrileras del movimiento, miran para ver el nacimiento y la muerte, algo que es la unidad de un gran sufrimiento con la epifanía de la criatura. Le causaba esa mirada la impresión leída en una vieja receta para curar el asma. Se señala en un bejucubí* la altura de la persona dañada, luego se corta y se manda a una lejanía en otra ciudad. La mirada de su madre le parecía que ocupaba una lejanía alcanzada tan sólo por el sueño en una ciudad abandonada por sus moradores. Sin embargo, él la miraba y se encontraba con la mirada de su madre que salía de aquella ciudad calcinada o hundida para recibirlo.

JOSÉ LEZAMA LIMA, *Paradiso.* (1966). Cátedra, Col.Letras Hispánicas, Madrid, 1989. Pp. 492-493.

Según *La muerte de Artemio Cruz*, la Revolución Mexicana ha fracasado. Cruz, el viejo revolucionario, ha olvidado sus nobles ideales y se ha enriquecido mucho; pero todavía se sigue asombrando ante la frivolidad de sus parientes. Su esposa, perteneciente a la rancia aristocracia del país, nunca ha creído en la causa revolucionaria y ahora tampoco comparte los remordimientos de su marido. El siguiente diálogo tiene lugar entre madre e hija en casa de una famosa modista, mientras Artemio agoniza.

¿LA MATERNIDAD ENGORDA MUCHO?

Quedaron solas y la hija estiró las piernas; la madre la miró alarmada y movió todos los dedos al mismo tiempo, porque podía ver las ligas de la muchacha y también le indicó que le pusiera un poco de saliva a la media de la pierna izquierda; la hija buscó y encontró el lugar donde la seda se había roto y se mojó el dedo índice en saliva y la untó sobre el lugar. «Es que tengo un poco de sueño», le explicó en seguida a la madre. La señora sonrió y le acarició la mano y las dos siguieron sentadas sobre los sillones de brocado rosa, sin hablar, hasta que la hija dijo que tenía hambre y la madre contestó que después irían a desayunar algo a Sanborn's aunque ella sólo la acompañaría porque había engordado demasiado recientemente.

—Tú no tienes de qué preocuparte.

—¿No?

—Tienes tu figura muy juvenil. Pero después, cuidate. En mi familia todas hemos tenido buena figura de jóvenes y después de los cuarenta perdemos la línea.

—Tú estás muy bien.

—Ya no te acuerdas, eso es lo que pasa, tú ya no te acuerdas. Y además...

—Hoy amanecí con hambre. Desayuné muy bien.

—Ahora no te preocupes. Después sí, cuidate.

—¿La maternidad engorda mucho?

—No, no es ése el problema; ése no es realmente el problema. Diez días de dieta y quedas igual que antes. El problema es después de los cuarenta.

CARLOS FUENTES, *La muerte de Artemio Cruz.* (1962). Fondo de Cultura Económica, México, 1973. Pp. 19 y 20.

El siguiente texto habla por sí solo: presenta a una madre que intenta torturar a su hijo al máximo. *Cloaca* es símbolo recurrente de miseria moral en la obra de Sábato, que utiliza esta palabra para referirse a la madre de Martín; el argentino también habla de las cloacas de Buenos Aires para representar el mundo infernal, egoísta y cruel que subyace bajo la bella capital porteña.

MADRECLOACA

—¿Y tu madre? –preguntó.

Martín se sentó y empezó a arrancar unas matitas de hierba. Encontró una piedrita y pareció estudiar su naturaleza, como un geólogo.

—¿No me oís?

—Sí.

—Te pregunté por tu madre.

—Mi madre –respondió Martín en voz baja– es una cloaca.

Alejandra se incorporó a medias, apoyándose sobre un codo y mirándolo con atención. Martín, sin dejar de examinar la piedrita, se mantenía en silencio, con las mandíbulas muy apretadas, pensando *cloaca, madrecloaca.* Y después agregó:

—Siempre fui un estorbo. Desde que nací.

Sentía como si gases venenosos y fétidos hubiesen sido inyectados en su alma, a miles de libras de presión. Su alma, hinchándose cada año más peligrosamente, no cabía ya en su cuerpo y amenazaba en cualquier momento lanzar la inmundicia a chorros por las grietas.

—Siempre grita: ¡Por qué me habré descuidado!

Como si toda la basura de su madre la hubiese ido acumulando en su alma, a presión, pensaba, mientras Alejandra lo miraba, acodada sobre un costado. Y palabras como *feto, baño, cremas, vientre, aborto,* flotaban en su mente, en la mente de Martín, como residuos pegajosos y nauseabundos sobre aguas estancadas y podridas. Y entonces, como si hablara consigo mismo, agregó que durante mucho tiempo había creído que no lo había amamantado por falta de leche, hasta que un día su madre le gritó que no lo había hecho para no deformarse y también le explicó que había hecho todo lo posible para abortar, menos el raspaje, porque odiaba el sufrimiento tanto como adoraba comer caramelos y bombones, leer revistas de radio y escuchar música melódica. Aunque también decía que le gustaba la música seria, los valses vieneses y el príncipe Kalender. Que, desgraciadamente, ya no estaba más. Así que podía imaginar con qué alegría lo recibió, después de luchar durante meses saltando a la cuerda como los boxeadores y dándose golpes en el vientre, razón por la cual (le explicaba su madre a gritos) él había salido medio tarado, ya que era un milagro que no hubiese ido a parar a las cloacas.

Se calló, examinó la piedrita una vez más y luego la arrojó lejos.

—Será por eso –agregó– que cuando pienso en ella siempre se me asocia la palabra cloaca.

ERNESTO SÁBATO, *Sobre héroes y tumbas.* (1961). Ed. Sudamericana, Col. Piragua, Buenos Aires, 1970. Pp. 20-21.

Una mujer abandonada por su marido vive anclada en el pasado y no acaba de superar su desgracia. Su único refugio es un hijo en el que proyecta toda su debilidad. Éste, sin embargo, vive en un Colegio Militar que le arrastra a preocupaciones muy ajenas al mundo de su madre: sexo, rivalidades, violencia y dinero distancian a Alberto del entramado de oraciones y nostalgias en el que se refugia la mujer.

«MAMACITA*, HARÉ TODO LO QUE TÚ QUIERAS»

Su madre no respondió; lo seguía mirando resentida y él se preguntaba: «¿A qué hora comienza?». No tardó mucho: de pronto se llevó las manos al rostro y poco después lloraba dulcemente. Alberto le acarició los cabellos. La madre le preguntó por qué la hacía sufrir. El juró que la quería sobre todas las cosas y ella lo llamó cínico, hijo de su padre. Entre suspiros e invocaciones a Dios, habló de los pasteles y bizcochos que había comprado en la tienda de la vuelta, eligiéndolos primorosamente, y del té que se había enfriado en la mesa, y de su soledad y de la tragedia que el Señor le había impuesto para probar su fortaleza moral y su espíritu de sacrificio. Alberto le pasaba la mano por la cabeza y se inclinaba a besarla en la frente. Pensaba: «Otra semana que me quedo sin ir donde la Pies Dorados». Luego, su madre se calmó y exigió que probara la comida que ella misma le había preparado, con sus propias manos. Alberto aceptó y mientras tomaba la sopa de legumbres, su madre lo abrazaba y le decía: «Eres el único apoyo que tengo en el mundo». Le contó que su padre se había quedado en la casa cerca de una hora, haciéndole toda clase de propuestas –un viaje al extranjero, una reconciliación aparente, el divorcio, la separación amistosa– y que ella las había rechazado todas, sin vacilar.

Luego volvieron a la sala y Alberto le pidió permiso para fumar. Ella asintió, pero al verlo encender un cigarrillo, lloró y habló del tiempo, de los niños que se hacen hombres, de la vida efímera. Recordó su niñez, sus viajes a Europa, sus amigas de colegio, su juventud brillante, sus pretendientes, los grandes partidos que rechazó por ese hombre que ahora se empeñaba en destruirla. Entonces, bajando la voz y adoptando una expresión melancólica, se puso a hablar de él. Repetía constantemente «de joven era distinto» y evocaba su espíritu deportivo, sus victorias en los campeonatos de tenis, su elegancia, su viaje de bodas al Brasil y los paseos que, tomados de la mano, hacían a medianoche por la Playa de Ipanema. «Lo perdieron los amigos—, exclamaba. Lima es la ciudad más corrompida del mundo. ¡Pero mis oraciones lo salvarán!» Alberto la escuchaba en silencio, pensando en la Pies Dorados que tampoco vería este sábado, en la reacción del Esclavo cuando supiera que había ido al cine con Teresa, en Pluto que estaba con Helena, en el Colegio Militar, en el barrio que hacía tres años no frecuentaba.[...]

El abrazó a su madre, la levantó en peso, giró con ella en brazos, le dijo: «Todo se arreglará algún día, *mamacita*, haré todo lo que tú quieras». Ella sonreía gozosa y afirmaba: «No necesitamos a nadie». Entre un torbellino de caricias, él le pidió permiso para salir.

MARIO VARGAS LLOSA, *La ciudad y los perros.* (1968). Seix Barral, Buenos Aires, 1972. Pp. 91-93.

¿Del tirano? Del tirano
Di todo, ¡di más!; y clava
Con furia la mano esclava
Sobre su oprobio al tirano.

José Martí

La imagen del «dictador hispanoamericano» aparece ya, en embrión, en la del «libertador».

Octavio Paz

Maquinalmente recitó el texto que encabezaba las actas públicas de su gobierno: «Henri, por la gracia de Dios y la Ley Constitucional del Estado, Rey de Haití, Soberano de las Islas de la Tortuga, [...] Regenerador y Bienhechor de la Nación Haitiana, [...] Primer Monarca Coronado del Nuevo Mundo...»

Alejo Carpentier

Máquinas hambrientas de dólares,
manchadas en el sacrificio
de sus pueblos martirizados,
prostituidos mercaderes
del pan y el aire americanos...

Pablo Neruda

8. EL TIRANO

Tras la muerte de un dictador, Pablo Antonio Cuadra exclama:

...cómo si el Mal hubiera con su muerte terminado para siempre.

Así el pueblo saltó a las calles jubiloso agitando banderas,
creyendo que un solo hombre resumía su daño,
danzando al sol
mientras en la grieta oscura de uno o dos corazones
calladamente anidaba la nueva tiranía...

Roa Bastos habla de *tiranosaurios*... Neruda dice que saurios gigantescos sobreviven en América... Allende se refiere a *un mal inevitable*. Numerosos autores se han interesado por los diversos aspectos de la estirpe dictatorial y han retratado a tiranos ilustrados, dictadores militares, visionarios salvapatrias o rudos hombres del pueblo, de carácter populista, que llegan al poder por la fuerza. La proliferación de déspotas preocupa de tal forma a escritores e intelectuales que llegó a conformar un nuevo género narrativo: la novela del tirano hispanoamericano.

¿Pertenece el tirano americano a una casta perpetua? O, de acuerdo con los últimos acontecimientos, ¿es una especie en vías de extinción? Sin duda, la respuesta se verá reflejada en la Literatura Hispanoamericana del siglo XXI.

El Señor Presidente es sin duda el más vigoroso retrato del tirano americano. La novela política, que satiriza la dictadura de Estrada Cabrera, adquiere dimensiones esperpénticas. Su trama se basa en la represión desencadenada en Guatemala a raíz del asesinato de un colaborador del Presidente. Reproducimos a continuación tres extractos: el primero describe al siniestro personaje, el segundo la frialdad con que ordena azotar a un pobre hombre acusado del crimen, y el tercero narra escenas del fervor popular con que es festejado el dictador. Todos los sectores sociales participan en las alabanzas, de resonancia bíblica, que constituyen la apoteosis del tirano.

EL SEÑOR PRESIDENTE

El Presidente vestía, como siempre, de luto riguroso: negros los zapatos, negro el traje, negra la corbata, negro el sombrero que nunca se quitaba; en los bigotes canos, peinados sobre las comisuras de los labios, disimulaba las encías sin dientes, tenía los carrillos pellejudos y los párpados como pellizcados. [...]

¡ESE ANIMAL!

En palacio, el Presidente firmaba el despacho asistido por el viejecito que entró al salir el doctor Barreño y oír que llamaba a *ese animal.*

Ese animal era un hombre pobremente vestido, con la piel rosada como ratón tierno, el cabello de oro de mala calidad, y los ojos azules y turbios perdidos en anteojos color de yema de huevo.

El Presidente puso la última firma y el viejecito, por secar de prisa, derramó el tintero sobre el pliego firmado.

—¡ANIMAL!

—¡Se... ñor!

—¡ANIMAL!

Un timbrazo..., otro..., otro... Pasos y un ayudante en la puerta.

—¡General, que le den doscientos palos a éste, ya, ya!– rugió el Presidente; y pasó en seguida a la casa presidencial. La comida estaba puesta.

A *ese animal* se le llenaron los ojos de lágrimas. No habló porque no pudo y porque sabía que era inútil implorar perdón: el Señor Presidente estaba como endemoniado con el asesinato de Parrales Sonriente. [...]

¡TODO EL ORBE CANTE!

Fiesta nacional...

De las calles ascendía con olor a tierra buena el regocijo del vecindario, que echaba la pila por la ventana para que no levantaran mucho polvo el paso de las tropas que pasaban con el pabellón hacia Palacio –el pabellón oloroso a pañuelo nuevo–, ni los carruajes de los señorones que se echaban a la calle de punta en blanco, doctores con el armario en la leva traslapada, generales de uniforme relumbrante, hediendo a candelero –aquellos tocados con sombreros de luces; éstos, con tricornio de plumas–, ni el trotecito de los empleados subalternos, cuya importancia se medía en lenguaje de buen gobierno por el precio del entierro que algún día les pagaría el Estado.

¡Señor, Señor, llenos están los cielos y la tierra de vuestra gloria! El Presidente se dejaba ver, agradecido con el pueblo que así correspondía a sus desvelos, aislado de todos, muy lejos, en el grupo de sus íntimos.

¡Señor, Señor, llenos están los cielos y la tiera de vuestra gloria! Las señoras sentían el divino poder del Dios Amado. Sacerdotes de mucha enjundia le incensaban. Los juristas se veían en un torneo de Alfonso el Sabio [...]

¡Señor, Señor, llenos están los cielos y la tierra de vuestra gloria!

Cara de Angel se abrió campo entre los convidados. (Era bello y malo como Satán.)

—¡El pueblo lo reclama en el balcón, Señor Presidente!

—¿...el pueblo?

El amo puso en estas dos palabras un bacilo de interrogación. El silencio reinaba en torno suyo. Bajo el peso de una gran tristeza que pronto debeló con rabia para que le llegara a los ojos, se levantó del asiento y fue al balcón.

Le rodeaba el grupo de los íntimos cuando apareció ante el pueblo: un grupo de mujeres que venían a festejar el feliz aniversario de cuando [SIC] salvó la vida. La encargada de pronunciar el discurso comenzó apenas vio aparecer al Presidente.

—«¡Hijo del pueblo...!»

El amo tragó saliva amarga evocando tal vez sus años de estudiante, al lado de su madre sin recursos, en una ciudad empedrada de malas voluntades; pero el favorito, que le bailaba el agua, se atrevió en voz baja:

—Como Jesús, hijo del pueblo...

—«Hijo del pueblo! –repitió la del discurso–, del pueblo digo: el sol, en este día de radiante hermosura, el cielo viste, cuida su luz tus ojos y tu vida, enseña del trabajo sacrosanto que sucede en la bóveda celeste a la luz la sombra, la sombra de la noche negra y sin perdón de donde salieron las manos criminales que en lugar de sembrar los campos, como tú, Señor, lo enseñas, sembraron a tu paso una bomba que a pesar de sus científicas precauciones europeas, te dejó ileso...»

Un aplauso cerrado ahogó la voz de la *Lengua de Vaca*, como llamaban por mal nombre a la regatona* que decía el discurso, y una serie de abanicos de vivas dieron aire al mandatario y a su séquito:

—¡Viva el Señor Presidente!

—¡Viva el Señor Presidente de la República!

—¡Viva el Señor Presidente Constitucional de la República!

—¡Con un viva que resuene por todos los ámbitos del mundo y no acaba nunca, viva el Señor Presidente Constitucional de la República, Benemérito de la Patria, Jefe del Gran Partido Liberal, Liberal de corazón y Protector de la Juventud Estudiosa!...

MIGUEL ÁNGEL ASTURIAS, *Obras Completas:* «El Señor Presidente». (1946). Aguilar, Madrid, 1967. Tomo I, Pp. 203, 205 y 264-267.

Allende da vida en su literatura a múltiples personajes de la América mágica. El Benefactor, tirano imaginario y protagonista de una historia de amor, reúne las características de cierto tipo de dictador americano: austero, bárbaro y machista, es consciente de que su poder está basado en la violencia.

UN MAL INEVITABLE

El Benefactor era hombre tosco, de costumbres campesinas, se bañaba en agua fría, dormía sobre un petate* en el suelo con su pistolón al alcance de la mano y las botas puestas, se alimentaba de carne asada y maíz*, sólo bebía agua y café. Su único lujo eran los cigarros de tabaco negro, todos los demás le parecían vicios de degenerados o maricones, incluyendo el alcohol, que miraba con malos ojos y rara vez ofrecía en su mesa. Sin embargo, con el tiempo tuvo que aceptar algunos refinamientos a su alrededor, porque comprendió la necesidad de impresionar a los diplomáticos y otros eminentes visitantes, no fueran ellos a darle en el extranjero fama de bárbaro. No tenía una esposa que influyera en su comportamiento espartano. Consideraba el amor como una debilidad peligrosa, estaba convencido de que todas las mujeres, excepto su propia madre, eran potencialmente perversas y lo más prudente era mantenerlas a cierta distancia. Decía que un hombre dormido en un abrazo amoroso resultaba tan vulnerable como un sietemesino, por lo mismo exigía que sus generales habitaran en los cuarteles, limitando su vida familiar a visitas esporádicas. Ninguna mujer había pasado una noche completa en su cama ni podía vanagloriarse de algo más que de un encuentro apresurado, ninguna le dejó huellas perdurables hasta que Marcia Lieberman apareció en su destino. [...]

Algunos años después, el país fue sacudido con la noticia de que la dictadura había terminado por una causa sorprendente: el Benefactor había muerto. A pesar de que ya era un anciano reducido sólo a huesos y pellejo y desde hacía meses estaba pudriéndose en su uniforme, en realidad muy pocos imaginaban que ese hombre fuera mortal. Nadie se acordaba del tiempo anterior a él, llevaba tantas décadas en el poder que el pueblo se acostumbró a considerarlo un mal inevitable, como el clima.

ISABEL ALLENDE, *Cuentos de Eva Luna*: «El palacio imaginado». (1989). Plaza y Janés, Barcelona, 1990. Pp. 223-224 y 233-234.

Yo, el Supremo se inicia con la reproducción de un pasquín en el que el tirano dicta disposiciones para su sepultura y la muerte de sus colaboradores. La búsqueda del autor del pasquín da unidad a la obra y es el pretexto literario que utiliza Roa Bastos para realizar una sórdida descripción de la larga y violenta dictadura del Doctor Francia en Paraguay. En la novela encontramos otra vez los elementos característicos del «tiranosaurio»: obsesión alucinante por el poder, el orden y la Patria, y justificación de un régimen de terror. Roa presenta al tirano ilustrado que se considera padre amantísimo de sus súbditos y máximo garante de la paz y la cultura.

Veamos la reproducción del Pasquín con la que empieza la obra, y un pasaje en el que Francia se presenta como libertador de los humildes, único intérprete de la voluntad popular y perseguidor implacable de intelectuales y disidentes.

YO, EL SUPREMO DICTADOR DE LA REPÚBLICA

Yo el Supremo Dictador de la Repúbca

Ordeno que al acaecer mi muerte mi cadáver sea decapitado; la cabeza puesta en una pica por tres días en la Plaza de la República donde se convocará al pueblo al son de las campanas echadas a vuelo.

Todos mis servidores civiles y militares sufrirán pena de horca. Sus cadáveres serán enterrados en potreros de extramuros sin cruz ni marca que memore sus nombres.

Al término del dicho plazo, mando que mis restos sean quemados y las cenizas arrojadas al río...

¿De qué me acusan estos anónimos papelarios? ¿De haber dado a este pueblo una Patria libre, independiente, soberana? Lo que es más importante, ¿de haberle dado el sentimiento de Patria? ¿De haberla defendido desde su nacimiento contra los embates de sus enemigos de dentro y de fuera? ¿De esto me acusan?

Les quema la sangre que haya asentado, de una vez para siempre, la causa de nuestra regeneración política en el sistema de la voluntad general. Les quema la sangre que haya restaurado el poder del Común en la ciudad, en las villas, en los pueblos; que haya continuado aquel movimiento, el primero verdaderamente revolucionario que estalló en estos continentes, antes aún que en la inmensa patria de Washington, de Franklin, de Jefferson; inclusive antes que la Revolución Francesa.

Es preciso reflexionar sobre estos grandes hechos que ustedes seguramente ignoran, para valorar en todos sus alcances la importancia, la justeza, la perennidad de nuestra Causa.

Casi todos ustedes son veteranos servidores. La mayoría, sin embargo, no ha tenido tiempo de instruirse a fondo sobre estas cuestiones de nuestra Historia, atados a las tareas del servicio. Los he preferido leales funcionarios, que no hombres cultos. Capaces de obrar lo que mando. A mí no me preocupa la clase de capacidad que posee un hombre. Únicamente exijo que sea capaz. Mis hombres más hombres no son más que hombres.

Aquí en el Paraguay, antes de la Dictadura Perpetua, estábamos llenos de escribientes, de doctores, de hombres cultos, no de cultivadores, agricultores, hombres trabajadores, como debiera ser y ahora lo es. Aquellos cultos idiotas querían fundar el Areópago de las Letras, las Artes y las Ciencias. Les puse el pie encima. Se volvieron pasquineros, panfleteros. Los que pudieron salvar el pellejo, huyeron. Escaparon disfrazados de negros. Negros esclavos en las plantaciones de la calumnia. En el extranjero se hicieron peores aún. Renegados de su país, piensan en el Paraguay desde un punto de vista no paraguayo. Los que no pudieron emigrar viven migrando en la obscuridad de sus cubiles. Convulsionarios engreídos, viciosos, ineptos, no tienen cabida en nuestra sociedad campesina. ¿Qué pueden significar aquí sus hazañas intelectuales? Aquí es más útil plantar mandioca* o maíz*, que entintar papeluchos sediciosos; más oportuno desbichar animales atacados por la garrapata, que garrapatear panfletos contra el decoro de la Patria, la soberanía de la República, la dignidad del Gobierno. Cuanto más cultos quieren ser, menos quieren ser paraguayos. Después vendrán los que escribirán pasquines más voluminosos. Los llamarán Libros de Historia, novelas, relaciones de hechos imaginarios adobados al gusto del momento o de sus intereses. Profetas del pasado, contarán en ellos sus inventadas patrañas, la historia de lo que no ha pasado. Lo que no sería del todo malo si su imaginación fuese pasablemente buena. Historiadores y novelistas encuadernarán sus embustes y los venderán a muy buen precio. A ellos no les interesa contar los hechos sino contar que los cuentan.

Por ahora la posteridad no nos interesa a nosotros. La posteridad no se regala a nadie. Algún día retrocederá a buscarnos. Yo sólo obro lo que mucho mando. Yo sólo mando lo que mucho puedo. Mas como Gobernante Supremo también soy vuestro padre natural. Vuestro amigo. Vuestro compañero. Como quien sabe todo lo que se ha de saber y más, les iré instruyendo sobre lo que deben hacer para seguir adelante. Con órdenes sí, mas también con los conocimientos que les faltan sobre el orígen, sobre el destino de nuestra Nación.

Siempre hay tiempo para tener más tiempo.

AUGUSTO ROA BASTOS, *Yo el Supremo.* (1974). Cátedra, Letras Hispánicas, Madrid, 1987. Pp. 93 y 126-127.

También los gobernantes elegidos en las urnas pueden ejercer la tiranía. González Videla, apoyado en principio por un frente popular, llegó a declarar ilegal al Partido Comunista Chileno y a reprimir con saña la agitación laboral de las regiones mineras. Durante su mandato, Neruda fue perseguido y encarcelado, y finalmente huyó al exilio. Con su contundente prosa y la ironía de que hace gala en sus memorias, el poeta desprecia y ridiculiza al dictador.

UN APRENDIZ DE TIRANO

En la fauna de nuestra América, los grandes dictadores han sido saurios gigantescos, sobrevivientes de un feudalismo colosal en tierras prehistóricas. El judas chileno fue sólo un aprendiz de tirano y en la escala de los saurios no pasaría de ser un venenoso lagarto. Sin embargo, hizo lo suficiente para descalabrar a Chile. Por lo menos retrocedió al país en su historia. Los chilenos se miraban con vergüenza sin entender exactamente cómo había ido pasando todo aquello.

El hombre fue un equilibrista, un acróbata de asamblea. Logró situarse en un espectacular izquierdismo. En esta «comedia de mentiras» fue un redomado campeón. Esto nadie lo discute. En un país en que, por lo general, los políticos son, o parecen ser, demasiado serios, la gente agradeció la llegada de la frivolidad, pero cuando este bailarín de conga* se salió de madre ya era demasiado tarde: los presidios estaban llenos de perseguidos políticos y hasta se abrieron campos de concentración como el de Pisagua. El estado policial se instaló, entonces, como una novedad nacional. No había otro camino que aguantarse y luchar en forma clandestina por el retorno a la decencia.

Muchos de los amigos de González Videla, gente que le acompañó hasta el fin en sus trajines electorales, fueron llevados a prisiones en la alta cordillera o en el desierto por disentir de su metamorfosis.

La verdad es que la envolvente clase alta, con su poderío económico, se había tragado una vez más al Gobierno de nuestra Nación, como tantas veces había ocurrido. Pero en esta oportunidad la digestión fue incómoda y Chile pasó por una enfermedad que oscilaba entre la estupefacción y la agonía.

El presidente de la república, elegido por nuestros votos, se convirtió, bajo la protección norteamericana, en un pequeño vampiro vil y encarnizado. Seguramente, sus remordimientos no lo dejaban dormir, a pesar de que instaló, vecinas al Palacio de Gobierno, garçonnières* y prostíbulos privados, con alfombras y espejos para sus deleites. El miserable tenía una mentalidad insignificante, pero retorcida. En la misma noche que comenzó su gran represión anticomunista invitó a cenar a dos o tres dirigentes obreros. Al terminar la comida bajó con ellos las escaleras de palacio y, enjugándose unas lágrimas, los abrazó diciéndoles: «Lloro porque he ordenado encarcelarlos. A la salida los van a detener. Yo no sé si nos veremos más».

PABLO NERUDA, *Confieso que he vivido. Memorias.* (1974). Seix Barral, Barcelona, 1991. Pp. 243 y 244.

Silvina Ocampo ofrece en este breve relato un tratamiento distinto de la crítica política y social. La originalidad del cuento no radica tanto en la figura del Emperador –«el tiranuelo», ya conocido en la Literatura Hispanoamericana– como en la actitud del pueblo hacia el dictador. En un sorprendente final, tan característico de Ocampo y de su marido Adolfo Bioy Casares, la autora nos descubre cómo la masa no sólo apoya la represión de la dictadura; algunos, además, no perdonan la debilidad del tirano a la hora de acabar definitivamente con «los traidores».

EL VERDUGO

Como siempre, con la primavera llegó el día de los festivales. El Emperador, después de comer y de beber, con la cara recamada de manchas rojas, se dirigió a la plaza, hoy llamada de las Cáscaras, seguido por sus súbditos y por un célebre técnico, que llevaba un cofre de madera, con incrustaciones de oro.

—¿Qué lleva en esa caja? –preguntó uno de los ministros al Técnico.

—Los presos políticos; más bien dicho, los traidores.

—¿No han muerto todos? –interrogó el ministro con inquietud.

—Todos, pero eso no impide que estén de algún modo en esta cajita –susurró el Técnico, mostrando entre los bigotes, que eran muy negros, largos dientes blancos.

En la plaza de las Cáscaras, donde habitualmente celebraban las fiestas patrias, los pañuelos de la gente volaban entre las palomas; éstas llevaban grabadas en las plumas, o en un medallón que les colgaba del pescuezo, la cara pintada del Emperador. En el centro de la plaza histórica, rodeado de palmeras, había un suntuoso pedestal sin estatua. Las señoras de los ministros y los hijos estaban sentados en los palcos oficiales. Desde los balcones las niñas arrojaban flores. Para celebrar mejor la fiesta, para alegrar al pueblo que había vivido tantos años oprimido, el Emperador había ordenado que soltaran aquel día los gritos de todos los traidores que habían sido torturados. Después de saludar a los altos jefes, guiñando un ojo y masticando un escarbadientes, el Emperador entró en la casa Amarilla, que tenía una ventana alta, como las ventanas de las casas de los elefantes del Jardín Zoológico. Se asomó a muchos balcones, con distintas vestiduras, antes de asomarse al verdadero balcón, desde el que habitualmente lanzaba sus discursos. El Emperador, bajo una apariencia severa, era juguetón. Aquel día hizo reir a todo el mundo. Algunas personas lloraron de risa. El Emperador habló de las lenguas de los opositores: «Que no se cortaron –dijo– para que el pueblo oyera los gritos de los torturados». Las señoras, que chupaban naranjas, las guardaron en sus carteras, para oírlo mejor; algunos hombres orinaron involuntariamente sobre los bancos donde había pavos, gallinas y dulces; algunos niños, sin que las madres lo advirtieran, se treparon a las palmeras. El Emperador bajó a la plaza. Subió al pedestal. El eminente Técnico se caló las gafas y lo siguió: subió las seis o siete gradas* que quedaban al pie del pedestal, se sentó en una silla y se dispuso a abrir el cofre. En ese instante el silencio creció, como suele crecer al pie de una cadena de montañas al anochecer. Todas las personas, hasta los hombres muy altos, se pusieron en puntas de pie, para oír lo que nadie había oído: los gritos de los traidores que habían muerto mientras los torturaban. El Técnico levantó la tapa de la caja y movió los diales, buscando mejor sonoridad: se oyó, como por encanto, el primer grito. La voz modulaba sus quejas más graves alternativamente; luego, aparecieron otras voces más turbias, pero infinitamente más poderosas, algunas de mujeres, otras de niños. Los aplausos, los insultos y los silbidos ahogaban por momentos los gritos. Pero a través de ese mar de voces inarticuladas, apareció una voz distinta y sin embargo conocida. El Emperador, que había sonreído hasta ese momento, se estremeció. El Técnico movió los diales con recogimiento: como un pianista que toca en el piano un acorde importante, agachó la cabeza. Toda la gente, simutáneamente, reconoció el grito del Emperador. ¡Cómo pudieron reconocerlo! Subía y bajaba, rechinaba, se hundía, para volver a subir. El Emperador, asombrado, escuchó su propio grito: no era el grito furioso o emocionado, enternecido o travieso, que solía dar en sus arrebatos; era un grito agudo y áspero, que parecía provenir de una usina*, de una locomotora, o de un cerdo que estrangulan. De pronto algo, un instrumento invisible, lo castigó. Después de cada golpe, su cuerpo se contraía, anunciando con otro grito el próximo golpe que iba a recibir. El Técnico, ensimismado, no pensó que tal vez suspendiendo la transmisión podría salvar al Emperador. Yo no creo, como otras personas, que el Técnico fuera un enemigo acérrimo del Emperador y que había tramado todo esto para ultimarlo.

El Emperador cayó muerto, con los brazos y las piernas colgando del pedestal, sin el decoro que hubiera querido tener frente a sus hombres. Nadie le perdonó que se dejase torturar por verdugos invisibles. La gente religiosa dijo que esos verdugos invisibles eran uno solo, el remordimiento.

—¿Remordimiento de qué? –preguntaron los adversarios.

—De no haberles cortado la lengua a esos reos –contestaron las personas religiosas, tristemente.

SILVINA OCAMPO, *La Furia y otros cuentos.* (1959). Editorial Sur, Buenos Aires, 1959. Pp. 120-122.

Delicada y fina como una joya humana, vivía aquella muchacha de carne rosada en la pequeña casa que tenía un saloncito con los tapices de color azul desfalleciente. Era su estuche.

RUBÉN DARÍO

...porque mi novio era de dinero y venía a buscarme en un convertible y [mi madre] me dijo: «Niña, todo el barrio lo ha visto bien. Ahora tiene que casarse contigo. No nos hagas quedar mal».

GUILLERMO CABRERA INFANTE

...algo ocurrió, de algo se enteró y rompió el noviazgo. Desde entonces siguió siendo señorita y sin compromiso, hasta los ciento cuatro años... La *Mamaé* fue siempre una sombra tutelar en la familia, la mamá segunda de todos.

MARIO VARGAS LLOSA

¡Susan! ¡Mujer! ¡Ayer eran las puertas viejas! ¡Después la misa con el chico este! ¡Ahora descubres que hay pobres en el hipódromo; eres francamente co-jo-nu-da!

ALFREDO BRYCE ECHENIQUE

9. NIÑAS* Y SEÑORAS

El matrimonio y una *buena boda* es el destino de la mujer en la burguesía americana. La educación va dirigida a hacer de las mujeres buenas madres y perfectas amas de casa. La mujer que no se casa, por tabúes, prejuicios o decisión personal, deberá dedicarse a cuidar de sus mayores o sobrinos, y aún en la vejez recibirá el tratamiento de *niña*. Este título otorga cierta dignidad a las solteras, pero refleja también escasa confianza en su madurez y poco respeto por su libertad e independencia. Guardando las apariencias y protegidas por la familia como muñecas de cera, miles de mujeres suspiran todavía por unas migajas de amor o un matrimonio de conveniencia.

Las señoras, o mujeres de clase media o alta que acceden al matrimonio, gozan de mayores privilegios sociales o económicos, aunque tampoco tienen una explícita participación en los acontecimientos; muchas se refugian, de forma escapista, en mundos ficticios que les resultan más cómodos que su propia realidad. No es casualidad que en muchos ambientes y lugares estas mujeres sigan siendo llamadas *niñas*.

Los versos modernistas de Rubén inundan de música y color la Literatura Hispánica. Su poesía y su prosa también introducen convulsiones temáticas en nuestra literatura: lo sagrado se convierte en profano, la erudición clásica se enriquece con insinuaciones eróticas y los ideales románticos se entremezclan con valores conservadores. *Sonatina* es una invitación a la emancipación de las *niñas* de las clases poderosas. Pero la libertad nunca será liberación total, ya que sólo podrán escapar de la jaula de mármol de la mano de un *caballero* tradicional.

SONATINA

La princesa está triste... ¿Qué tendrá la princesa?
Los suspiros se escapan de su boca de fresa,
que ha perdido la risa, que ha perdido el color.
La princesa está pálida en su silla de oro,
está mudo el teclado de su clave sonoro,
y en su vaso, olvidada, se desmaya una flor.

El jardín puebla el triunfo de los pavos-reales.
Parlanchina, la dueña dice cosas banales,
y vestido de rojo piruetea el bufón.
La princesa no ríe, la princesa no siente;
la princesa persigue por el cielo de Oriente
la libélula vaga de una vaga ilusión.

¿Piensa acaso en el príncipe de Golconda o de China
o en el que ha detenido su carroza argentina
para ver de sus ojos la dulzura de luz,
o en el rey de las islas de las Rosas fragantes,
o en el que es soberano de los claros diamantes,
o en el dueño orgulloso de las perlas de Ormuz?

¡Ay! La pobre princesa de la boca de rosa
quiere ser golondrina, quiere ser mariposa,
ir al sol por la escala luminosa de un rayo,
saludar a los lirios con los versos de Mayo,
o perderse en el viento sobre el trueno del mar.

Ya no quiere el palacio, ni la rueca de plata,
ni el halcón encantado, ni el bufón escarlata,
ni los cisnes unánimes en el lago de azur.
Y están tristes las flores por la flor de la corte,
los jazmines de Oriente, los nelumbos del Norte,
de Occidente las dalias y las rosas del Sur.

¡Pobrecita princesa de los ojos azules!
Está presa en sus oros, está presa en sus tules,
en la jaula de mármol del palacio real;
el palacio soberbio que vigilan los guardas,
que custodian cien negros con sus cien alabardas,
un lebrel que no duerme y un dragón colosal.

¡Oh, quién fuera hipsipila que dejó la crisálida!
(La princesa está triste. La princesa está pálida).
¡Oh visión adorada de oro, rosa y marfil!
¡Quién volara a la tierra donde un príncipe existe
(La princesa está pálida. La princesa está triste).
más brillante que el alba, más hermoso que Abril!
«Calla, calla, princesa –dice el hada madrina–;
en caballo con alas, hacia acá se encamina,

en el cinto la espada y en la mano el azor,
el feliz caballero que te adora sin verte,
y que llega de lejos, vencedor de la Muerte,
a encenderte los labios con su beso de amor».

RUBÉN DARÍO, *Poesía*: «Prosas profanas». (1896). Planeta, Barcelona, 1987. Pp. 42-44.

Protegida por su abuela, Remedios, la Bella, se refugia en un mundo creado a su medida. Dotada de facultades excepcionales y de una belleza etérea y perturbadora, la bisnieta preferida de Úrsula huye del sino trágico de la familia sin haber buscado en el amor alivio a su soledad; la niña parece querer esquivar el destino de convertirse en señora de uno de sus pretendientes. El episodio de la levitación es una de las mágicas fábulas que construye García Márquez para dramatizar la necesidad de evasión que sufren los Buendía. Un imaginativo entramado de elementos cotidianos y religiosos, tradiciones populares y líricas sugerencias, hacen de este texto uno de los más conocidos de la literatura contemporánea.

REMEDIOS, LA BELLA

Úrsula, por su parte, le agradecía a Dios que hubiera premiado a la familia con una criatura de una pureza excepcional, pero al mismo tiempo la conturbaba su hermosura, porque le parecía una virtud contradictoria, una trampa diabólica en el centro de la candidez. Fue por eso que decidió apartarla del mundo, preservarla de toda tentación terrenal, sin saber que Remedios, la Bella, ya desde el vientre de su madre, estaba a salvo de cualquier contagio. [...]

[Remedios, la Bella] Se estancó en una adolescencia magnífica, cada vez más impermeable a los formalismos, más indiferente a la malicia y la suspicacia, feliz en un mundo propio de realidades simples. No entendía por qué las mujeres se complicaban la vida con corpiños y *pollerines**, de modo que se cosió un balandrán de cañamazo que sencillamente se metía por la cabeza y resolvía sin más trámites el problema del vestir, sin quitarle la impresión de estar desnuda, que según ella entendía las cosas era la única forma decente de estar en casa. La molestaron tanto para que se cortara el cabello de lluvia que ya le daba a las pantorrillas, y para que se hiciera moños con peinetas y trenzas con lazos colorados, que simplemente se rapó la cabeza y les hizo pelucas a los santos. Lo asombroso de su instinto simplificador era que mientras más se desembarazaba de la moda buscando la comodidad, y mientras más pasaba por encima de los convencionalismos en obediencia a la espontaneidad, más perturbadora resultaba su belleza increíble y más provocador su comportamiento con los hombres. [...] Lo que ningún miembro de la familia supo nunca fue que los forasteros no tardaron en darse cuenta de que Remedios, la Bella, soltaba un hálito de perturbación, una ráfaga de tormento, que seguía siendo perceptible varias horas después de que ella había pasado. Hombres expertos en transtornos de amor, probados en el mundo entero, afirmaban no haber padecido jamás una ansiedad semejante a la que producía el olor natural de Remedios, la Bella. En el corredor de las begonias, en la sala de visitas, en cualquier lugar de la casa, podía señalarse el lugar exacto en que estuvo y el tiempo transcurrido desde que dejó de estar. Era un rastro definido, inconfundible, que nadie de la casa podía distinguir porque estaba incorporado desde hacía mucho tiempo a los olores cotidianos, pero que los forasteros identificaban de inmediato. Por eso eran ellos los únicos que entendían que el joven comandante de la guardia se hubiera muerto de amor, y que un caballero venido de otras tierras se hubiera echado a la desesperación. Inconsciente del ámbito inquietante en que se movía, del insoportable estado de íntima calamidad que provocaba a su paso, Remedios, la bella, trataba a los hombres sin la menor malicia y acababa de trastornarlos con sus inocentes complacencias. [...]

Más tarde, cuando Úrsula se empeñó en que Remedios, la Bella, asistiera a misa con la cara cubierta con una mantilla, Amaranta pensó que aquel recurso misterioso resultaría tan provocador, que muy pronto habría un hombre lo bastante intrigado como para buscar con paciencia el punto débil de su corazón. Pero cuando vio la forma insensata en que despreció a un pretendiente que por muchos motivos era más apetecible que un príncipe, renunció a toda esperanza. Fernanda no hizo siquiera la tentativa de comprenderla. Cuando vio a Remedios, la Bella, vestida de reina de carnaval sangriento, pensó que era una criatura extraordinaria. Pero cuando la vio comiendo con las manos, incapaz de dar una respuesta que no fuera un prodigio de simplicidad, lo único que lamentó fue que los bobos de familia tuvieran una vida tan larga. A pesar de que el coronel Aureliano Buendía seguía creyendo y repitiendo que Remedios, la Bella, era en realidad el ser más lúcido que había conocido jamás, y que lo demostraba a cada momento con su asombrosa habilidad para burlarse de todos, la abandonaron a la buena de Dios. Remedios, la Bella, se quedó vagando por el desierto de la soledad, sin cruces a cuestas, madurándose en sus sueños sin pesadillas, en sus baños interminables, en sus comidas sin horarios, en sus hondos y prolongados silencios sin recuerdos, hasta una tarde de marzo en que Fernanda quiso doblar en el jardín sus sábanas de bramante, y pidió ayuda a las mujeres de la casa. Apenas habían empezado, cuando Amaranta advirtió que Remedios, la Bella, estaba transparentada por una palidez intensa.

—¿Te sientes mal? –le preguntó.

Remedios, la Bella, que tenía agarrada la sábana por el otro extremo, hizo una sonrisa de lástima.

—Al contrario –dijo–, nunca me he sentido mejor.

Acabó de decirlo, cuando Fernanda sintió que un delicado viento de luz le arrancó las sábanas de las manos y las desplegó en toda su amplitud. Amaranta sintió un temblor misterioso en los encajes de sus *pollerinas** y trató de agarrarse de la sábana para no caer, en el instante en que Remedios, la Bella, empezaba a elevarse. Úrsula, ya casi ciega, fue la única que tuvo serenidad para identificar la naturaleza de aquel viento irreparable, y dejó las sábanas a merced de la luz, viendo a Remedios, la Bella, que le decía adiós con la mano, entre el deslumbrante aleteo de las sábanas que subían con ella, que abandonaban con ella el aire de los escarabajos y las dalias, y pasaban con ella a través del aire donde terminaban las cuatro de la tarde, y se perdieron con ella para siempre en los altos aires donde no podían alcanzarla ni los más altos pájaros de la memoria.

Los forasteros, por supuesto, pensaron que Remedios, la bella, había sucumbido por fin a su irrevocable destino de abeja reina, y que su familia trataba de salvar la honra con la patraña de la levitación. Fernanda, mordida por la envidia, terminó por aceptar el prodigio, y durante mucho tiempo siguió rogando a Dios que le devolviera las sábanas. La mayoría creyó en el milagro, y hasta se encendieron velas y se rezaron novenarios.

GABRIEL GARCÍA MÁRQUEZ, *Cien años de soledad.* (1967). Cátedra, Col. Letras Hispánicas, Madrid, 1987. Pp. 275, 306-308 y 312-313.

A través de voces ajenas, de la primorosa ambientación y de narraciones del pasado, Mujica Láinez consigue dar vida a la difunta Matildita. La solterona argentina, nostálgica y abnegada, cuidaba a una tía déspota y egoísta, por quien incluso había renunciado al amor. Además, la sobrina trabajaba a escondidas, había alquilado varios cuartos del caserón y había tenido que ir vendiendo los muebles para poder sobrevivir. El autor describe con sensibilidad exquisita la sociedad decadente que aprisionaba a Matilde, presenta breves instantáneas de su vida y reproduce conversaciones entre la tía y el ama de llaves después de su muerte.

LA NIÑA MATILDITA (1904)

Hace cinco días que la niña Matildita dejó de existir, y el salón dorado en el cual tan poco lugar ocupaba, trémula con su bordado en el rincón de las vitrinas, parece aún más enorme, como si la ausencia frágil acentuara la soledad de los objetos allí reunidos, allí convocados misteriosamente por ese congreso de la fealdad lujosa que se realiza en las grandes salas viejas. Y, sin embargo, nada cambió de sitio. Nada ha cambiado en el salón de encabritadas molduras, en el curso de los últimos quince años, desde que a él llevaron el lecho imposible de doña Sabina, todo decorado con pinturas al «Vernis Martin», y desde que en él se instaló, erguida sobre almohadas, la anciana señora. Todo está igual: la chimenea de mármoles y bronces; los bronces y mármoles distribuidos sobre mesas y consolas; las porcelanas tontas de las vitrinas; los cortinajes de damasco verde que ciñe la diadema victoriana de las cenefas; y los muebles terribles, invasores, prontos siempre a la traidora zancadilla, que alternan el dorado con el terciopelo y cuyos respaldos y perfiles se ahuecan, se curvan, se encrespan y se enloquecen con la prolijidad de los ornamentos bastardos.

La presencia de la cama ha dejado de inquietar a sus vecinos numerosos. En quince años tuvieron tiempo de habituarse a ella y al hecho de que su incorporación haya transformado el cuarto en algo híbrido, algo que no es totalmente ni sala ni dormitorio. Merced a ese traslado, la sala que sólo se abría de tarde en tarde, para las recepciones, alcanzó una existencia de inesperada novedad. En ella, a lo largo de tres lustros, tres personas han convivido: doña Sabina en el lecho distante, como un soberano en su trono; la niña Matildita junto al bastidor, cerca de la chimenea en invierno, cerca de la ventana cuando el calor apretaba; y Ofelia, el ama de llaves, entrando y saliendo sin acomodar mucho porque la señora no quiere que toquen sus cosas. Y nadie más: en quince años, salvo algunas visitas espaciadas, salvo uno que otro médico, nadie ha entrado en la sala de la calle San Martín. La sordera creciente de doña Sabina terminó por aislarla. Y su carácter también: su carácter autoritario, egoísta, celoso, quejoso. De tal manera, que la vida infundida por las tres mujeres al ancho aposento ha sido curiosamente estática, como si ellas también fueran tres muebles extraños sumados a la barroca asamblea.

La niña Matildita bordaba; la señora leía; Ofelia atizaba el fuego, aparecía con el juego de té de plata, corría las cortinas al crepúsculo. La niña Matildita bordaba siempre flores y pájaros sobre unas pañoletas; la señora leía, entre hondos suspiros, novelas que se titulaban *Los misterios de la Inquisición o La verdad de un epitafio o La Marquesa de Bellaflor o La Virgen de Lima*. A veces, levantaba los párpados venosos, porque adivinaba a su lado al ama de llaves. Había aprendido a entender lo que le decían, por el movimiento de los labios. Doña Sabina daba una orden. Ella las daba todas. Su sobrina –la niña Matildita– nada podía, nada significaba en el salón. Y así durante un día que se prolongó quince años, desde que la señora sufrió aquel gravísimo ataque. [...]

La niña Matildita... La niña Matildita... Siempre en su rincón, bordando, bordando... ¡Farsante! Seguramente calculaba que algún día la podría heredar, y que esa casa y los coches y la fortuna le pertenecerían. Y ahora ha muerto... ha muerto la ratita gris.[...]

—La niña Matildita –recalca Ofelia, imperturbable– trabajaba para «el Bordado Francés». Gracias a ella y al alquiler de los cuartos, usted pudo seguir viviendo en la casa.

—Pero..., ¿con qué derecho...? ¿Cómo no se me previno...? ¿Con qué derecho...?

—Los médicos aseguraron que sería fatal que usted se enterara. Y a medida que pasaba el tiempo las cosas se ponían peor. El mal venía de lejos, del tiempo de su hermano. Usted había gastado mucho. Las hipotecas... la administración...

—¡Había que decírmelo!

—Yo insistí cien veces para que se lo dijeran, pero no hubo nada que hacer. La niña Matildita se opuso.

—¡Esa entrometida audaz, resolviendo!

Ofelia recorta los vocablos y las muecas le tironean los rasgos hombrunos:

—La niña Matildita fue una santa. Cuando el doctor Giménez quiso casarse con ella, lo rechazó para no dejarla a usted.

La señora ahoga un suspiro. Sus viejos celos están ahí, verdes, vibrantes, tan fuertes como el desconcierto que la sobrecoge.

Regresan a través del *hall* sórdido. En un extremo, el salón dorado brilla, palaciego; más acá están la neblina, la impureza, la destrucción, los damascos moteados por la humedad, los cristales sucios, la soledad dominguera de esa casa que el lunes se llenará de extraños, sus dueños.

MANUEL MUJICA LÁINEZ, *Misteriosa Buenos Aires*: «El salón dorado». (1951). Seix Barral, Literatura Contemporánea, Barcelona, 1986. Pp. 261, 262 y 268-269.

La burguesía mexicana imponía a la mujer estrictas costumbres que condicionaban su libertad. *Como agua para chocolate* narra la historia de Tita, destinada a la soltería por tradición familiar: la menor de las hijas debía quedarse en casa hasta que muriera la madre. En la novela de Esquivel, Pedro, el enamorado de Tita, se casa con una de las hermanas de ésta para poder estar más cerca de su verdadero amor. Así, este idilio prohibido por normas atávicas será el nudo de una narración que describe y denuncia la rigidez e hipocresía de los valores prerrevolucionarios.

TITA NO PODÍA CASARSE NI TENER HIJOS

Una de esas tardes, antes de que Mamá Elena dijera que ya se podían levantar de la mesa, Tita, que entonces contaba con quince años, le anunció con voz temblorosa que Pedro Muzquiz quería venir a hablar con ella...

—¿Y de qué me tiene que venir a hablar ese señor? —dijo Mamá Elena luego de un silencio interminable que encogió el alma de Tita.

Con voz apenas perceptible respondió:

—Yo no sé.

Mamá Elena le lanzó una mirada que para Tita encerraba todos los años de represión que habían flotado sobre la familia y dijo:

—Pues más vale que le informes que si es para pedir tu mano, no lo haga. Perdería su tiempo y me haría perder el mío. Sabes muy bien que por ser la más chica de las mujeres a ti te corresponde cuidarme hasta el día de mi muerte.

Dicho esto, Mamá Elena se puso lentamente de pie, guardó sus lentes dentro del delantal y a manera de orden final repitió:

—¡Por hoy, hemos terminado con esto!

Tita sabía que dentro de las normas de comunicación de la casa no estaba incluido el diálogo, pero aun así, por primera vez en su vida intentó protestar a un mandato de su madre.

—Pero es que yo opino que...

—¡Tú no opinas nada y se acabó! Nunca, por generaciones, nadie en mi familia ha protestado ante esta costumbre y no va a ser una de mis hijas quien lo haga.

Tita bajó la cabeza y con la misma fuerza con que sus lágrimas cayeron sobre la mesa, así cayó sobre ella su destino. Y desde ese momento supieron ella y la mesa que no podían modificar ni *tantito** la dirección de estas fuerzas desconocidas que las obligaban, a la una, a compartir con Tita su sino, recibiendo sus lágrimas desde el momento en que nació, y, a la otra, a asumir esta absurda determinación.

Sin embargo, Tita no estaba conforme. Una gran cantidad de dudas e inquietudes acudían a su mente. Por ejemplo, le agradaría tener conocimiento de quién había iniciado esta tradición familiar. Sería bueno hacerle saber a esta ingeniosa persona que en su perfecto plan para asegurar la vejez de las mujeres había una ligera falla*. Si Tita no podía casarse ni tener hijos, ¿quién la cuidaría entonces al llegar a la senectud? ¿Cuál era la solución acertada en estos casos? ¿O es que no se esperaba que las hijas que se quedaban a cuidar a sus madres sobrevivieran mucho tiempo después del fallecimiento de sus progenitoras? ¿Y dónde se quedaban las mujeres que se casaban y no podían tener hijos, quién se encargaría de atenderlas? Es más, quería saber, ¿cuáles fueron las investigaciones que se llevaron a cabo para concluir que la hija menor era la más indicada para velar por su madre y no la hija mayor? ¿Se había tomado alguna vez en cuenta la opinión de las hijas afectadas? ¿Le estaba permitido al menos, si es que no se podía casar, el conocer el amor? ¿O ni siquiera eso?

Tita sabía muy bien que todas estas interrogantes tenían que pasar irremediablemente a formar parte del archivo de preguntas sin respuesta. En la familia De la Garza se obedecía y punto. Mamá Elena, ignorándola por completo, salió muy enojada de la cocina y por una semana no le dirigió la palabra.

LAURA ESQUIVEL, *Como agua para chocolate.* (1989). Planeta Mexicana, México, D.F., 1993. Pp. 17 y 18

Carlos Fuentes, crítico de la sociedad mexicana, narra en *Las buenas conciencias* la ruptura de un muchacho con los valores de la sociedad provinciana en la que ha nacido. El siguiente cuadro de costumbres refleja ese ambiente, y describe la conversación que mantienen en la tertulia semanal unas honorables matronas de la pequeña burguesía.

LAS TARDES DE LOS JUEVES

Las familias se conocen; se han conocido durante varias generaciones.

—Es cierto –suspira doña Presentación–; las cosas han cambiado.

—Antes las clases se distinguían más –dice la señorita Pascualina–. Ahora hay mucha revoltura.

Asunción levanta los ojos del bordado.

—Por eso mismo, como dice el Padre, las familias conocidas deben estar más unidas que nunca.

Son catorce señoras que dedican las tardes de los jueves a bordar servilletas, manteles y almohadas que luego entregan a un cura. El lugar de reunión suele variar semana a semana. Todas las damas, por necesidades de supervivencia, frecuentan a las esposas de los hombres ricos de la Revolución.[...]

—Dicen que el servicio en México está imposible.

—Mi nuera le paga doscientos pesos* al mes a su cocinera.

—¡No es posible!

—¿Te acuerdas del joven Régules, el hijo de aquel comerciante? Bueno; pues ahora que estuve a pasar las *posadas** en México fui a visitarlo, y su mujer me dijo que nada más de *puros** criados gastan tres mil pesos.

—¿Al año?

—¡Qué esperanzas! Al mes, al mes.

—¡Chist! Que no te oiga la criada. Por fortuna aquí todavía son dóciles. Dicen que en México...

—Y luego los muchachos quieren irse a buscar fortuna a México. Si yo siempre digo que como las comodidades de Guanajuato no hay dos. Tan bonito que es fundar un hogar donde todos lo conocen a uno y hay verdadero calor.

Bordan. Se sientan en círculo. Las salas de reunión varían, mas no el trazo esencial: salones largos y estrechos, balcones enrejados, muebles de alto respaldo con mantelitos de croché sobre los brazos, mesas altas con loza de mármol, estatuaria de bronce: Victorias Aladas, descalzas campesinas españolas, Dante y Beatriz. Candiles más o menos suntuosos. Criadas de trenza y delantal.

CARLOS FUENTES, *Las buenas conciencias.* (1959). Fondo de Cultura Económica, México, 1959. Pp. 87-89.

Dotados de recursos que en otra época estuvieron reservados a la Divina Providencia, [los gringos] modificaron el régimen de lluvias, apresuraron el ciclo de las cosechas, y quitaron el río de donde estuvo siempre y lo pusieron con sus piedras blancas y sus corrientes heladas en el otro extremo de la población, detrás del cementerio.

GABRIEL GARCÍA MÁRQUEZ

Los Estados Unidos, tan amantes de sus propias libertades, no lo son ya de las libertades de los otros. Todo lo contrario: han hecho de esta misma libertad un instrumento para llevar la miseria a otros pueblos.

SIMÓN BOLÍVAR

Al norte, los Estados Unidos, la primera de las naciones antiguas y modernas; al sur, los Estados Des-Unidos, cuyo progreso consiste en des-pañolizarse.

FRANCISCO BILBAO

Wilson habló de la Nueva Libertad y dijo que les enseñaría la democracia a los mexicanos. Hearst exigía: Intervención, Guerra, Indemnización.

CARLOS FUENTES

10. GRINGOS

A veces con cariño y a veces con rencor, los ciudadanos de los Estados Unidos son llamados gringos por sus vecinos del Sur. Los colonos que ocuparon el Norte de América pronto acabaron con las tribus autóctonas y formaron una sociedad dinámica y moderna. La colonización española, más conservadora y también más respetuosa con los pueblos nativos, encontró al Sur del río Grande culturas más ricas y pujantes que las de las grandes praderas. Estas diferencias darían lugar a sociedades muy complejas en lo que hoy se llama Latinoamérica. De las relaciones de vecindad y de las diferencias étnicas y culturales surge un singular antagonismo y crea frecuentes conflictos entre la América hispana y la América sajona. La dependencia económica de los países del Sur con respecto al coloso del Norte, el intervencionismo anglosajón y los excesos de las multinacionales contribuyen, de forma especial, a fomentar en Hispanoamérica un clima de recelo, odio o absurdo complejo de inferioridad hacia los gringos.

En la literatura, el colectivo norteamericano aparece como paradigma de explotación y despotismo; sin embargo, hay que destacar algunos retratos individuales de gringos *buenos* y generosos.

La derrota de España por los Estados Unidos supuso la pérdida de las últimas colonias y contribuyó a reforzar las raíces hispánicas de Rubén Darío, quien denuncia aquí la política imperialista de Teodoro Roosevelt. El nicaragüense dirige al Presidente afrentas y desafíos que alcanzan a todo el pueblo norteamericano. El poema compara los diferentes valores de las dos Américas: frente a la violencia, barbarie y riqueza de la América sajona contrapone Darío el amor y sueños de la América española, ensalzando su pasado histórico, cultura, religión y vitalidad. Asimismo, después de predecir tiranía e invasiones, el poeta apuesta con orgullo por Hispanoamérica, *hija del Sol* y protegida de Dios.

A ROOSEVELT

Es con voz de la Biblia, o con verso de Walt Whitman,
que habría de llegar hasta ti, Cazador,
primitivo y moderno, sencillo y complicado,
con un algo de Washington y cuatro de Nemrod.

Eres los Estados Unidos,
eres el futuro invasor
de la América ingenua que tiene sangre indígena,
que aún reza a Jesucristo y aún habla en español.

Eres soberbio y fuerte ejemplar de tu raza;
eres culto, eres hábil; te opones a Tolstoy.
Y domando caballos, o asesinando tigres,
eres un Alejandro-Nabucodonosor.
(Eres un profesor de Energía
como dicen los locos de hoy.)
Crees que la vida es incendio,
que el progreso es erupción,
que en donde pones la bala
el porvenir pones.
No.
Los Estados Unidos son potentes y grandes.
Cuando ellos se estremecen hay un hondo temblor
que pasa por las vértebras enormes de los Andes.
Si clamáis, se oye como el rugir del león.
Ya Hugo a Grant lo dijo: «Las estrellas son vuestras».
(Apenas brilla, alzándose, el argentino sol
y la estrella chilena se levanta...). Sois ricos.
Juntáis al culto de Hércules el culto de Mammón;
y alumbrando el camino de la fácil conquista,
la Libertad levanta su antorcha en Nueva-York.

Mas la América nuestra, que tenía poetas
desde los viejos tiempos de Netzahualcóyotl,
que ha guardado las huellas de los pies de gran Baco,
que el alfabeto pánico en un tiempo aprendió;
que consultó los astros, que conoció la Atlántida
cuyo nombre nos llega resonando en Platón,
que desde los remotos momentos de su vida
vive de luz, de fuego, de perfume, de amor,
la América del grande Moctezuma, del Inca,
la América fragante de Cristóbal Colón,
la América católica, la América española,
la América en que dijo el noble Guautémoc:
«Yo no estoy en un lecho de rosas»; esa América
que tiembla de huracanes* y que vive de amor,
hombres de ojos sajones y alma bárbara, vive.
Y sueña. Y ama, y vibra, y es la hija del Sol.

Tened cuidado. ¡Vive la América española!
Hay mil cachorros sueltos del León Español.
Se necesitaría, Roosevelt, ser, por Dios mismo,
el Riflero terrible y el fuerte Cazador,
para poder tenernos en vuestras férreas garras.
Y, pues contáis con todo, falta una cosa: ¡Dios!

RUBÉN DARÍO, *Obras Completas:* «Cantos de vida y esperanza». (1905). Obras completas, Aguilar, Madrid, 1954. Pp. 720-721.

En *El espejo enterrado,* Fuentes considera necesario hurgar en la Historia para rescatar la identidad hispanoamericana. El mexicano se muestra benévolo con los errores de la Colonia española por considerar positivo el balance del legado hispano (lengua y cultura); sin embargo, su crítica contra el intervencionismo político de los Estados Unidos es maniquea y contundente. Reproducimos a continuación su reflexión sobre los primeros movimientos anexionistas de los norteamericanos.

EL DR. JEKYLL Y MR. HYDE

Nuestra percepción conflictiva de los Estados Unidos ha sido la de una democracia interna y un imperio externo: el Dr. Jekyll y Mr. Hyde. Hemos admirado la democracia. Hemos deplorado el imperio. Y hemos sufrido sus acciones, interviniendo constantemente en nuestras vidas en nombre del destino manifiesto, el gran garrote, la diplomacia del dólar y la arrogancia cultural.

A partir de su formulación en 1821, la doctrina Monroe fue rechazada por la América Latina como una política unilateral e hipócrita. Aunque en ella se prohibía la presencia europea en los asuntos hemisféricos, la doctrina Monroe, sin duda, no excluía la intervención norteamericana en nuestros asuntos. La agresión orquestada por el presidente Polk contra México en 1846, y la pérdida subsecuente de la mitad de nuestro territorio nacional, demostraron que nada nos protegía de la agresión norteamericana. México, más tarde, sufrió la ocupación norteamericana de Veracruz en 1913, durante la Revolución, mientras el presidente Woodrow Wilson exclamaba: «Yo les enseñaré a los latinoamericanos a elegir buenos hombres al gobierno».

Pero en ninguna parte fue más rampante el intervencionismo norteamericano que en el Caribe. Puerto Rico, liberado del dominio español, se convirtió y permaneció como una colonia *de facto* de los Estados Unidos. A Cuba se le otorgó una independencia formal, pero limitada por la Enmienda Platt que concedía a los Estados Unidos el derecho de intervención en los asuntos internos de la isla. Y Teodoro Roosevelt simplemente le arrancó la provincia de Panamá a la República de

Colombia, la transformó en una nación soberana y en seguida la cortó a la mitad con el Canal de Panamá y la zona del Canal. Encima de todo, Teodoro Roosevelt dijo de América Latina que «le irritaban esas desgraciadas y pequeñas repúblicas que me causan tantas dificultades».

Las intervenciones militares y las ocupaciones de Haití, la República Dominicana y Honduras fueron todas llevadas a cabo en el nombre de la estabilidad, la democracia, la ley, el orden y la protección de las vidas, y propiedades norteamericanas (notablemente las de la United Fruit Company), pero ninguna nación centroamericana o del Caribe sufrió humillaciones más prolongadas que la República de Nicaragua, primero ocupada por el filibustero norteamericano William Walker en 1857, y luego, casi continuamente, invadida y ocupada por los Estados Unidos entre 1909 y 1933, cuando el líder nacionalista César Augusto Sandino fue asesinado y su asesino, Anastasio Somoza, colocado en el poder en Nicaragua con el apoyo de la infantería de marina norteamericana, donde él y su familia reinarían hasta su derrota por la revolución sandinista en 1979. Durante más de cuatro décadas, los Somoza obtuvieron cuanto quisieron de Washington. O, como lo dijo el presidente Franklin Roosevelt, «Somoza es un hijo de puta, pero es *nuestro* hijo de puta».

CARLOS FUENTES, *El espejo enterrado.* (1992). Fondo de Cultura Económica, México, D.F., 1992. Pp. 351-352.

Neruda es capaz de expresar la mayor ternura y el odio más virulento. Aquí se presentan, para ser contrastados, dos textos que muestran diferentes actitudes del autor hacia los *gringos.* En sus memorias describe con admiración a la familia Mason, humildes emigrantes que se asentaron en el pueblo donde el chileno pasó su infancia. Sin embargo, vemos a continuación cómo el poeta comunista denuncia, con clamor de trompetas bíblicas, los abusos de las multinacionales norteamericanas. La Anaconda Copper Mining, que explotó las minas de cobre de Chile, y las compañías bananeras,* que se asentaron en Centroamérica, atraen sus más iracundas críticas; Neruda las culpa de atroces crímenes y de la implantación de las tiranías americanas.

LOS MASON

Don Carlos Mason, norteamericano de blanca melena, parecido a Emerson, era el patriarca de esta familia. Sus hijos Mason eran profundamente criollos. Don Carlos Mason tenía código y biblia. No era un imperialista, sino un fundador original. En esta familia, sin que nadie tuviera dinero, crecían imprentas, hoteles, carnicerías. Algunos hijos eran directores de periódicos y otros eran obreros en la misma imprenta. Todo pasaba con el tiempo y todo el mundo quedaba tan pobre como antes.[...]

En la casa de don Carlos Mason se celebraban los grandes festejos.

En toda comida de *onomástico* había pavos con apio, corderos asados al palo y leche nevada de postre. Hace ya muchos años que no pruebo la leche nevada. El patriarca de pelo blanco se sentaba en la cabecera de la mesa interminable, con su esposa, doña Micaela Candia. Detrás de él había una inmensa bandera chilena, a la que se le había adherido con un alfiler una minúscula banderita nortemericana. Esa era también la proporción de la sangre. Prevalecía la estrella solitaria de Chile.

PABLO NERUDA, *Confieso que he vivido. Memorias.* (1974). Seix Barral, Barcelona, 1991. Pp. 18 y 19

LA UNITED FRUIT CO

Cuando sonó la trompeta, estuvo
todo preparado en la tierra
y Jehová repartió el mundo
a Coca-Cola Inc., Anaconda,
Ford Motors, y otras entidades:
la Compañía Frutera Inc.
se reservó lo más jugoso,
la costa central de mi tierra,
la dulce cintura de América.
Bautizó de nuevo sus tierras
como «Repúblicas Bananas*»,
y sobre los muertos dormidos,
sobre los héroes inquietos
que conquistaron la grandeza,
la libertad y las banderas,
estableció la ópera bufa:
enajenó los albedríos,
regaló coronas de César,
desenvainó la envidia, atrajo
la dictadura de las moscas,
moscas Trujillo, moscas Tachos,
moscas Carías, moscas Martínez
moscas Ubico, moscas húmedas
de sangre humilde y mermelada,
moscas borrachas que zumban

sobre las tumbas populares,
moscas de circo, sabias moscas
entendidas de tiranía.

PABLO NERUDA, *Canto General.* (1950). Cátedra, Letras Hispánicas, Madrid, 1992. Pp. 335-336.

La *trilogía bananera** de Asturias narra los avatares de un grupo de campesinos guatemaltecos que, alentados y asesorados por Lester Mead, explotan y comercializan el plátano que producen en su pequeña cooperativa. Pero sus iniciativas son boicoteadas por las manipulaciones todopoderosas del capital extranjero que domina el mercado. El premio Nobel caricaturiza y golpea duramente a los dirigentes de las multinacionales norteamericanas y a los anónimos accionistas que apoyan la represión y la dictadura. En realidad, concluye Asturias, la economía centroamericana se controla desde los despachos de Chicago y Nueva York.

LOS ACCIONISTAS SÓLO VEN LOS DIVIDENDOS

El *Papa Verde* le esperaba. El lenguaje era una broma pesada en este caso. El *Papa Verde* lo esperaba, pero fue él quien tuvo que perder casi tres horas para ser admitido a su presencia.

El jerarca más alto de la Tropical Platanera, S. A., enfundado en un traje gris de paño finísimo, camisa color salmón de seda italiana, corbata amarilla, le esperaba detrás de su escritorio. Al verlo entrar se puso en pie, le tendió la mano y le ofreció una silla.

Ya estaban frente a frente. El *Papa Verde*, en su sillón giratorio, viéndolo con dos ojuelos insignificantes, detrás de dos gruesos lentes montados en aros de carey color de ébano muy oscuro, y él, también viéndolo. Es tan rápido ese instante en que dos personas que por primera vez se ven, dejan de verse detalladamente. Un cigarrillo. El *Papa Verde* echó hacia atrás su sillón para contestar a Lester Mead:

—Estamos de acuerdo, señor Mead, todo lo que usted dice es exacto; pero no sólo no podemos comprar la fruta más cara, sino que ya di orden para que cesen las compras.

—Es una ingratitud...

—Somos una empresa comercial, y una empresa comercial, señor Mead, no es una sociedad de auxilios mutuos, salvo que el edenismo que engendra el millonario altruista lleve a considerar a la Tropical Platanera, S. A. como una empresa benefactora de la Humanidad, cuando es una agrupación financiera.

—¿Y no cree usted que habrá accionistas de la Tropical Platanera, S.A. que no quisieran que su dinero se multiplicara así, que de sólo imaginar los procedimientos que se emplean, se avergonzarían?

—Los accionistas sólo ven los dividendos...

—¿Y usted los conoce..., los conoce a todos?

—No interesa. No se trata de personas, sino de acciones.

—Desgraciadamente, porque algunos accionistas se molestarían. La mayoría desconoce que sus dividendos provienen de negocios que no son lícitos. Si los accionistas supieran que a cambio de sus enormes, fantásticas ganancias, se está creando la más tremenda de las quintas columnas contra nosotros, la que nace de la vida sin esperanza...

Mead, bajo su apariencia tranquila, sentía la sangre hirviendo en sus venas y como regándosele bajo la piel.

El *Papa Verde* lo veía con sus ojitos de gusano, tras lentes tan gruesos que formaban con las luces del escritorio círculos concéntricos, igual que si al final de dos cartuchitos luminosos, en el fondo de dos espirales, estuvieran depositados aquellos ojillos potentes, inexpresivos, firmes, de metal de bala.

—Si los accionistas supieran lo que es cultivar un pedazo de tierra, sembrarlo de banano*, y luego, cuando el fruto se presenta como la más dulce esperanza de la vida, llevarlo a ofrecer, transportándolo con dificultades y cuidados en carros tirados por bueyes o en mulas, y colocarlo allí donde puede ser comprado, y esperar bajo el sol horas enteras, y llenarse de ilusiones sobre el beneficio de lo que es el fruto del trabajo honrado, y de pronto recibir la negativa del inspector que se niega a comprar los racimos por las mil causas que se invocan en esos casos, y que todas se convierten en el maltrecho fruto tirado a la orilla de la línea férrea, como una cosa muerta, como algo que no vale, que se cultivó inútilmente, porque no tiene precio, porque no representa nada para nadie, ni para el que lo produjo, ni para la compañía, ni para regalarlo..., y se queda uno con el cadáver de un ser que le costó tanto y que no es muerto, porque vive, es realidad verde, presencia fija, patente, sino porque al no comprarlo se le ha restado su valor de relación con el mercado que ustedes manejan a su antojo.

El silencio del *Papa Verde* no lo desarmaba, lo agraviaba. Mead sentía que su esfuerzo era inútil. El *Papa Verde* era ajeno a la vida humana, un ser de números, un ente de cifras escritas con tiza en las pizarras negras de la Bolsa de Nueva York.[...]

Un hombre de cara redonda, nariz roja, vestido de guerrera oscura, apareció detrás del cortinaje de una de las ventanas y se puso al lado del *Papa Verde* con una ametralladora diminuta como un animalito doméstico. Mead ya no lo vio, salía a grandes zancadas, y al detenerse el elevador* en el piso 53 ocupó un pequeño sitio entre las cuarenta personas que bajaban [...]

MIGUEL ÁNGEL ASTURIAS, *Obras Completas*: «Viento fuerte». (1947). Aguilar, Madrid, 1968. Tomo II. Pp. 103-106.

Con los pobres de la tierra
Quiero yo mi suerte echar;
El arroyo de la sierra
Me complace más que el mar.

JOSÉ MARTÍ

«¿Por qué hay pobres y ricos, Padre? ¿No somos todos hijos de Dios?». Andaba siempre hablando de los pobres, de los ciegos, de los tullidos, de los huérfanos, de los locos callejeros...

MARIO VARGAS LLOSA

Pero nunca se sintió bien entre los ricos. Solía pensar en ellos, en sus mujeres feas y conflictivas, en sus tremendas operaciones quirúrgicas, y experimentaba siempre un sentimiento de piedad.

GABRIEL GARCÍA MÁRQUEZ

«Allá vosotros, rotos*, cholos*,
pelados* de México, gauchos*,
amontonados en pocilgas,
desamparados, andrajosos,
piojentos, pililos*, canalla,
desbaratados, miserables,
sucios, perezosos, pueblo».

PABLO NERUDA

Y
me
dejan
caer
una
moneda

NICANOR PARRA

II. POBRES Y MENDIGOS

Millones de iberoamericanos sobreviven bajo el umbral de la pobreza y otros tantos se debaten en la más absoluta miseria. Los rigores geográficos y climatológicos hacen que, a menudo, la población se concentre multitudinariamente en regiones habitables pero pobres, mientras que tierras inmensamente ricas permanecen deshabitadas y sin explotar. En la actualidad, masas campesinas famélicas llegan a la ciudad buscando el bienestar, pero en las grandes urbes son atrapados por una mayor pobreza y degradación moral y social. Legislaciones caducas y la insensibilidad de los que ostentan el poder económico y político, una oleada de gobiernos populistas y el endeudamiento de los países, hacen que la mayoría de la población americana sobreviva en el siglo XX en condiciones infrahumanas, asumidas, a menudo, con resignación.

Desde el punto de vista literario, es interesante observar que no abunda la descripción de la pobreza; la denuncia de la miseria se realiza más bien desde la crítica de la mezquindad de ricos y poderosos, que son culpados de la indigencia de los pobres de América.

También en América se ha buscado en las revoluciones marxistas la solución a la desigualdad económica. Sin embargo, a menudo, las comunidades indígenas rechazan la lucha de clases y aceptan con pasividad la pobreza y la condición social que ésta conlleva. Castellanos recuerda la leyenda que contaba su nana sobre la creación del hombre –los dioses hicieron uno de oro y el resto de carne– para explicar la existencia de ricos y pobres. La situacíon de injusticia, concluye la niñera indígena, está determinada desde la creación y por ello es respetada y asumida con resignación. En 1994, la revolución zapatista que se inicia en Chiapas (donde se desarrolla la acción de *Balún-Canán)* obliga a cuestionar el fatalismo que antes se consideraba inherente a la cultura indígena.

EL HOMBRE DE ORO Y LOS HOMBRES DE CARNE

—¿Dónde fue mi mamá?

Es mediodía. En la cocina alguien está picando verduras sobre una tabla. Mi nana* escoge los hilos para su labor y tarda en contestar.

—Fue a visitar a la tullida.

—¿Quién es la tullida?

—Es una mujer muy pobre.

—Yo ya sé cómo son los pobres –declaro entonces con petulancia.

—Los has visto muchas veces tocar la puerta de la calle con su bastón de ciego; guardar dentro de una red vieja la tortilla* que sobró del desayuno; persignarse y besar la moneda que reciben. Pero hay otros que tú no has visto. La tullida vive en una casa de tejamanil*, en las orillas del pueblo.

—¿Y por qué va a visitarla mi mamá?

—Para darle una alegría. Se hizo cargo de ella como de su hermana menor.

Todavía no es suficiente lo que ha dicho, todavía no alcanzo a comprenderlo. Pero ya aprendí a no impacientarme y me acurruco junto a la nana y aguardo. A su tiempo son pronunciadas las palabras.

—Al principio –dice–, antes que vinieran Santo Domingo de Guzmán y San Caralampio y la Virgen del Perpetuo Socorro, eran cuatro únicamente los señores del cielo. Cada uno estaba sentado en su silla, descansando. Porque ya habían hecho la tierra, tal como ahora la contemplamos, colmándole el regazo de dones. Ya habían hecho el mar frente al que tiembla el que lo mira. Ya habían hecho el viento para que fuera como el guardián de cada cosa, pero aún les faltaba hacer al hombre. Entonces uno de los cuatro señores, el que se viste de amarillo, dijo:

—Vamos a hacer al hombre para que nos conozca y su corazón arda de gratitud como un grano de incienso.

Los otros tres aprobaron con un signo de su cabeza y fueron a buscar los moldes del trabajo.

—¿De qué haremos al hombre? –preguntaban.

Y el que se vestía de amarillo cogió una pella de barro y con sus dedos fue sacando la cara y los brazos y las piernas. Los otros tres lo miraban presentándole su asentimiento. Pero cuando aquel hombrecito de barro estuvo terminado y pasó por la prueba del agua, se desbarató.

—Hagamos un hombre de madera, —dijo el que se vestía de rojo. Los demás estuvieron de acuerdo. Entonces el que se vestía de rojo desgajó una rama y con la punta de su cuchillo fue marcando las facciones. Cuando aquel hombrecito de madera estuvo hecho, fue sometido a la prueba del agua y sus miembros no se desprendieron y sus facciones no se borraron. Los cuatro señores estaban contentos. Pero cuando pasaron al hombrecito de madera por la prueba del fuego, empezó a crujir y a desfigurarse.

Los cuatro señores se estuvieron una noche entera cavilando. Hasta que uno, el que se vestía de negro, dijo:

—Mi consejo es que hagamos un hombre de oro.

Y sacó el oro que guardaba en un nudo de su pañuelo y entre los cuatro lo moldearon. Uno le estiró la nariz, otro le pegó los dientes, otro le marcó el caracol de las orejas. Cuando el hombre de oro estuvo terminado, lo hicieron pasar por la prueba del agua y por la del fuego, y el hombre de oro salió más hermoso y más resplandeciente. Entonces los cuatro señores se miraron entre sí con complacencia. Y colocaron al hombre de oro en el suelo y se quedaron esperando que los conociera y que los alabara. Pero el hombre de oro permanecía sin moverse, sin parpadear, mudo. Y su corazón era como el hueso del zapote*, reseco y duro. Entonces, tres de los cuatro señores le preguntaron al que todavía no había dado su opinión:

—¿De qué haremos al hombre?

Y éste, que no se vestía ni de amarillo ni de rojo ni de negro, que tenía un vestido de ningún color, dijo: «Hagamos al hombre de carne».

Y con su machete se cortó los dedos de la mano izquierda. Y los dedos volaron en el aire y vinieron a caer en medio de las cosas sin haber pasado por la prueba del agua ni por la del fuego. Los cuatro señores apenas distinguían a los hombres de carne porque la distancia los había vuelto del tamaño de las hormigas. Con el esfuerzo que hacían para mirar se les irritaban los ojos a los cuatro señores y de tanto restregárselos les fue entrando un sopor. El de vestido amarillo bostezó y su bostezo abrió la boca de los otros tres. Y se fueron quedando dormidos porque estaban cansados y ya eran viejos. Mientras tanto, en la tierra, los hombres de carne estaban en un ir y venir, como las hormigas. Ya habían aprendido cuál es la fruta que se come, con qué hoja grande se resguarda uno de la lluvia y cuál es el animal que no muerde. Y un día se quedaron pasmados al ver enfrente de ellos al hombre de oro. Su brillo les daba en los ojos y cuando lo tocaron, la mano se les puso fría como si hubieran tocado una culebra. Se estuvieron allí, esperando que el hombre de oro les hablara. Llegó la hora de comer y los hombres de carne le dieron un bocado al hombre de oro. Llegó la hora de partir y los hombres de carne fueron cargando* al hombre de oro. Y día con día, la dureza de corazón del hombre de oro fue resquebrajándose hasta que la palabra de gratitud que los cuatro señores habían puesto en él subió hasta su boca.

Los señores despertaron al escuchar su nombre entre las alabanzas. Y miraron lo que había sucedido en la tierra durante su sueño. Y lo aprobaron. Y desde entonces llaman rico al hombre de oro y pobres a los hombres de carne. Y dispusieron que el rico cuidara y amparara al pobre por cuanto que de él había recibido beneficios. Y ordenaron que el pobre respondiera por el rico ante la cara de la verdad. Por eso dice nuestra ley que ningún rico puede entrar al cielo si un pobre no lo lleva de la mano.

La nana guarda silencio. Dobla cuidadosamente la ropa que acaba de remendar, recoge el tol* con los hilos de colores y se pone en pie para marcharse. Pero antes de que avance el primer paso que nos alejará, le pregunto:

—¿Quién es mi pobre, nana?

Ella se detiene y mientras me ayuda a levantarme dice:

—Todavía no lo sabes. Pero si miras con atención, cuando tengas más edad y mayor entendimiento, lo reconocerás.

ROSARIO CASTELLANOS, *Balún-Canán.* (1957). Fondo de Cultura Económica, México, D.F., 1986. Pp. 27-31.

Según el autor peruano, los pobres de Lima sobreviven gracias al paternalismo de los millonarios. En este fragmento, un periodista entrevista a la madre de Julius, Susan, presa de un fervor momentáneo, ayuda a los necesitados de su parroquia. Sus pobres son agradecidos, pacientes, pedigüeños y tienen muchos hijos. Juan Lucas, el padrastro de Julius enriquece, con sus sarcásticas intervenciones, la imagen que Bryce Echenique ofrece del abandono, las burlas y la incomprensión que padecen los marginados limeños.

ZOILITA Y LOS OTROS

—Bueno... Yo me conecté con los pobres de mi parroquia. Llevé a mi hijo Julius a misa un día, y el párroco me llamó y me dijo que mi ayuda podía ser necesaria, que cualquier ayuda era buena. Me tocó ir al hipódromo. Pero no vamos solas, hay una asistenta social pagada y que ha seguido estudios para tener ese título. Nosotros no tenemos diploma, pero yo he aprendido a poner inyecciones. Mi primera experiencia fue con Zoila, Zoilón la llamábamos nosotras, las señoras... *Darling*, no te rías por favor; esto es horrible... Zoilón era cocinera, pero sin trabajo porque tenía demasiados hijos. Tú los conoces, *darling*: ¿no has visto nunca a ese chico tan lindo que viene a veces a buscarme? Es una maravilla; yo le he puesto Pepone y si viera usted lo dulce que es; además está Zoilita y los otros. Era el caso típico: madre soltera y con muchos hijos. Pues esta gente necesitaba un colchón y me impresionó tanto su miseria en una cuadra de caballos que, como era mi primera experiencia, corrí a comprar el colchón. Sólo tenían uno para todos y además carecían de abrigo...

—¡Salud! ¿Un poco más de hielo...? Susan ha logrado aprender hasta el vocabulario de una asistenta social: «Zoilón carecía de abrigo».

—No le haga caso... Juan Lucas ayuda también con dinero.

—Siga, señora, siga...

—Zoila se fue a vivir con un hombre a un pampón* y yo la seguí; me daba ni [sic] se qué abandonar a Pepone, era un amor ese chico... Tiene unos ojos negros inmensos y realmente tristes... No olvidaré nunca ese pampón: la gente vivía ahí por montones, tomando agua de una construcción por ahí cerca. Todas eran chozas hechas las mejores con adobes, otras de cañas, trozos de madera, calamina, cartones, etc. Cuando fueron arrojados del pampón se posesionaron de algunas cuadras, de algunas caballerizas, y donde antes habían vivido caballos vivieron después los pobres llenos de moscas.

—Susan, ¿por qué no le cuentas que tu Zoilón vendió el colchón que le regalaste? Cuéntale que prefirió quedarse con el viejo... [...]

—A veces les dábamos dinero, pero sólo en caso extremo y había que consultar con el párroco antes. Cuesta trabajo no darles dinero porque siempre piden y son tan convincentes en lo que dicen al pedir. Pero, a la larga, el párroco debe tener razón; no quiere mendigos. Por eso es tan agradable su parroquia: nunca hay mendigos en la puerta y uno puede entrar tranquila a misa; no es como en el centro, [...]

—Funciona dos veces por semana un consultorio con dos médicos y una enfermera, y varias señoras que ayudamos dando medicinas, poniendo inyecciones y curando heridas. Todo está muy bien organizado con fichas médicas, records, etc. Hay familias de siete u ocho niños... Siempre tienen más hijos; a veces, hay alguno anormal y es muy difícil encontrarle un lugar adecuado en un hospital o en un asilo. [...]

—Por cierto que en medio de la promiscuidad en que viven hay violaciones, reyertas, borracheras...

—No me mires, mujer...

—...he sido llamada algunas veces para poner inyecciones a más de las once de la noche y he tenido que entrar dando tumbos en las desigualdades del terreno, sin ver nada, en la mayor oscuridad... No olvidaré nunca un hermoso niño...

—¿Pepone, señora?

—No; éste se apellidaba Santos. Ahora que lo veo tan sano, recuerdo la noche en que deliraba de fiebre y mediante una inyección logré mejorarlo. Tal vez se le salvó la vida. [...]

—Perdone, señor; ahora mismo termino: esta gente, contra la opinión general, que es otra que la mía, es de una agradecimiento eterno por lo menor que uno haga por ellos... *Darling*, Julius, no te muerdas las uñas... No son envidiosos ni me faltan el respeto. Sólo hay que saberlos tratar con dulzura y no dejarles sentir la caridad... la caridad que uno hace por ellos. Es necesario saberlos tratar con dulzura, darles mucho cariño. Conmigo han llegado a la locura del agradecimiento y cada vez que aparezco por ahí...

—¿No le digo que es Santa Susana...? Hasta se aparece... Tenga, échele más hielo...

—*¡They love me, darling!* Perdone, señor; pero es cierto que me quieren. La asistenta social bromea conmigo y me dice que me van a hacer un monumento... Y eso que nunca les llevo dinero. Ellos vienen a la casa por medicinas o para hacerse poner inyecciones. Siempre son recibidos y socorridos en todo...

—Y ensucian la reja con sus manos...

—*¡So funny...!* Son tan dulces... A veces les pongo inyecciones y me preguntan: «¿Cuánto le debo señorita?».

—Y ella no les cobra, por eso le van a hacer un monumento entre las cuadras, rodeado de moscas.

—*¡Darling! ¿Are we having a fight?*

—¡Si Susan! ¡Bobby! Anda saca el Jaguar del garaje...

ALFREDO BRYCE ECHENIQUE, *Un mundo para Julius.* (1970). Plaza y Janés, Barcelona, 1992. Pp. 145-148.

Con persuasiva plasticidad y a través de un expresionismo desgarrado, Miguel Ángel Asturias describe a un grupo de mendigos guatemaltecos. En este cuadro esperpéntico que prologa la obra maestra de Asturias, resulta ya evidente el serio compromiso de denuncia del escritor.

EN EL PORTAL DEL SEÑOR

Los pordioseros se arrastraban por las cocinas del mercado, perdidos en la sombra de la Catedral helada, de paso hacia la Plaza de Armas, a lo largo de calles tan anchas como mares, en la ciudad que se iba quedando atrás íngrima y sola.

La noche los reunía al mismo tiempo que a las estrellas. Se juntaban a dormir en el Portal del Señor sin más lazo común que la miseria, maldiciendo unos de otros, insultándose a regañadientes con tirria de enemigos que se buscan pleito, riñendo muchas veces a codazos y algunas con tierra y todo, revolcones en los que tras escupirse, rabiosos, se mordían. Ni almohada ni confianza halló jamás esta familia de parientes del basurero. Se acostaban separados, sin desvestirse, y dormían como ladrones, con la cabeza en el costal de sus riquezas: desperdicios de carne, zapatos rotos, cabos de candela, puños de arroz cocido envueltos en periódicos viejos, naranjas y guineos* pasados.

En las gradas del Portal se les veía vueltos a la pared, contar el dinero, morder las monedas de níquel para saber si eran falsas, hablar a solas, pasar revista a las provisiones de boca y de guerra, que de guerra andaban en la calle armados de piedras y escapularios, y engullirse a escondidas cachos de pan en seco. Nunca se supo que se socorrieran entre ellos; avaros de sus desperdicios, como todo mendigo, preferían darlos a los perros antes que a sus compañeros de infortunio.

Comidos y con el dinero bajo siete nudos en un pañuelo atado al ombligo, se tiraban al suelo y caían en sueños agitados, tristes pesadillas por las que veían desfilar cerca de sus ojos cerdos con hambre, mujeres flacas, perros quebrados, ruedas de carruajes y fantasmas de Padres que entraban a la Catedral en orden de sepultura, precedidos por una tenia de luna crucificada en tibias heladas. A veces, en lo mejor del sueño, les despertaban los gritos de un idiota que se sentía perdido en la Plaza de Armas. A veces, el sollozar de una ciega que soñaba cubierta de moscas, colgando de un clavo, como la carne en las carnicerías. A veces, los pasos de una patrulla que a golpes arrastraba a un prisionero político, seguido de mujeres que limpiaban las huellas de sangre con los pañuelos empapados en llanto. A veces, los ronquidos de un valetudinario tiñoso o la respiración de una sordomuda encinta que lloraba de miedo porque sentía un hijo en las entrañas. Pero el grito del idiota era el más triste. Partía el cielo. Era un grito largo, sonsacado, sin acento humano.

MIGUEL ÁNGEL ASTURIAS, *Obras Completas:* «El Señor Presidente». (1946). Aguilar, Madrid, 1967. Vol.I. Pp. 175-176.

Alineado con la Revolución Cubana, Guillén muestra con ironía la pobreza del pueblo y el triunfalismo de ricos y políticos. Estas coplas, suficientemente explícitas, fueron publicadas en un periódico durante la dictadura de Batista, a quien fustigó con humor y con saña. La recopilación de toda la serie apareció en un ficticio diario formando un original *collage* de poemas, anuncios por palabras, ecos de sociedad y notas de redacción; fue editado en época de Fidel Castro, a quien el poeta siempre apoyó.

COPLAS DE JUAN DESCALZO

II

¿Qué hay hambre en Cuba? No tal.
Algo quizá de apetito
y alguno que otro mosquito
cuyo aguijón no es mortal.
¡Qué bien
Batista con la sartén!
Mas dice el pueblo, bajito:
–Muy mal.

Sé que hay calle principal
(mentar puedo más de una)
donde, a la luz de la luna,
duerme el pobre tropical.
¡Qué bien
Batista con la sartén!
Mas dice el pueblo, que ayuna:
–Muy mal.

¡Qué espectáculo infernal
ver sin casa ni aposento
a tanto cubano hambriento
y en el bolsillo ni un real!
¡Qué bien
Batista con la sartén!
Mas dice el pueblo al momento:
–Muy mal.

En la cháchara radial
el prometer es simpleza,
pero cumplir la promesa
harina es de otro costal.
¡Qué bien
Batista con la sartén!
Mas dice el pueblo y bosteza:
–Muy mal.

Mientras gana un dineral
el hacendado inclemente,
ya el hambre muy cerca siente
el obrero del central.
¡Qué bien
Batista con la sartén!
Mas dice el pueblo, impaciente:
–Muy mal.

¿Para esto, general
tanto golpe, tanto ruido?
Sin agua sigue el cocido
y ardiente el cañaveral.
¡Qué bien
Batista con la sartén!
Mas grita el pueblo, ya erguido:
–Muy mal!!

Junio 19, 1952

NICOLÁS GUILLÉN, *Summa poética*: «El diario que a diario». (1972). Cátedra, Col. Letras hispánicas, Madrid, 1990. Pp. 296-297.

Los hermanos recorrieron el batey* y una vez más, en fila, cantando la marcha litúrgica:

Eribó, écue, écue,
Monsongoribó, écue
Écue.

ALEJO CARPENTIER

Sobre una plataforma de tablas se paraba* otro cigano con una bocina y pregonaba las excelencias de los negros que se acercaban al comprador. Algunas negras iban preñadas y valían más.

LINO NOVÁS CALVO

Allí dormían los esclavos; olía a ellos, al sudor de su carne floja y repugnante. Carne negra, magra, con sangre verde y nervios de miedo.

ARTURO USLAR PIETRI

...ya casados por lo civil, aprovecharon para casarse de *réquiem*. Negro el vestido de la novia mulata color limón, negras las arras, negros los anillos.

MIGUEL ÁNGEL ASTURIAS

12. NEGROS Y MULATOS

Desposeídos o esclavos en sus países de origen, cerca de doce millones de hombres, mujeres y niños fueron vendidos por ambiciosos reyezuelos africanos a europeos sin escrúpulos. Durante tres siglos, los supervivientes de penosas travesías fueron comprados como esclavos en las costas del Atlántico americano. La esclavitud fue legalmente abolida en el Continente a finales del siglo XIX, pero todavía hoy se observan vergonzosos abusos contra los negros y persisten en muchos sectores prejuicios y discriminaciones racistas.

Los negros y mulatos, numerosos sobre todo en Brasil y zonas caribeñas, ocupan los estratos más bajos de la sociedad latinoamericana a pesar de haber sido en dichas regiones la base del desarrollo agrícola y minero. Hoy en día se tiende a valorar positivamente su aportación a la medicina, a la música y las artes, la magia y el deporte, inspirándose muchos autores en la cultura afroamericana para su creación literaria.

En un derroche de perfección técnica y calidad literaria Mujica Láinez critica la perversidad de los negreros del siglo XVIII. Su bello relato, a pesar de que parece perseguir prioritariamente fines estéticos, nos acerca a la historia de la esclavitud y suscita la repulsa del lector ante la injusticia y vejaciones sufridas por los negros que llegaban a América. La riqueza de imágenes, la forma de mantener vivo el interés y la ternura que contagia hacia los protagonistas son característicos de la narrativa del bonaerense. Además de criaturas mágicas, entrañables para el autor, *Misteriosa Buenos Aires* describe a personajes decadentes y violentos que constituyeron un lastre para la historia argentina.

LA PULSERA DE CASCABELES (1720)

Por el ventanuco enrejado, Bingo espía a los negreros ingleses. Sus figuras se recortan en la barranca del Retiro, con fondo de crepúsculo, más allá de las higueras y de los naranjos. Fuman sus largas pipas de tierra blanca, con los sombreros echados hacia atrás, y sus casacas color pasa, color aceituna, color miel y color tabaco se empañan y confunden sus tonos frente al esclavo que llora. Bingo vuelve los ojos hacia su hermana muerta, que yace junto a él sobre el suelo duro. A lo largo de la habitación, apíñanse los cuerpos sudorosos. Hay treinta o cuarenta negros, hombres y mujeres, los unos sobre los otros, como fardos. Su tufo y sus gemidos se mezclan en el aire que anuncia al otoño, como si fueran una sola cosa palpable.[...]

Bingo salmodia con su voz gutural, extraña, una oración por la hermana que ha muerto. Su canto repta y ondula sobre las cabezas de los esclavos, como si de repente hubiera entrado en la cuadra una ráfaga del viento de Guinea. Incorpóranse los otros encarcelados y, mientras la noche desciende, suman sus voces a la melopea dolorosa.

Pero a los empleados de la South Sea Company poco les importan los himnos lúgubres. Están habituados a ellos. Tampoco les importa la peste que diezma a los cautivos. Mañana fondeará en el Riachuelo un barco que viene de África con cuatrocientos esclavos más. Los negocios marchan bien, muy bien para la Compañía. Hace siete años que adquirió el privilegio de introducir sus cargamentos en el Río de la Plata, y desde entonces más de una fortuna se labró en Londres, más de un aventurero adquirió carroza y se insinuó entre las bellas de Covent Garden y del Strand, porque en el otro extremo del mundo, en la diminuta Buenos Aires, los caballeros necesitan vivir como orientales opulentos, dentro de la sencillez de sus casas de vastos patios.

Rudyard, el Ciego, muerde la pipa blanca. Pronto llegará la hora de buscar a su favorita, a Temba, la muchachita frágil que lleva en la muñeca su pulsera de cobre con tres cascabeles. Ignora que Temba ha muerto también. Ignora que en ese mismo instante Bingo, su hermano, la está despojando del brazalete.[...]

En la galería los hombres se separan de Rudyard. Ríen obscenamente porque saben a dónde va. Palmean las anchas espaldas del ciego, quien se aleja, vacilando, hacia la cuadra hedionda.

Su mujer de la pulsera... Su mujercita de la pulsera... Bajo los ojos incoloros, inmóviles, terribles, apagados para siempre por la enfermedad cruel de Guinea, se le frunce la nariz y le tiembla la papada colgante. Esto de la pulsera de cascabeles es invención suya, sólo suya. Cuando descargan en el Retiro una remesa de África, Rudyard anda una hora entre las hembras, manoseándolas o rozándolas apenas con las yemas sutiles. Hasta que escoge la preferida y le ciñe, para reconocerla entre el rebaño oscuro, la pulsera de cobre. Nunca se equivoca en la elección. Sus compañeros lo comentan chasqueando la lengua, maravillados. Ni tampoco osará la mujer quitarse la ajorca. Una lo hizo y recibió cien azotes, a la madrugada. Había muerto ya cuando iban por la mitad de la cuenta. Su cabeza pendía a un costado, como una gran borla crespa, y seguían azotándola.

El ciego palpa los muros. Titubea su bastón. Su mujercita de la pulsera, miedosa, fina... Será su última noche, porque mañana aparecerá por la factoría, después de atravesar la ciudad por el camino del bajo, desde la barraca del Riachuelo, la caravana de carne nueva.

Descorre el cerrojo y abre la puerta. Su enorme masa ventruda bloquea la entrada. Llama, impaciente:

—¡Temba! ¡Temba!

En el rincón le responde el son familiar de los cascabeles, asustado. El ciego sonríe. Noche a noche repite la escena que le divierte. Se hace a un lado para que la muchacha pase. La cazará al vuelo, al cruzar la puerta, como si fuera un pájaro veloz, y la arrastrará al jardín.

Bingo se alza y toca en silencio la mejilla de su hermana. Sesenta ojos están fijos en él. Brillan en la inmensa habitación, como luciérnagas. Sólo los ojos de Rudyard, espantosamente claros, no relampaguean. Todo calla en torno suyo. Se oyen las respiraciones jadeantes. El olor es tan recio que, con estar acostumbrado a él, el inglés se lleva una mano al rostro.

El negro es elástico, delgado y pequeño como su hermana. Se le señala el esqueleto bajo la piel. Avanza encorvado hacia el enemigo y a su paso los cuerpos de ébano se apartan, sigilosos.

—¡Temba!¡Temba!

Temba descansa para siempre, rígida, y Bingo levanta en la diestra, como una sonaja de bailarín, la pulsera de cobre. Sólo tres metros le separan ahora del gigante ciego. Calcula la distancia y de un brinco salta por el vano de la puerta. Rudyard le arroja el bastón entre las piernas, pero yerra el golpe. Las sonajas cantan su victoria afuera, en la galería.

Rudyard asegura los cerrojos y se echa a reír. Arriba, los negreros ríen también, borrachos de *gin*, acodados sobre la mesa como personajes de Hogarth. Escuchan los trancos inseguros del ciego, los choques de su bastón contra las columnas, la vocecita de los cascabeles.

—¡Temba! ¿Dónde estás?

Temba está en la cuadra, con los brazos sobre los pechos de mármol negro. Los esclavos no osan acercarse. Se acurrucan en los rincones. Hoy no podrán dormir. Escuchan, escuchan, como sus amos, el claro repiqueteo de las bolas de cobre.

Bingo baila, enloquecido, alrededor del hombracho. El inglés no para de reír y revolea su rama de pino. Han dejado el corredor y van el uno detrás del otro, hacia el declive de la barranca: el que huye, ágil como un simio; el perseguidor, pausado, macizo como un oso. Y todo el tiempo cantan los cascabeles. Hasta que Rudyard, fatigado, termina por enfurecer. Fustiga los limoneros, los perales. Embarulla los idiomas:

—¡Temba! ¿*Onde* te escondes? ¿*Where are you, tigra?*

Sus botas destrozan las coles de la huerta, las cebollas, los ajos, las lechugas.

Han alcanzado el lugar en el cual fueron sepultados los negros. Bingo salta sobre la fosa y hace sonar los cascabeles. Es como si una serpiente llamara entre las tunas, con sus crótalos, con su tentación.

El ciego da un paso, dos, tres, balanceándose pesadamente, y su capuchón se derrumba en la humedad del hoyo. El negro no le concede un segundo de respiro. Levanta la pala como un hacha y, de un golpe, le parte el cráneo. Luego, sin un instante de reposo, empieza a cubrirlo de tierra. La pulsera de cascabeles lanza por última vez su pregón al aire, cuando cae en la fosa, sobre la casaca color aceituna.

En la factoría, roncan los ingleses su borrachera, y los esclavos despiertos se abrazan, tiritando de frío.

MANUEL MUJICA LÁINEZ, *Misteriosa Buenos Aires.* (1951): «La pulsera de cascabeles». Seix Barral, Literatura Contemporánea, Barcelona, 1986. Pp. 97-100.

Los negros, la situación de injusticia en que vivían y la música afroamericana constituyeron la clave de la primera poesía de Guillén. De esta etapa reproducimos *Sóngoro cosongo*, canto a la mujer mulata, elaborado según el ritmo del son antillano. Pero poco a poco, a pesar de seguir inmersas en la negritud, las preocupaciones sociales y estéticas del poeta mulato van adquiriendo dimensiones universales; su poesía, sin perder la cadencia y el contenido originales, adquiere resonancias más generales. Así, la siguiente balada se solidariza no tan sólo con la miseria e indefensión del negro Simón, sino también con la trágica existencia de marginados de todas las razas y latitudes.

SÓNGORO COSONGO

¡Ay, negra,
si tú supiera!
Anoche te vi pasar,
y no quise que me viera.
A él tú le hará como a mí,
que cuando no tuve plata
te corrite de bachata*
sin acordarte de mí.

Sóngoro, cosongo,
songo be;
sóngoro, cosongo
de mamey*;
sóngoro, la negra
baila bien
sóngoro de uno,
sóngoro de tré.

Aé,
vengan a ver;
aé, vamo pa ver;
¡vengan, sóngoro cosongo,
sóngoro cosongo
de mamey!

BALADA DE SIMÓN CARABALLO

Canta Simón:
–¡Ay, yo tuve una casita
y una mujer!
Yo,
negro Simón Caraballo,
y hoy no tengo qué comer.
La mujer murió de parto,
la casa se m'enredó:
yo,
negro Simón Caraballo,
ni toco, ni bebo, ni bailo,
ni casi sé ya quién soy.
Yo,
negro Simón Caraballo,
ahora duermo en un portal;
mi almohada está en un ladrillo,
mi cama en el suelo está.
La sarna me come en vida,
el reuma me amarra el pie;
luna fría por la noche,
madrugada sin café.
¡No sé qué hacer con mis brazos
pero encontraré qué hacer:
yo,
negro Simón Caraballo,
tengo los puños cerrados,
tengo los puños cerrados,
¡y necesito comer!
–¡Simón, que allá viene el guardia
con su caballo de espadas!
(Simón se queda callado).
–¡Simón, que allá viene el guardia
con sus espuelas de lata!
(Simón se queda callado).
–¡Simón, que allá viene el guardia
con su palo y su revólver,
y con el odio en la cara,
porque ya te oyó cantar
y te va a dar por la espalda,
cantador de sones viejos,
marido de tu guitarra...!
(Simón se queda callado).

Llega un guardia de bigotes,
serio y grande, grande y serio,
jinete en un penco al trote.
–¡Simón Caraballo, preso!

(Pero Simón no responde
porque Simón está muerto.)

NICOLÁS GUILLÉN: *Summa Poética:* « Sóngoro Consongo. Poemas mulatos» (1931) y «West Indies, Limited». (1943). Cátedra, Letras Hispánicas, Madrid, 1976. Pp. 67-68 y 98-99.

Rómulo Gallegos es precursor de la narrativa hispanoamericana actual. En sus novelas destaca la fuerza de la naturaleza, el interés por los temas locales y la lucha entre civilización y barbarie. También es sensible a los problemas sociales y denuncia los abusos que sufre el pueblo venezolano. En sus novelas de fondo romántico, retrata, con ternura o con desprecio, a personajes secundarios convirtiéndolos en protagonistas de relatos independientes, como muestra el pasaje que reproducimos a continuación.

LA NEGRA DAMIANA Y EL NEGRO RICARDO

Fue un año de grandes provechos para los lavadores de aquellas arenas, que agitaban incansables sus bateas en las pedregosas riberas.

La negra Damiana lavaba sin tregua; el tabaco en la boca, con la candela hacia dentro, al aire los gordos brazos, papandujos, porque ya no era joven, con un grito de júbilo celebrando entre ratos el dorado hallazgo en el fondo de su batea. El negro Ricardo, en la orilla opuesta, con una botella casi llena de pepitas de oro, pero maldiciendo impaciente cuando no las encontraba entre el material lavado.

—¿Qué te estás imaginando tú, negro Ricardo? ¿Qué en *cá* baetazo te has de *juntá* con oro?

—Yo contigo no me estoy metiendo, negra Damiana. Dale a tu batea *callá*.

—Es que tu te la pasas maldiciendo.

—Es que tú la tienes *cogía* conmigo.

El negro Ricardo y la negra Damiana se querían casar; pero cuando tuvieran las botellas completamente llenas de pepitas de oro.

Él había llegado a El Callao junto con otros negros trinitarios*, a muchos de los cuales ya se los habían tragado los socavones, galeras de su raza; pero hacía varios años que no trabajaba en ellos porque una vagoneta le había trozado una pierna. A ella se la trajeron consigo, chiquita, sus padres, cuando vinieron de Barbados a trabajar en la mina antigua.

Una noche dormía Ricardo, la cabeza sobre la batea y, bajo ésta, la botella a punto de colmarse hasta el cuello de pepitas de oro. Dormía sobre el cascajo de la ribera y lo arrullaba el rumor del agua negra y fea. Tres días con sus noches, de clara luna embrujadora, había estado lavando sin descanso, pero al mediar la tercera ya no pudo más...

¡Y soñaba! Que se había comprado una pierna de goma con blanda almohadilla de seda para su muñón dolorido, que entraba muy orondo en la iglesia, con la negra Damiana apoyada en su brazo, vestida de blanco, con flor de azahar...

Pero cuando despertó, ya clareado, la botella no estaba debajo de la batea.

Se volvió loco del todo el negro Ricardo, que ya venía estándolo de tanto lavar, y a saltos sobre su vieja muleta de palo, zangoloteando la pierna tronchada, corrió por la orilla del turbio Yuruari y por todo El Callao, gimiendo y suplicando, sin poder expresarse sino en su lengua, que ya casi no empleaba:

—*Give me my botle! Give me my botle!* [...]

Pero el negro Ricardo nunca vio su botella, y desde aquel día fue su locura emprenderla a pedradas contra todas las que encontrase, destruirlas hasta que no quedase una sobre la tierra.

La negra Damiana, ya presa para siempre de la obsesión del oro, continuó lavando las milagrosas arenas, sin darse cuenta de que muchas veces junto con el cascajo tiraba las pepitas... El tabaco en la boca, apagado. Y callada, callada...

RÓMULO GALLEGOS, *Canaima.* (1935). Aguilar, Col. Crisol, Madrid, 1961. Pp. 233-236.

A pesar de los recelos y prejuicios que siempre han inspirado, negros y mulatos han jugado un papel importante en Iberoamérica. Carpentier cuenta cómo, en una ceremonia adornada de ritos mágicos y recetas naturistas, el Doctor Ogé cura al primo de Sofía, la protagonista de *El siglo de las luces.* Pintoresco, exótico y afrancesado, el curandero trae también a La Habana los nuevos aires que soplaban en las Antillas de las postrimerías del siglo XVIII. Liberalismo, Ilustración y noticias concretas sobre la Revolución Francesa fueron las luces que iluminaron a la oscurantista burguesía criolla.

EL DOCTOR OGÉ

«¡Hay que hacer algo!, –gritó Sofía–. ¡Hay que hacer algo...!». Víctor, después de algunos minutos de aparente indiferencia, como movido por una difícil decisión, pidió el coche, anunciando que iba por Alguien que podía valerse de poderes extraordinarios para vencer la enfermedad. Volvió al cabo de media hora, en compañía de un mestizo de recia catadura, vestido con marcada elegancia, a quien presentó como el Doctor Ogé, médico notable y distinguido filántropo, conocido por él en Port-au-Prince. Sofía se inclinó levemente ante el recién llegado, sin darle la mano. Bien podía presumir de la relativa claridad de su tez: era como una piel postiza, adherida a un semblante de los de anchas narices y pelo macizamente ensortijado. Quien fuera negro, quien tuviese de negro [sic], era, para ella, sinónimo de sirviente, estibador, cochero o músico ambulante –aunque Víctor, advertido el gesto displicente, explicara que Ogé, vástago de una acomodada familia de Saint-Domingue, había estudiado en París y tenía títulos que acreditaban su sapiencia. Lo cierto era que su vocabulario era rebuscadamente escogido –usando de giros añejos, desusados, cuando hablaba el francés; haciendo un excesivo distingo entre las «cés» y las «zetas», cuando hablaba el castellano–,y que sus modales denotaban una constante vigilancia de la propia urbanidad. «Pero... ¡Es un negro!», cuchicheó Sofía, con percutiente aliento, al oído de Víctor. «Todos los hombres nacieron iguales», respondió el otro, apartándola con un leve empellón. El concepto acreció su resistencia. Si bien ella admitía la idea como especulación humanitaria, no se resolvía a aceptar que un negro pudiese ser médico de confianza, ni que se entregara la carne de un pariente a un individuo de color quebrado. Nadie encomendaría a un negro la edificación de un palacio, la defensa de un reo, la dirección de una controversia teológica o el gobierno de un país. Pero Esteban, estertorando, llamaba con tal desesperación que fueron todos a su cuarto.[...] «Una tisana *de ipeca** y hojas *de árnica* cuando despierte», dijo el curandero, yendo a cuidar de la compostura de su traje ante un espejo donde halló la interrogante mirada de Sofía, que lo seguía con los ojos. Mucho de mago, de charlatán, había en sus teatrales gesticulaciones. Pero con ello se había logrado un milagro. «Mi amigo –explicaba Víctor a Carlos, mientras descorchaba una botella de vino de Portugal– pertenece a la *Sociedad de Armonía* del Cap Français.» «¿Es una asociación musical?», preguntó Sofía. Ogé y Víctor se miraron, concertándose en una carcajada. La joven, enojada por aquella hilaridad inexplicable, volvió a la habitación de Esteban. El enfermo dormía pesadamente, con una respiración normal, en tanto que sus uñas recobraban algún color. Víctor la esperaba en la entrada del salón: «Los honorarios del negro», dijo en voz baja. Sofía avergonzada del olvido, se apresuró a traer de su habitación un sobre que tendió al médico. «*Oh! Jamais de la vie!*», exclamó el mestizo, rechazando la dádiva con airado gesto, dándose a hablar de la medicina moderna, muy llevada a admitir, desde hacía algunos años, que ciertas fuerzas, aún mal estudiadas, podían actuar sobre la salud del hombre. Sofía dirigió una iracunda mirada a Víctor. Pero la mirada cayó en el vacío: el francés tenía los ojos puestos en Rosaura, la mulata, que cruzaba el patio contoneando la grupa bajo un claro vestido azul floreado.

ALEJO CARPENTIER, *El siglo de las luces.* (1962). Schapire Editor, Buenos Aires, 1974. Pp. 41-42 y 44.

La justicia revolucionaria de tramitación policiaca chocó de tal modo con mi manera de ser, que al punto resolví apartarme del organismo encargado de administrarla.

MARTÍN LUIS GUZMÁN

Villa es la reencarnación de la vieja leyenda: ...¡robar a los ricos para hacer ricos a los pobres! Y los pobres le forjan una leyenda que el tiempo se encargará de embellecer...

MARIANO AZUELA

«Los que quieren una revolución de verdad, radical, intransigente son, por desgracia, hombres ignorantes y sangrientos. Y los letrados sólo quieren una revolución a medias, compatible con lo único que les interesa: medrar, vivir bien...»

CARLOS FUENTES

¿No sabes quién es el muerto,
soldadito boliviano?
El muerto es el Che Guevara,
y era argentino y cubano,
y era argentino y cubano,
soldadito de Bolivia,
y era argentino y cubano.

NICOLÁS GUILLÉN

«Hernán cayó en lo que llaman el anarco aventurismo y la policía le metió 6 tiros en el pulmón cuando ya estaba a punto de convencernos de la importancia de la máquina infernal para volar la embajada.»

LUIS BRITO GARCÍA

13. GUERRILLEROS Y REVOLUCIONARIOS

Guerrilla, revolución y contrarrevolución tienen hondas raíces en la Historia de España. No es de extrañar que tras tres siglos de colonización surjan en América grandes caudillos populistas y guerrilleros anónimos. De talante combativo y descontentos con la situación de injusticia de sus respectivos países o de pueblos ajenos, tomaron las armas para protagonizar gestas históricas o fracasadas intentonas revolucionarias. Polémicos personajes de diferentes ideologías lucharon y luchan todavía por ideales concretos; otros, contagiados por cualquier causa revolucionaria, se han unido a masas campesinas, grupos de intelectuales o corrientes libertarias. En las últimas décadas, como alternativa a las tradicionales tropas rurales armadas con palos y machetes, la guerrilla urbana toma edificios públicos, secuestra políticos y millonarios, y cuenta con sofisticado armamento para el logro de sus objetivos políticos.

El pueblo tiende a mitificar a aquellos líderes que han defendido causas populares y, sobre todo, a los que han muerto en la contienda. Alimentando e inspirándose en el sentir popular, todas las artes han participado en el encumbramiento de héroes revolucionarios. Merecen especial mención los escritores mexicanos que, a principios de siglo, lucharon del lado de los insurgentes, pues han dejado una visión objetiva y nada idealizada de sus compañeros de batalla.

Intuitivos estrategas de gran arrastre popular, Villa y Zapata son los grandes héroes de la Revolución Mexicana. Sus hazañas bélicas, su capacidad de negociación y su empeño por desterrar de México las diferencias sociales, han hecho que el pueblo idealizara su gesta y que los artistas sigan mitificando a los dos líderes agrarios. Asimismo, tanto los gobernantes y sus opositores como los nuevos revolucionarios veneran sus hazañas. Ambos guerrilleros, radicales y casi analfabetos, nunca ambicionaron el poder político aunque sí buscaron el fervor de las masas campesinas y el aplauso de los gobernantes. Los dos se opusieron a los intentos moderados de revolución burguesa iniciados por Carranza. Ya en 1994, hay que destacar el resurgimiento de la figura de Zapata utilizada por los insurgentes de Chiapas. Presentamos aquí el análisis de los dos personajes expuesto en una conferencia por el venezolano Otero Silva, siempre interesado por la Revolución Mexicana, a la que considera punto de partida de toda reforma social en América.

PANCHO VILLA Y EMILIANO ZAPATA

La revolución para Venustiano Carranza, tal como había sido antes para Francisco Madero, era un movimiento armado destinado a derrocar el absolutismo y suplantarlo por un régimen liberal de gobierno regido por una constitución humanitaria y civilizada. Nada más. Pero esa no podía ser *toda* la revolución para Francisco Villa ni para Emiliano Zapata, líderes agrarios cuyos ejércitos, a más de ejércitos, eran masas campesinas que se habían batido por la propiedad de la tierra.

Es probable que Francisco Villa no tuviera en la cabeza las cosas tan claras como las tenía Emiliano Zapata. Pancho Villa era un campesino iletrado, varias veces perseguido por su rebeldía frente a los hacendados, ladrón de ganado, preso por abigeato, fugitivo de la justicia, pero provisto de una colosal energía para el combate, de una genial aptitud para la guerra y para la organización militar de las masas. Los peones campesinos, que eran sus oficiales y sus soldados, tenían en él una fe ciega, sólo comparable a la que tenían en Napoleón los soldados, también campesinos de Francia. Mucho mayor todavía, porque Villa no se hizo emperador como Bonaparte, sino que siguió siendo campesino como ellos, viviendo y pensando como campesino, peleando como campesino. El coraje sin medida de Pancho Villa, la estrategia diabólica de Pancho Villa, su empleo de la caballería como ariete demoledor, su utilización de los ferrocarriles como tenazas del avance, su personalidad legendaria que arrastraba consigo, no ya a los hombres, sino por igual a las mujeres y a los niños, cada uno con un fusil en la diestra, decididos todos a morir por Pancho Villa y por la Revolución; ese puñado de circunstancias heroicas hicieron de él uno de los más famosos guerreros del siglo XX y de su División del Norte la más temible expresión bélica de la revolución agraria mexicana. Pancho Villa –aunque quizás no dilucidara exactamente las causas–, no podía resignarse a la recatada revolución democrático burguesa que Venustiano Carranza propugnaba. Y la verdad es que no se resignó.

Emiliano Zapata, que sí tenía conciencia precisa de las causas, se resignó mucho menos. [...]

Cuando comprendió que Madero, ya triunfante la guerra contra Porfirio Díaz, no estaba dispuesto a emprender con energía la distribución de la tierra a los campesinos, Emiliano Zapata se declaró en rebelión armada contra Madero. Y lo mismo hizo cuando Venustiano Carranza, una vez ganada la guerra contra Victoriano Huerta, tampoco se determinó a resolver revolucionariamente el problema de los campesinos sin tierra y de los pueblos sin ejido.

Emiliano Zapata no era un general de grandes batallas como Pancho Villa, sino un portentoso jefe guerrillero. El ejército zapatista eran millares y millares de campesinos y campesinas; nunca se sabía cuando soltaban la azada para empuñar el fusil; aparecían y desaparecían de los sembrados como fantasmas; obtenían sus armas arrebatándoselas al enemigo; realizaban importantes acciones bélicas o de sabotaje y luego se disolvían entre la masa campesina a que pertenecían. Un poderoso ejército guerrillero que mantuvo en jaque durante varios años a cuatro gobiernos mexicanos y que más de una vez estuvo al borde de capturar y ejercer el poder. Zapata y Villa llegaron a controlar con sus ejércitos agraristas la casi totalidad del territorio mexicano, pero ni el uno ni el otro tenían una noción política concreta de lo que era un gobierno revolucionario y de cómo deberían ejercerlo. «Yo no necesito puestos públicos porque no los sé lidiar», dijo Villa en Xochimilco. «Y yo lo digo por mí: de que ando en una banqueta*, hasta me quiero caer», respondió Zapata. Así, *ni modo**.

Contra Emiliano Zapata emplearon los gobiernos y las clases dominantes todas las armas: la calumnia, la guerra, el terror, el saqueo, los fusilamientos, el soborno de sus aliados, la amnistía para quienes lo abandonaran, la intriga, el aislamiento, la traición, la emboscada artera, hasta que por fin lograron matarlo, cuando ya la lucha de guerrillas, mantenida durante largos años, había perdido gran parte de su efectividad, cuando ya había sido privado de sus mejores oficiales por diversos medios, cuando ya él mismo se sabía en derrota.

En noviembre de 1917 estalló y triunfó en Rusia la revolución bolchevique. Zapata interrumpió un momento su guerra para enviar este mensaje:

«Mucho ganaríamos, mucho ganaría la humanidad y la justicia, si todos los pueblos de América y todas las naciones de la vieja Europa comprendiesen que la causa del México revolucionario y la causa de Rusia son y representan la causa de la humanidad, el interés supremo de todos los pueblos oprimidos.»

Era aún muy temprano, sin embargo, para invocar la solidaridad internacional revolucionaria de los obreros y campesinos. Año y medio más tarde, Emiliano Zapata moría asesinado, víctima de una celada tendida por un oficial de Carranza que fingió pasarse a sus filas.

«La revolución devora a sus hijos más prominentes», como dice la frase hecha de los historiadores contrarrevolucionarios. Madero fue asesinado por un traidor. Zapata sucumbió en Chinameca, en una sucia trampa. Carranza pereció seguidamente en Tlaxcalaltongo, en otra emboscada. Villa, retirado a una hacienda después de su derrota, recibió un balazo mortal en 1923. Otros hombres quedaron en pie y la Revolución Mexicana seguiría su curso, como en el apotegma de Goethe, «por encima de las tumbas». Quedaba en pie también la constitución de 1917, que establecía leyes agrarias, marcaba pautas progresistas con respecto a las horas de trabajo y el salario mínimo de los trabajadores. Y por añadidura –y ésta era la variación más importante– yacía, entre el polvo y la sangre de las guerras civiles, roto el parapeto feudal de dominación económica y política que había mantenido un yugo secular sobre las espaldas de los indios y de los peones mexicanos, desde la encomienda esclavista de los conquistadores hasta la autocracia no menos esclavista de Porfirio Díaz.

En cuanto a los nombres de Zapata y Villa, de poco han valido las montañas de páginas escritas por periodistas y literatos reaccionarios o venales con el objeto de empañar ante las masas su prestigio. Pancho Villa no es, en el recuerdo de los campesinos mexicanos, «el bandolero del Norte», ni Zapata «el Atila del Sur» que se empeñaron y se empeñan en pintarles. Zapata y Villa son dos figuras indestructibles que, medio siglo después de su muerte, alientan en los corridos que el pueblo mexicano canta y acompaña con sus guitarras:

Yo soy soldado de Pancho Villa,
de sus «dorados» soy el más fiel,
nada me importa perder la vida
si es cosa de hombres morir por él.

O bien:

Mas si acaso mi suerte fuera adversa
o sucumbo en el campo por desgracia,
moriré pero exclamando con firmeza:
¡Vivan las huestes del Sur! ¡Viva Zapata!

Como si nunca hubieran muerto. Como si todavía anduvieran alzados en armas.

MIGUEL OTERO SILVA, *Prosa completa*: «Sobre México y la Revolución Mexicana». (1966). Seix Barral, Nueva narrativa hispánica, Barcelona, 1977. Pp. 139-144.

Los últimos versos de Neruda rezuman un amargo desencanto: considera que los hombres dan la espalda al bien y son insensibles a la esperanza. En el poema *Fin de mundo,* el chileno ensalza al *Che Guevara,* pero concluye que su gesta fue un fracaso. Cegado por el pesimismo, el poeta se equivocó en su presagio; a pesar de haber sido ignorado por el campesinado boliviano al que pretendía liberar, la figura del guerrillero inspiró en todo el mundo una mística revolucionaria de gran transcendencia política y artística.

TRISTEZA EN LA MUERTE DE UN HÉROE

Los que vivimos esta historia,
esta muerte y resurrección
de nuestra esperanza enlutada,
los que escogimos el combate
y vimos crecer las banderas,
supimos que los más callados
fueron nuestros únicos héroes
y que después de las victorias
llegaron los vociferantes
llena la boca de jactancia
y de proezas salivares.

El pueblo movió la cabeza:
y volvió el héroe a su silencio.
Pero el silencio se enlutó
hasta ahogarnos en el luto
cuando moría en las montañas
el fuego ilustre de Guevara.

El comandante terminó
asesinado en un barranco.

Nadie dijo esta boca es mía.
Nadie lloró en los pueblos indios.
Nadie subió a los campanarios.
Nadie levantó los fusiles,
y cobraron la recompensa
aquellos que vino a salvar
el comandante asesinado.
¿Qué pasó, medita el contrito,
con estos acontecimientos?
Y no se dice la verdad
pero se cubre con papel
esta desdicha de metal.
Recién* se abría el derrotero
y cuando llegó la derrota
fue como un hacha que cayó
en la cisterna del silencio.

Bolivia volvió a su rencor,
a sus oxidados gorilas,

a su miseria intransigente,
y como brujos asustados
los sargentos de la deshonra,
los generalitos del crimen,
escondieron con eficiencia
el cadáver del guerrillero
como si el muerto los quemara.
La selva amarga se tragó
los movimientos, los caminos,
y donde pasaron los pies
de la milicia exterminada
hoy las lianas aconsejaron

una voz verde de raíces
y el ciervo salvaje volvió
al follaje sin estampidos.

PABLO NERUDA, *Fin de mundo.* (1969): «Tristeza por la muerte de un héroe». Ed. Losada, Buenos Aires, 1969. Págs.53-55.

Vargas Llosa, comunista en su juventud, siempre ha querido profundizar en el tema de la revolución y en la trayectoria de sus amigos revolucionarios. *Historia de Mayta* narra la vida del trotskista Alejandro Mayta. A través de ficciones y entrevistas, Vargas Llosa reconstruye las vicisitudes de su compañero de colegio, al que retrata desde la exasperación teñida a menudo de ternura y compasión. El autor considera que Mayta, varias veces encarcelado mientras sus compañeros de lucha buscaban seguridad y riquezas, fue utilizado por la trama del poder revolucionario. Siguen varios pasajes sobre el guerrillero, que también describen distintos aspectos de la intentona revolucionaria que tuvo lugar en Perú en 1958.

MAYTA

[Infancia]

En el Colegio Salesiano, a la salida, antes de subir al ómnibus que nos llevaba a Magdalena, donde vivíamos los dos, corría a darle a Don Medardo, un ciego harapiento que se apostaba con su violín desafinado a la puerta de la Iglesia de María Auxiliadora, el pan con queso de la merienda que nos repartían los Padres en el último recreo. Y los lunes le regalaba un real, que debía ahorrar de su propina del domingo. Cuando nos preparábamos para la primera comunión, en una de las pláticas, hizo dar un respingo al Padre Luis, preguntándole a boca de jarro: «¿Por qué hay pobres y ricos, Padre? ¿No somos todos hijos de Dios?». Andaba* siempre hablando de los pobres, de los ciegos, de los tullidos, de los huérfanos, de los locos callejeros, y la última vez que lo vi, muchos años después de haber sido condiscípulos salesianos, volvió a su viejo tema, mientras tomábamos un café en la Plaza San Martín: «¿Has visto la cantidad de mendigos, en Lima? Miles de miles». Aun antes de su famosa huelga de hambre, en la clase muchos creíamos que sería cura. En ese tiempo, preocuparse por los miserables nos parecía cosa de aspirantes a la tonsura, no de revolucionarios. Entonces sabíamos mucho de religión, poco de política y absolutamente nada de revolución.[...]

[Militancia en la sierra]

La camioneta brincaba en la trocha llena de baches y los josefinos, pelos alborotados, puños en alto, daban vivas al Perú y a la Revolución Socialista. Mayta iba sentado en el filo de la caseta, mirándolos. Y, de pronto, se le ocurrió:

—¿Por qué no la *Internacional*, camaradas?

Las caritas, blancas por el polvo del camino, asintieron y varias dijeron: «Sí, sí, cantémosla». Al instante, comprendió: ninguno sabía la letra ni había oído jamás la *Internacional*. Ahí estaban, bajo el limpísimo cielo serrano, con sus uniformes arrugados, mirándolo y mirándose, esperando cada uno que los otros empezaran a cantar. Sintió un arrebato de ternura por los siete chiquillos. Les faltaban años para ser hombres, pero ya se habían graduado de revolucionarios. Lo estaban arriesgando todo con esa maravillosa inconsciencia de sus quince, dieciséis o diecisiete años, aunque carecían de experiencia política y de toda formación ideológica. ¿No valían acaso más que los fogueados revolucionarios del POR(T) que se habían quedado allá en Lima, o que el sabihondo Doctor Ubilluz y sus huestes obrero-campesinas volatizadas esa misma mañana? Sí, pues habían optado por la acción. Tuvo ganas de abrazarlos.

—Yo les enseño la letra –dijo, incorporándose en la sacudida camioneta–. Cantemos, canten conmigo. Arriba los pobres del mundo...

Así, chillones, desafinados, exaltados, muertos de risa por las equivocaciones y los gallos, saludando con el puño izquierdo en alto, vitoreando a la Revolución, al Socialismo y al Perú, los vieron pasar los arrieros y labradores de la periferia jaujina*, y los escasos viajeros que descendían hacia la ciudad entre cascadas y frondosos chaguales*, por esa garganta rocosa y húmeda que baja de Quero hacia la capital de la provincia. Intentaron cantar la *Internacional* un buen rato, pero, debido al mal oído de Mayta, no podían pescar la música. Por fin, desistieron. Terminaron entonando el Himno Nacional y el Himno del Colegio Nacional San José de Jauja. Así llegaron al puente de Molinos. La camioneta no frenó. Mayta la hizo detenerse, golpeando el techo de la caseta.[...]

[Atraco a un banco]

Echó a correr y todos lo siguieron, alineándose en el mismo orden en que habían venido. A los pocos segundos, la carrera anuló en Mayta la capacidad de pensar. El ahogo, la presión de las sienes, el malestar volvieron, pese a que no iban de prisa, sino como calentando antes del partido. Cuando, dos cuadras más allá, se detuvieron en las puertas del Banco Regional, estrellitas silentes flotaban alrededor de su cabeza y tenía la boca de par en par. No te puedes desmayar ahora, Mayta. Entró con el grupo y, como en sueños, apoyado en el mostrador, viendo el espanto en la cara de la mujer que tenía al frente, oyó a Vallejos explicar: «Ésta es un acción revolucionaria, venimos a recuperar la plata robada al pueblo», y que alguien protestaba. El Subteniente empujó a un hombre y lo abofeteó. Debía ayudar, moverse, pero no lo hizo porque sabía que, si dejaba este apoyo, se desplomaría. Con los dos codos en el mostrador, apuntando con su metralleta al grupo de empleados –algunos gritaban y otros parecían a punto de ir a defender al que había protestado– vio a Condori y a Zenón Gonzales sujetar de los brazos al hombre del escritorio grande al que Vallejos le había pegado. El Subteniente le acercaba la metralleta en actitud amenazadora. El hombre consintió por fin en abrir la caja fuerte que tenía junto a su escritorio. Cuando Condori acabó de pasar el dinero a la bolsa, Mayta empezaba a respirar mejor. Hubieras tenido que venir hace una semana, ir acostumbrando el cuerpo a la altura, no sabes hacer las cosas.[...]

[Sufrimiento y soledad]

Se le apaga la voz. La falta de convicción con que habla es tan visible que, se habrá dicho, no tiene sentido tratar de hacerme creer algo en lo que él tampoco cree. ¿En qué cree ahora mi supuesto ex-condiscípulo? Allá, en el Salesiano, hace medio siglo, creía ardientemente en Dios. Luego, cuando murió Dios en su corazón, creyó con el mismo ardor en la revolución, en Marx, en Lenin, en Trotski. Luego, los sucesos de Jauja, o, acaso, antes, esos largos años de insulsa militancia, debilitaron y mataron también esa fe. ¿Qué otra la reemplazó? Ninguna. Por eso da la impresión de un hombre vacío, sin emociones que respalden lo que dice. Cuando empezó a asaltar Bancos y a secuestrar por un rescate, ¿ya no podía creer en nada, salvo en conseguir dinero a como diera lugar? Algo, en mí, se resiste a aceptarlo. Sobre todo ahora, mientras lo observo, vestido con esos zapatones de caminante y esa ropa misérrima; sobre todo, ahora, que he visto como se gana la vida.[...]

De nuevo se le va la voz, extenuada por la falta de convicción. A mí también se me va algo en ese instante: el interés por la charla. Sé que no voy a conseguir de mi falso condiscípulo nada más de lo que he conseguido hasta ahora: la deprimente comprobación de que es un hombre destruido por el sufrimiento y el rencor, que ha perdido incluso los recuerdos.

MARIO VARGAS LLOSA, *Historia de Mayta.* (1984). Seix Barral, Biblioteca Breve, Barcelona, 1984. Pp. 8-9, 260-261, 268-269, 334-335 y 337-338.

Preguntado en una entrevista por la similitud del levantamiento de Chiapas en enero de 1994 y la insurgencia de Zapata en los albores del siglo, Krauze responde que ambos movimientos son liderados por diferentes tipos de revolucionarios. Considera que las revueltas agrarias de la Revolución Mexicana surgen espontáneamente del descontento del campesinado, mientras que el Ejército Zapatista de Liberación Nacional y la mayoría de las sublevaciones que han tenido lugar en los últimos años, están dirigidos por individuos provenientes de elites intelectuales o clases acomodadas que no representan al pueblo. El historiador reconoce la situación de atraso e injusticia de los indígenas mexicanos, pero descarta el *camino de las armas* para solucionar los *agravios sociales, políticos y económicos.*

CHIAPAS: LOS REVOLUCIONARIOS DE LA CIUDAD, DEL SEMINARIO Y DEL CAMPUS

—A diferencia de las revueltas campesinas e indígenas clásicas, como la de Emiliano Zapata, ésta es una guerrilla de guerrillas largamente planeada, recoge las experiencias guerrilleras de los años setenta en México (Lucio Cabañas) y la de los años ochenta en Centroamérica (Nicaragua, El Salvador, Guatemala), y si me apura, a la experiencia maoísta peruana... que no tienen un liderazgo campesino ni indígena, sino urbano y universitario, y que se propone fines muy distintos a los que se propuso el melancólico Zapata. Él no era partidario del socialismo ni de la colectivización... Las revueltas campesinas e indígenas son libertarias, se circunscriben a un área geográfica muy concreta, surgen de un modo espontáneo y como reacción a un agravio. Hoy, en el paisaje de esta sublevación, cabe hablar de «los de arriba» y «los de abajo»; de los «comandantes» y de los «campesinos».

—Esa parece ser una ya trágica característica de la guerrilla revolucionaria iberoamericana desde Fidel Castro hasta nuestros días: el Ché Guevara, Camilo Torres, los senderistas peruanos, los comandantes sandinistas y, como diría Gabriel Zaid, los colegas enemigos de El Salvador: todos son universitarios, algunos curas, muchos de ellos miembros de las clases más acomodadas, incluso herederos de la elite política dirigente. Parece que quienes los sufren son los campesinos...

—Ellos, los revolucionarios de la ciudad, del seminario y del campus, dicen, y seguramente con sinceridad, que representan al pueblo. Los campesinos, en cambio, son el pueblo, no les hace falta representación o credencial alguna... Los campesinos sí han sufrido un agravio verdadero: la injusticia social, la discriminación, el autoritarismo, la falta de democracia, la desigualdad... Mientras tanto, los «comandantes» luchan hoy en Chiapas para instaurar el socialismo, no importa que la guerrilla y el socialismo hayan fracasado estrepitosamente... Han fracasado estrepitosamente en todo el mundo pero a ellos les parece que «aquí si funcionará». Puro mesianismo. No hacen otra cosa que postergar la fecha del gran advenimiento, la «parusía» laica del Espíritu de la Historia, creyéndose una y otra vez en posesión de la verdad más irrefutable...

—¿No hay, entonces, nada legítimo en esta insurrección guerrillera?

—¡Cómo no! Pone en evidencia los atrasos ancestrales, la supervivencia de mentalidades antiguas y de algunos mitos que arraigan muy hondo en el alma popular. Pone en evidencia que hay muchas cosas por resolver y otras que conservar. Lo que sin duda es legítimo. Sin embargo, me repugna el método y repruebo el camino de las armas: la violencia no resolverá los agravios sociales, políticos y económicos del México humilde, aunque sí sea legítimo intentar removerlos. Los mexicanos debemos avanzar hacia la modernidad sin olvidar a nuestro sector más tradicional. Sería imposible lograrlo bajo una lluvia de balas.

ENRIQUE KRAUZE, Entrevista concedida a Tulio de Micheli. Diario ABC, Madrid, 31 de enero de 1994.

Mírame desde el fondo de la tierra,
labrador, tejedor, pastor callado:
domador de guanacos* tutelares:
albañil del andamio desafiado:
aguador de las lágrimas andinas:
joyero de los dedos machacados:
agricultor temblando en la semilla:
alfarero en tu greda derramado:

PABLO NERUDA

El hombre del campo no existe en las casillas del mundo moderno. «Repartir tierras», «Revolución Agraria» (roja o blanca) son solamente frases para cubrir el gran olvido. Ni Marx ni el Capitalismo saben qué hacer con el campesino.

PABLO ANTONIO CUADRA

«nosotros cuando amamos
es fácil de arreglar
con sábanas qué bueno
sin sábanas da igual»

MARIO BENEDETTI

Soy de oficio zapatero, le dije, pero a causa de la pobreza ya nadie compra zapatos en Guanajuato. Por eso junté unos centavos*, que le pedí al agiotista, y me puse a hacer algunos pares, para venir a venderlos a la ciudad de México, en donde todavía la gente rica lleva zapatos.

ELENA GARRO

14. CAMPESINOS Y TRABAJADORES

En Latinoamérica millones de personas realizan un trabajo manual, generalmente mal pagado. Campesinos y mineros desentrañan de sol a sol las riquezas de la tierra. Obreros, pequeños comerciantes y artesanos sobreviven en pueblos y ciudades con remuneraciones miserables. Unos, trabajan por cuenta propia; otros, son asalariados, y muchos, son brutalmente explotados. La Literatura Hispanoamericana del siglo XX es solidaria con los trabajadores y algunos autores destacan con exquisita sensibilidad los méritos, el valor, la transcendencia y, a veces, el lirismo de sus quehaceres y desvelos.

Güiraldes, enamorado de su tierra y de las gentes de la pampa argentina, nos lega un nostálgico retrato de los gauchos y de la vida rural. La trama de su novela es de corte romántico: el joven narrador se fuga de su casa, sigue al resero don Segundo Sombra (conductor de ganado a lo largo y ancho de la pampa) y termina enterándose de que es el heredero de una hacienda y una gran fortuna. Sin embargo, el auténtico deseo del novelista es plasmar su visión idealista sobre la vida y bondades de sus compatriotas campesinos. Con una prosa rica en imágenes y en vocabulario local, Fabio describe las virtudes y destrezas de su maestro y las delicias del quehacer gauchesco: doma y cuidado de los animales, música y leyendas, veterinaria, temple de hierro y amor por la soledad.

HOMBRE DE PAMPA

Pensé en don Segundo Sombra que en su paso por mi pueblo me llevó tras él, como podía haber llevado un abrojo de los cercos prendido en el chiripá*.

Cinco años habían pasado sin que nos separáramos ni un solo día, durante nuestra penosa vida de reseros*. Cinco años de esos hacen de un chico un gaucho*, cuando se ha tenido la suerte de vivirlos al lado de un hombre como el que yo llamaba mi padrino. Él fue quien me guió pacientemente hacia todos los conocimientos de hombre de pampa*. Él me enseñó los saberes del resero, las artimañas del domador, el manejo del lazo y las boleadoras*, la difícil ciencia de formar un buen caballo para el aparte* y las pechadas*, el entablar una tropilla* y hacerla parar a mano en el campo, hasta poder agarrar los animales dónde y cómo quisiera. Viéndolo me hice listo para la preparación de lonjas* y de tientos* con los que luego hacía mis bozales, riendas, cinchones*, encimeras, así como para injerir lazos y colocar argollas y presillas.

Me volví médico de mi tropilla, bajo su vigilancia, y fui baquiano para curar el mal del vaso dando vuelta la pisada, el moquillo con la medida del perro o labrando un fiador con trozos de un mismo maslo, el mal de orina poniendo sobre los riñones una cataplasma de barro podrido, la renguera* de arriba atando una cerda de la cola en la pata sana, los hormigueros con una chaira caliente, los nacidos, cerda brava y otros males, de diferentes modos.

También por él supe de la vida, la resistencia y la entereza en la lucha, el fatalismo en aceptar sin rezongos lo sucedido, la fuerza moral ante las aventuras sentimentales, la desconfianza para con las mujeres y la bebida, la prudencia entre los forasteros, la fe en los amigos.

Y hasta para divertirme tuve en él a un maestro, pues no de otra parte me vinieron mis floreos en la guitarra y mis mudanzas en el zapateo. De su memoria saqué estilos, versadas y bailes de dos, e imitándolo llegué a poder escobillar* un gato* o un triunfo* y a bailar una huella* o un prado*. Coplas y relaciones sobraban en su haber para hacer sonrojar de gusto o de pudor a un centenar de chinas*.

Pero todo eso no era sino un resplandorcito de sus conocimientos y mi admiración tenía donde renovarse a diario.

¡Cuánto había andado ese hombre!

En todos los pagos tenía amigos, que lo querían y respetaban, aunque poco tiempo paraba en un punto. Su ascendiente sobre los paisanos era tal que una palabra suya podía arreglar el asunto más embrollado. Su popularidad, empero, lejos de servirle parecía fatigarlo después de un tiempo.

—Yo no me puedo quedar mucho en nenguna estancia –decía–, porque en seguida estoy queriendo mandar más que los patrones.

¡Qué caudillo de montonera* hubiera sido!

Pero por sobre todo y contra todo, don Segundo quería su libertad. Era un espíritu anárquico y solitario, a quien la sociedad continuada de los hombres concluía por infligir un invariable cansancio.

Como acción, amaba sobre todo el andar perpetuo; como conversación, el soliloquio.

Llevados por nuestro oficio, habíamos corrido gran parte de la provincia. Ranchos, Matanzas, Pergamino, Rojas, Baradero, Lobos, el Azul, Las Flores, Chascomús, Dolores, el Tuyú, Tapalqué y muchos otros partidos nos vieron pasar cubiertos de tierra o barro, a la cola de un arreo. Conocíamos las estancias* de Roca, Anchorena, Paz, Ocampo, Urquiza, los campos de «La Barrancosa», «Las Víboras», «El Flamenco», «El Tordillo», en que ocasionalmente trabajamos, ocupando los intervalos de nuestro oficio.

Una virtud de mi protector me fue revelada en las tranquilas pláticas de fogón. Don Segundo era un admirable contador de cuentos, y su fama de narrador daba nuevos prestigios a su ya admirada figura. Sus relatos introdujeron un cambio radical en mi vida.

RICARDO GÜIRALDES, *Don Segundo Sombra.* (1926). Aguilar, Col. Crisol, Madrid, 1973. Pp. 92-95.

Es frecuente ver en las carreteras y caminos de la geografía hispanoamericana a sufridas mujeres con grandes cargas en la cabeza. Van a vender sus productos en las calles y mercados. Pablo Antonio Cuadra escudriña sus gestos y destrezas, y afirma que son la base de la economía popular. Aquí hace una razonada y entusiasta alabanza de estas vendedoras ambulantes que llevan además sobre sus espaldas todas las cargas familiares.

LA VIVANDERA*

Como le pagué con un billete alto, sacó de una bolsa oculta en la nagua, debajo del delantal –no sin mirar de reojo, con aire desconfiado a su alrededor– un rollo de billetes. El gesto de la mano, al mantener el fajo y extraer los billetes, fue un gesto versado y rápido como el del jugador con el naipe. Toda una sicología, toda una vida parecía esculpirse en ese gesto de sus manos: la una posesiva, la otra contabilista y veloz con su aritmética al tacto.

Era una mujer recia, de espaldas poderosas, brazos y piernas fuertes, y ese cuello ancho y resistente que desarrolla el ejercicio de cargar sobre la cabeza; muchas veces he mirado esa arquitectura femenina en nuestro pueblo –cuerpo donde el trabajo ha vencido al sexo, cuerpo chato como la Iglesia de Subtiava, templo indio, cuerpo asexuado (no como la Iglesia de Xalteva, espigada y con su crinolina que es el cuerpo mestizo cimbreando su *turris eburnea*), cuerpo empresario– y ahora veía a la vivandera atendiéndome y atendiendo a todo el negocio simultáneamente, ofrenciéndole al que pasaba, regateando al que pedía rebaja, comentando con la vecina, vigilando, locuaz, perspicaz, bromista, bocatera*...

Pensé que no se ha hecho una estadística sobre este tipo de mujer sobre cuyos hombros reposa casi todo el inmenso e invisible edificio de nuestro comercio popular: ¡La mujer comerciante! La vivandera, la mercadera, la pulpera*... Todo ese culto oculto del mercadeo en manos femeninas –temible y minucioso– donde se ejercita con frecuencia la más implacable usura –la usura casi caníbal de las viudas y las sin marido –que «volantinean* su capitalito», las prestamistas de la cocina– o bien la otra triste mujercita de la canasta, tan activa y empeñosa, que al regresar en la tarde a su hogar y al hacer sus cuentas analfabetas se da cuenta de que en vez de ganar... salió perdiendo.

Pero esta mi vivandera me está contando que es rivense*, que posa* en Managua, que comercia con lo que trae (frutas, hortalizas), y comercia con lo que lleva (telas, «artículos»). Sus hijos se quedan con su madre –¡la pobre abuela!–, sus maridos ya partieron «¡de viaje*!»; pero está educando un hijo en la Universidad y otro ya trabaja en un taller de mecánica. Entonces dice ella –a su vecina– que su hijo va a ser dentista pero que «los trastes*» para instalarlo cuestan un «chiquipil*». [...]

Josefana, la vivandera, no viene en realidad, de Rivas. Viene desde hace milenios peregrinando con una raza comercial y guerrera: la que dio nombre a nuestra patria: Los Nicaraguas, adoradores de Mixcoa, dios del comercio.

PABLO ANTONIO CUADRA, *Obras en prosa:* «El Nicaragüense» (1967). Obras en prosa. Ed. Libro Libre, San José, 1987. Vol. III, Pp. 115 y 116.

Vallejo no es solamente un gran renovador de la poesía y de la estética del lenguaje. También su compromiso político, denuncia social y trágico humanismo dejarán una profunda huella en la poesía hispanoamericana. Con su peculiar poética e imágenes surrealistas, deja patente su sufrimiento por los explotados y su respeto por el trabajo que realizan; expresa solidaridad con los campesinos y proletarios, y lanza un agónico llamamiento por un mundo mejor.

¡SON ALGO PORTENTOSO, LOS MINEROS...

Los mineros salieron de la mina
remontando sus ruinas venideras,
fajaron su salud con estampidos
y, elaborando su función mental,
cerraron con sus voces
el socavón, en forma de síntoma profundo.

¡Era de ver sus polvos corrosivos!
¡Era de oír sus óxidos de altura!
Cuñas de boca, yunques de boca, aparatos de boca.
[(¡Es formidable!)
El orden de sus túmulos,
sus inducciones plásticas, sus respuestas corales,
agolpáronse al pie de ígneos percances
y airente amarillura conocieron los trístidos y tristes,
imbuidos
del metal que se acaba, del metaloide pálido y pequeño.

Craneados de labor,
y calzados de cuero de vizcacha*
calzados de senderos infinitos,
y los ojos de físico llorar,
creadores de la profundidad,
saben, a cielo intermitente de escalera,
bajar mirando para arriba,
saben subir mirando para abajo.

¡Loor al antiguo juego de su naturaleza,
a sus insomnes órganos, a su saliva rústica!
¡Temple, filo y punta, a sus pestañas!
¡Crezcan la yerba, el liquen y la rana en sus adverbios!
¡Felpa de hierro a sus nupciales sábanas!
¡Mujeres hasta abajo, sus mujeres!
¡Mucha felicidad para los suyos!
¡Son algo portentoso, los mineros
remontando sus ruinas venideras,
elaborando su función mental
y abriendo con sus voces
el socavón, en forma de síntoma profundo!
¡Loor a su naturaleza amarillenta,
a su linterna mágica,
a sus cubos y rombos, a sus percances plásticos,
a sus ojazos de seis nervios ópticos
y a sus hijos que juegan en la iglesia
y a sus tácitos padres infantiles!
¡Salud, oh creadores de la profundidad...! (Es formidable.)

CÉSAR VALLEJO, *Poemas humanos* y *España, aparta de mí este cáliz.* (1937). Clásicos Castalia, Madrid, 1987. Pp. 86-88.

Catedrático y político, Yáñez renueva la narrativa mexicana. Entre otras técnicas novedosas, el narrador recurre con frecuencia al monólogo interior. Es capaz de representar una clase social en un personaje que, sin embargo, no resulta arquetípico. En este caso, Rómulo, en espontánea introspección, representa al campesinado mexicano. El agricultor, heredero de una tradición milenaria, no se dedica solamente a explotar el campo. Dialoga con su caballo y recuerda las enseñanzas de su abuelo, quien escudriñaba los mensajes de la tierra, adivinaba los sentimientos de los hombres y preveía acontecimientos cósmicos e históricos.

ME INCULCABA EL AMOR A LA TIERRA, ME ENSEÑABA A DOMINARLA

Entre mi abuelo y el Tocayo me enseñaron a entender el idioma en que habla la tierra, sus gustos y caprichos, que también los tiene. Paraba* el caballo las orejas como diciéndome: oye, y yo me quedaba oyendo; hacía esfuerzos por oír; primero *no más** oía el zumbar del aire, de los animales voladores caseros, de los arroyos, de las lluvias, del trueno; me fijé en que el Tocayo paraba las orejas antes de que se produjeran los ruidos y cuando pasábamos por sitios en que alguien había sido muerto; más tarde comencé a oír el crecimiento de las yerbas, de las milpas*, y el paso de los *asquiles**, de las hormigas, de los gusanos, de los microbios y plagas, debajo de la tierra o adentro de los capullos, de las hojas de los elotes*, de las vainas del frijol* y los chícharos*, o escondidos en los codos de retoños. Cada cosa se la iba preguntando al abuelo: qué dice el aire cuando ni hay viento, y las moscas y las mariposas cuando están paradas no más, y los perros cuando aúllan distinto a sus aullidos de costumbre, y por qué para las orejas el Tocayo si enfrente no hay nada extraño. Mi abuelo iba dándome razón de todo: la fuerza de la tierra, las ánimas cuyos cuerpos están enterrados, de los espíritus que animan cada cosa de la naturaleza: las plantas y los árboles, los ojos de agua, los arroyos, los ríos y los pantanos, la lumbre, cada uno de los vientos, los llanos encadenados por montañas, las rocas y piedras conforme a sus figuras y colores, las tierras conforme al poder de su fecundidad. Lo que más me gustaba oírle, y nunca me cansaba yo de pedir más y más explicaciones, era lo del casorio del cielo con la tierra, y su correspondencia constante para determinar lo que sucederá: desde el carácter de las gentes al nacer, hasta la pinta de los años y el resultado de las cosechas. Pero a la vez que me inculcaba el amor a la tiera, me enseñaba a dominarla: me acostumbró a sus durezas y reveses, para luego saber ordeñarla; ejercitó mis ojos para que pudieran distinguir a lo lejos lo indistinguible; me hizo poner la oreja en el suelo hasta que supe oír pasos de hombres o animales a distancia de horas, así como entender si se trataba de amigos o enemigos, de buenas o malas nuevas, de abigeos o coyotes*, de reses perdidas o forasteros. Nadie como mi abuelo para leer en el cielo y oler en el aire los años de buenas lluvias y los escasos, la fecha de las calmas, la subida y la baja del calor, la aproximación de culebras celestes, eclipses, granizadas y nevadas; de muy lejos le tenían fe y venían a consultarlo. Mi mayor diversión era pasarme horas y horas contemplando el cielo en la noche, junto a él, oyéndole los nombres de las estrellas, el significado de cada una y de su colocación en tales y cuales momentos, así como sus efectos sobre la tierra. Una de sus últimas predicciones fue la del cometa que traería la Revolución.

AGUSTÍN YÁÑEZ, *Las tierras flacas.* (1962). Joaquín Mortiz, Novelistas contemporáneos, México, D.F., 1962. Pp. 17-18.

Herederos de una tradición familiar, millones de artesanos de todo el continente elaboran sus delicados productos. Artistas anónimos, ellos mismos los comercializan y, en contacto directo con el pueblo, ponen grandes dosis de imaginación y de paciencia para renovar su obra. Arreola presenta, en fragmentos dispersos, a un cerero de Zapotlán. *La feria* recoge antiguas crónicas y testimonios orales de la vida cotidiana de este pueblo de Jalisco.

DON FIDENCIO

—¿Se acuerda de que usted dijo que podía hacerme una vela de a doscientos pesos*?

Don Fidencio ya iba a cerrar su tienda y traía las llaves en la mano, después de un día de malas ventas. Se quedó viendo a la mujer y la recordó: era la que había estado manoseando una noche todas las velas. Le iba a decir una barbaridad, pero la mujer se le adelantó, sacando del rebozo* un montoncito de pesos de plata:

—Aquí le traigo veinte pesos a cuenta para que me la empiece, la quiero de veinte arrobas, cueste lo que cueste. Deme un recibito.

Don Fidencio contó las monedas mecánicamente, y en un pedacito de papel de estraza, con que acostumbraba liar las velas por el medio, escribió con lápiz: «Recibí de María Palomino la suma de veinte pesos, a cuenta de una vela de veinte arrobas de cera cuyo valor será de...»

—Si quiere déjele pendiente lo del precio, eso es lo de menos. Lo que yo quiero es que sea la vela más grande y que dé más luz porque se la vamos a poner a Señor San José. Cada ocho días le voy a ir trayendo lo que pueda. Pero que sea de cera líquida... [...]

Don Fidencio labra la cera como su padre y como su abuelo: colgando los pabilos en los bordes de una gran rueda que gira horizontal, suspendida a una altura que corresponde al tamaño de los cordoncillos, según sean las velas de a diez centavos, de a veinte o de a cincuenta.

Sentado frente a un cazo de cobre puesto sobre brasas de carbón, don Fidencio les va echando la cera a los pabilos, bañándolos con un angosto resmillón. Con la mano izquierda hace girar lentamente la rueda, y así se sigue, de pabilo en pabilo, que se van enfriando al dar vuelta, hasta que engordan las velas según sean de a diez, de a veinte o de a cincuenta...

Ya que están bien frías, don Fidencio pule las velas rodándolas sobre una mesa de madera, lisa como un espejo. Luego les corta la cola y les arregla la punta. Ya que están bien torneadas, les graba su sellito de garantía con polvo de oro.

Hacer velas no es tan fácil. Hay que blanquear primero la cera, esparciéndola al sol en copos, estallados en caliente sobre una pila de agua fría. Doña María, la Matraca, entrega la cera como todo el mundo, en marquetas redondas de distintos tamaños y de distintos colores, unas amarillas, otras anaranjadas y otras cafés*, llenas de impurezas y con abejas muertas.

Labrar la cera no es fácil... «¿Para qué me habré hecho cerero?» Don Fidencio no se podía dormir. « ¿Para qué me eché el compromiso de la vela de a doscientos pesos?» Pero los pesos de plata que le llevaba la mujer, lo sacaban de muchos apuros. «Mañana voy con doña María y le encargo toda la cera de sus colmenas y le pago lo que le debo...» [...]

Desde que se echó el compromiso de hacer la vela de doscientos pesos, don Fidencio estaba intratable. Regañaba a su mujer, a sus hijas y a las mujeres que manoseaban sus velas.

—¿Cuál de todas se va a llevar? Deje *ái*, deje, me las está llenando de mugre.

Pero al mismo tiempo estaba orgulloso pensando en el tamaño de la vela de veinte arrobas. Casi tres metros de alto y medio metro de diámetro.

«¿Cómo la haré? Si la hago como todas, me pasaría la vida bañándola con el resmillón subido en una escalera. Tengo que hacer un molde. Eso es, un molde. ¿De madera? ¿De yeso? No, mejor de barro. Primero tengo que hacer una columna, de lo que sea, para sacar el molde hueco. La columna la voy a hacer con ladrillos redondos... ¿Y si en vez de ladrillos redondos voy poniendo panes de cera, uno encima de otro, pegándolos con cera derretida, hasta llegar al tamaño? Luego sería cosa *nomás** de bañarla por encima para borrar las junturas...»

JUAN JOSÉ ARREOLA, *La feria.* (1963). Ed. Joaquín Mortiz, Serie del volador, México, 1970. Pp. 139-140, 143-144 y 148-149.

Uno de esos pregoneros de pueblo, que van esquina por esquina gritando la reseña de un animal perdido, de un niño perdido, o de alguna muchacha perdida...

JUAN RULFO

El indio [«que cuenta historias»] no es muy locuaz; cuando habla no mueve un músculo del cuerpo tenso; pero sus palabras salmodiadas excitan la imaginación de los oyentes, quienes les incorporan un lujo dramático de su propia cosecha...

MANUEL MUJICA LÁINEZ

«¡LA VOZ DEL SINCHI!
...la voz que recoge y prodiga por las ondas las palpitaciones de toda la Amazonía. Un programa vivo y sencillamente humano, escrito y radiado por el conocido periodista...»

MARIO VARGAS LLOSA

«–Cincuenta centavos* la oración a Cristo Crucificado, cincuenta centavos...»

MARIANO AZUELA

15. HABLADORES Y VENDEDORES DE PALABRAS

Juglares, pregoneros y charlatanes han sido en todos los ámbitos transmisores de cultura. Las multitudes analfabetas de América han recibido también de boca de sus payadores* y «habladores» mitos, leyendas, creencias y acontecimientos cotidianos. Personajes carismáticos e imaginativos, producto de los remotos parajes donde desarrollan su misión, son también grandes psicólogos y llegan a conocer las necesidades más profundas de su audiencia; algunos, dotados de poderes mágicos y depositarios de experiencias milenarias, son también curanderos empíricos o rituales. Sensibles e intuitivos, desempeñan a menudo una función profética y pueden llegar a predecir venturas y desventuras a los que «compran» sus palabras.

Los magníficos profesionales de los medios iberoamericanos de comunicación que hoy en día se dirigen a masas más cultivadas son herederos de estos cronistas populares y todavía abundan en el Continente mesiánicos *vendedores de palabras.*

El propio Vargas Llosa, convertido en personaje que *participa en su propia ficción*, se interna en la Amazonía para buscar a un viejo amigo y desentrañar los misterios de una tribu indígena. Se interesa especialmente por los habladores, memoria colectiva de los *machiguengas.* En este texto, unos lingüistas norteamericanos le describen al escritor uno de esos visionarios ascetas que deambulan por la selva. Su función mitológica y comunicadora resulta evidente tras la siguiente lectura. *El hablador* combina hábilmente realismo tradicional y novedosas técnicas narrativas.

HABLABA Y HABLABA

Cuando llegaron, encontraron que, en vez de los cinco o seis machiguengas que vivían allí, y a los que Edwin Schneil conocía, había lo menos una veintena, algunos venidos de caseríos lejanos. Estaban en cuclillas en medio círculo, viejos y niños, hombres y mujeres, en torno a un hombre que peroraba, sentado y con las piernas cruzadas, encarándolos. Era un hablador. Nadie objetó que Edwin Schneil y el muchacho se sentaran también, a escuchar. Y el hablador no interrumpió su monólogo mientras ellos se incorporaban al auditorio.

—Era bastante viejito y hablaba tan rápido que me costó trabajo seguirlo. Ya debía llevar buen tiempo hablando. No parecía cansado ni mucho menos. El espectáculo duró varias horas más todavía. A ratos, le alcanzaban una calabaza de *masato** para que se aclarara la garganta con un traguito. No, nunca había visto antes a ese hablador. Bastante viejo, a primera vista, aunque, usted sabe, aquí en la selva se envejece rápido. Viejo, entre los *machiguengas*, puede significar treinta años. Era un hombre bajo, fortachón, muy expresivo. Yo, usted, cualquiera que hable y hable esa cantidad de horas, quedaría ronco y extenuado. Pero él, no. Hablaba y hablaba, con mucha energía. En fin, era su oficio y sin duda lo hacía bien.

¿De qué hablaba? Bueno, imposible recordarlo. ¡Qué caos! De todo un poco, de las cosas que se le venían a la cabeza. De lo que había hecho la víspera y de los cuatro mundos del cosmos *machiguenga*, de sus viajes, de hierbas mágicas, de las gentes que había conocido y de los dioses, diosecillos y seres fabulosos del panteón de la tribu. De los animales que había visto y de la geografía celeste, un laberinto de ríos cuyos nombres no hay quien recuerde. A Edwin Schneil le costaba trabajo seguir, concentrado, ese torrente de palabras en que se saltaba de una cosecha de yucas* a los ejércitos de demonios de Kientibakori, el espíritu del mal, y de allí a los partos, matrimonios y muertes en las familias o las iniquidades del tiempo de la sangría de árboles, como llamaban ellos a la época del caucho.[...]

—Le doy sólo unos ejemplos. ¡Qué mezcolanza! Me acuerdo, sí, que contó la ceremonia de iniciación de una joven chamán, con el ayahuasca*, bajo la dirección de un seripigari. Relató las visiones que tuvo. Extrañas, incoherentes, como ciertos poemas modernos. Habló, también, de las propiedades de un pajarito, *el chobíburiti*; si se entierran los huesecillos del ala, machacados, en el suelo de la casa, está garantizada la concordia familiar.

—Aplicamos la receta y, la verdad, no nos dio tan buenos resultados –bromeó la señora Schneil–. ¿Qué dices tú, Edwin?

Él se rió.

—Los entretienen, son sus películas, su televisión –añadió, ya serio, después de una pausa–. Sus libros, sus circos, esas diversiones que tenemos los civilizados. Para ellos, la diversión es una sola en el mundo. Los habladores no son nada más que eso.

—Nada menos que eso –lo corregí yo, suavemente.

—¿Sí? –dijo él, desconcertado–. Bueno, sí. Pero, perdóneme que insista, no creo que haya nada religioso detrás. Por eso llama la atención todo ese misterio, el secreto de que los rodean.

—Se rodea de misterio lo que para uno es importante –se me ocurrió decir.

—Sobre eso no hay la menor duda –afirmó la señora Schneil–. Para ellos los habladores son muy importantes. Pero no hemos descubierto por qué.

Pasó otra sombra furtiva, crepitó y los Schneil crepitaron. Le pregunté a Edwin si había conversado, aquella vez, con el viejo hablador.

Apenas tuve tiempo. La verdad, cuando terminó de hablar, ya estaba rendido, me dolían todos los huesos. Así que en seguida me dormí. Dése cuenta, cuatro o cinco horas sentado, sin cambiar de postura, después de remar contra la corriente casi todo el día. Y oyendo ese chisporroteo de anécdotas. No tenía ánimos para nada. Me eché a dormir y, cuando desperté, el hablador ya se había marchado. Como a los machiguengas no les gusta hablar del asunto, no he vuelto a saber de él.

Ahí estaba. En la rumorosa oscuridad de Nueva Luz que me envolvía, lo vi: la piel entre cobriza y verdosa, recogida por los años en pliegues innumerables; los pómulos, la nariz, la frente engalanada con rayas y círculos cuya función era protegerlo de la zarpa y los colmillos de la fiera, las inclemencias de los elementos y la magia y los dardos del enemigo; bajito, de piernas cortas y nudosas, un pequeño lienzo en la cintura, y, sin duda, un arco y un bolsón lleno de flechas en la mano. Ahí estaba: andando entre los matorrales y los troncos, semiinvisible en la tupida maraña, andando, andando, después de haber hablado diez horas, hacia su próximo auditorio, para seguir hablando. ¿Cuántos años llevaba haciéndolo? ¿Cómo había comenzado? ¿Era un quehacer que se heredaba? ¿Uno lo elegía? ¿Se lo imponían los demás?

MARIO VARGAS LLOSA, *El hablador.* (1987). Seix Barral, Barcelona, 1991. Pp. 171-173.

Por la obra de Isabel Allende desfilan personajes insólitos. Sin alusiones concretas al tiempo o al espacio, sus protagonistas se mueven con naturalidad bajo las inclemencias del territorio hispanoamericano. Gracias a pequeños detalles realistas y a una ambientación adecuada, sus criaturas fantásticas adquieren gran atractivo y veracidad: Belisa aprendió a leer y a comerciar con las palabras tras ver impresos en un viejo diario los nombres de los boxeadores de moda.

BELISA CREPUSCULARIO, VENDEDORA DE PALABRAS

Tenía el nombre de Belisa Crepusculario, pero no por fe de bautismo o acierto de su madre, sino porque ella misma lo buscó hasta encontrarlo y se vistió con él. Su oficio era vender palabras. Recorría el país, desde las regiones más altas y frías hasta las costas calientes, instalándose en las ferias y en los mercados, donde montaba cuatro palos con un toldo de lienzo, bajo el cual se protegía del sol y de la lluvia para atender a su clientela. No necesitaba pregonar su mercadería, porque de tanto caminar por aquí y por allá, todos la conocían. Había quienes la aguardaban de un año para otro, y cuando aparecía por la aldea con su atado bajo el brazo hacían cola frente a su tenderete. Vendía a precios justos. Por cinco centavos entregaba versos de memoria, por siete mejoraba la calidad de los sueños, por nueve escribía cartas de enamorados, por doce inventaba insultos para enemigos irreconciliables. También vendía cuentos, pero no eran cuentos de fantasía, sino largas historias verdaderas que recitaba de corrido, sin saltarse nada. Así llevaba las nuevas de un pueblo a otro. La gente le pagaba por agregar una o dos líneas: nació un niño, murió fulano, se casaron nuestros hijos, se quemaron las cosechas. En cada lugar se juntaba una pequeña multitud a su alrededor para oírla cuando comenzaba a hablar y así se enteraban de las vidas de otros, de los parientes lejanos, de los pormenores de la Guerra Civil. A quien le comprara cincuenta centavos, ella le regalaba una palabra secreta para espantar la melancolía. No era la misma para todos, por supuesto, porque eso habría sido un engaño colectivo. Cada uno recibía la suya con la certeza de que nadie más la empleaba para ese fin en el universo y más allá.

Belisa Crepusculario había nacido en una familia tan mísera, que ni siquiera poseía nombres para llamar a sus hijos. Vino al mundo y creció en la región más inhóspita, donde algunos años las lluvias se convierten en avalanchas de agua que se llevan todo, y en otros no cae ni una gota del cielo, el sol se agranda hasta ocupar el horizonte entero y el mundo se convierte en un desierto. Hasta que cumplió doce años no tuvo otra ocupación ni virtud que sobrevivir al hambre y la fatiga de siglos. Durante una interminable sequía le tocó enterrar a cuatro hermanos menores y cuando comprendió que llegaba su turno, decidió echar a andar por las llanuras en dirección al mar, a ver si en el viaje lograba burlar a la muerte. La tierra estaba erosionada, partida en profundas grietas, sembrada de piedras, fósiles de árboles y de arbustos espinudos, esqueletos de animales blanqueados por el calor. De vez en cuando tropezaba con familias, que, como ella, iban hacia el sur siguiendo el espejismo del agua. Algunos habían iniciado la marcha llevando sus pertenencias al hombro o en carretillas, pero apenas podían mover sus propios huesos y a poco andar debían abandonar sus cosas. Se arrastraban penosamente, con la piel convertida en cuero de lagarto y los ojos quemados por la reverberación de la luz. Belisa los saludaba con un gesto al pasar, pero no se detenía, porque no podía gastar sus fuerzas en ejercicios de compasión. Muchos cayeron por el camino, pero ella era tan tozuda que consiguió atravesar el infierno y arribó por fin a los primeros manantiales, finos hilos de agua, casi invisibles, que alimentaban una vegetación raquítica, y que más adelante se convertían en riachuelos y esteros.

Belisa Crepusculario salvó la vida y además descubrió por casualidad la escritura. Al llegar a una aldea en las proximidades de la costa, el viento colocó a sus pies una hoja de periódico. Ella tomó aquel papel amarillo y quebradizo y estuvo largo rato observándolo sin adivinar su uso, hasta que la curiosidad pudo más que su timidez. Se acercó a un hombre que lavaba un caballo en el mismo charco turbio donde ella saciara su sed.

—¿Qué es esto? –preguntó.

—La página deportiva del periódico –replicó el hombre sin dar muestras de asombro ante su ignorancia.

La respuesta dejó atónita a la muchacha, pero no quiso parecer descarada y se limitó a inquirir el significado de las patitas de mosca dibujadas sobre el papel.

—Son palabras, niña. Allí dice que Fulgencio Barba *noqueó* al Negro Tiznao en el tercer *round*.

Ese día Belisa Crepusculario se enteró que las palabras andan sueltas sin dueño y cualquiera con un poco de maña puede apoderárselas para comerciar con ellas. Consideró su situación y concluyó que aparte de prostituirse o emplearse como sirvienta en las cocinas de los ricos, eran pocas las ocupaciones que podía desempeñar. Vender palabras le pareció una alternativa decente. A partir de ese momento ejerció esa profesión y nunca le interesó otra. Al principio ofrecía su mercancía sin sospechar que las palabras podían también escribirse fuera de los periódicos. Cuando lo supo calculó las infinitas proyecciones de su negocio, con sus ahorros le pagó veinte pesos a un cura para que le enseñara a leer y escribir y con los tres que le sobraron se compró un diccionario. Lo revisó desde la A hasta la Z y luego lo lanzó al mar, porque no era su intención estafar a los clientes con palabras envasadas.

ISABEL ALLENDE, *Cuentos de Eva Luna*: «Dos palabras». (1989). Plaza y Janés, Barcelona, 1989. Pp. 11-13.

En una parodia de la dictadura, Cortázar presenta a un vendedor de palabras, gritos y suspiros que predice la muerte del tiranuelo y consigue venderle sus últimas palabras. El escritor argentino critica con fino humor los mecanismos de la política hispanoamericana. Paradójicamente, el autor de este *Cuento sin moraleja* concluye que todo es efímero, salvo el poder de la palabra que perdura entre la población.

CUENTO SIN MORALEJA

Un hombre vendía gritos y palabras, y le iba bien, aunque encontraba mucha gente que discutía los precios y solicitaba descuentos. El hombre accedía casi siempre, y así pudo vender muchos gritos de vendedores callejeros, algunos suspiros que le compraban señoras rentistas, y palabras para consignas, *slogans*, membretes y falsas ocurrencias.

Por fin, el hombre supo que había llegado la hora y pidió audiencia al tiranuelo del país, que se parecía a todos sus colegas y lo recibió rodeado de generales, secretarios y tazas de café.

—Vengo a venderle sus últimas palabras –dijo el hombre–. Son muy importantes porque a usted nunca le van a salir bien en el momento, y en cambio le conviene decirlas en el duro trance para configurar fácilmente un destino histórico retrospectivo.

—*Traducí* lo que dice –mandó el tiranuelo a su intérprete.

—Habla en argentino, Excelencia.

—¿En argentino? ¿Y por qué no entiendo nada?

—Usted ha entendido muy bien –dijo el hombre–. Repito que vengo a venderle sus últimas palabras.

El tiranuelo se puso en pie como es de práctica en estas circunstancias, y reprimiendo un temblor mandó que arrestaran al hombre y lo metieran en los calabozos especiales que siempre existen en esos ambientes gubernativos.

—Es lástima –dijo el hombre mientras se lo llevaban–. En realidad usted querrá decir sus últimas palabras cuando llegue el momento, y necesitará decirlas para configurar fácilmente un destino histórico retrospectivo. Lo que yo iba a venderle es lo que usted querrá decir, de modo que no hay engaño. Pero como no acepta el negocio, como no va a aprender por adelantado esas palabras, cuando llegue el momento en que quieran brotar por primera vez y naturalmente usted no podrá decirlas.

—¿Por qué no podré decirlas, si son las que he de querer decir? –preguntó el tiranuelo, ya frente a otra taza de café.

—Porque el miedo no lo dejará –dijo tristemente el hombre–. Como estará con una soga al cuello, en camisa y temblando de terror y de frío, los dientes se le entrechocarán y no podrá articular palabra. El verdugo y los asistentes, entre los cuales habrá algunos de estos señores, esperarán por decoro un par de minutos, pero cuando de su boca brote solamente un gemido entrecortado por hipos y súplicas de perdón (porque eso sí lo articulará sin esfuerzo) se impacientarán y lo ahorcarán.

Muy indignados, los asistentes y en especial los generales, rodearon al tiranuelo para pedirle que hiciera fusilar inmediatamente al hombre. Pero el tiranuelo, que estaba-pálido-como-la-muerte, los echó a empellones y se encerró con el hombre para comprarle sus últimas palabras.

Entre tanto, los generales y secretarios, humilladísimos por el trato recibido, prepararon un levantamiento y a la mañana siguiente prendieron al tiranuelo mientras comía uvas en su glorieta preferida. Para que no pudiera decir sus últimas palabras lo mataron en el acto pegándole un tiro. Después se pusieron a buscar al hombre, que había desaparecido de la Casa de Gobierno, y no tardaron en encontrarlo, pues se paseaba por el mercado vendiendo pregones a los saltimbanquis. Metiéndolo en un coche celular lo llevaron a la fortaleza y lo torturaron para que revelase cuáles hubieran podido ser las últimas palabras del tiranuelo. Como no pudieron arrancarle la confesión, lo mataron a puntapiés.

Los vendedores callejeros que le habían comprado gritos siguieron gritándolos en las esquinas, y uno de esos gritos sirvió más adelante como santo y seña de la contrarrevolución que acabó con los generales y los secretarios. Algunos, antes de morir, pensaron confusamente que en realidad todo aquello había sido una torpe cadena de confusiones y que las palabras y los gritos eran cosa que en rigor pueden venderse, pero no comprarse, aunque parezca absurdo.

Y se fueron pudriendo todos, el tiranuelo, el hombre y los generales y secretarios, pero los gritos resonaban de cuando en cuando en las esquinas.

JULIO CORTÁZAR, *Historias de cronopios y de famas*: «Cuento sin moraleja». (1962). Edhasa, Barcelona, 1992. Pp. 93-95.

Acompañado de referencias geográficas, bíblicas e históricas, también aparece en *Cien años de soledad* un legendario vendedor de palabras. El rudo juglar americano, rival del mismísimo Satanás, entretiene a su audiencia con el acordeón y realiza para los habitantes de Macondo funciones de correo y periodista.

FRANCISCO, EL HOMBRE

Meses después volvió Francisco, el Hombre, un anciano trotamundos de casi 200 años que pasaba con frecuencia por Macondo divulgando las canciones compuestas por él mismo. En ellas, Francisco, el Hombre, relataba con detalles minuciosos las noticias ocurridas en los pueblos de su itinerario, desde Manaure hasta los confines de la ciénaga, de modo que si alguien tenía un recado que mandar o un acontecimiento que divulgar, le pagaba dos centavos* para que lo incluyera en su repertorio. Fue así como se enteró Úrsula de la muerte de su madre, por pura casualidad, una noche que escuchaba las canciones con la esperanza de que dijeran algo de su hijo José Arcadio. Francisco, el Hombre, así llamado porque derrotó al diablo en un duelo de improvisación de cantos, y cuyo verdadero nombre no conoció nadie, desapareció de Macondo durante la peste del insomnio y una noche reapareció sin ningún anuncio en la tienda de Catarino. Todo el pueblo fue a escucharlo para saber qué había pasado en el mundo. En esa ocasión llegaron con él una mujer tan gorda que cuatro indios tenían que llevarla cargada en un mecedor, y una mulata adolescente de aspecto desamparado que la protegía del sol con un paraguas. Aureliano fue esa noche a la tienda de Catarino. Encontró a Francisco, el Hombre, como un camaleón monolítico, sentado en medio de un círculo de curiosos. Cantaba las noticias con su vieja voz descordada, acompañándose con el mismo acordeón arcaico que le regaló Sir Walter Raleigh en la Guayana, mientras llevaba el compás con sus grandes pies caminadores agrietados por el salitre.

GABRIEL GARCÍA MÁRQUEZ, *Cien años de soledad*. (1967). Cátedra, Letras Hispánicas, Madrid, 1987. Pp. 127-128.

II. NATURALEZA Y OTROS ESCENARIOS

La mar, como el río de Sevilla gracias a Dios; los aires muy dulces como en abril en Sevilla, ques placer estar en ellos, tan olorosos son.

CRISTÓBAL COLÓN

Y al otro lado qué hay al otro lado
Qué escondes mar al otro lado
El comienzo de la vida largo como una serpiente
O el comienzo de la muerte más honda
que tú mismo.

VICENTE HUIDOBRO

...meditó sobre la recóndita virtud del mar, que nos urge a contemplarlo.

ADOLFO BIOY CASARES

El mar, el mar y tú, plural espejo,
el mar de torno perezoso y lento
nadando por el mar, del mar sediento:
el mar que muere y nace en un reflejo.

OCTAVIO PAZ

«Y al otro día estaba otra vez en el mar, purificándome. Entregándome a sus olas.»

JUAN RULFO

1. EL MAR

Todavía se desconoce por qué los grandes imperios americanos no exploraron las vías marítimas para culminar sus campañas expansionistas y comerciales. También ignoramos por qué los otros pueblos prehispánicos no utilizaron las múltiples rutas naturales que les ofrecían sus mares. Sin embargo, a partir de 1492, América ha surcado los océanos y se ha comunicado con otros continentes. Tradicionalmente, se ha dirigido al otro lado del Atlántico, pero, en la actualidad, los americanos cruzan con más frecuencia el Pacífico, ampliando así sus contactos económicos y culturales con Oriente. Los mares de América, abundantes y generosos, violentos o sosegados, albergan numerosas islas y riegan a casi todas las naciones. Sólo Bolivia y Paraguay carecen de una salida al mar, lo que ha ocasionado frecuentes conflictos con los países vecinos. Pero el mar no tiene sólo carácter funcional. Los americanos, que tienen una relación vinculante con la Naturaleza, encuentran en él un confidente y amigo, capaz de influir en su vida y en su pensamiento. Acuden al mar para olvidar los problemas y mitigar las nostalgias, dejando conformar sus ideas y su estado de ánimo por el ritmo y el clamor de las olas.

Tras tres años de exilio en los que impartió conferencias, participó en congresos y publicó gran parte de su obra en México, Europa y los países del Este, Neruda vuelve a Chile. Durante la travesía, el poeta identifica sus sentimientos con los contrastes y turbulencias del Océano Atlántico. Sorprende la capacidad de evocación de Neruda que, con brevísimas palabras, reconstruye bellas imágenes marinas y refleja su preocupación política.

EL ATLÁNTICO

Miro las pequeñas olas de un nuevo día en el Atlántico.

El barco deja a cada costado de su proa una desgarradura blanca, azul y sulfúrica de aguas, espumas y abismos agitados.

Son las puertas del océano que tiemblan.

Por sobre ella vuelan los diminutos peces voladores, de plata y transparencia.

Regreso del destierro.

Miro largamente las aguas. Sobre ellas navego hacia otras aguas: las olas atormentadas de mi patria.

El cielo de un largo día cubre todo el océano.

La noche llegará y con su sombra esconderá una vez más el gran palacio verde del misterio.

PABLO NERUDA, *Confieso que he vivido. Memorias.* (1974). Seix Barral, Barcelona, 1992. P. 305.

Este texto demuestra que cuando Núñez de Balboa puso nombre al mayor océano del mundo no conocía más que algunos aspectos de este mar. Agustín Yánez centra la acción de *La tierra pródiga* en la costa occidental mexicana. Técnicos, ingenieros y terratenientes planean construir un centro turístico en las playas del Pacífico. Ahora contemplan la violencia de unas aguas que, frecuentemente sacudidas por terremotos y corrientes submarinas, serán símbolo de la feroz lucha por el poder que van a mantener los protagonistas. Nótese la importancia de las olas, agitadas por fuerzas telúricas, que ocupa varias páginas de la novela.

¿PACÍFICO?

—Se le ve a los ojos que le gusta, que lo entusiasma, ¿verdad que no hay nada comparable?

Horadadas en la lucha de siglos, algunas rocas tragan olas a lo profundo, que luego revientan fragorosas, en cascadas invertidas, a lo alto, encabritadas, pronto abatida su soberbia, deshecha en garras de colores, para recomenzar a la llegada de tumbos en refuerzos incontenibles. Otras veces, en otras puntas, las aguas no alcanzan a escapar hacia arriba, y denuncian su carrera sumergida en silbatos por entre las hendiduras, como trenes de paso. Más allá, con mansedumbre desbordada entran, se precipitan por ancha boca, parecen absorbidas para siempre por el abismo, lo atraviesan y retumban –túnel temeroso– hasta irrumpir con bárbara alegría, iracundas, al otro lado de las rocas. Toros de colores, de luces coruscantes, las olas se lanzan unas contra otras, entre sí se acomenten, chocan su testuz, estrellan sus cuernos, como gallos frenéticos alzan sus crestas, desgajan sus plumas de bengala, espumosas, ansiosamente saltan, se desangran, funden sus moles, como tigres de bengala ciegos de rabia lanzan zarpazos, hienden el costado enemigo, se abrazan violenta, desesperadamente, altas, más y más altas, angustiosamente altas, hasta romper su pirotecnia en los acantilados, en las estrechas gargantas donde la lucha es más dramática, y el empuje, la caída brutal, o a lo largo de las playas por donde corre la rauda ristra de las espumas, resto fugaz del rudo juego, presto recomenzado por los titanes incansables, esperado por el espanto y júbilo de los ojos infatigables ante la maravilla gigantesca, iniciada en sorda calma, en gravidez lejana, creciente, avanzante; hinchazón incontenible, amenazante a medida de su cercanía; monte alto, mudo, de burilada tersura, henchida de luz; incontenible impulso poderoso, de terrible silencio en la inminencia del choque; alto muro verde, traslúcido; alta cresta de plata, de oro, de fuego, de sol; arrogancia gozosa del apresto; primer terrible trueno; silencio nuevo de la pugna, bulto a bulto, monte a monte, muro a muro, hasta el espasmo cósmico, la ruidosa caída, los acordes retumbantes, el derrumbamiento, las astillas de agua luminosas, el jadeo sofocado, los murmullos apagados, el regreso lento de las ondas, la nueva pausa de silencio, la ondulada inmensidad sin reposo.

—El mar me ha hecho inquieto: no soy hombre para estar en paz.

AGUSTÍN YÁÑEZ, *La tierra pródiga.* (1960). Fondo de Cultura Económica, Col. Popular, México, 1960. Pp. 52-53.

Carpentier no se limita a describir la Naturaleza; siempre vincula los elementos con los personajes de su ficción. El siguiente texto narra el *diálogo* que mantiene Sofía con el mar. El Caribe, uno de los protagonistas de la novela, es un ser creador-destructor, tan capaz de engendrar y devorar materia como de despertar la sensualidad de la adolescente cubana.

EL MAR DE LAS ANTILLAS

Ahora, el frescor del mar. La gran sombra de los velámenes. La brisa norteña que, después de correr sobre las tierras, cobraba nuevo impulso en la vastedad, trayendo aquellos olores vegetales que los vigías sabían husmear desde lo alto de las cofas, reconociendo lo que olía a Trinidad, a Sierra Maestra o a Cabo Cruz. Con una vara a la que habían fijado una pequeña red, Sofía sacaba maravillas del agua: un racimo de sargazos, cuyos frutos hacía estallar entre el pulgar y el índice; un gajo de mangle*, aún vestido de ostras tiernas; un coco del tamaño de una nuez, de tan esplendoroso verdor que parecía recién barnizado. Se pasaba sobre bancos de esponjas que pintaban pardos macizos en los fondos claros, bogándose entre cayos* de arena blanca, siempre a la vista de una costa difuminada por sus brumas, que se iba haciendo más montañosa y quebrada. Sofía había aceptado aquel viaje con alegría, repentinamente librada del calor, de los cínifes, de la perspectiva de un tedioso regreso hacia lo cotidiano y monótono. [...]

El agua se había cubierto de medusas irisadas, cuyos colores cambiaban al ritmo de las olas, quedándoles la constante de un azul añil orlado de festones rojos. El *Arrow*, bogando despacio, cortaba una vasta migración de aguamalas, orientada hacia la costa. Sofía, observando la multitud de esas criaturas efímeras, se asombraba ante la continua destrucción de lo creado que equivalía a un perpetuo lujo de la creación: lujo de multiplicar para suprimir en mayor escala; lujo de tanto engendrar en las matrices más elementales como en las torneadoras de hombres-dioses, para entregar el fruto a un mundo en estado de perpetua devoración. Del horizonte acudían, bajo hermosos ropajes de fiesta, esas miríadas de vidas aún suspendidas entre lo vegetal y lo animal, para ser dadas en sacrificio al Sol. Encallarían en la arena, donde sus cristales se irían secando poco a poco, deslustrados, encogidos, reduciéndose a un harapo glauco, a una espuma, a una mera humedad, pronto borrada por el calor. No podía imaginarse una más completa aniquilación, sin huellas ni vestigios –sin constancia, siquiera, de que lo viviente lo hubiese sido alguna vez... Y después de las medusas vinieron unos vidrios viajeros –rosados, amarillos, listados– en tal diversidad de colores reflejando la encendida luz meridiana, que parecía la nave dividir un mar de jaspe. Sofía, con las mejillas ardientes, el pelo suelto en la brisa, se gozaba de un contento físico jamás conocido antes. Podía estarse durante horas a la sombra de un velamen, mirando las olas, sin pensar en nada, entregada a una voluptuosidad del cuerpo entero –blanda, perezosa con los sentidos atentos a cualquier solicitud placentera.

ALEJO CARPENTIER, *El Siglo de las Luces.* (1962). Schapire Editor, Buenos Aires, 1974. Pp. 69 y 70.

La contemplación del mar suscita en cada hombre un sentimiento particular. El protagonista de *La tregua* observa con admiración la eternidad de las olas. Pero, pronto, su admiración se desvanece para dar paso a la indefensión y al pesimismo: el mar, como Dios, es inabarcable, insensible, eternamente ajeno a los hombres.

¿Y SI EL MAR FUERA DIOS?

Domingo, 7 de julio

Un día de sol espléndido, casi otoñal. Fuimos a Carrasco. La playa estaba desierta, tal vez debido a que, en pleno julio, la gente no se anima a creer en el buen tiempo. Nos sentamos en la arena. Así con la playa vacía, las olas se vuelven imponentes, son ellas solas las que gobiernan el paisaje. En ese sentido me reconozco lamentablemente dócil, maleable. Veo ese mar implacable y desolado, tan orgulloso de su espuma y de su coraje, apenas mancillado por gaviotas ingenuas, casi irreales, y de inmediato me refugio en una irresponsable admiración. Pero después, casi en seguida, la admiración se desintegra, y paso a sentirme tan indefenso como una almeja, como un canto rodado. Ese mar es una especie de eternidad. Cuando yo era niño, él golpeaba y golpeaba, pero también golpeaba cuando era niño mi abuelo, cuando era niño el abuelo de mi abuelo. Una presencia móvil pero sin vida. Una presencia de olas oscuras, insensibles. Testigo de la historia, testigo inútil porque no sabe nada de la historia. ¿Y si el mar fuera Dios? También un testigo insensible. Una presencia móvil pero sin vida. Avellaneda también lo miraba, con el viento en el pelo, casi sin pestañear: «*Vos, ¿creés* en Dios?», dijo continuando el diálogo que había iniciado yo, mi pensamiento. «No sé, yo querría que Dios existiese. Pero no estoy seguro. Tampoco estoy seguro de que Dios, si existe, vaya a estar conforme con nuestra credulidad a partir de algunos datos desperdigados e incompletos.» «Pero si es tan claro. *Vos te complicás porque querés* que Dios tenga rostro, manos, corazón. Dios es un común denominador. También podríamos llamarlo la Totalidad. Dios es esta piedra, mi zapato, aquella gaviota, tus pantalones, esa nube, todo.» «Y eso ¿te atrae? ¿Eso te conforma?.» «Por lo menos, me inspira respeto.» «A mí no. No puedo figurarme a Dios como una gran Sociedad Anónima.»

MARIO BENEDETTI, *La tregua.* (1959). Cátedra, Letras Hispánicas, Madrid, 1991. Pp. 186 y 187.

Todo artista ama estas verdes y libres repúblicas, donde cantan a su gusto los pájaros del aire.

RUBÉN DARÍO

Paisajes del espacio. Sueños del firmamento.
Glorias de soledad en ámbitos salvajes.
Crines, alas y nubes, para goce del viento.

ENRIQUE LARRETA

...el paisaje parecía una superficie calcinada, blanca y enorme; blanca era la tierra seca; blancos los pastos, blancas las cortaderas y el olmo esquelético...

EDUARDO MALLEA

La sierra está de gala; sobre sus cúspides inaccesibles cae la niebla albísima como un crespón de nieve sobre la cabeza de una novia.

MARIANO AZUELA

PERO LA
M O N T A Ñ A
E R A TAN A N C H A
Q U E E X C E D Í A
L O S E X T R E M O S
D E L A T I E R R A

VICENTE HUIDOBRO

2. SELVA, PAMPA, MONTAÑA Y SABANA

En un recorrido de 15.000 kilómetros, iniciado en el paralelo 30 del hemisferio norte y culminado en el paralelo 55 del hemisferio sur, bien puede esperarse gran diversidad de climas y paisajes, y asombrosos contrastes de suelos y vegetación. Evidentemente, desde el nacimiento de la Sierra Madre a la Tierra de Fuego se pueden observar parajes singulares o recurrentes, desiertos inhóspitos y selvas exuberantes. Sin embargo, el gigantismo suele ser denominador común en los países hispanos. Las grandes dimensiones de bosques, llanuras y montañas, ríos, lagos, y árboles hacen que el europeo se sienta anonadado ante la inmensidad de la Naturaleza americana. Estas magnitudes hacen que vastas extensiones de terreno estén deshabitadas y que muchos recursos no hayan sido explotados por el hombre. El Nuevo Mundo dispone de espacio y riqueza agrícola y minera para muchas generaciones. Solamente El Salvador tiene excedente de población en relación con el territorio; los demás países cuentan con abundantes tierras fértiles que podrían mejorar las condiciones de vida de sus habitantes.

Los pobladores de los distintos paisajes tienen una actitud homogénea ante la Naturaleza. La contemplan como un ser vivo con el que se puede conversar; reconocen que interfiere en sus vidas, moldea sus sentimientos e impone unas reglas de juego para vivir en sociedad.

La selva ocupa gran parte del territorio hispanoamericano. Rivera ha dedicado su única novela a describir su belleza, inmensidad y capacidad devoradora. En su novela una deshilvanada trama de corte romántico sirve de pretexto para presentar la selva, verdadera protagonista de la narración: ésta aparece como un monstruo enfermo, delirante y esquizofrénico que domina y contagia al que se adentra en ella. El diplomático colombiano es también precursor en la denuncia de la explotación del hombre por el hombre y de la destrucción de la Naturaleza.

LA SELVA, DEVORADORA Y DEVORADA

Por primera vez en todo su horror, se ensanchó ante mí la selva inhumana [...]

Aquí, de noche, voces desconocidas, luces fantasmagóricas, silencios fúnebres. Es la muerte que pasa dando la vida. Óyese el golpe de la fruta, que al abatirse hace la promesa de su semilla; el caer de la hoja, que llena el monte con un vago suspiro, ofreciéndose como abono para las raíces del árbol paterno; el chasquido de la mandíbula, que devora con temor de ser devorada; el silbido de alerta, los ayes agónicos, el rumor del regüeldo. Y cuando el alba riega sobre los montes su gloria trágica, se inicia el clamoreo sobreviviente; el zumbido de la pava chillona, los retumbos del puerco salvaje, las risas del mono ridículo. ¡Todo por el júbilo breve de vivir unas horas más!

Esa selva sádica y virgen procura al ánimo la alucinación del peligro próximo. El vegetal es un ser sensible cuya psicología desconocemos. En estas soledades, cuando nos habla, sólo entiende su idioma el presentimiento. Bajo su poder, los nervios del hombre se convierten en haz de cuerdas, distendidas hacia el asalto, hacia la traición, hacia la acechanza. Los sentidos humanos equivocan sus facultades: el ojo siente, la espalda ve, la nariz explora, las piernas calculan y la sangre clama: ¡Huyamos, huyamos!

No obstante, es el hombre civilizado el paladín de la destrucción. Hay un valor magnífico en la epopeya de estos piratas que esclavizan a sus peones, explotan al indio y se debaten contra la selva. Atropellados por la desdicha, desde el anonimato de las ciudades se lanzaron a los desiertos buscándole un fin cualquiera a su vida estéril. Delirantes de paludismo, se despojaron de la conciencia, y connaturalizados con cada riesgo, sin otras armas que el winchester y el machete, sufrieron las más atroces necesidades, anhelando goces y abundancia, al rigor de las intemperies, siempre famélicos, hasta desnudos porque las ropas se les pudrían sobre la carne.

Por fin, un día, en la peña de cualquier río, alzan una choza y se llaman «amos de empresas». Teniendo a la selva por enemigo, no saben a quién combatir, y se arremeten unos a otros y se matan y se sojuzgan en los intervalos de su denuedo contra el bosque. Y es de verse en algunos lugares cómo sus huellas son semejantes a los aludes: los caucheros que hay en Colombia destruyen anualmente millones de árboles. En los territorios de Venezuela el *balatá** desapareció. De esta suerte ejercerá el fraude contra las generaciones del porvenir.

José Eustasio Rivera, *La vorágine.* (1924). Ed. Nueva Nicaragua, Managua, 1983. Pp. 219 y 220-221

Para Neruda, hombre y paisaje son inseparables. Rara vez describe un paraje sin hacer alusiones a los sentimientos que los lugares o los cambios de la Naturaleza producen en la persona. Candidato a senador de la República de Chile, el poeta recorre durante la campaña electoral los rincones más apartados del país, legándonos sus impresiones sobre las gentes y las diferencias geopolíticas. En el siguiente pasaje refleja su humanística visión de las desérticas planicies chilenas de donde taciturnos trabajadores extraen cobre y nitratos.

LA PAMPA SALITRERA

Era difícil y áspero caminar por la pampa*. Por medio siglo no llueve en esas regiones y el desierto ha dado fisonomía a los mineros. Son hombres de rostros quemados; toda su expresión de soledad y abandono se deposita en los ojos de oscura intensidad. Subir del desierto hacia la cordillera, entrar en cada casa pobre, conocer las inhumanas faenas, y sentirse depositario de las esperanzas del hombre aislado y sumergido, no es una responsabilidad cualquiera. Sin embargo, mi poesía abrió el camino de comunicación y pude andar y circular y ser recibido como un hermano imperecedero, por mis compatriotas de vida dura. [...]

En Chile no hay elefantes ni camellos. Pero comprendo que resulte enigmático un país que nace en el helado Polo Sur y llega hasta *los salares** y desiertos donde no llueve hace un siglo. Esos desiertos tuve que recorrerlos durante años como senador electo por los habitantes de aquellas soledades, como representante de innumerables trabajadores del salitre y del cobre que nunca usaron cuello ni corbata.

Entrar en aquellas planicies, enfrentarse a aquellos arenales, es entrar en la luna. Esa especie de planeta vacío guarda la gran riqueza de mi país, pero es preciso sacar de la tierra seca y de los montes de piedra, el abono blanco y el mineral colorado. En pocos sitios del mundo la vida es tan dura y al par tan desprovista de todo halago para vivirla. Cuesta indecibles sacrificios transportar el agua, conservar una planta que dé la flor más humilde, criar un perro, un conejo, un cerdo.

Yo procedo del otro extremo de la república. Nací en tierras verdes, de grandes arboledas selváticas. Tuve una infancia de lluvia y nieve. El hecho solo de enfrentarme a aquel desierto lunar significaba un vuelco de mi existencia. Representar en el parlamento a aquellos hombres, a su aislamiento, a sus tierras titánicas, era también una difícil empresa. La tierra desnuda, sin una sola hierba, sin una gota de agua, es un secreto inmenso y huraño. Bajo los bosques, junto a los ríos, todo le habla al ser humano. El desierto, en cambio, es incomunicativo. Yo no entendía su idioma, es decir, su silencio.

PABLO NERUDA, *Confieso que he vivido. Memorias.* (1974). Seix Barral, Barcelona 1991. Pp. 236-238.

La pampa* argentina, yerma y desahabitada, es recorrida a lo largo y a lo ancho por reses y reseros que, de cuando en cuando, descansan del polvo y el calor en apartadas estancias. La monotonía del paisaje y el silencio secular sólo son interrumpidos por las adustas palabras de los campesinos, y los cencerros y mugidos del ganado itinerante. Güiraldes pinta en *Don Segundo Sombra* bellas estampas de esta tierra semi-desértica donde el trabajo, la entereza y fortaleza de los gauchos consiguieron que la ganadería llegara a ser una de las principales fuentes de riqueza del país.

CAMINAR, CAMINAR, CAMINAR

En la pampa las impresiones son rápidas, espasmódicas, para luego borrarse en la amplitud del ambiente, sin dejar huella. Así fue como todos los rostros volvieron a ser impasibles, y así fue también como olvidé mi reciente fracaso sin guardar sus naturales sinsabores. El callejón era semejante al callejón anterior, el cielo permanecía tenazmente azul, el aire, aunque un poco más caluroso, olía del mismo modo, y el tranco de mi petiso* era apenas un poco más vivaracho.

La novillada marchaba bien. Las tropillas que iban delante llamaban siempre con sus cencerros claros. Los balidos de la madrugada habían cesado. El traqueteo de las pezuñas, en cambio, parecía más numeroso, y el polvo alzado por millares de patas iba tornándose más denso y blanco.

Animales y gente se movían como captados por una idea fija: caminar, caminar, caminar.

A veces un novillo *se atardaba* mordisqueando el pasto del callejón, y había que hacerle una *atropellada*.

Influido por el colectivo balanceo de aquella marcha, me dejé andar al ritmo general y quedé en una semiinconsciencia que era sopor, a pesar de mis ojos abiertos. Así me parecía posible andar indefinidamente, sin pensamiento, sin esfuerzo, arrullado por el vaivén mecedor del tranco, sintiendo en mis espaldas y mis hombros el apretón del sol como un consejo de perseverancia.

A las diez, el pellejo de la espalda me daba una sensación de efervescencia. El petiso tenía sudado el cogote. La tierra sonaba más fuerte bajo las pezuñas siempre livianas.

A las once tenía hinchadas las manos y las venas. Los pies me parecían dormidos. Dolíanme el hombro y la cadera golpeados. Los novillos marchaban más pesadamente. El pulso me latía en las sienes de manera embrutecedora. A mi lado la sombra del petiso disminuía desesperadamente despacio.

A las doce íbamos caminando sobre nuestras sombras, sintiendo así mayor desamparo. No había aire y el polvo nos envolvía como queriéndonos esconder en una nube amarillenta. Los novillos empezaban a babosear largas hilachas mucosas. Los caballos estaban cubiertos de sudor, y las gotas que caían de sus frentes salábanles los ojos. Tenía yo ganas de dormirme en un renunciamiento total.

Al fin llegamos a la estancia* de un tal don Feliciano Ochoa. La sombra de la arboleda nos refrescó deliciosamente.

RICARDO GÜIRALDES, *Don Segundo Sombra.* (1926). Aguilar, Col. Crisol, Madrid, 1973. Pp. 73-75.

Aunque en su obra Rulfo evita voluntariamente toda referencia geográfica, es indudable su voluntad de describir la Sierra de Jalisco, tierra dura e inclemente que determina el talante de los antihéroes rulfianos. El escritor mexicano crea para ellos un marco intemporal, «desteñido», de míseros cerros y nubes, y poblado de voces fantasmales que será el ámbito de su desgarradora soledad.

AQUELLOS CERROS APAGADOS COMO SI ESTUVIERAN MUERTOS

De los cerros altos del sur, el de Luvina es el más alto y el más pedregoso. Está plagado de esa piedra gris con la que hacen la cal, pero en Luvina no hacen cal con ella ni le sacan ningún provecho. Allí la llaman piedra cruda, y la loma que sube hacia Luvina la nombran cuesta de la Piedra Cruda. El aire y el sol se han encargado de desmenuzarla, de modo que la tierra de por allí es blanca y brillante como si estuviera rociada siempre por el rocío del amanecer; aunque esto es un puro decir, porque en Luvina los días son tan fríos como las noches y el rocío se cuaja en el cielo antes que llegue a caer sobre la tierra.

...Y la tierra es empinada. Se desgaja por todos lados en barrancas hondas, de un fondo que se pierde de tan lejano. Dicen los de Luvina que de aquellas barrancas suben los sueños; pero yo lo único que vi subir fue el viento, en tremolina, como si allá abajo lo tuvieran encañonado en tubos de carrizo. Un viento que no deja crecer ni a las dulcamaras: esas plantitas tristes que apenas si pueden vivir un poco untadas a la tierra, agarradas con todas sus manos al despeñadero de los montes. Sólo a veces, allí donde hay un poco de sombra, escondido entre las piedras, florece el chicalote* con sus amapolas blancas. Pero el chicalote pronto se marchita. Entonces uno lo oye rasguñando el aire con sus ramas espinosas, haciendo un ruido como el de un cuchillo sobre una piedra de afilar. [...]

—Nunca verá usted un cielo azul en Luvina. Allí todo el horizonte está desteñido; nublado siempre por una mancha caliginosa que no se borra nunca. Todo el lomerío pelón, sin un árbol, sin una cosa verde para descansar los ojos; todo envuelto en el calín ceniciento. Usted verá eso: aquellos cerros apagados como si estuvieran muertos y a Luvina en el más alto, coronándolo con su blanco caserío como si fuera una corona de muerto... [...]

—Allá llueve poco. A mediados de año llegan unas cuantas tormentas que azotan la tierra y la desgarran, dejando nada más el pedregal flotando encima del *tepetate**. Es bueno ver entonces cómo se arrastran las nubes, cómo andan de un cerro a otro dando tumbos como si fueran vejigas infladas; rebotando y pegando de truenos igual que si se quebraran en el filo de las barrancas. Pero después de diez o doce días se van y no regresan sino al año siguiente, y a veces se da el caso de que no regresan en varios años.

«...Sí, llueve poco. Tan poco o casi nada, tanto que la tierra, además de estar reseca y achicada como cuero viejo, se ha llenado de rajaduras y de esa cosa que allí llaman "pasojos de agua", que no son sino terrones endurecidos como piedras filosas, que se clavan en los pies de uno al caminar, como si allí hasta a la tierra le hubieran crecido espinas. Como si así fuera.»

JUAN RULFO, *El llano en llamas*: «Luvina». (1953). Cátedra, Letras hispánicas, Madrid, 1991. Pp. 119-121.

En *Raza de bronce* tiene tanta importancia el intento por rescatar los derechos de los indefensos indígenas como el empeño en describir el paisaje boliviano. Los protagonistas, sufridos indios que han sido despojados de sus tierras, son obligados a desplazarse de su poblado y observan, maravillados, los cambios de la Naturaleza. El mismo asombro sobreviene al viajero de hoy que (a veces con riesgo para su salud) puede pasar, en escasas horas, de las selvas amazónicas a valles apacibles, y de las sabanas a las crestas andinas donde, aun a 4.000 metros de altura, pastan las llamas y subsisten pobres cultivos. Alcides Arguedas ofrece aquí una bella estampa de las altas cumbres bolivianas recorridas por un imponente glaciar.

AL LÍMITE DE LAS NIEVES PERPETUAS

Al cabo de una hora llegaron por fin al límite de las nieves perpetuas, un vasto *glacier* que avanzaba por las faldas del monte, hasta detenerse al borde de la roca cortada casi a pico sobre el lomo de la última cumbre, en que venía a morir el infinito escalonamiento de montes, cuyas cimas alborotadas iban a rendirse todas a los pies del nevado inaccesible.

Allí vio Agiali un fenómeno extraordinario, cuya causa nunca pudo explicarse, porque jamás llegó a sospechar que los ventisqueros, a semejanza de los ríos, tuviesen su movimiento de avance y la fuerza suficiente para trasladar peñascos, de lo alto de las cumbres a lo hondo de los valles.

Vio, y apenas podía dar crédito a sus ojos, posados sobre finos pilares de hielo azulado y casi transparente, enormísimos peñascos de pizarra negra. Estos pilares, así coronados o simplemente lisos, que a veces tomaban esbeltez de columnas, yacían en toda la extensión del ventisquero, menos en las orillas de un laguito circular, cubierto por una capa de nieve que, derretida en sus bordes por el sol, oscilaba rítmicamente con el viento como péndulo.

El ventisquero, visto desde lejos, daba la impresión de un río de leche petrificado; pero de cerca, era un caos de cosas blancas, cerrado en los costados por dos murallas de granito. En su ondulada superficie se abrían grietas insondables, y la nieve adquiría coloraciones azuladas y verdosas, por donde chorreaba el agua transparente. Y ruidos extraños, ruidos como de cristal que se quiebra, surgían de los abismos de esas grietas, que parecían palpitar con una vida vigorosa y que fuera hostil a la vida humana.

—¿Y dónde pueden pastar las bestias por aquí? –preguntó Agiali repentinamente, invadido por un miedo incontenible, frente a la grandeza de esa masa blanca y viva.

El otro, sin responder, le señaló el muro lateral que cerraba el ventisquero, indicándole que al otro lado de él se encontraban las bestias.

Así era, en efecto.

Un poco más abajo de las nieves, en otra vasta ondulación, surcada en medio de un torrentoso arroyo de aguas cristalinas, había un prado verdoso, donde pacían numerosas majadas de alpacas*, llamas* y ovejas. Pequeños remansos y laguitos de fondo esmeraldino servían de refugio a bandadas de gaviotas y gansos silvestres, cuyo plumaje parecía retazos de nieves rodados de la montaña.

ALCIDES ARGUEDAS, *Raza de bronce.* (1919). Planeta-Agostini, Barcelona, 1985. Pp. 68-69.

Mistral, intimista y delicada, dota a los Andes de cualidades humanas. Sumida en la añoranza de una maternidad no realizada, ve a la Cordillera como madre solícita de siete pueblos (Argentina, Bolivia, Colombia, Chile, Ecuador Perú y Venezuela), a los que visita, escucha, alimenta y conforta. La poetisa dialoga con la Cordillera, alabando el esplendor de su belleza y sus monumentales dimensiones. Asímismo, exalta las raíces históricas y los valores prehispánicos de los pueblos andinos.

CORDILLERA

¡Cordillera de los Andes,
Madre yacente y Madre que anda,
que de niños nos enloquece
y hace morir cuando nos falta;
que en los metales y el amianto
nos aupaste las entrañas;
hallazgo de los primogénitos,
de Mama Ocllo y Manco Cápac,
tremendo amor y alzado cuerno
del hidromiel de la esperanza!

Jadeadora del Zodíaco,
sobre la esfera galopada;
corredora de meridianos,
piedra Mazzepa que no se cansa,
Atlanta que en la carrera
es el camino y es la marcha,
y nos lleva, pecho con pecho,
a lo madre y lo marejada,
a maná blanco y peán rojo
de nuestra bienaventuranza.

Caminas, madre, sin rodillas,
dura de ímpetu y confianza;
con tus siete pueblos caminas
en tus faldas acigüeñadas;
caminas la noche y el día,
desde mi Estrecho a Santa Marta,
y subes de las aguas últimas
la cornamenta del Aconcagua.
Pasas el valle de mis leches,
amoratando la higuerada;
cruzas el cíngulo de fuego
y los ríos Dioscuros lanzas;
pruebas Sargassos de salmuera
y desciendes alucinada...[...]

Extendida como una amante
y en los soles reverberada,
punzas al indio y al venado
con el jengibre y con la salvia;
en las carnes vivas te oyes
lento hormiguero, sorda vizcacha*;
oyes al puma* ayuntamiento
y a la nevera, despeñada,
y te escuchas el propio amor
en tu tumbo y tumbo de tu lava...
Bajan de tí, bajan cantando,
como de nupcias consumadas,
tumbadores de las caobas*
y rompedor de araucarias*.

GABRIELA MISTRAL, *Poesías Escogidas*: «Tala». (1938). Casa de las Américas, La Habana, 1975. Pp. 125-127.

Gallegos no sólo hace un bello canto a la sabana, majestuosa e indómita, sino que enaltece también el trabajo y el talante de los llaneros, sus tradiciones y su quehacer cotidiano. Además, el novelista recupera para la literatura viejos y olvidados vocablos castellanos y enriquece la lengua con la incorporación de términos locales. La lectura de *Doña Bárbara* amplía el universo sensorial del lector, que llega a percibir nuevas imágenes y colores, animales y parajes desconocidos, ruidos insólitos y emociones insospechadas.

LA SABANA

La llanura es bella y terrible a la vez; en ella caben, holgadamente, hermosa vida y muerte atroz. Ésta acecha por todas partes; pero allí nadie la teme. El Llano asusta, pero el miedo del Llano no enfría el corazón; es caliente como el gran viento de su soleada inmensidad, como la fiebre de sus esteros.

El Llano enloquece, y la locura del hombre de la tierra ancha y libre es ser llanero siempre. En la guerra buena, esa locura fue la carga irresistible del pajonal* incendiado en Mucuritas y el retozo heroico de Queseras del Medio en el trabajo: la doma y el ojeo, que no son trabajos, sino temeridades; en el descanso: la llanura en la malicia del «cacho*», en la bellaquería del «pasaje*», en la melancolía sensual de la copla; en el perezoso abandono: la tierra inmensa por delante y no andar, el horizonte todo abierto y no buscar nada; en la amistad: la desconfianza, al principio, y luego la franqueza absoluta; en el odio: la arremetida impetuosa; en el amor: «primero mi caballo». ¡La llanura siempre!

Tierra abierta y tendida, buena para el esfuerzo y para la hazaña; toda horizontes, como la esperanza; toda caminos, como la voluntad. [...]

Avanza el rápido amanecer llanero. Comienza a moverse sobre la sabana la fresca brisa matinal, que huele a mastranto* y a ganados. Empiezan a bajar las gallinas de las ramas del totumo* y del *merecure**; el *talisayo* insaciable les arrastra el manto de oro del ala ahuecada, y una a una las hace esponjarse de amor. Silban las perdices entre los pastos. En el *paloapique* de la majada, una paraulata* rompe su trino de plata. Pasan los voraces pericos, en bulliciosas bandadas; más arriba, la algarabía de los bandos de *güiriríes**, los rojos rosarios de *corocoras**; más arriba todavía, las garzas blancas, serenas y silenciosas. Y bajo la salvaje algarabía de las aves que doran sus alas en la tierna luz del amanecer, sobre la ancha tierra por donde ya se dispersan los rebaños bravíos y galopan las yeguadas cerriles saludando al día con el clarín del relincho, palpita con un ritmo amplio y poderoso la vida libre y recia de la llanura. Santos Luzardo contempla el espectáculo desde el corredor de la casa y siente que en lo íntimo de su ser olvidados sentimientos se le ponen al acorde de aquel bárbaro ritmo. [...]

¡Ancha tierra, buena para el esfuerzo y para la hazaña! El anillo de espejismos que circunda la sabana se ha puesto a girar sobre el eje del vértigo. El viento silba en los oídos, el pajonal se abre y se cierra en seguida, el juncal *chaparrea** y corta las carnes; pero el cuerpo no siente golpes ni heridas. A veces no hay tierra bajo las patas del caballo; pero bombas y *saltanejas** son peligros de muerte sobre los cuales se pasa volando. El galope es un redoblante que llena el ámbito de la llanura. ¡Ancha tierra para correr días enteros! ¡Siempre habrá más llano por delante!

RÓMULO GALLEGOS, *Doña Bárbara.* (1929). Espasa Calpe, Col.Austral, Madrid, 1975. Pp. 66, 67,68 y 72-73.

...*Nuestro Padre el Sol*, que era el lenguaje de los Incas, y manera de veneración y acatamiento decirles siempre que nombraban al Sol, porque se preciaban de descender dél...

INCA GARCILASO DE LA VEGA

un sol –corazón de la historia–; sol, como fragua del mundo; este sol misericordioso, Padre de las familias...

AGUSTÍN YÁÑEZ

Llovió cuatro años, once meses y dos días. [...] y no volvió a llover en diez años.

GABRIEL GARCÍA MÁRQUEZ

Llueve todo el tiempo, con goterones cuajados y duros, que hacen plaf y se aplastan como bofetadas uno detrás de otro qué hastío.

JULIO CORTÁZAR

...cae, cae el aguacero
al ataúd de mi sendero
donde me ahueso para ti...

CÉSAR VALLEJO

«—¿Sabes? Hoy he conocido al viento.

—Eso es bueno, niña. Porque el viento es uno de los nueve guardianes de mi pueblo.»

ROSARIO CASTELLANOS

3. LA LLUVIA, EL SOL Y EL VIENTO

En la mitología e iconografía americana, estos elementos son representados como divinidades benévolas. El sol, dios Inti o Punchao, fue para los incas* el padre de la vida; al sol dedicaron los toltecas* la gran pirámide de Teotihuacán; los mexicas* y otros mesoamericanos reverenciaron durante milenios a Tláloc, dios de la lluvia. No es de extrañar que los pueblos precolombinos les rindieran culto y pleitesía, ya que de ellos depende la vida misma. La abrupta geografía continental hace que los habitantes del ecuador, los trópicos e incluso las zonas templadas sufran a menudo los rigores del clima. Al mismo tiempo, el exceso o ausencia de sol y lluvia, y las veleidades del viento causan entre la población grandes daños materiales o psicológicos. La ancestral dependencia de los elementos y la capacidad de éstos para alterar vidas, haciendas y sentimientos está ampliamente reflejada en la literatura; ésta también magnifica hasta la exageración sus dimensiones fantásticas y describe las eternas y universales meditaciones del hombre sobre la lluvia, el sol y el viento.

El arte de Arreola se basa en la brevedad. Con pocas palabras y un personal transfondo poético reconstruye en *La feria* el mundo de su infancia. La importancia que tiene la lluvia para los habitantes del imaginario Zapotlán, el Grande, queda plasmada en estas escasas y bellas líneas.

AGUA BENDITA

—Oiga don Manuel, ¿usted cree en el agua bendita?

—Bendita lluvia la que está cayendo... Bendito sea Dios que nos da a su tiempo las lluvias, las tempranas y las tardías, y con ellas fecunda los campos que nos dan la cosecha...

Y don Manuel alzó los brazos al cielo antes de entrar al Santuario, como si toda aquella agua le cayera en el corazón:

—Estas aguas son las que ablandan la tierra para las siembras, las que hinchan la caña de las milpas*, para que después cuajen los granos del elote*. Benditas sean una y mil veces. Que siga lloviendo, que siga lloviendo aunque nos pasemos aquí toda la tarde y la noche, velando otra vez al licenciado, oyendo cantar responsos y rogativas al Padre Zavala, con esa voz de bajo tan bonita que tiene...

A, *La feria.* (1963). Joaquín Mortiz, Serie del volador, México, 1970. P. 52.

El colombiano Mutis hace de la lluvia un poderoso personaje que influye en la mente y en los acontecimientos. El poeta demuestra ser también un gran conocedor del ser humano. En *Diario de Lecumberri* reproduce las experiencias de un recluso mexicano y se solidariza con la tragedia de delincuentes y marginados. Aquí describe los efectos del agua en la conducta individual y colectiva. Con bellas imágenes náuticas, herencia de sus viajes marineros, Mutis cuenta cómo la lluvia desencadena el asesinato de un viejo, encargado de distribuir la droga en el penal.

UN LICOR SALVAJE

La lluvia da malas ideas. La lluvia no pertenece al cerrado dominio de los días del penal. Hay que encerrar a los presos, antes de que se les suba a la cabeza como un licor salvaje y comiencen a hacer tonterías. [...]

Cuando se fueron los guardias, siguió lloviendo sin parar, toda la noche. Los relámpagos se alejaron hacia Texcoco y los centinelas volvieron a su alerta acostumbrada cada cuarto de hora. El agua corría por los canales, escurría por los techos, rodaba y saltaba en los patios. Tendido de espaldas en mi litera, sin poder dormir, tuve la impresión de que el penal había comenzado a navegar sobre las aguas innumerables y nutridas que caían del cielo y que viajábamos todos hacia la libertad, dejándonos atrás jueces, ministerios, amparos, escribientes, guardianes y todas las demás bestias que se pegan a nuestras carnes sin soltar la presa y dan ciegas cabezadas de furia para destrozarnos. Un aire fresco pasó toda la noche por entre los barrotes de mi ventana.

A ratos, oía a Pancho, mi vecino, o a uno de sus compañeros, que transitaban los escondidos caminos de su ser guiados por la mano segura de la hierba.

Fue esa noche cuando mataron al viejito Rigoberto, encargado de la *talacha** en nuestra crujía. [...]

Cuando regresé del campo deportivo y empezaba a llover, lo vi encerrarse en su celda temeroso. Ya había yo olvidado el asunto. En la cárcel, cada cual tiene sobre sí un peso tal de angustia y desesperanza, que el dolor de los otros resbala como el agua sobre las plumas de los patos.

Después vino la lluvia y, con ella, en la noche, se lavaron de mi memoria todo el sufrimiento y todo el miedo que se pega a las paredes del penal y que nos sumen en su miserable substancia. Cuando llamaron a lista a la mañana siguiente, una fresca llovizna seguía cayendo todavía perezosamente.

ALVARO MUTIS, *Obra literaria*: «Diario de Lecumberri». (1960). Bogotá, Procultura, 1985. Tomo II, Prosas, Pp. 30-32 y 36.

Una apocalíptica lluvia de cobre incandescente cae sobre la ciudad arrasando cuanto encuentra. Un sibarita, al principio incrédulo, decidirá quitarse la vida ante la evidencia del desastre. Pero la lluvia quema su veneno y le impide consumar su último deseo. El castigo de la lluvia de fuego y azufre, mencionado en la Biblia, es ejemplo de la influencia de leyendas, mitos e historia en la narrativa hispanoamericana. Con la incorporación de lo sobrenatural a lo cotidiano, Lugones se adelanta a su tiempo esbozando elementos que más tarde desarrollará la literatura del *Boom*.

LA LLUVIA DE FUEGO. EVOCACIÓN DE UN DESENCARNADO DE GOMORRA

«Y tornaré el cielo de hierro y
la tierra de cobre.» (Levítico, XXVI-19)

A eso de las once cayeron las primeras chispas. Una aquí, otra allá –partículas de cobre semejantes a las morcellas de un pabilo; partículas de cobre incandescente que daban en el suelo con un ruidecito de arena. El cielo seguía de igual limpidez; el rumor urbano no decrecía. Únicamente los pájaros de mi pajarera cesaron de cantar.

Casualmente, lo había advertido, mirando hacia el horizonte, en un momento de abstracción. Primero creí en una ilusión óptica formada por mi miopía. Tuve que esperar largo rato para ver caer otra chispa, pues la luz solar anegábalas bastante; pero el cobre ardía de tal modo, que se destacaban lo mismo. Una rapidísima vírgula de fuego, y el golpecito en la tierra. Así, a largos intervalos.

Debo confesar que al comprobarlo experimenté un vago terror. Exploré el cielo en una ansiosa ojeada. Persistía la limpidez. ¿De dónde venía aquel extraño granizo? ¿Aquel cobre? ¿Era cobre...?

Acababa de caer una chispa en mi terraza, a pocos pasos. Extendí la mano; era, a no caber duda, un gránulo de cobre que tardó mucho en enfriarse. Por fortuna, la brisa se levantaba, inclinando aquella lluvia singular hacia el lado opuesto de mi terraza. Las chispas eran harto ralas, además. Podía creerse por momentos que aquello había ya cesado. No cesaba. Uno que otro, eso sí; pero caían siempre los temibles gránulos. [...]

Promediaba la siesta cuando subí nuevamente a la terraza. El suelo estaba ya sembrado de gránulos de cobre; mas no parecía que la lluvia aumentara. Comenzaba a tranquilizarme, cuando una nueva inquietud me sobrecogió. El silencio era absoluto. El tráfico estaba paralizado a causa del fenómeno, sin duda. Ni un rumor en la ciudad. Sólo, de cuando en cuando, un vago murmullo de viento sobre los pájaros. Habíanse apelotonado en un rincón casi unos sobre otros. Me dieron compasión y decidí abrirles la puerta. No quisieron salir; antes se recogieron más acongojados aún. Entonces comenzó a intimidarme la idea de un cataclismo.

Sin ser grande mi erudición científica, sabía que nadie mencionó jamás esas lluvias de cobre incandescente. ¡Lluvias de cobre! En el aire no hay minas de cobre. Luego aquella limpidez del cielo no dejaba conjeturar la procedencia. Y lo alarmante del fenómeno era esto. Las chispas venían de todas partes y de ninguna. Era la inmensidad desmenuzándose invisiblemente en fuego. Caía del firmamento el terrible cobre; pero el firmamento permanecía impasible en su azul. Ganábame poco a poco una extraña congoja; pero, cosa rara: hasta entonces no había pensado en huir. Esta idea se mezcló con desagradables interrogaciones. ¡Huir! [...]

Esa tarde y toda la noche fue horrendo el espectáculo de la ciudad. Quemada en sus domicilios, la gente huía despavorida, para arderse en las calles, en la campiña desolada; y la población agonizó bárbaramente, con ayes y clamores de una amplitud, de un horror, de una variedad estupendos. Nada hay tan sublime como la voz humana. El derrumbe de edificios, la combustión de tantas mercancías y efectos diversos, y más que todo, la quemazón de tantos cuerpos acabaron por agregar al cataclismo el tormento de su hedor infernal. Al declinar el sol, el aire estaba casi negro de humo y polvaredas. Las flámulas que danzaban por la mañana entre el cobre pluvial eran ahora llamaradas siniestras. Empezó a soplar un viento ardentísimo, denso, como alquitrán caliente. Parecía que se estuviese en un inmenso horno sombrío. Cielo, tierra, aire: todo acababa. No había más que tinieblas y fuego.

LEOPOLDO LUGONES, *El Payador y antología de poesía y prosa*: «La lluvia de fuego». (1906). Ed. Ayacucho, Caracas, 1979. Pp. 210-212 y 215.

Gabriela Mistral, Premio Nobel de Literatura, ha cantado con nostalgia el mundo de los niños y su desconsuelo personal. Pero en *Tala* y *Materia* su poesía adquiere un vigor inusitado al describir la tierra americana y reproducir su majestuosa grandeza. Transcribimos aquí los primeros versos de su desgarrado canto al sol, al que consagra como guardián de América y foco inspirador de las culturas precolombinas.

SOL DEL TRÓPICO

Sol de los Incas*, sol de los Mayas*,
maduro sol americano,
sol en que mayas y quichés*

reconocieron y adoraron,
y en el que viejos aimaráes*
como el ámbar fueron quemados.
Faisán rojo cuando levantas
y cuando medias, faisán blanco,
sol pintador y tatuador
de casta de hombre y de leopardo.
Sol de montañas y de valles,
de los abismos y los llanos,
Rafael de las marchas nuestras,
lebrel de oro a nuestros pasos,
por toda tierra y todo mar
santo y seña de mis hermanos.
Si nos perdemos, que nos busquen
en unos limos abrasados,
donde existe el árbol del pan
y padece el árbol del bálsamo.
Sol del Cuzco, blando en la puna*,
Sol de México canto dorado,
canto rodado sobre el Mayab,
maíz de fuego no comulgado,
por el que gimen las gargantas
levantadas a tu viático;
corriendo vas por los azules
estrictos o jesucristianos,
ciervo blanco o enrojecido,
siempre herido, nunca cazado...

Sol de los Andes, cifra nuestra,
veedor de hombres americanos,
pastor ardiendo de grey ardiendo
y tierra ardiendo en su milagro,
que ni se funde ni nos funde,
que no devora ni es devorado;
quetzal* de fuego emblanquecido
que cría y nutre pueblos mágicos;
llama pasmado en rutas blancas
guiando llamas alucinados...

GABRIELA MISTRAL, *Poesías*: «Tala». (1938). Ed. Casa de las Américas, La Habana, 1975. Pp. 120-121.

En sus años de meditación y recogimiento, el mexicano Octavio Paz dedica su obra a reflexionar sobre los grandes enigmas de la existencia: la soledad, la identidad personal y la libertad. Su delicada sensibilidad hace que tome de la Naturaleza metáforas y símbolos para sus cavilaciones. Aquí, el viento representa las fuerzas que dirigen nuestros destinos y la fugacidad de las cosas.

VIENTO

Cantan las hojas,
bailan las peras en el peral;
gira la rosa,
rosa del viento, no del rosal.

Nubes y nubes
flotan dormidas, algas del aire;
todo el espacio
gira con ellas, fuerza de nadie.

Todo es espacio;
vibra la vara de la amapola
y una desnuda
vuela en el viento lomo de ola.

Nada soy yo,
cuerpo que flota, luz, oleaje;
todo es del viento
y el viento es aire siempre de viaje.

OCTAVIO PAZ, *Libertad bajo palabra.* (1938), Cátedra, Letras Hispánicas, Madrid, 1990. Pp. 114 y 115.

«Tienen los indios por su dios a este infierno (o volcán); e solían sacrificar muchos indios e indias e niños e grandes, e los echaban dentro por aquellas peñas abajo.»

FERNÁNDEZ DE OVIEDO

Los ríos navegables, los hijos de las lluvias, los del comercio carnal con el mar, andaban en la superficie de la tierra y dentro de la tierra en lucha con las montañas, los volcanes y los llanos engañadores que se paseaban por el suelo comido de abismos, como balsas móviles.

MIGUEL ÁNGEL ASTURIAS

Los destrozos del terremoto sumieron al país en un largo luto. No bastó a la tierra con sacudirse hasta echarlo todo por el suelo, sino que el mar se retiró varias millas y regresó en un sola gigantesca ola que puso barcos sobre las colinas, muy lejos de la costa...

ISABEL ALLENDE

Al mismo tiempo hubo en el cielo un espantoso terremoto. Se rompían las estrellas en mil pedazos, se incendiaban los planetas, volaban trozos de lunas, saltaban carbones encendidos de los volcanes de otros astros y venían a veces a clavarse chirriando en los ojos desorbitados de los hombres.

VICENTE HUIDOBRO

4. LA TIERRA: CICLONES, VOLCANES Y TERREMOTOS

Coatlicue, la fecunda diosa de la tierra, destaca entre todas las deidades precolombinas por su belleza y contenido simbólico. *La Madre Tierra* engendró, según la leyenda azteca*, a la diosa de la luna y a Huitzilopochtli, dios de la destrucción y de la guerra. Todo parece indicar que la mitología mexica* se inspiró en la realidad americana, y que el respeto y temor que infunde Coatlicue representa la indefensión que producía un territorio esplendoroso, magnánime y productivo, pero de gran poder destructor. En efecto, la imponente imagen de la diosa, con su collar de manos y corazones, falda de serpientes y cinturón rematado por calaveras sintetiza promesas de fecundidad y amenazas de caos y de muerte. En América, el suelo, el subsuelo, el aire y las aguas son, generalmente, fértiles y generosos, pero entrañan un peligro constante. Cada año, enormes superficies son devastadas por movimientos sísmicos, inundaciones o vientos huracanados. Fuego y lava desbordan cráteres de milenarios volcanes que aparentan estar dormidos, destruyendo pueblos y cosechas. Millones de seres humanos mueren e ingentes multitudes tienen que ser desplazadas por estos estallidos de la Naturaleza que causan hambre, enfermedades y daños irreparables. Los americanos pueden extraer infinitas riquezas de la tierra, pero también están a merced de sus impetuosos y destructores *caprichos*, por lo que todavía hoy muchos pueblos rinden culto a montañas, cavernas y volcanes. Los habitantes del continente asumen con fatalismo y resignación los furores de la Tierra, ya presagiados en la Biblia y en los códices prehispánicos.

Las fuerzas de la Naturaleza son también interlocutoras del pueblo americano. Las gentes buscan una explicación a la incontrolable realidad de los fenómenos telúricos y, a menudo aleccionados por el clero u otros líderes carismáticos, interpretan la dinámica de la Tierra como recompensa o castigo a la conducta humana. El siguiente episodio tiene lugar durante la guerra de la Independencia venezolana que supuso otra contienda nacional: la lucha entre realistas y republicanos.

EL GRITO DE LA TIERRA

En medio de la guerra que comenzaba, vino la tragedia de la Naturaleza. El Jueves Santo, 26 de marzo de 1812, a las cuatro y siete minutos de la tarde, a lo largo del sistema de montañas que va desde la costa hasta los Andes, toda la tierra se sacudió y tembló profundamente. Fue como una ola del mar. Las ciudades quedaron desmoronadas, y los hombres, bajo las paredes que habían levantado. Largas grietas le abrieron boca al grito de la tierra.

Estaban las iglesias repletas de los fieles que iban a conmemorar el suplicio de Jesús, inundadas del gran ruido de la muchedumbre acumulada, y de pronto la conmoción brusca, y un gran silencio de cementerio después. Hubo quienes murieron en despoblado por el solo efecto de la vibración de la atmósfera. Ciudades como La Guayra, donde quedó en pie una sola casa. La superficie se limpió de pueblos. Castillo de barajas arrasado de súbito. Los soldados de la República murieron aplastados dentro de los cuarteles.

Y ello pasó justamente el día aniversario del primer acto de desobediencia contra el Gobierno español, y por un curioso capricho las poblaciones realistas, casi todas apartadas de la línea de las sierras, sufrieron poco daño, en tanto que las republicanas, en su mayoría a la falda de las montañas, fueron totalmente destruidas.

El terremoto deshizo los poblados y desequilibró los espíritus. El pueblo, lleno de un monstruoso fanatismo, supersticiosamente, interpretó aquellas señales como la prueba de que Dios desaprobaba y castigaba a los rebeldes que se alzaban contra el rey de España. Así lo predicaron los curas sobre las ruinas de las iglesias, mientras la muchedumbre rezaba en voz alta, contrita y empavorecida:

«...Además del castigo eterno, castigo llevan en la tierra. Malditos ellos, malditas sus almas, maldita su descendencia, malditos todos los enemigos del rey. Dios los aplasta como gusanos asquerosos...».

Sobre los restos de ciudades que fueron hermosas y agradables sólo había cadáveres que se descomponían al sol, gente enloquecida que imploraba a Dios, ladrones y pícaros que se favorecían del desorden...

ARTURO USLAR PIETRI, *Las lanzas coloradas.* (1931). Alianza Editorial, El libro de bolsillo, Madrid, 1988. Pp. 63-64.

Viajero incansable, José Santos Chocano pudo admirar la fuerza y magnetismo de los volcanes de México y Centroamérica. El peruano supo también comprender los vínculos de sus habitantes con la Naturaleza y desentrañar el lirismo que encierran las leyendas y advocaciones populares. En el poema que presentamos toma de la tradición y de la toponimia mexicanas los elementos necesarios para versificar la historia de amor de dos volcanes: el papel femenino es adjudicado al Ixtacíhuatl, cuya cumbre nevada se asemeja a una mujer acostada. En náhuatl, el nombre significa «mujer blanca» y los mexicanos de hoy lo conocen como a «la mujer dormida». Su enamorado es el Popocatépetl, que conserva todavía algunas fumarolas y cuyo nombre quiere decir «monte que humea». Los amantes bordean la ciudad de México y tan sólo están separados por el Paso de Cortés.

EL IDILIO DE LOS VOLCANES

El Ixtacíhuatl traza la figura yacente
de una mujer dormida bajo el Sol;
el Popocatépetl flamea en los siglos
como una apocalíptica visión;
y estos dos volcanes solemnes
tienen una historia de amor,
digna de ser cantada en las complicaciones
de una extraordinaria canción.
Ixtacíhuatl –hace ya miles de años-
fue la princesa más parecida a una flor,
que en la tribu de los viejos caciques
del más gentil capitán se enamoró.
El padre augustamente abrió los labios
y díjole al capitán seductor
que si tornaba un día con la cabeza
del cacique enemigo clavada en su lanzón,
encontraría preparados, a un tiempo mismo,
el festín de su triunfo y el lecho de su amor.

Y Popocatépetl fuese a la guerra
con esta esperanza en el corazón:
domó las rebeldías de las selvas obstinadas,
el motín de los riscos contra su paso vencedor,
la osadía despeñada de los torrentes,
la asechanza de los pantanos en traición;
y contra cientos de cientos de soldados,
por años de años gallardamente combatió.

Al fin tornó a la tribu; y la cabeza
del cacique enemigo sangraba en su lanzón.
Halló el festín del triunfo preparado,
pero no así el lecho de su amor:
en vez del lecho encontró el túmulo
en que su novia, dormida bajo el Sol,
esperaba en su frente el beso póstumo
de la boca que nunca en vida la besó.

Y Popocatépetl quebró en sus rodillas
el haz de flechas; y, en una sorda voz,
conjuró las sombras de sus antepasados
contra las crueldades de su impasible dios.

Era la vida suya, muy suya,
porque contra la muerte la ganó:
tenía el triunfo, la riqueza, el poderío;
pero no tenía el amor...

Entonces, hizo que veinte mil esclavos
alzaran un gran túmulo ante el Sol:
amontonó diez cumbres
en una escalinata como de alucinación;
tomó en sus brazos a la mujer amada,
y él mismo sobre el túmulo la colocó;
luego, encendió una antorcha, y, para siempre,
quedose en pie alumbrando el sarcófago de su dolor.
Duerme en paz, Ixtacíhuatl: nunca los tiempos
borrarán los perfiles de tu casta expresión.
Vela en paz, Popocatéptl: nunca los huracanes
apagarán tu antorcha eterna como el amor...

JOSÉ SANTOS CHOCANO, *Antología:* «Alma América». (1906). Espasa Calpe, Col. Austral, Buenos Aires, 1947.

El ímpetu de la naturaleza americana alcanza proporciones gigantescas. Cuando el aire, con fuerza arrolladora, gira a modo de torbellino en grandes círculos, destruye y devasta todo lo que encuentra a su paso. En *El siglo de las luces*, Carpentier narra, entrelazados con las vicisitudes de sus protagonistas, la premonición, los estragos y el término de un huracán en la ciudad de La Habana. Nótese la personalización del ciclón, cuyo nombre escribe el autor con mayúscula.

EL CICLÓN ERA ALGO ESPERADO

...un huracán* azotaría la ciudad aquella noche. El aviso tenía carácter oficial. Había mucha agitación en los muelles. Los marinos hablaban de un ciclón y tomaban medidas de emergencia para proteger sus naves. Las gentes hacían provisiones de bujías y alimentos. En todas partes procedíase a clavetear puertas y ventanas... Nada alarmados por la noticia, Carlos y Esteban fueron a buscar martillos y maderos. En tal época del año, el Ciclón –designado así, en singular, porque nunca se producía sino uno que fuese asolador– era algo esperado por todos los habitantes de la urbe. Y si no se presentaba esta vez, torciendo la trayectoria, sería el año próximo. Todo estaba en saber si pegaría de lleno sobre la población, llevándose las techumbres, rompiendo ventanales de iglesias, hundiendo barcos, o pasaría de lado, devastando los campos. Para quienes vivían en la isla, el Ciclón era aceptado como una tremebunda realidad celeste, a la que, tarde o temprano, nadie escapaba. Cada comarca, cada pueblo, cada aldea, conservaba el recuerdo de un ciclón que pareciera haberle sido destinado. Lo más que podía desearse es que fuese de corta duración y no resultara demasiado duro. «*Ce sont de bien charmants pays*», rezongaba Víctor, afianzando los batientes de una de las ventanas exteriores, al recordar que también Saint-Dominique conocía la amenaza anual... Un chubasco repentino, brutal, arremolinó el aire. Caía el agua, vertical y densa, sobre las plantas del patio, con tal saña que arrojaba la tierra fuera de los canteros. «Ya viene», dijo Víctor. Un vasto rumor cubría, envolvía la casa, concertando las afinaciones particulares del tejado, las persianas, las lucetas, en sonidos de agua espesa o de agua rota; de agua salpicada, caída de lo alto, escupida por una gárgola, o sorbida por el tragante de una gotera. Luego hubo una tregua, más calurosa, más cargada de silencio que la calma de la prima noche. Y fue la segunda lluvia –la segunda advertencia–, más agresiva aún que la anterior, acompañada esta vez de ráfagas descompasadas que se fueron apretando en sostenido embate. [...] Fue poco después de la medianoche cuando entró el grueso del huracán en la ciudad. Sonó un bramido inmenso, arrastrando derrumbes y fragores. Rodaban cosas por las calles. Volaban otras por encima de los campanarios. Del cielo caían pedazos de vigas, muestras de tiendas, tejas, cristales, ramazones rotas, linternas, toneles, arboladuras de buques. Las puertas todas eran golpeadas por inimaginables aldabas. Tiritaban las ventanas entre embate y embate. Estremeciánse las casas de los basamentos a los techos, gimiendo por sus maderas. Fue ese el momento en que un torrente de agua sucia, fangosa, salida de las cuadras, del traspatio, de la cocina, venida de la calle, se derramó en el patio, tupiendo sus tragantes [...]Afuera, el sostenido embate del ciclón se iba rompiendo en ráfagas –unas débiles; otras, brutales; siempre más espaciadas. Lo que ahora caía del cielo era como una neblina de agua con olor marino. Ya disminuía el estrépito de cosas empujadas, arrastradas, rodadas, arrojadas desde lo alto. [...]

El día se fue aclarando lentamente, aunque siempre retrasado de luz con relación a la hora, sobre una ciudad destechada, llena de escombros y despojos...

ALEJO CARPENTIER, *El siglo de las luces.* (1962). Schapire Editor, Buenos Aires, 1974. Pp. 50-52, 53 y 54..

«Inesperadamente me encontré en un bosque de árboles humanos: veían las piedras, hablaban las hojas, reían las aguas y moviánse con voluntad propia el sol, la luna, las estrellas, el cielo y la tierra.»

MIGUEL ÁNGEL ASTURIAS

Porque ¿quién ha poseído nunca una flor? Y, sin embargo, «la inconsciente coquetería de la flor prueba que la naturaleza se atavía a la espera del esposo».

ALFONSO REYES

«Entendí en el acto que era una mujer planta, la mujer flor que han soñado y cantado los poetas;»

RAFAEL ARÉVALO MARTÍNEZ

...pero la cima del árbol terminaba en una especie de cabellera redonda, ramosa y tupida. «Es hembra», decía la profesora.

JOSÉ MARÍA ARGUEDAS

Un cronopio encuentra una flor solitaria en medio de los campos. Primero la va a arrancar, pero piensa que es una crueldad inútil y se pone de rodillas a su lado y juega alegremente con la flor, a saber: le acaricia los pétalos, le sopla para que baile, zumba como una abeja, huele su perfume, y finalmente se acuesta debajo de la flor y se duerme envuelto en una gran paz.
La flor piensa: «Es como una flor».

JULIO CORTÁZAR

5. ÁRBOLES, FLORES Y YERBAS

La literatura recoge sabiamente la voz de la Naturaleza y el diálogo constante del hombre con las plantas. Árboles, flores y yerbas son interlocutores, consejeros y mensajeros habituales del poeta, del aventurero y del campesino. Los americanos incorporan las plantas al Reino Animal y éstas gozan de un trato y protagonismo relevantes: hablan, ríen y lloran; reciben homenajes, confidencias, saludos e imprecaciones. El hombre y la mujer las adoptan como amigos y a veces es difícil distinguir si el narrador y el poeta se están refiriendo a una planta o a una persona.

El protagonismo de la Naturaleza está presente en toda la obra de Ciro Alegría. En este texto la indolencia y los desvelos del enamorado se confunden con el canto de los pájaros, los poderes ocultos del río y los efectos químicos y alucinantes que produce la hoja de coca. Según la corta historia de *La serpiente de oro,* la ancestral costumbre de mascar coca para recuperar fuerzas o huir de la realidad hace confidentes al hombre y al arbusto. La amistad y complicidad de ambos rige la conducta humana y los poderes mágicos de la hoja pueden cambiar el curso de los acontecimientos.

MI COCA AMARGA

Frente a mi choza ondula al viento el plantío de coca. Los arbustos se mecen mostrando el anverso y reverso de sus hojas en vastos oleajes. Es un juego tenaz de verdes pálidos y obscuros, que llega a marear mis ojos fijos, prendidos al vaivén; en tanto que mi cuerpo se aovilla sobre una piedra, sintiendo caer la tarde entre un olor intenso. Es el de la coca* que está secándose en los buitrones de los otros sembradores. Ha llegado el tiempo de la *rauma*, pero yo no me decido a efectuarla todavía: tengo las manos trémulas y en el cuerpo un mortal desasosiego.

Y ahí está mi cocal, ondulando, ondulando frente a mi desgracia, ondulando como si quisiera decirme algo. Los frutos atraen a las torcaces, que invaden el plantío picoteando los pequeños puntos rojos y cantando de igual manera que lo haría mi corazón. Este canto melancólico sale de mi pecho o entra a él, es de las torcaces o mío, pero es uno solo. Antes era yo el primero en *raumar*, en secar la coca y encestarla para luego cargar con ella los asnos y marchar a los pueblos a venderla. Pero ahora estoy laxo y sin voluntad, y si me turba el oleaje del plantío y encuentro el canto triste de las torcaces como mío, más me confunde, mucho más esta coca que masco tercamente y siempre me sabe amarga. [...]

A veces pienso que tal vez la mañana, con su luz esplendente y su alborozo de pájaros felices, me va a devolver la tranquilidad, y la alegría de siempre va a correr por mi venas. La alegría de vivir, de sembrar y cosechar, de cruzar el río una y otra vez, de oír el vasto murmullo de la floresta y el correr imperturbable de las aguas eternas... Mas la coca amarga y la coca no miente. Algo malo se planta ante mi paso.

Pero acaso no. ¡Qué no sabrá la coca amauta*! Seguro es que mi coca solamente me hace vigilar los momentos, otear la vida a fondo, rastrear huellas que ignoro. La hoja es sabia y puede ser que me diga lo bueno cualquier día y yo encuentre mi calma en toda su plenitud.

¡Así amanezco y anochezco muchas veces. Pensando en mi coca, preguntándole a mi coca amarga, pidiéndole consejo y esperando que endulce mi boca con aquella dulzura que es el milagro! [...]

Una noche quiero salir. Ir hacia alguien. ¿Es hacia la Florinda? Sí, la coca me hará ir hacia la Florinda. La he espiado muchas veces, pero nunca ha estado lejos de su casa ni sola. Ahora solamente quiero ir donde ella y raptarla, y poseerla en medio del campo, y morir.

¿Por qué no me hablas, coca?

Mi lengua se pega largo rato a la bola húmeda y amarga.

No me la niegues, hoja de nuestros mayores. No me amargues. Háblame dulce, con la dulzura de los panales y los frutos maduros. Mi taita* contaba que al de él le hiciste ver su suerte, ¿por qué no a mí, entonces, que te pregunto de la mañana a la noche y de la noche a la mañana, y no me canso de esperar? ¿O es que ya has respondido con la amargura y estoy faltando a tu mandato con mi insistencia? Pero no quiero arrojarte de mi boca, sin duda, porque tú no lo quieres...

Así le ruego junto al río. Así le ruego mucho rato.

Y de pronto la punta de mi lengua se enerva sintiendo miel y mis nervios se estremecen con la emoción del envío. ¿Y qué es aquello que surge de las aguas, que se aquieta entre ellas como un cuerpo muerto y, sin embargo, luminoso? Ahora se yergue, ahora está en pie, con los muslos cubiertos hasta la mitad por las ondas. ¡Es la Florinda! Está allí con sus senos erguidos y su boca fresca, y sus grandes ojos pardos entre un halo de luz. Corro hacia ella, que se encuentra desprevenida y jugando con el agua, pero caigo y siento que un frío intenso me penetra por los oídos hasta el cerebro. Al levantarme, la Florinda ya no está. Se ha ido, me la ha quitado el río, porque el río es matrero*. ¡Florinda!, ¡Florinda! Pero la angustia ha desaparecido de mi corazón y salgo del río calmosamente, con los nervios serenos y apagada la hoguera de mi carne.

La coca se puso dulce para hacerme ver a la Florinda y el río me la quitó. Sí, la coca me la ha dado. Puedo estar en paz. Ya me dio paz. Vendrá a mí algún día, a darme su cuerpo como un campo nuevo.

En mi choza sigo coqueando y oigo el canto de los tucos* como si fuera el canto de la lluvia. Mi boca se adormece y una dulzura sutil me penetra hasta el cerebro y el corazón, la sangre y los huesos. Mi coca se volvió dulce y algo bueno me pasará de todos modos. Me duermo, me duermo... [...]

[Días después, Florinda] Suelta la falda y tiembla. Yo la he cogido por las caderas y la oprimo acezando. Su espinazo cruje.

Ahora nos perdemos en la profunda floresta de tendones y músculos ardidos, de dulzura y de queja, de estertor y agonía, donde raíces antiguas como el hombre se ahondan y arraigan nutriéndose de sangre.

Luego me contó –y yo la oí con el alma puesta en la hoja bendita– que esa noche había soñado conmigo y que estábamos junto al río.

Fue con el ají*, y una tarde, después de hablar con don Pancho, volvimos juntos a mi choza. Así es como la Florinda ha llegado a ser mi mujer.

La coca me la dio.

CIRO ALEGRÍA, *La serpiente de oro.* (1935). Alianza Editorial, El libro de bolsillo, 1982. Pp. 151-157.

A los 54 años, tras romper su primer matrimonio y después de algunos desengaños políticos, Neruda se refugia en las cosas pequeñas y medita sobre la muerte. Su poesía fluye, íntima y temblorosa, en su aproximación a la Naturaleza. Ahora, en el otoño de la vida, huye del ampuloso océano, recuerda las predicciones bíblicas y resucita la grandeza de lo insignificante.

ODA A UNAS FLORES AMARILLAS

Contra el azul moviendo sus azules,
el mar, y contra el cielo,
unas flores amarillas.

Octubre llega.

Y aunque sea
tan importante el mar desarrollando
su mito, su misión, su levadura,
estalla

sobre la arena el oro
de una sola planta amarilla
y se amarran
tus ojos
a la tierra,
huyen del magno mar y sus latidos.

Polvo somos, seremos.

Ni aire, ni fuego, ni agua
sino
tierra,
sólo tierra
seremos
y tal vez
unas flores amarillas.

PABLO NERUDA, *Tercer libro de las odas.* (1957). Ed. Losada, Col. Poetas de España y América, Buenos Aires, 1957. P. 108.

El narrador de *La invención de Morel* está perdidamente enamorado de una misteriosa mujer. Obsesionado, la espía y la persigue para conseguir su amor. Para captar su atención y rendirle homenaje, idea construir un jardincito con flores silvestres. El jardín representará a una mujer sentada, hecha con flores, y a un hombre pequeño, diseñado con hojas verdes. Por tanto, flores y plantas son aquí vehículo de expresión del sentimiento amoroso. Adolfo Bioy Casares, colaborador de Borges, juega también con la realidad y la fantasía, y describe cómo la mente humana, con proyectos tan lógicos como absurdos, se afana y se tortura para conseguir lo inaccesible.

UNA MUJER HECHA DE FLORES

No creo haber insultado a la mujer, pero tal vez fuera oportuno desagraviarla. ¿Qué hace un hombre en estas ocasiones? Envía flores. Este es un proyecto ridículo... pero las cursilerías, cuando son humildes, tienen todo el gobierno del corazón. En la isla hay muchas flores. A mi llegada quedaban algunos macizos alrededor de la pileta y del museo. Seguramente, podré hacer un jardincito en el pasto que bordea las rocas. Tal vez sirva la naturaleza para lograr la intimidad de una mujer. Tal vez me sirva para acabar con el silencio y la cautela. Será éste mi último recurso poético. Yo no he combinado colores; de pintura no entiendo casi nada... Confío, sin embargo, en poder hacer un trabajo modesto, que denote afición a la jardinería.

Me levanté a la madrugada. Sentía que el mérito de mi sacrificio bastaba para cumplir el trabajo.

Vi las flores (abundan en la parte baja de las barrancas). Arranqué las que me parecieron menos desagradables. Aun las de colores vagos tienen una vitalidad casi animal. Después de un rato las miré, para ordenarlas, porque ya no me cabían debajo del brazo: estaban muertas.

Iba a renunciar a mi proyecto, pero recordé que algo más arriba, a la vista del museo, hay otro lugar con muchas flores...

Como era temprano, me pareció que no había riesgo en ir a verlas. Los intrusos dormían, seguramente.

Son diminutas y ásperas. Corté unas cuantas. No tienen esa monstruosa urgencia en morirse.

Sus inconvenientes: el tamaño y estar a la vista del museo.

He pasado casi toda la mañana exponiéndome a ser descubierto por cualquier persona que hubiera tenido el coraje de levantarse antes de las diez. Me parece que tan modesto requisito de la calamidad no se cumplió. Durante mi trabajo de juntar las flores he vigilado el museo y no he visto a ninguno de sus ocupantes; esto me permite suponer que tampoco me vieron a mí.

Las flores son muy chicas. Tendré que plantar miles y miles, si no quiero un jardincito ínfimo (sería más lindo, y más fácil de hacer; pero existe el peligro de que la mujer no lo vea).[...]

Me avergüenza un poco declarar mi proyecto. Una inmensa mujer sentada, mirando el poniente, con las manos unidas sobre una rodilla; un hombre exiguo, hecho de hojas, arrodillado frente a la mujer (debajo de este personaje pondré la palabra «YO» entre paréntesis).[...]

Sin embargo, la obra no parece improvisada; es de una satisfactoria pulcritud. No pude cumplir mi proyecto. Imaginativamente no cuesta más una mujer sentada, con las manos enlazadas sobre una rodilla, que una mujer de pie; hecha de flores, la primera es casi imposible. La mujer está de frente, con los pies y la cabeza de perfil, mirando una puesta de sol. La cara y un pañuelo de flores violetas forman la cabeza. La piel no está bien. No pude lograr ese color adusto, que me repugna y que me atrae. El vestido es de flores azules; tiene guardas blancas. El sol está hecho con unos extraños girasoles que hay aquí. El mar, con las mismas flores del vestido. Yo estoy de perfil, arrodillado. Soy diminuto (un tercio del tamaño de la mujer) y verde, hecho de hojas.

ADOLFO BIOY CASARES, *La invención de Morel.* (1940). Alianza Emecé, Madrid, 1991. Pp. 37-41.

Para el musicólogo recién llegado a la selva del Orinoco, el paisaje y sus gentes son una constante sorpresa. De la mano de la indígena que habrá de cautivarle, el joven descubre la relación personal de los nativos con las plantas. Las yerbas, lianas y frondas tienen voz y vida; son amigas e interlocutoras de los que las respetan y de aquellos que buscan en el bosque alivio para sus males físicos y espirituales. En este corto texto se aprecia cómo Carpentier penetra de mano de los habitantes de la selva en los aspectos maravillosos de la realidad americana.

YERBAS SILVESTRES

Como habíamos quedado solos en el comedor, fue hacia una especie de armario con casillas, del que se desprendía un grato perfume a yerbas silvestres, cuya presencia, en un rincón, me tenía en curiosidad. Junto a frascos de maceraciones y vinagrillos, las gavetas* ostentaban los nombres de plantas. La joven se me acercó y, sacando hojas secas, musgos y retamas, para estrujarlas en la palma de su mano, empezó a alabar sus propiedades, identificándolas por el perfume. Era la Sábila Serenada, para aliviar opresiones al pecho, y un Bejuco Rosa para ensortijar el pelo; era la Bretónica para la tos, la Albahaca para conjurar la mala suerte, y la Yerba de Oso, el Angelón, la Pitahaya* y el Pimpollo de Rusia, para males que no recuerdo. Esa mujer se refería a las yerbas como si se tratara de seres siempre despiertos en un reino cercano aunque misterioso, guardado por inquietantes dignatarios. Por su boca las plantas se ponían a hablar y pregonaban sus propios poderes. El bosque tenía un dueño, que era un genio que brincaba sobre un solo pie, y nada de lo que creciera a la sombra de los árboles debía tomarse sin pago. Al entrar en la espesura para buscar el retoño, el hongo o la liana que curaban, había que saludar y depositar monedas entre las raíces de un tronco anciano, pidiendo permiso. Y había que volverse deferentemente al salir, y saludar de nuevo, pues millones de ojos vigilaban nuestros gestos desde las cortezas y las frondas. No sabría decir por qué esa mujer me pareció muy bella, de pronto, cuando arrojó a la chimenea un puñado de gramas acremente olorosas, y sus rasgos fueron acusados en poderoso relieve por las sombras. Iba yo a decir alguna elogiosa trivialidad cuando me dio bruscamente las buenas noches, alejándose de las llamas. Me quedé solo contemplando el fuego. Hacía mucho que no contemplaba el fuego.

ALEJO CARPENTIER, *Los pasos perdidos.* (1949). Ed. Quetzal, Buenos Aires, 1977. Pp. 83-84.

Rivera recoge el clamor de los árboles contra el hacha asesina. En la selva, animada por fuerzas fantasmagóricas y dotada de facultades humanas, los árboles son los líderes de una conspiración para desterrar de la jungla la acción destructora del hombre.

AIRADAS VOCES

Las visiones del soñador fueron estrafalarias; procesiones de caimanes* y de tortugas, pantanos llenos de gente, flores que daban gritos. Dijo que los árboles de la selva eran gigantes paralizados y que de noche platicaban y se hacían señas. Teníán deseos de escaparse con las nubes, pero la tierra los agarraba por los tobillos y les infundía la perpetua inmovilidad. Quejábanse de la mano que los hería, del hacha que los derribaba, siempre condenados a retoñar, a florecer, a gemir, a perpetuar, sin fecundarse, su especie formidable, incomprendida. El Pipa les entendió sus airadas voces, según las cuales debían ocupar barbechos, llanuras y ciudades hasta borrar de la tierra el rastro del hombre y mecer un solo ramaje en urdimbre cerrada, cual en los milenios del Genésis, cuando Dios flotaba todavía sobre el espacio como una nebulosa de lágrimas.

¡Selva profética, selva enemiga! ¿Cuándo habrá de cumplirse tu predicción?

José Eustasio Rivera, *La Vorágine.* (1924). Ed. Nueva Nicaragua, Managua, 1983. P. 137.

¿A quién preguntar? Imaginaos que interrogo al brillante pájaro zumbador, trémula esmeralda; imaginaos que interrogo a la amarilla mariposa; ellos me dirán que saben dónde se producen bellas y fragantes flores...

NINOYOLNONOTZA

Que el tigre vocativo de mi verso
Es un tigre de símbolos y sombras,
Una serie de tropos literarios
Y de memorias de la enciclopedia

JORGE LUIS BORGES

El queltehue* [...] vivió y murió como deberían vivir y morir todos los animales y todos los hombres; libremente, sin sometimientos.

MANUEL ROJAS

¡Oh especie de los perros, casi humana; tan humana que es la única que comparte con el hombre el raro don de estar dividida en razas!

RAFAEL ARÉVALO MARTÍNEZ

Pocos son los que han visto refulgir los ojos del puma* en la sombra, como sucede siempre, pero todos están seguros de que es azul, más azul que el cielo. Tiene un obscuro azul de río, pero brillante, encendido, mágico.

CIRO ALEGRÍA

6. ANIMALES: BESTIAS, MITOS Y FÁBULAS

No es de extrañar que aparezcan en la Literatura Hispanoamericana bestiarios, fabularios, confabularios y odas a los animales. El animal, como bestia y como mito, ha interesado a los escritores, que perciben en el Continente unas relaciones especiales de los seres humanos con los otros habitantes de su territorio. Algunos autores recrean la realidad y la magia de las creencias populares; otros se deleitan en atribuir rasgos humanos a los animales y en crear protagonistas zoomorfos. Además, entre la realidad y la fábula, hijos del surrealismo y del psicoanálisis, surgen los animales maléficos con atributos fantásticos que acosan y obsesionan al hombre moderno. La fauna americana es variada y prolífica. Innumerables especies pueblan los diferentes espacios y ya en los relatos precolombinos se constatan las singulares actitudes que observamos hoy ante los animales. Mayas*, incas*, aztecas* y otras culturas mitificaron y ascendieron a la categoría de dioses, entre otros, al jaguar, la pulga, el mono, el quetzal* y la serpiente. También en códices, leyendas y jeroglíficos queda constancia de la comunicación de los nativos con los animales, maestros, entrañables colegas o perniciosos enemigos de los indoamericanos.

Completamente seducido por la selva, Quiroga narra en sus relatos la pugna entre el hombre y la Naturaleza por dominar la tierra. En *Anaconda* las víboras descubren la llegada del Hombre a su *Imperio* para buscar un antídoto contra el veneno de las culebras. El uruguayo mezcla sabiamente la fantasía con conocimientos científicos sobre estos ofidios, a los que otorga personalidad, organización y comportamiento propios de la raza humana.

EL CONGRESO DE LAS VÍBORAS

Eran las diez de la noche y hacía un calor sofocante. El tiempo cargado pesaba sobre la selva, sin un soplo de viento. El cielo de carbón se entreabría de vez en cuando en sordos relámpagos de un extremo a otro del horizonte; pero el chubasco silbante del sur estaba aún lejos.

Por un sendero de vacas en pleno espartillo* blanco, avanzaba Lanceolada, con la lentitud genérica de las víboras. Era una hermosísima yarará*, de un metro cincuenta, con los negros ángulos de su flanco bien cortados en sierra, escama por escama. Avanzaba tanteando la seguridad del terreno con la lengua, que en los ofidios reemplaza perfectamente a los dedos.

Iba de caza. Al llegar a un cruce de senderos se detuvo, se arrolló prolijamente sobre sí misma, removióse aún un momento acomodándose, y después de bajar la cabeza al nivel de sus anillos, asentó la mandíbula inferior y esperó inmóvil.

Minuto tras minuto esperó cinco horas. Al cabo de este tiempo continuaba en igual inmovilidad. ¡Mala noche! Comenzaba a romper el día e iba a retirarse, cuando cambió de idea. Sobre el cielo lívido del este se recortaba una inmensa sombra.

—Quisiera pasar cerca de la Casa –se dijo la yarará–. Hace días que siento ruido, y es menester estar alerta...

Y marchó prudentemente hacia la sombra.

La casa a que hacía referencia Lanceolada era un viejo edificio de tablas rodeado de corredores y todo blanqueado. En torno se levantaban dos o tres galpones*. Desde tiempo inmemorial el edificio había estado deshabitado. Ahora se sentían ruidos insólitos, golpes de fierro, relinchos de caballo, conjunto de cosas en que trascendía a la legua la presencia del Hombre. Mal asunto.

Pero era preciso asegurarse, y Lanceolada lo hizo mucho más pronto de lo que acaso hubiera querido.

Un inequívoco ruido de puerta abierta llegó a sus oídos. La víbora irguió la cabeza, y mientras notaba que una fría claridad en el horizonte anunciaba la aurora, vio una angosta sombra, alta y robusta, que avanzaba hacia ella. Oyó también el ruido de las pisadas, el golpe seguro, pleno, enormemente distanciado que denunciaba también a la legua al enemigo.

—¡El Hombre! –murmuró Lanceolada. Y rápida como el rayo se arrolló en guardia.

La sombra estuvo sobre ella. Un enorme pie cayó a su lado, y la yarará, con toda la violencia de un ataque al que jugaba la vida, lanzó la cabeza contra aquello y la recogió a la posición anterior.

El hombre se detuvo: había creído sentir un golpe en las botas. Miró el yuyo* a su rededor sin mover los pies de su lugar; pero nada vio en la oscuridad, apenas rota por el vago día naciente, y siguió adelante.

Pero Lanceolada vio que la casa comenzaba a vivir, esta vez real y efectivamente con la vida del Hombre. La yarará emprendió la retirada a su cubil, llevando consigo la seguridad de que aquel acto nocturno no era sino el prólogo del gran drama a desarrollarse en breve.

[...] ante la inminencia del peligro y presidido por la víbora de cascabel, se reunió el Congreso de las Víboras. Estaban allí, fuera de Lanceolada y Terrífica, las demás yararás del país: la pequeña Coatiarita, benjamín de la Familia, con la línea rojiza de sus costados bien visible y su cabeza particularmente afilada. Estaba allí, negligentemente tendida, como si se tratara de todo menos de hacer admirar las curvas blancas y café de su lomo sobre largas bandas salmón, la esbelta Neuwied, dechado de belleza, y que había guardado para sí el nombre del naturalista que determinó su especie. Estaba Cruzada –que en el sur llaman víbora de la cruz –potente y audaz, rival de Neuwied en punto a belleza de dibujo. Estaba Atroz, de nombre suficientemente fatídico; y por útimo, Urutú Dorado, la *yararacusú**, disimulando discretamente en el fondo de la caverna sus ciento setenta centímetros de terciopelo negro cruzado oblicuamente por bandas de oro.

Es de notar que las especies del formidable género Lachesis, o yararás, a que pertenecían todas las congresales menos Terrífica, sostienen una vieja rivalidad por la belleza del dibujo y el color. Pocos seres, en efecto, tan bien dotados como ellos.

Según las leyes de las víboras, ninguna especie poco abundante y sin dominio real en el país puede presidir las asambleas del Imperio. Por esto Urutú Dorado, magnífico animal de muerte, pero cuya especie es más bien rara, no pretendía este honor, cediéndolo de buen grado a la víbora de cascabel, más débil, pero que abunda milagrosamente .

El Congreso estaba pues en mayoría, y Terrífica abrió la sesión.

—¡Compañeras! –dijo–. Hemos sido todas enteradas por Lanceolada de la presencia nefasta del Hombre. Creo interpretar el anhelo de todas nosotras, al tratar de salvar nuestro Imperio de la invasión enemiga. Sólo un medio cabe, pues la experiencia nos dice que el abandono del terreno no remedia nada. Este medio, ustedes lo saben bien, es la guerra al Hombre, sin tregua ni cuartel, desde esta noche misma, a la cual cada especie aportará sus virtudes. Me halaga en esta circunstancia olvidar mi especificación humana: no soy ahora una serpiente de cascabel; soy una yarará como ustedes. Las yararás, que tienen a la Muerte por negro pabellón. ¡Nosotras somos la Muerte, compañeras! Y entre tanto, que alguna de las presentes proponga un plan de campaña.

HORACIO QUIROGA, *Cuentos*: «Anaconda». (1921). Cátedra, Letras Hispánicas, Madrid, 1991. Pp. 185-189.

Rosario Castellanos cuenta cómo, entre la fascinación y el miedo, los indígenas de Chiapas esperan la llegada del animal maléfico. Nadie puede precisar cómo es, ni a qué especie pertenece, ya que los que alcanzan a verlo desaparecen misteriosamente. La mexicana ha sabido recoger y expresar de forma espontánea el contenido fantástico de las leyendas populares y su narrativa constituye una prueba más de que el realismo mágico brota directamente de la idiosincrasia americana.

EL DZULÚM

—Dicen que hay en el monte un animal llamado *dzulúm*. Todas las noches sale a recorrer sus dominios. Llega donde está la leona con sus cachorros y ella le entrega los despojos del becerro que acaba de destrozar. El *dzulúm* se los apropia pero no los come, pues no se mueve por hambre sino por voluntad de mando. Los tigres corren haciendo crujir la hojarasca cuando olfatean su presencia. Los rebaños amanecen diezmados y los monos, que no tienen vergüenza, aúllan de miedo entre la copa de los árboles.

—¿Y cómo es el *dzulúm*?

—Nadie lo ha visto y ha vivido después. Pero yo tengo para mí que es muy hermoso, porque hasta las personas de razón le pagan tributo.

Estamos en la cocina. El rescoldo late apenas bajo el copo de ceniza. La llama de la vela nos dice por dónde anda volando el viento. Las criadas se sobresaltan cuando retumba, lejos, un trueno. La nana continúa hablando.

—Una vez, hace ya mucho tiempo, estábamos todos en Chactajal. Tus abuelos recogieron a una huérfana a la que daban trato de hija. Se llamaba Angélica. Era como una vara de azucena. Y tan dócil y sumisa con sus mayores. Y tan apacible y considerada para nosotros, los que la servíamos. Le abundaban los enamorados. Pero ella como que los miraba menos o como que estaba esperando a otro. Así se iban los días. Hasta que una mañana amaneció la novedad de que el *dzulúm* andaba rondando en los términos de la hacienda. Las señales eran los estragos que dejaba dondequiera. Y un terror que había secado las ubres de todos los animales que estaban criando. Angélica lo supo. Y cuando lo supo tembló como las yeguas de buena raza cuando ven pasar una sombra enfrente de ellas. Desde entonces ya no tuvo sosiego. La labor se le caía de las manos. Perdió su alegría y andaba como buscándola por los rincones. Se levantaba a deshora, a beber agua serenada porque ardía de sed. Tu abuelo pensó que estaba enferma y trajo al mejor curandero de la comarca. El curandero llegó y pidió hablar a solas con ella. Quién sabe qué cosas se dirían. Pero el hombre salió espantado y esa misma noche regresó a su casa, sin despedirse de ninguno. Angélica se iba consumiendo como el pabilo de las velas. En las tardes salía a caminar al campo y regresaba, ya oscuro, con el ruedo del vestido desgarrado por las zarzas. Y cuando le preguntábamos dónde fue, sólo decía que no encontraba el rumbo y nos miraba como pidiendo ayuda. Y todas nos juntábamos a su alrededor sin atinar en lo que había que decirle. Hasta que una vez no volvió.

La nana coge las tenazas del fogón. Afuera, el aguacero está golpeando las tejas desde hace rato.

—Los indios salieron a buscarla con hachones de ocote*. Gritaban y a machetazos abrían su vereda. Iban siguiendo un rastro. Y de repente el rastro se borró. Buscaron días y días. Llevaron a los perros perdigueros. Y nunca hallaron ni un jirón de la ropa de Angélica, ni un resto de su cuerpo.

—¿Se la había llevado el *dzulúm*?

—Ella lo miró y se fue tras él como hechizada. Y un paso llamó al otro paso y así hasta donde se acaban los caminos. Él iba adelante, bello y poderoso, con su nombre que significa ansia de morir.

ROSARIO CASTELLANOS, *Balún-Canán.* (1957). Fondo de Cultura Económica, México, 1986. Pp. 19-21.

Los animales pueden determinar la vida del hombre. Así, el humilde pregonero de San Miguel del Milagro llegará a convertirse en hacendado gracias a las ganancias que le producirá su gallo dorado. Con la intención de reflejar el mundo rural, Rulfo escribe un guión cinematográfico sobre las peleas de gallos, rito ancestral que se repite en toda América. En el palenque, con una liturgia y vocabulario específicos, se da rienda suelta a ambiciones y enfrentamientos, se conforman fortunas y se engendran miserias; la valía de los gallos, sus victorias y derrotas, son reflejo del poderío y la honra del propietario, quien pondrá gran esmero en la cría y cuidado de su gallera. Y los hombres, según las expectativas que tengan en sus animales, tratan a los gallos con ternura o desprecio, con amor o con odio.

UN GALLO BLANCO DE CHICONTEPEC CONTRA UN GALLO DORADO DE CHIHUAHUA

Pero volviendo a Dionisio Pinzón, fue en esta mentada noche cuando le cambió su suerte. La última pelea de gallos hizo variar su destino.

Se jugaba un gallo blanco de Chicontepec contra un gallo dorado de Chihuahua. Las apuestas eran fuertes y hasta hubo quien *se mandara** con cinco mil pesos y todavía *diera tronchado** yéndole al de Chihuahua.

El gallo blanco resultó *cocolote*. Aceptó a pelear al ser careado; pero ya suelto en la raya se replegó ante las primeras embestidas del dorado a uno de los rincones. Y allí se estuvo, agachada la cabeza y las alas mustias como si estuviera enfermo. Así todo, el dorado fue hasta donde estaba el blanco a buscarle pelea; la golilla engrifada y las cañas pisando macizo a cada paso que daba alrededor del correlón. El *cocolote* se replegó aún más sobre la valla reflejando cobardía, y más que nada, intenciones de huir. Pero al verse cercado por el de Chihuahua, dio un salto tratando de librarse de las acometidas del dorado y fue a caer sobre el espinazo tornasol de su enemigo. Aleteó con fuerza para sostener el equilibrio y, al fin, logró, al querer desprenderse de la trabazón en que había caído, romper con la filosa navaja de su espolón un ala del dorado.

El fino gallo de Chihuahua, cojitranco, atacó sin misericordia al «alza pelos» que se retiraba a su rincón en cada acometida; pero hacía uso de su medio vuelo al sentirse cercado. Así una y otra vez, hasta que, no pudiendo resistir el desangre de su herida, el dorado clavó el pico, echándose sobre el piso del palenque, sin que el blanco hiciera el más mínimo intento de atacarlo.

De este modo, aquel animal cobarde ganó la pelea, y así fue proclamado por Dionisio Pinzón cuando gritó:

—¡Se hizo chica la pelea! ¡Pierde la grande! –Y en seguida añadió-: ¡Aaa-bran las puertas...!

*El amarrador** de Chihuahua recogió a su gallo malherido. Le sopló el pico para descongestionarlo y trató de que el animal se sostuviera sobre sus patas. Pero al ver que volvía a caer, apeñuscado como una bola de pluma, dijo:

—No queda más remedio que rematarlo.

Y ya estaba dispuesto a torcerle el pescuezo, cuando Dionisio Pinzón se atrevió a contenerlo:

—No lo mate –le dijo–. Puede curarse y servirá aunque sea para cría.

El de Chihuahua rió burlonamente y le arrojó el gallo a Dionisio Pinzón como quien se desprende de un trapo sucio. Dionisio lo alcanzó a coger al vuelo, lo arropó en sus brazos con cuidado, casi con ternura y se retiró con él del palenque.

Al llegar a su casa, hizo un agujero debajo del *tebeján** y, auxiliado por su madre, enterró allí al gallo, dejándole sólo la cabeza de fuera.

Pasaron los días. Dionisio Pinzón vivía únicamente preocupado por su gallo, al que llenaba de cuidados. Le llevaba agua y comida. Le metía migajas de tortilla* y hojas de alfalfa dentro del pico, esforzándose por hacerlo [sic] comer. Pero el animal no tenía hambre, ni sed, parecía tener solamente ganas de morirse; aunque allí estaba él para impedirlo, vigilándolo constantemente sin despegar sus ojos de los ojos semidormidos del gallo enterrado.

Con todo, una mañana se encontró con la novedad de que el gallo ya no abría los ojos y tenía el pescuezo torcido, caído a su suelto peso. Rápidamente, colocó un cajón sobre el entierro y se puso a golpearlo con una piedra durante horas y horas.

Cuando al fin quitó el cajón, el gallo lo miraba aturdido y por el pico entreabierto entraba y salía el aire de la resurrección. Le arrimó la cazuela del agua y el galló bebió; le dió de comer masa de maíz y la tragó en seguida.

Pocas horas después, pastoreaba a su gallo por *el asoleadero** del corral. Aquel gallo dorado, todavía cenizo de tierra que, a pesar de derrengarse a cada rato por faltarle el apoyo de su ala quebrada, daba muestras de su fina condición, irguiéndose lleno de valor ante la vida.

JUAN RULFO, *El gallo de oro.* (1976). Periolibro, Fondo de Cultura Económica, ABC, Madrid, noviembre 1992. Pp. 6-7.

Monterroso contempla escéptico *la comedia humana* y parodia, en su narrativa, la irremediable necedad de los hombres. La selva será a menudo el escenario de su farsa y los animales sus protagonistas. Guatemalteco, exiliado en México, el autor utiliza textos breves y concisos para expresar sus experiencias vitales, políticas y literarias. Sus fábulas parecen, en principio, querer conducir al lector a moralejas tópicas; sin embargo, las conclusiones de las mismas suelen ser complejas y se prestan a múltiples interpretaciones.

EL BÚHO QUE QUERÍA SALVAR A LA HUMANIDAD

En lo más intrincado de la Selva existió en tiempos lejanos un Búho que empezó a preocuparse por los demás. En consecuencia, se dió a meditar sobre las evidentes maldades que hacía el León con su poder; sobre la debilidad de la Hormiga, que era aplastada todos los días, tal vez cuando más ocupada se hallaba; sobre la risa de la Hiena, que nunca venía al caso; sobre la Paloma, que se queja del aire que la sostiene en su vuelo; sobre la Araña que atrapa a la Mosca y sobre la Mosca que con toda su inteligencia se deja atrapar por la Araña, y en fin, sobre todos los defectos que hacían desgraciada a la Humanidad, y se puso a pensar en la manera de remediarlos.

Pronto adquirió la costumbre de desvelarse y de salir a la calle a observar cómo se conducía la gente, y se fue llenando de conocimientos científicos y psicológicos que poco a poco iba ordenando en su pensamiento y en una pequeña libreta.

De modo que algunos años después se le desarrolló una gran facilidad para clasificar, y sabía a ciencia cierta cuándo el León iba a rugir y cuándo la Hiena se iba a reír, y lo que iba a hacer el Ratón del campo cuando visitara al de la ciudad, y lo que haría el Perro que traía una torta en la boca cuando viera reflejado en el agua el rostro de un Perro que traía una torta en la boca, y el Cuervo cuando le decían que qué bonito cantaba.

Y así, concluía:

«Si el León no hiciera lo que hace sino lo que hace el Caballo, y el Caballo no hiciera lo que hace sino lo que hace el León; y si la Boa no hiciera lo que hace sino lo que hace el Ternero y el Ternero no hiciera lo que hace sino lo que hace la Boa, y así hasta el infinito, la Humanidad se salvaría, dado que todos vivirían en paz y la guerra volvería a ser como en los tiempos en que no había guerra.»

Pero los otros animales no apreciaban los esfuerzos del Búho, por sabio que éste supusiera que lo suponían; antes bien, pensaban que era tonto, no se daban cuenta de la profundidad de su pensamiento, y seguían comiéndose unos a otros, menos el Búho, que no era comido por nadie ni se comía nunca a nadie.

AUGUSTO MONTERROSO, *La oveja negra y demás fábulas.* (1969). Ed. Nueva Nicaragua, 1985. Pp. 23-24.

Entre el sueño y el insomnio, la angustia vital y el masoquismo, el amor y la soledad, el protagonista de esta alegoría de Arreola busca sentirse acorralado por un insecto kafkiano; prefiere el terror producido por un animal al pánico que le produce el *descomunal infierno de los hombres*. La migala, enorme araña de costumbres nocturnas, es símbolo de la problemática del narrador y compañera necesaria para colmar el hastío y sentir al máximo la desesperanza.

LA MIGALA

La migala discurre libremente por la casa, pero mi capacidad de horror no disminuye.

El día en que Beatriz y yo entramos en aquella barraca inmunda de la feria callejera, me di cuenta de que la repulsiva alimaña era lo más atroz que podía depararme el destino. Peor que el desprecio y la conmiseración brillando de pronto en una clara mirada.

Unos días más tarde volví para comprar la migala, y el sorprendido saltimbanqui me dio algunos informes acerca de sus costumbres y su alimentación extraña. Entonces comprendí que tenía en las manos, de una vez por todas, la amenaza total, la máxima dosis de terror que mi espíritu podía soportar. Recuerdo mi paso tembloroso, vacilante, cuando de regreso a la casa sentía el peso leve y denso de la araña, ese peso del cual podía descontar, con seguridad, el de la caja de madera en que la llevaba, como si fueran dos pesos totalmente diferentes: el de la madera inocente y el del impuro y ponzoñoso animal que tiraba de mí como un lastre definitivo. Dentro de aquella caja iba el infierno personal que instalaría en mi casa para destruir, para anular al otro, el descomunal infierno de los hombres.

La noche memorable en que solté a la migala en mi departamento y la vi correr como un cangrejo y ocultarse bajo un mueble, ha sido el principio de una vida indescriptible. Desde entonces, cada uno de los instantes de que dispongo ha sido recorrido por los pasos de la araña, que llena la casa con su presencia invisible.

Todas las noches tiemblo en espera de la picadura mortal. Muchas veces despierto con el cuerpo helado, tenso, inmóvil, porque el sueño ha creado para mí, con precisión, el paso cosquilleante de la araña sobre mi piel, su peso indefinible, su consistencia de entraña. Sin embargo, siempre amanece. Estoy vivo y mi alma inútilmente se apresta y se perfecciona.

Hay días en que pienso que la migala ha desaparecido, que se ha extraviado o que ha muerto. Pero no hago nada para comprobarlo. Dejo siempre que el azar me vuelva a poner frente a ella, al salir del baño, o mientras me desvisto para echarme en la cama. A veces el silencio de la noche me trae el eco de sus pasos, que he aprendido a oír, aunque sé que son imperceptibles.

Muchos días encuentro intacto el alimento que he dejado la víspera. Cuando desaparece, no sé si lo ha devorado la migala o algún otro inocente huésped de la casa. He llegado a pensar también que acaso estoy siendo víctima de una superchería y que me hallo a merced de una falsa migala. Tal vez el saltimbamqui me ha engañado, haciéndome pagar un alto precio por un inofensivo y repugnante escarabajo.

Pero en realidad esto no tiene importancia, porque yo he consagrado a la migala con la certeza de mi muerte aplazada. En las horas más agudas del insomnio, cuando me pierdo en conjeturas y nada me tranquiliza, suele visitarme la migala. Se pasea embrolladamente por el cuarto y trata de subir con torpeza a las paredes. Se detiene, levanta su cabeza y mueve los palpos. Parece husmear, agitada, un invisible compañero.

Entonces, estremecido en mi soledad, acorralado por el pequeño monstruo, recuerdo que en otro tiempo yo soñaba en Beatriz y en su compañía imposible.

JUAN JOSÉ ARREOLA, *Confabulario definitivo*: «La migala». (1952).
Cátedra, Col. Letras Hispánicas, Madrid, 1986. Pp. 75-76.

La aldea es ya ciudad, mas no por ello
se piense que dejó de ser aldea:
en las calles el pueblo caga y mea
sin que el ojo se ofenda ni el resuello.

NICOLÁS GUILLÉN

Era un pueblo de adobes, que en poco se distinguía de los demás... Se vivía de milagro. Se vivía en silencio. Como en la mayoría de las aldeas mexicanas, era difícil saber dónde se escondían sus moradores.

CARLOS FUENTES

PUEBLO

Las piedras son tiempo
El viento
Siglos de viento
Los árboles son tiempo
Las gentes son piedra
El viento
Vuelve sobre sí mismo y se entierra
En el día de piedra
No hay agua pero brillan los ojos

OCTAVIO PAZ

7. PUEBLOS Y ALDEAS

El pequeño poema de Octavio Paz arriba reproducido es quizás el mejor exponente de la esencia de muchos pueblos americanos. Vacío, desolación, aridez y el peso de un tiempo casi inmóvil son las notas dominantes de la mayoría de las pequeñas poblaciones que sobreviven en sierras, zonas desérticas y montañas. La pobreza de estas tierras o la dificultad de explotar sus recursos hacen que sus habitantes, sin alicientes materiales, vivan encerrados en sí mismos, faltos de ilusiones y esperanzas. Los pueblos costeños tienen un talante más abierto, mientras que las agrupaciones humanas que surgen en la selva suelen padecer los vaivenes de la alternancia de inversiones económicas o cambios sociales ajenos. La aldea que recibe un flujo innovador por largo tiempo termina convirtiéndose en pueblo; éste, de perdurar el dinamismo y subir el tono vital, pronto dejará de ser pueblo para transformarse en ciudad.

Dos pequeñas poblaciones de la sierra mexicana y una aldea fundada en la selva colombiana por una familia excepcional han pasado a ser paradigmas míticos de los pueblos latinoamericanos: Comala y Luvina, imaginadas por Rulfo, y Macondo, creado por García Márquez, son internacionalmente reconocidos como pequeños universos representativos del presente y el pasado de América.

Luvina está anclada en un tiempo y un espacio desconocidos; tampoco sabemos si está poblada por seres vivos o fantasmales. El pueblo es el ámbito paradigmático de la narrativa de Rulfo: un mundo destinado a la soledad, a la destrucción o a la condena, donde sólo se oyen ecos, murmullos y viento. La dimensión real y mítica de Luvina será más ampliamente descrita en Comala, donde se desarrolla *Pedro Páramo*, la famosa novela del mexicano.

LUVINA, LA IMAGEN DEL DESCONSUELO

—Por cualquier lado que se le mire, Luvina es un lugar muy triste. Usted que va para allá se dará cuenta. Yo diría que es el lugar donde anida la tristeza. Donde no se conoce la sonrisa, como si a toda la gente le hubieran entablado la cara. Y usted, si quiere, puede ver esa tristeza a la hora que quiera. El aire que allí sopla la revuelve, pero no se la lleva nunca. Está allí como si allí hubiera nacido. Y hasta se puede probar y sentir, porque está siempre encima de uno, apretada contra de uno, y porque es oprimente como una gran cataplasma sobre la viva carne del corazón.

«...Dicen los de allí que cuando llena la luna, ven de bulto la figura del viento recorriendo las calles de Luvina, llevando a rastras una cobija* negra; pero yo siempre lo que llegué a ver, cuando había luna en Luvina, fue la imagen del desconsuelo... Siempre.[...]

Allá viví. Allá dejé la vida... Fui a ese lugar con mis ilusiones cabales y volví viejo y acabado. Y ahora usted va para allá... Está bien. Me parece recordar el principio. Me pongo en su lugar y pienso... Mire usted, cuando yo llegué por primera vez a Luvina... ¿Pero me permite antes que me tome su cerveza? Veo que usted no le hace caso. Y a mí me sirve de mucho. Me alivia. Siento como si me enjuagaran la cabeza con aceite alcanforado... Bueno, le contaba que cuando llegué por primera vez a Luvina, el arriero que nos llevó no quiso dejar ni siquiera que descansaran las bestias. En cuanto nos puso en el suelo, se dio media vuelta:

»—Yo me vuelvo –nos dijo.

»—Espera, ¿no vas a dejar sestear tus animales? Están muy aporreados.

»—Aquí se fregarían* más –nos dijo–. Mejor me vuelvo.

»Y se fue, dejándose caer por la cuesta de la Piedra Cruda, espoleando sus caballos como si se alejara de algún lugar endemoniado.

»Nosotros, mi mujer y mis tres hijos, nos quedamos allí, parados en mitad de la plaza, con todos nuestros ajuares en los brazos. En medio de aquel lugar donde sólo se oía el viento...

»Una plaza sola, sin una sola yerba para detener el aire. Allí nos quedamos.

»Entonces yo le pregunté a mi mujer:

»—¿En qué país estamos, Agripina?

»Y ella se alzó de hombros.

»—Bueno, si no te importa, ve a buscar dónde comer y dónde pasar la noche. Aquí te aguardamos –le dije.

»Ella agarró al más pequeño de sus hijos y se fue. Pero no regresó.

»Al atardecer, cuando el sol alumbraba sólo las puntas de los cerros, fuimos a buscarla. Anduvimos por los callejones de Luvina, hasta que la encontramos metida en la iglesia: sentada *mero** en medio de aquella iglesia solitaria, con el niño dormido entre sus piernas.

»—¿Qué haces aquí, Agripina?

»—Entré a rezar –nos dijo.

»—¿Para qué? –le pregunté yo.

»Y ella se alzó de hombros.

»Allí no había a quién rezarle. Era un jacalón vacío, sin puertas, nada más con unos socavones abiertos y un techo resquebrajado por donde se colaba el aire como por un cedazo.

»—¿Dónde está la fonda?

»—No hay ninguna fonda.

»—¿Y el mesón?

»—No hay ningún mesón.

»—¿Viste a alguien? ¿Vive alguien aquí? –le pregunté.

»—Sí, allá enfrente... Unas mujeres... Las sigo viendo. Mira, allí tras las rendijas de esa puerta veo brillar los ojos que nos miran... Han estado asomándose para acá... Míralas. Veo las bolas brillantes de sus ojos... Pero no tienen qué darnos de comer. Me dijeron sin sacar la cabeza que en este pueblo no había de comer... Entonces, entré aquí a rezar, a pedirle a Dios por nosotros.

JUAN RULFO, *El llano en llamas*: «Luvina». (1953). Cátedra, Letras hispánicas, 1991. Pp. 121-123

En *Canaima,* Rómulo Gallegos pinta, con gran riqueza de lenguaje y asombroso dominio del idioma, un pequeño pueblo de la Guayana venezolana. En la región se explotaban valiosos yacimientos de oro y el autor describe a Upata como lugar idílico, en medio de la vorágine de la selva. El dinamismo, la vitalidad e incluso las ilusiones de sus habitantes parecen brotar de la riqueza de la tierra.

UPATA

Aire luminoso y suave sobre un valle apacible entre dulces colinas. Techos de palma, techos de cinc, rojos o patinosos tejados, una vegetación exuberante, de jardín y huerta domésticos, en patios y solares. Unos montes lejanos, tiernamente azules.

—Upata –dijo Manuel Ladera–. Ahí tiene usted el pueblo de los carreros del Yuruari. Upata vive del tránsito; de los fletes de las cargas que transportan sus carros y del dinero que van dejando en ella los forasteros [...]

Calles de tierra roja por donde corrían los ríos de oro de la puesta de sol. Carros vacíos aquí y allá, con los varales en alto y en las ruedas el barro de los caminos recorridos; otros, cargados y cubiertos con los encerados, de tránsito para otras poblaciones, dentro de las rancherías* llenas de la animación de los carreros que *carloteaban* desunciendo las bestias, conduciéndolas a los pesebres, echándoles en ellos los haces de yerba. [...]

Casuchas humildes, techadas de *palma carata**; otras con techos de cinc, que eran las de comercio: la tienda, con cobijas* de bayeta, abrigo de caminantes, colgadas en las puertas; la pulpería* donde los peones que ya habían soltado el trabajo tomaban el trago* de caña alborotando; otras con techos de tejas, las casas de las familias principales de la población, con muchas ventanas y lindas muchachas asomadas a ellas. [...]

Y las ventanas despedían risas para las bromas de don Manuel y miradas para el forastero de años mozos y presencia gallarda. Porque en Upata, que del tránsito vivía, también el amor tenía que poner sus esperanzas en el paso de los forasteros.

RÓMULO GALLEGOS, *Canaima.* (1935). Aguilar, Colección Crisol, Madrid, 1961, Pp. 71-74

García Márquez crea, a la medida de sus singulares personajes, un legendario universo con alma y vida propias. Utilizando gran variedad de recursos literarios, traza inolvidables imágenes de la simplicidad del nacimiento de Macondo, de las fuerzas mágicas que lo animan, de su opulencia, y de su dantesca destrucción. Destinado como todos los Buendía a *cien años de soledad,* el mítico pueblo cumple su trágico destino y, de Arcadia feliz, pasa a ser *arrasado por el viento y desterrado de la memoria.* En este ámbito, donde lo real y lo fantástico son llevados a la exageración, el novelista refleja de manera hiperbólica la dolorosa realidad del pueblo colombiano. Las continuas referencias bíblicas e históricas, además del respeto por lo tradicional y lo cotidiano, confieren a la tragedia de Macondo una proyección universal.

MACONDO

[Los orígenes]

Muchos años después, frente al pelotón de fusilamiento, el coronel Aureliano Buendía había de recordar aquella tarde remota en que su padre lo llevó a conocer el hielo. Macondo era entonces una aldea de veinte casas de barro y cañabrava construidas a la orilla de un río de aguas diáfanas que se precipitaban por un lecho de piedras pulidas, blancas y enormes como huevos prehistóricos. El mundo era tan reciente, que muchas cosas carecían de nombre, y para mencionarlas había que señalarlas con el dedo. Todos los años, por el mes de marzo, una familia de gitanos desarrapados plantaba su carpa cerca de la aldea, y con un gran alboroto de pitos y timbales daban a conocer los nuevos inventos. Primero llevaron el imán. Un gitano corpulento, de barba montaraz y manos de gorrión, que se presentó con el nombre de Melquíades, hizo una truculenta demostración pública de lo que él mismo llamaba la octava maravilla de los sabios alquimistas de Macedonia. Fue de casa en casa arrastrando dos lingotes metálicos, y todo el mundo se espantó al ver que los calderos, las pailas, las tenazas y los anafes se caían de su sitio, y las maderas crujían por la desesperación de los clavos y los tornillos tratando de desenclavarse, y aun los objetos perdidos desde hacía mucho tiempo aparecían por donde más se les había buscado, y se arrastraban en desbandada turbulenta detrás de los fierros mágicos de Melquíades. «Las cosas tienen vida propia –pregonaba el gitano con áspero acento–, todo es cuestión de despertarles el ánima.»

[Auge tras la implantación del capitalismo]

Macondo naufragaba en una prosperidad de milagro. Las casas de barro y cañabrava de los fundadores habían sido reemplazadas por construcciones de ladrillo, con persianas de madera y pisos de cemento, que hacían más llevadero el calor sofocante de las dos de la tarde. De la antigua aldea de José Arcadio Buendía sólo quedaban entonces los almendros polvorientos, destinados a resistir a las circunstancias más arduas, y el río de aguas diáfanas cuyas piedras prehistóricas fueron pulverizadas por las enloquecidas almádenas de José Arcadio Segundo, cuando se empeñó en despejar el cauce para establecer un servicio de navegación. Fue un sueño delirante, comparable apenas a los de su bisabuelo, porque el lecho pedregoso y los numerosos tropiezos de la corriente impedían el tránsito desde Macondo hasta el mar. [...]

[Después de las calamidades: plagas, guerras, dictadura, invasión extranjera y diluvio]

Un viernes a las dos de la tarde se alumbró el mundo con un sol bobo, bermejo y áspero como polvo de ladrillo, y casi tan fresco como el agua, y ya no volvió a llover en diez años.

Macondo estaba en ruinas. En los pantanos de las calles quedaban muebles despedazados, esqueletos de animales cubiertos de lirios colorados, últimos recuerdos de las hordas de advenedizos que se fugaron de Macondo tan atolondradamente como habían llegado. Las casas paradas* con tanta urgencia durante la fiebre del banano, habían sido abandonadas. La compañía bananera desmanteló sus instalaciones. De la antigua ciudad alambrada sólo quedaban los escombros. Las casas de madera, las frescas terrazas donde transcurrían las serenas tardes de naipes, parecían arrasadas por una anticipación del viento profético que años después había de borrar a Macondo de la faz de la tierra. El único rastro humano que dejó aquel soplo veloz fue un guante de Patricia Brown en el automóvil sofocado por las trinitarias*. La región encantada que exploró José Arcadio Buendía en los tiempos de la fundación, y donde luego prosperaron las plantaciones de banano, era un tremedal de cepas putrefactas, en cuyo horizonte remoto se alcanzó a ver por varios años la espuma silenciosa del mar. [...]

[Cumplimiento de la profecía]

Macondo era ya un pavoroso remolino de polvo y de escombros centrifugado por la cólera del huracán bíblico...

GABRIEL GARCÍA MÁRQUEZ, *Cien años de soledad.* (1967). Cátedra, Col. Letras Hispánicas, Madrid, 1987. Pp. 71, 270-271, 403 y 492

Pocos detalles nos ofrece Vallejo sobre la aldea que inspira su poema. Sólo llegamos a percibir el trágico ambiente del pueblecito. La evocación de la muerte, la sangre, el cementerio y el dolor crean un clima angustioso y desolador. Los colores sombríos y los tonos lánguidos que acompañan a la música, al otoño y al alma del poeta nos introducen en un mundo nostálgico. Nos hallamos, sin duda, ante un poblado andino pobre y solitario, con escasos recursos humanos y económicos; sin embargo, el pueblo posee un rico bagaje cultural que se trasluce a través de una canción quechua*, acompañada por flautas y guitarra. La aldea sacia la necesidad de escenarios melancólicos de un poeta desgarrado que inició su andadura literaria por la senda modernista.

ALDEANA

Lejana vibración de esquilas mustias
en el aire derrama
la fragancia rural de sus angustias.
En el patio silente
sangra su despedida el sol poniente.
¡El ámbar otoñal del panorama
toma un frío matiz de gris doliente!

¡Al portón de la casa
que el tiempo con sus garras torna ojosa,
asoma silenciosa
y al establo cercano luego pasa,
la silueta calmosa
de un buey color de oro,
que añora con sus bíblicas pupilas,
oyendo la oración de las esquilas,
su edad viril de toro!

¡Al muro de la huerta,
aleteando la pena de su canto,
salta un gallo gentil, y, en triste alerta,
cual dos gotas de llanto,
tiemblan sus ojos en la tarde muerta!

Lánguido se desgarra
en la vetusta aldea
el dulce yaraví* de una guitarra,
en cuya eternidad de hondo quebranto
la triste voz de un indio dondonea,
como un viejo esquilón de camposanto.

¡De codos yo en el muro,
cuando triunfa en el alma el tinte oscuro
y el viento reza en los ramajes yertos
llantos de quenas*, tímidos, inciertos,
suspiro una congoja,
al ver que en la penumbra gualda y roja
llora un trágico azul de idilios muertos!

CÉSAR VALLEJO, *Los heraldos negros.* (1918): «Terceto autóctono». Losada, Buenos Aires, 1990. Pp. 59-60.

Tres sitios concentran la vida de la ciudad [Tenochtitlán]: uno es la casa de los dioses, otro el mercado, y el tercero el palacio del emperador. [...] De la altura, puede contemplarse todo el panorama chinesco. Alza el templo cuarenta torres, bordadas por fuera, y cargadas en lo interior de imaginería,...

ALFONSO REYES

[El Callao, Venezuela]: Casas de madera, techos de cinc. Calor africano. Color africano. Burdeles, garitos, tabernas... Hampa bilingüe.

RÓMULO GALLEGOS

[Buenos Aires]: Seis millones de argentinos, españoles, italianos, vascos, rusos, polacos, yugoslavos, checos, sirios, libaneses, lituanos, griegos, ucranianos. *Oh Babilonia.*

ERNESTO SÁBATO

Vista de noche, la ciudad se hacía aleluya de ciudad adosada a una sierra, con estampas del infierno sacadas de las tinieblas por los focos del alumbrado municipal.

ALEJO CARPENTIER

Habrá ciudades grandes como un país
Gigantescas ciudades del porvenir
En donde el hombre-hormiga será una cifra
Un número que se mueve y sufre y baila

VICENTE HUIDOBRO (1919)

8. LA CIUDAD Y SUS ARRABALES

Las viejas culturas americanas edificaron grandiosas ciudades. Las ruinas de Tenochtitlán, Machu-Pichu, Copán o Tikal son algunos ejemplos de la pujanza y esplendor de los emporios prehispánicos. Unos colapsaron por causas desconocidas, otros fueron aprovechados por los españoles, que utilizaron las bases de sus edificios para levantar palacios y catedrales, reconstruyendo nuevas capitales. La Colonia puso especial énfasis en la creación de urbes monumentales de trazado y espíritu renacentistas, y factura cuadrangular, planificadas de acuerdo con las necesidades de sus futuros habitantes. Los españoles trasladaron a América la experiencia urbanística europea y fundaron amplias y funcionales ciudades, después enriquecidas y engalanadas con elementos autóctonos. Lo que no pudieron hacer fue luchar contra la tradición centralista indígena que concentraba la vida, el poder y la riqueza, la ciencia y el arte en las metrópolis y capitales. El gigantismo del continente y la inhabitabilidad de selvas y desiertos hacen que todavía hoy subsistan grandes vacíos poblacionales y que las ciudades estén muy diseminadas. Dada la variedad de estilos, orígenes, culturas, condiciones geográficas y climatológicas, resulta imposible describir los diferentes tipos de ciudades iberoamericanas. Nos limitamos a presentar cinco textos literarios que reflejan ciudades de diferentes épocas, topografía y problemática.

Arciniegas, enamorado de *El continente de siete colores* y empeñado en recuperar su idiosincrasia, viaja por América profundizando en su Historia y tradiciones. El primer texto aquí reproducido parte de crónicas, leyendas y testimonios arqueológicos para reconstruir la ciudad de Cuzco, asombro de los conquistadores. Compara la capital del imperio inca con la metrópolis de los aztecas (Tenochtitlán) y elogia la sabia arquitectura cuzqueña, parcialmente destruida por los españoles, que levantaron sobre las ruinas monumentales edificios barrocos. Más adelante, comenta los criterios urbanísticos coloniales que habrían de conformar la vida política y social de las ciudades americanas.

CUZCO, ALARDE DE ARQUITECTURA CUBISTA

Si Tenochtitlán de las lagunas es una acuarela, con sus pirámides blancas y decoradas a color como las mantas de los indios, Cuzco de los altos cerros, a 3.900

metros de altura, construida a la manera ciclópea sobre los Andes sudamericanos, es un alarde de arquitectura cubista, donde los palacios y los templos de enormes bloques de piedra oscura tienen al pie terrazas cubiertas de jardines. Es otro estilo, otra manera, otro sentido del gobierno, de la vida. Si la grandeza incaica* no está en la ciudad sino en el imperio mismo –Cuzco es el centro de la estrella de donde parten las calzadas que van a los cuatro extremos del imperio– no por eso deja de tener dimensiones que impresionan al europeo. Karsten dice que «por el número de sus casas, de sus calles, de sus mercados, y por su género de vida, el Cuzco era no solamente igual a la mayor de las ciudades medievales de Europa, sino que las superaba en muchos aspectos». Y Pedro Sancho, que llegó al Perú con los Pizarros, escribía: «Es Cuzco tan grande que sería digna de verse aun en España y toda llena de palacios de señores; porque en ella no vive gente pobre y cada señor labra en ella su casa y asimismo todos los caciques, aunque éstos no habitan en ella de continuo. La mayor parte de estas casas son de piedra y están hechas con muy buen orden, anchas calles en forma de cruz, muy derechas, todas empedradas y por en medio de cada una va un caño de agua, revestido de piedra. Está colocada esta ciudad en los altos de un monte y muchas casas hay en la ladera y otras abajo, en el llano. La plaza es cuadrada y en su mayor parte llana y empedrada de guijas, alrededor de ella hay cuatro casas de señores, que son las principales de la ciudad, pintadas y labradas de piedra y la mejor de ellas es la de Huayna Cápac y la puerta es de mármol blanco y encarnado y de otros colores y tiene otros edificios y azoteas muy dignas de verse».

No era Cuzco desmesuradamente grande. Se piensa que no pasarían de cincuenta mil sus habitantes. Tendría dos kilómetros y medio de larga y poco menos de ancha. Pero era tan sólida que los españoles, sin poderla arrasar, acabaron conservando algunas de sus calles, y levantaron sus templos sobre las bases de los viejos palacios. La austera línea incaica cuzqueña contrasta con las ricas decoraciones de Tenochtitlán. Aún hoy siguen haciéndose los visitantes la misma pregunta que se formularon los españoles el primer día que llegaron a Cuzco: ¿cómo lograron los incas reducir a formas geométricas los enormes monolitos, y ajustarlos en sus murallas con tal rigor que entre piedra y piedra no pueda meterse la hoja de un cuchillo? No conocieron el cemento: los bloques están pegados cara con cara. La piedra era para el peruano el símbolo y el material de sus montañas, y dentro de los palacios, revistiendo la piedra, ponían láminas de oro. El sol era el dios visible, y su culto en el palacio era una clase de astronomía, con un planetario en donde lo que brillaba por encima de todo era el sol, que además portaban en estandartes de oro. Si Tenochtitlán surgía de la laguna como una flor de piedra vestida de colores, Cuzco, con sus murallas y sus rampas, desde la parte baja de la ciudad hasta la fortaleza de Sacsa-Huaman –corona de rocas reducidas a un orden ciclópeo–, parecía el alma de los Andes monumentalmente tallada por un pueblo que se acercaba a los dioses a través de la geometría.[...]

LA PLAZA, UNIVERSIDAD PARA RICOS Y POBRES

Las ciudades, villas y aldeas que fundaron los españoles no tuvieron la misma planta urbanística de las viejas de España. En España eran el resultado de un lento crecimiento de siglos, y las calles y callejuelas se torcían y cruzaban como las ramas de un árbol. Allá no existió un plano original, no hubo en el principio una idea geométrica. En América, sobre la tierra desnuda, se repartieron en rectángulos los solares, y las calles quedaron trazadas a cordel. Al centro, cuadrada, la plaza. De todo lo que España trajo a América, lo más perdurable, quizás más importante que la lengua misma, fue la plaza. En Estados Unidos, donde el gran crecimiento se hizo a la estampía, y no hubo tiempo sino para seguir la carrera hacia el oeste, lo decisivo fue una calle, «broadway», «main street». El paso libre. En el pueblo español de América, la colonia se asienta, y la plaza, campo de la feria, es el centro de la vida y del ocio, y el teatro para los actos religiosos y la vida civil. A la sombra de los árboles de la plaza se tejieron todas las menudas intrigas, se hizo la política, se urdió la justicia y la injusticia, y se soñó. Se vendieron los frutos de la tierra y se abrieron las toldas de los carniceros. Se hicieron las corridas de toros, se prendieron las hogueras de San Juan, y se quemó pólvora en la noche de Año Nuevo. Se hicieron en la plaza las procesiones de la Semana Santa y de Corpus Christi, y desde el balcón del Ayuntamiento se leyeron los bandos en que se anunciaban los impuestos y las multas, la guerra con los ingleses, la muerte del rey, el nacimiento del príncipe. Era una radio que llevaba a los oídos del pueblo la crónica de ultramar, las malas noticias, y hasta las buenas. Si nacía un príncipe, había fiesta y se quemaba pólvora. En la plaza se encontraban los viejos amigos, se reunían las familias. Después del mercado, se emborrachaban los pobres. Delante del cabildo, en cabildo abierto, se proclamó la Independencia. Luego, desde los mismos balcones hablaron los de la República para encender las guerras civiles. Con plazas como las de América española es posible que los Estados Unidos hubieran sido más políticos, más inestables, más anárquicos, menos burgueses. España, en vez de escuelas para el pueblo, hizo plazas. Y en la plaza, el pueblo adquirió la educación que tiene y encontró el gran teatro para su cultura.

GERMÁN ARCINIEGAS, *El continente de siete colores.* (1965). Editorial Sudamericana, Buenos Aires, 1970. Pp. 56-57 y 180-181.

Para satisfacer las necesidades comerciales y administrativas de la expansión colonial, los españoles construyeron en América modernas ciudades: la aplicación de criterios humanísticos, la sabia planificación y el derroche de recursos naturales autóctonos hicieron surgir las grandes urbes barrocas americanas. La Antigua fue capital de Guatemala hasta 1773, cuando fue destruida por un terremoto. Anclada en el siglo XVIII, conserva hoy un ambiente misterioso, majestuosas ruinas, silenciosas calles y tambaleantes palacios y conventos. Asturias describe a la *ciudad de iglesias* inmersa en una religiosidad trasnochada, mientras hace revivir, desde la ironía y la solemnidad, a personajes y escenarios de la América colonial.

ANTIGUA, CIUDAD DE IGLESIAS

Pasos de ciudad colonial. Por las calles arenosas, voces de clérigos que musculan Ave-Marías, y de caballeros y capitanes que disputan poniendo a Dios por testigo. Duerme un sereno arrebozado en la capa. Sombras de purgatorio. Pestañeo de lámparas que arden en las hornacinas. Ruido de alguna espuela castellana, de algún pájaro agorero, de algún reloj desierto.

En Antigua, la segunda ciudad de los Conquistadores, de horizonte limpio y viejo vestido colonial, el espíritu religioso entristece el paisaje. En esta ciudad de iglesias se siente una gran necesidad de pecar. Alguna puerta se abre dando paso al señor obispo, que viene seguido del señor alcalde. Se habla a media voz. Se ve con los párpados caídos. La visión de la vida a través de los ojos entreabiertos es clásica en las ciudades conventuales. Calles de huertos. Arquerías. Patios solariegos donde hacen labor las fuentes claras. Grave metal de las campanas. ¡Ojalá se conserve esta ciudad antigua bajo la cruz católica y la guarda fiel de sus volcanes! Luego, fiestas reales celebradas en *geniales días, y festivas pompas*. Las señoras, en sillas de altos espaldares, se dejan saludar por caballeros de bigote petulante y traje de negro y plata. Ésta une al pie breve la mirada lánguida. Aquélla tiene los cabellos de seda. Un perfume desmaya el aliento de la que ahora conversa con un señor de la Audiencia. La noche penetra..., penetra... El obispo se retira, seguido de los bedeles. El tesorero, gentilhombre y caballero de la orden de Montesa, relata la historia de los linajes. De los veladores de vidrio cae la luz de las candelas entumecida y eclesiástica. La música es suave, bullente, y la danza triste a compás de tres por cuatro. A intervalos se oye la voz del tesorero que comenta el tratamiento de «Muy ilustre señor» concedido al conde de la Gomera, capitán general del Reino, y el eco de dos relojes viejos que cuentan el tiempo sin equivocarse. La noche penetra..., penetra...

MIGUEL ÁNGEL ASTURIAS, *Obras Completas*: «Leyendas de Guatemala». (1930). Aguilar, Madrid, 1969. Tomo I, Pp. 25-26.

Llegar a La Habana por mar supone un fuerte impacto. No solamente por el variado colorido del cielo y de la ciudad, sino por la originalidad de sus habitantes. En este corto texto, Cabrera Infante parece filmar a cámara lenta la bahía isleña. Las pinceladas impresionistas y el toque irónico contribuyen a describir la capital de Cuba y algunas de sus gentes.

LA HABANA DESDE EL BARCO

La Habana lucía bellísima desde el barco. El mar estaba en calma, de un azul claro, casi celeste a veces, mechado por una costura morada, ancha, que alguien explicó que era el Gulf Stream. Había unas olas pequeñitas, espumosas, que parecían gaviotas volando en un cielo invertido. La ciudad apareció de pronto, blanca, vertiginosa. Había nubes sucias en el cielo, pero el sol brillaba afuera y La Habana no era una ciudad, sino el espejismo de una ciudad, un fantasma. Luego se abrió hacia los lados y fueron apareciendo unos colores rápidos que se fundían en seguida, en el blanco soleado. Era un panorama, un CinemaScope real, el cinerama de la vida: para complacer a Mr. Campbell, que tanto le gusta el cine. Navegamos por entre edificios de espejos, reverberos que comían los ojos, junto a parques de un verde intenso o quemado, hasta otra ciudad más vieja y más oscura y más bella. Un muelle se acercó lenta, inexorablemente.[...]

Al borde del muelle había un grupo de estos encantadores nativos tocando una guitarra y moviendo unas *marugas** grandes y gritando unos ruidos infernales que ellos debían llamar música. También había, como decorado para la orquesta aborigen, una tienda al aire libre que vendía frutos del árbol del turismo: castañuelas, abanicos pintarrajeados, las *marugas* de madera, palos musicales, collares de conchas de moluscos, objetos de tarro, sombreros de paja dura y amarilla, y cosas así.

GUILLERMO CABRERA INFANTE, *Tres tristes tigres.* (1967). Seix Barral, Biblioteca de Bolsillo, Barcelona, 1988. Pp. 181, 173 y 174.

En *La región más transparente* «hablan» todas las clases sociales mexicanas. Artistas, intelectuales, millonarios y trabajadores alternan sus diálogos con la voz oculta de personajes históricos y mitos legendarios. En el texto aquí reproducido, una humilde familia representa a varias generaciones de desheredados que, sostenidos por el realismo y fortaleza de la mujer, y marcados por la pobreza y el machismo, sueñan encontrar en la gran urbe la solución a todos sus problemas. México, la ciudad más grande de América, terminará por engullir a muchos infelices, que sucumben en el proceso de aculturación o a causa de la miseria, el hacinamiento o la delincuencia.

MÉXICO LINDO

En la terminal de Ramón Guzmán, bajan del camión* salpicado de fango el hombre con sombrero norteño, la mujer vestida de algodón y el muchacho de diez años, flaco y con una mancha de tiña en la mejilla. El hombre moja los gruesos labios sobre el cigarrillo negro y aprieta los ojos de chinche mientras vigila el descenso del equipaje, cubierto por un toldo de lona sobre el techo del camión. La mujer, sin ser gorda pero sin línea, como una paca, deja caer los hombros aún más y detiene del brazo al chamaco* de pantalón azul y camisola abierta que grita y señala hacia la calle.

—Bueno, ya están las petacas*. ¡Vas a ver, vieja*, lo que es nuestra capital!

—Ay sí, como si tú ya hubieras estado.

—No, si no he estado; pero uno como hombre se entera de más cosas que ustedes, *¿quihubo*?*

—Mira, venden helados; mira, venden helados, ¡yo quiero mi helado!

—Cállese, escuincle* latoso. ¡Qué ganas de ver crecido al demonio este!

—Sí, cómo no, y entonces te quejarás de que *se encuete** y se vaya con las putas...

—¡Cállese, Enrique! ¡Luego dice que quién le enseña tanta majadería al niño!

—Vénganse, pues –dice el hombre de bigotes desiguales y ojillos de chinche. –¡Mira *nomás**, Tere, mira *nomás* qué ciudad! ¡Por algo le dicen la ciudad de los palacios! ¡Ve *nomás* qué avenida! Mira allá, a la glorieta: ése es Cuauhtémoc. ¿Felipito? ¿Quién fue Cuauhtémoc?

—Ése de la noche triste, ¡yo quiero mi helado!

—Ya ves, Tere, para eso los manda uno que *dizque** a la escuela. ¡Felipito! ¡Dime quién fue Cuauhtémoc!

—¡Oh, qué *fregar**! ¡Yo quiero mi helado!

El hombre amenaza con la mano al niño; la mujer recrimina con los ojos al hombre.

—Bueno, ya estamos aquí, México lindo. Vas a ver, Tere, cómo en la capital salimos de dificultades. Aquí se hace dinero pronto, verás si no. Con mi oficio de talabartero, y con la clientela de gringos que hay aquí, al año somos ricos.

—Eso mismo dijiste cuando nos fuimos de Culiacán a Piedras Negras, y ya ves, ni para el arranque.

—¡No me hables de esos pueblos, Tere! Ve *nomás* donde estamos ahora. Aquí, con nuestros ahorritos nos instalamos, y hasta tomo un aprendiz, y al año nos están entrando tres mil pesos* al mes, libres. Tú verás.

La mujer sin forma tuerce la boca. El niño señala cosas. El hombre de sombrero norteño respira hondo en el cruce de Reforma e Insurgentes.

—¡Ésta es mi capital, sí señor!

CARLOS FUENTES, *La región más transparente.* (1958). Cátedra, Letras Hispánicas, Madrid, 1991. Pp. 400-402.

En Lima, así como en la mayoría de las grandes ciudades de Iberoamérica, la emigración campesina ha supuesto graves problemas. Los recién llegados se asientan en la periferia, formando extensísimos arrabales de chabolas y estercoleros, donde las condiciones de vida son infrahumanas. Esta es la particular versión de Vargas Llosa sobre las barriadas limeñas en las que, además de la pobreza, imperan la delincuencia, la violencia política y el terror. El peruano, como aquí se observa, suele enriquecer la trama de sus novelas con la reflexión ética y sociológica.

LA LIMA MARGINAL

El trayecto es largo, riesgoso, y, a ciertas horas, lentísimo por la congestión del tráfico. Es, también, el de un empobrecimiento gradual de Lima. La prosperidad de Miraflores y San Isidro va decayendo y afeándose en Lince y La Victoria, renace ilusoriamente en el centro con las pesadas moles de los bancos, mutuales y compañías de seguros –entre las cuales, sin embargo, pululan conventillos promiscuos y viejísimas casas que se tienen en pie de milagro–, pero luego, cruzando el río, en el llamado sector de Bajo el Puente, la ciudad se desploma en descampados, en cuyas márgenes han brotado casuchas de esteras y cascotes, barriadas entreveradas con muladares que se suceden por kilómetros. En esta Lima marginal, antes, había sobre todo pobreza. Ahora hay, también, sangre y terror.

A la altura de la Avenida de los Chasquis, la pista pierde el asfalto y se llena de agujeros, pero el auto puede todavía avanzar unos metros, zangoloteando en medio de corralones y terrales, entre postes de luz que han perdido sus focos*, pulverizados a hondazos por los mataperros. Como es la segunda vez que vengo, ya no cometo la imprudencia de avanzar más allá de la pulpería* frente a la que me atollé la primera vez. Me ocurrió entonces algo farsesco. Cuando advertí que el auto no saldría de la tierra, pedí que lo empujaran a unos muchachos que conversaban en la esquina. Me ayudaron pero, antes, me pusieron una chaveta en el pescuezo, amenazándome con matarme si no les daba todo lo que tenía. Me quitaron el reloj, la cartera, los zapatos, la camisa. Consintieron en dejarme el pantalón. Mientras empujábamos el auto para desatollarlo, conversamos. ¿Había muchos asesinatos en el barrio? Bastantes. ¿Políticos? Sí, también políticos. Ayer *nomás** apareció, ahí a la vuelta, un cadáver decapitado con un cartelito: «Perro soplón».

[...] Hasta hace unos meses, la violencia política no afectaba a las barriadas de la periferia tanto como a los barrios residenciales y al centro. Pero, ahora, la mayoría de los asesinados o secuestrados por los comandos revolucionarios, las fuerzas armadas o los escuadrones contrarrevolucionarios, pertenecen a estos distritos. Hay más viejos que jóvenes, más mujeres que hombres y, por momentos, tengo la impresión de no estar en Lima ni en la costa, sino en una aldea de los Andes: ojotas*, polleras*, ponchos, chalecos con llamitas bordadas, diálogos en quechua*. ¿Viven realmente mejor en esta hediondez y en esta mugre que en los caseríos serranos que han abandonado para venir a Lima? Sociólogos, economistas y antropólogos aseguran que, por asombroso que parezca, es así. Las expectativas de mejora y supervivencia son mayores, al parecer, en estos basurales fétidos que en las mesetas de Ancash, de Puno o Cajamarca donde la sequía, las epidemias, la esterilidad de la tierra y la falta de trabajo diezman a los poblados indios. Debe ser cierto. ¿Qué otra explicación puede tener que alguien elija vivir en este hacinamiento y suciedad?

MARIO VARGAS LLOSA, *Historia de Mayta.* (1984). Seix Barral, Biblioteca Breve, Barcelona, 1984. Pp. 61-63

Por las calles [de Cuzco] se oye el castellano y el quechua*, como en los días de Pizarro. Con su menudo trote danzarino pasan indígenas cargados con inmensos atados. Las mujeres descalzas, con sus anchas enaguas y su sombrero alto de toquilla llevan, como un fardo activo, el niño a la espalda y caminan hilando sin término un hilo del destino...

ARTURO USLAR PIETRI

Los balcones están siempre asomados a la calle, mirándola subir y bajar y dar vuelta en las esquinas. Mirando pasar a los señores con bastón de caoba*; a los rancheros* que arrastran las espuelas al caminar; a los indios que corren bajo el peso de su carga.

ROSARIO CASTELLANOS

A medida que avanzaba por 28 de julio, la avenida se poblaba. Después de cruzar los rieles del tranvía Lima-Chorrillos, se halló en medio de una muchedumbre. [...] Pero él sabía que estaba en el distrito de la Victoria por el olor a comida y bebida criollas que impregnaba el aire, un olor casi visible a chicharrones y a pisco*, a butifarras y a transpiración, a cerveza y a pies.

MARIO VARGAS LLOSA

Un mercado es como un Gran Guacamayo*, todos hablan, todos ofrecen cosas de colores, todos engañan, el que vende escobas, el que vende cañutos de humo, el que vende jícaras*...

MIGUEL ÁNGEL ASTURIAS

Para qué gastar yo tantas palabras de lo que vendían en aquella gran plaza...

BERNAL DÍAZ DEL CASTILLO

9. LA CALLE Y EL MERCADO

Calles y mercados son escaparates de la idiosincrasia iberoamericana. La calle es también el termómetro que indica el tono vital de un centro urbano, su nivel económico y sus componentes antropológicos. La calidad de la convivencia social, el sentido artístico, valores éticos y tradicionales, religión e historia salen a la luz en solares y callejuelas. Espléndidas avenidas de carácter internacional y moderno trazado, presididas por nobles plazas, atraviesan las grandes ciudades; calles populosas, abarrotadas de puestos ambulantes de ropa y de comida se apiñan en todas las poblaciones; tortuosos pasadizos y callejones solitarios trepan por pueblos y villas de la montaña; bulliciosos y abigarrados *tianguis** se contraponen a miserables mercadillos. Pero en todos los rincones y vías públicas de la América Hispana aparecen originales rasgos, exclusivos de un continente que está conformado por la cultura indígena y la española, y enriquecido por aportaciones africanas y orientales: vibrante colorido, atuendos autóctonos, joyas artísticas y novedades artesanales, música local o personajes extraordinarios.

El crudo y amargo autor de *El obsceno pájaro de la noche* es también un delicioso cuentista. En «China», el narrador muestra su fascinación por lo popular y su deseo de evadirse del mundo burgués al que pertenecía. El poder de aromas y colores desconocidos, nuevas fisonomías y el brillo de las baratijas que descubre en la calle impactan al niño: éste intuye en seguida la existencia de un universo mágico y la posibilidad de vivir, libremente, sus propias aventuras.

COMO EN LA CHINA

Como todas las calles, ésta también es pública. Para mí, sin embargo, no siempre lo fue. Por largos años, mantuve el convencimiento de que yo era el único ser extraño que tenía derecho a aventurarse entre las luces y sus sombras.

Cuando pequeño, vivía yo en una calle cercana, pero de muy distinto sello. Allí los tilos, los faroles dobles, de forma caprichosa, la calzada poco concurrida y las fachadas serias hablaban de un mundo enteramente distinto. Una tarde, sin embargo, acompañé a mi madre a la otra calle. Se trataba de encontrar unos cubiertos. Sospechábamos que una empleada los había sustraído para llevarlos a cierta casa de empeños allí situada. Era invierno y había llovido. Al fondo de las bocacalles se divisaban restos de luz acuosa, y sobre unos techos cerníanse aún las nubes en vagos manchones parduscos. La calzada estaba húmeda, y las cabelleras de las mujeres se apegaban, lacias, a sus mejillas. Oscurecía.

Al entrar por la calle, un tranvía vino sobre nosotros con estrépito. Busqué refugio cerca de mi madre, junto a una vitrina llena de hojas de música. En una de ellas, dentro de un óvalo, una muchacha rubia sonreía. Le pedí a mi madre que me comprara esa hoja, pero no prestó atención y seguimos camino. Yo llevaba los ojos muy abiertos. Hubiera querido no solamente mirar todos los rostros que pasaban junto a mí, sino tocarlos, olerlos, tan maravillosamente distintos me parecían. Muchas personas llevaban paquetes, bolsas, canastos y toda suerte de objetos seductores y misteriosos. En la aglomeración, un obrero, cargado de un colchón, desarregló el sombrero de mi madre. Ella rió, diciendo:

—¡Por Dios, esto es como en la China!

Seguimos calle abajo. Era difícil eludir los charcos en la acera resquebrajada. Al pasar frente a una cocinería*, descubrí que su olor mezclado al olor del impermeable de mi madre era grato. Se me antojaba poseer cuanto mostraban las vitrinas. Ella se horrorizaba, pues decía que todo era ordinario o de segunda mano. Cientos de floreros de vidrio empavonado, con medallones de banderas y flores. Alcancías* de yeso en forma de gato, pintadas de magenta y plata. Frascos llenos de bolitas multicolores. Sartas de tarjetas postales y trompos. Pero sobre todo me sedujo una tienda tranquila y limpia, sobre cuya puerta se leía en un cartel «Zurcidor Japonés».

No recuerdo lo que sucedió con el asunto de los cubiertos. Pero el hecho es que esta calle quedó marcada en mi memoria como algo fascinante, distinto. Era la libertad, la aventura. Lejos de ella, mi vida se desarrollaba simple en el orden de sus horas. El «Zurcidor Japonés», por mucho que yo deseara, jamás remendaría mis ropas. Lo harían pequeñas monjitas almidonadas de ágiles dedos. En casa, por las tardes, me desesperaba pensando en «China», nombre con que bauticé esa calle. Existía, claro está, otra China. La de las ilustraciones de los cuentos de Calleja, la de las aventuras de Pinocho. Pero ahora esa China no era importante.

José Donoso, *Cuentos*: «China». (1954). Seix Barral, Col. Narrativa Hispánica, Barcelona, 1971. Pp. 249-251.

Carpentier sitúa la acción de su novela en el Caribe de los últimos años del siglo XVIII. El calor tropical hace que la vida se desarrolle en la calle. Los ojos de Sofía, cuyo austero padre acaba de morir liberándola de su encierro, contemplan atónitos el mundo de la prostitución callejera de los muelles de La Habana.

UNA VISIÓN INFERNAL

«Por ahí no», dijo Sofía, viendo que ya se estaba más allá de los diques y que atrás quedaban las osamentas de buques, en todo esto que se iba poblando de gente con feas cataduras. Víctor, sin hacer caso, castigó levemente las ancas del caballo con el fuete*. Cerca había luces. Y al doblar una esquina se vieron en una calle alborotada de marineros donde varias casas de baile, con ventanas abiertas, rebosaban de músicas y de risas. Al compás de tambores, flautas y violines, bailaban las parejas con un desaforo que encendió las mejillas de Sofía, escandalizada, muda, pero sin poder desprender la vista de aquella turbamulta entre paredes, dominada por la voz ácida de los clarinetes. Había mulatas que arremolinaban las caderas, presentándose de grupa a quien las seguía, para huir prestamente del desgajado ademán cien veces provocado. En un tablado, una negra de faldas levantadas sobre los muslos, taconeaba el ritmo de una guaracha* que siempre volvía al intencionado estribillo de *¿Cuándo, mi vida, cuándo?* Mostraba una mujer los pechos por el pago de una copa, junto a otra, tumbada en una mesa, que arrojaba los zapatos al techo, sacando los muslos del refajo. Iban hombres de todas trazas y colores hacia el fondo de las tabernas, con alguna mano calada en masa de nalgas. Víctor, que sorteaba los borrachos con habilidad de cochero, parecía gozarse de aquel innoble barullo, identificando a los norteamericanos por el modo de tambalearse, a los ingleses por sus canciones, a los españoles porque cargaban* el tinto en botas y porrones. En la entrada de un barracón, varias rameras se prendían de los transeúntes, dejándose palpar, enlazar, sopesar; una de ellas, derribada en un camastro por el peso de un coloso barbinegro, no había tenido el tiempo, siquiera, de cerrar la puerta. Otra desnudaba a un flaco grumete demasiado ebrio para entendérselas con su ropa. Sofía estaba a punto de gritar de asco, de indignación, pero más aún por Carlos y por Esteban que por ella misma. Aquel mundo le era tan ajeno que lo miraba como una visión infernal, sin relación con los mundos conocidos. [...] Parándose* en el coche, arrancó el fuete a Víctor y descargó tal latigazo hacia adelante, que el caballo echó a galopar en un salto, derribando las pailas* de una mondonguera con la barra del tiro. Derramáronse el aceite hirviente, la pescadilla, los bollos y empanadas, levantando los aullidos de un perro escaldado que se revolcaba en el polvo, acabando de desollarse con vidrios rotos y espinas de pargo. Un tumulto cundió en toda la calle. Y eran varias negras las que ahora corrían detrás de ellos en la noche, armadas de palos, cuchillos y botellas vacías, arrojando piedras que rebotaban en los techos, arrastrando pedazos de tejas al caer de los aleros. Y fueron luego tales insultos, al ver alejarse el coche, que casi movían a risa por exhaustivos, por insuperables, en la blasfemia y lo procaz. «Las cosas que tiene que oír una señorita», dijo Carlos, cuando regresaron a la Alameda* por un rodeo. Al llegar a casa, Sofía desapareció en sus sombras, sin dar las buenas noches.

ALEJO CARPENTIER, *El siglo de las luces.* (1962). Schapire Editor, Buenos Aires, 1974. Pp. 39-41.

Las calles tienen alma, afirma Roberto Arlt. Para demostrarlo hace un recorrido, tramo a tramo, por la calle más popular de Buenos Aires y una de las más famosas de Sudamérica. Arlt, que dejó constancia de su vagabundeo adolescente por la ciudad en *El juguete rabioso*, centró su obra en los bajos fondos bonaerenses. En sus crónicas periodísticas recogidas en *Aguafuertes porteñas* ofrece estampas urbanas (como la que aquí presentamos) que evidencian su gusto por la bohemia. La recurrente evocación del estribillo de un famoso tango demuestra también su apego a lo popular. Es curioso comprobar que la calle Corrientes había sufrido gran deterioro en décadas anteriores, pero en la actualidad vuelve a ser frecuentada por numerosos jóvenes que intentan recuperar su «espíritu».

EL ESPÍRITU DE LA CALLE CORRIENTES NO CAMBIARÁ CON EL ENSANCHE

Es inútil, no es con un ensanche con el que se cambia o se puede cambiar el espíritu de una calle. A menos que la gente crea que las calles no tienen espíritu, personalidad, idiosincrasia. Y para demostrarlo, vamos a recurrir a la calle Corrientes.

La calle Corrientes tiene una serie de aspectos a los más opuestos y que no se justifica en una calle.

Así, desde Río de Janeiro a Medrano, ofrece su primer aspecto. Es la calle de las queserías, los depósitos de cafeína y las fábricas de molinos. Es curiosísimo. En un trecho de diez cuadras se cuentan numerosas fábricas de aparatos de viento. ¿Qué es lo que ha conducido a los industriales a instalarse allí? ¡Vaya a saberlo! Después vienen las fundiciones de bronce, también en abundancia alarmante.

De Medrano a Pueyerredón, la calle ya pierde personalidad. Se disuelve ésta en los innumerables comercios que la ornamentan con sus entoldados. Se convierte en una calle vulgar, sin caraterísticas. Es el triunfo de la pobretería, del comercio al por menor, cuidado por la esposa, la abuela o la suegra, mientras el hombre trota calles buscándose la vida.

De Pueyerredón a Callao ocurre el milagro. La calle se transfigura. Se manifiesta con toda su personalidad. La pone de relieve.

En este tramo triunfa el comercio de paños y tejidos. Son turcos o israelitas. Parece un trozo del *ghetto*. Es la apoteosis de Israel, de Israel con toda su actividad exótica. Allí se encuentra el teatro judío. El café judío. El restaurante judío. La sinagoga. La asociación de Joikin. El Banco Israelita. Allí, en un espacio de doce o quince cuadras,* el judío ha levantado su vida auténtica. No es la vida de la calle Talcahuano o Libertad, con su ropavejero y sastre como único comerciante. No. Israel ofrece a la vista todo su comercio abigarrado y fantasioso. Comerciantes de telas, perfumistas, electricistas, lustradores de botas, cooperativas, un mundo ruso-hebraico se mueve en esta vena de las que las arterias subyacentes son desahogos y viviendas.

El turco domina poco allí. Su sede son ciertas calles laterales, y más en la proximidad de Córdoba y Viamonte que en la de Corrientes.

La verdadera calle Corrientes comienza para nosotros en Callao y termina en Esmeralda. Es el cogollo porteño*, el corazón de la urbe. La verdadera calle. La calle en la que sueñan los porteños que se encuentran en provincias. La calle que arranca un suspiro en los desterrados de la ciudad. La calle que se quiere, que se quiere de verdad. La calle que es linda de recorrer de punta a punta porque es calle de vagancia, de atorrantismo*, de olvido, de alegría, de placer. La calle que con su nombre hace lindo el comienzo de ese tango*:

Corrientes... tres, cuatro, ocho.

Y es inútil que traten de reformarla. Que traten de adecentarla. Calle porteña de todo corazón, está impregnada tan profundamente de ese espíritu «nuestro», que aunque le poden las casas hasta los cimientos y le echen creolina hasta la napa de agua, la calle seguirá siendo la misma..., la recta donde es bonita la vagancia y donde hasta el más inofensivo infeliz se da aires de perdonavidas y de calavera jubilado.

Y este pedazo es lindo, porque parece decirle al resto de la ciudad, seria y grave:

—*Se me importa un pepino de la seriedad.* Aquí la vida es otra.

Y lo cierto [sic] que allí la vida es otra. Es otra específicamente. La gente cambia de pelaje mental en cuanto pasa de una calle muerta, a ésta donde todo chilla su insolencia, desde el lustrabotas* que os ofrece un «quinto*» hasta la manicura que en la puerta de una barbería conversa con un cómico, con uno de esos cómicos cuyas flácidas mejillas tienen un reflejo azulado y que se creen genios en desgracia, sin ser desgraciados por ello.

Linda y brava la calle.

Entre edificios viejos que la estrechan, se exhiben las fachadas de los edificios de departamentos nuevos. Edificios que dejaron de ser nuevos en cuanto fueron puestos en alquiler, porque los invadieron *bataclanas** y exactrices y autores, y gente que nada tienen que ver con los autores y que sin embargo son amigos de los autores, y cómicos, cómicos de todas las cataduras, y cómicas, y damas que nada tienen que hacer con talma [sic] ni con la comedia, ni con la tragedia, como no sea la tragedia que pasan a la hora del plato de lentejas.

Y qué decir de sus «orquestas típicas», orquestas malandrines [sic] que hacen ruidos endiablados en los «fuelles», y de sus restaurantes, con congrios al hielo y pulpos vivos en las vitrinas y lebratos para enloquecer a los hambrientos, y sus cafés, cafés donde siempre los pesquisas detienen a alguien, «alguien» que según el mozo, es «persona muy bien de familia».

Calle de la galantería organizada, de los desocupados con plata, de los soñadores, de los que tienen una «condicional» y se cuidan como la madre cuida al niño, este pedazo de la calle Corrientes es el cogollo de la ciudad, el alma de ella.

Es inútil que la decoren mueblerías y tiendas. Es inútil que la seriedad trate de imponerse a su alegría profunda y multicolor. Es inútil. Por cada edificio que tiran abajo, por cada flamante rascacielo que levantan, hay una garganta femenina que canta en voz baja:

Corrientes... tres, cuatro, ocho...
segundo piso ascensor...

Ésta es el alma de la calle Corrientes. Y no la cambiarán ni los ediles ni los constructores. Para eso, tendrían que borrar de todos los recuerdos la nostalgia de:

Corrientes... tres, cuatro, ocho...
segundo piso ascensor.

ROBERTO ARLT, *Aguafuertes porteñas.* (1933). Losada, Buenos Aires, 1958. Pp. 162-165.

El esplendor y vitalidad de las calles y mercados americanos son antiquísimos. Para desentrañar la esencia de lo mexicano, Alfonso Reyes utiliza en *Visión de Anáhuac*, entre otras fuentes, las crónicas de los soldados españoles. En el siguiente texto el historiador y humanista hace un poético inventario de los bienes primarios y suntuarios que los aztecas intercambiaban en el mercado. Inspirándose en Bernal Díaz del Castillo, también describe la intensa actividad económica de la antigua Tenochtitlan, hoy ciudad de México.

EL MERCADO DE TENOCHTITLÁN

Pero las calaveras expuestas, y los testimonios ominosos del sacrificio, pronto alejan al soldado cristiano, que, en cambio, se explaya con deleite en la descripción de la feria.

Se hallan en el mercado –dice– «todas cuantas cosas se hallan en toda la tierra». Y después explica que algunas más, en punto a mantenimientos, vituallas, platería. Esta plaza principal está rodeada de portales, y es igual a dos de Salamanca. Discurren por ella diariamente –quiere hacernos creer– 60.000 hombres cuando menos. Cada especie o mercaduría tiene su calle, sin que se consienta confusión. Todo se vende por cuenta y medida, pero no por peso. Y tampoco se tolera el fraude: por entre aquel torbellino, andan siempre disimulados unos celosos agentes, a quienes se ha visto romper las medidas falsas. Diez o doce jueces, bajo su solio, deciden los pleitos del mercado, sin ulterior trámite de alzada, en equidad y a vista del pueblo. A aquella gran plaza traían a tratar los esclavos, atados en unas varas largas y sujetos por el collar.

Allí venden –dice Cortés– joyas de oro y plata, de plomo, de latón, de cobre, de estaño; huesos, caracoles y plumas; tal piedra labrada y por labrar; adobes, ladrillos, madera labrada y por labrar. Venden también oro en grano y en polvo, guardado en cañutos de pluma que, con las semillas más generales, sirven de moneda. Hay calles para la caza, donde se encuentran todas las aves que congrega la variedad de los climas mexicanos, tales como perdices y codornices, gallinas, lavancos, dorales, zarcetas, tórtolas, palomas y pajaritos en cañuela: buharros y papagayos*, halcones, águilas, cernícalos, gavilanes. De las aves de rapiña se venden también los plumones con cabeza, uñas y pico. Hay conejos, liebres, venados, gamos, *tuzas**, topos, lirones y perros pequeños que crían para comer castrados. Hay calle de herbolarios, donde se venden raíces y yerbas de salud, en cuyo conocimiento empírico se fundaba la medicina: más de 1.200 hicieron conocer los indios al doctor Francisco Hernández, médico de cámara de Felipe II y Plinio de la Nueva España. Al lado, los boticarios ofrecen ungüentos, emplastos y jarabes medicinales. Hay casas de barbería, donde lavan y rapan las cabezas. Hay casas donde se come y bebe por precio. Mucha leña, astilla de ocote*, carbón y braserillos de barro. Esteras para la cama, y otras, más finas, para el asiento o para esterar salas y cámaras. Verduras en cantidad, y sobre todo, cebollas, puerro, ajo, borraja, mastuerzo, berro, acedera, cardos y tagarninas. Los capulines y ciruelas son las frutas que más se venden. Miel de abejas y cera de panal; miel de caña de maíz, tan untuosa y dulce como la de azúcar; miel de maguey*, del que hacen también azúcares y vinos. [...]

El zumbar y ruido de la plaza –dice Bernal Díaz– asombra a los mismos que han estado en Constantinopla y en Roma. Es como un mareo de los sentidos, como un sueño de Breughel, donde las alegorías de la materia cobran un calor espiritual. En pintoresco atolondramiento, el conquistador va y viene por las calles de la feria y conserva de sus recuerdos la emoción de un raro y palpitante caos: las formas se funden entre sí; estallan en cohete los colores; el apetito despierta al olor picante de las yerbas y las especias. Rueda, se desborda del azafate* todo el paraíso de la fruta: globos de color, ampollas transparentes, racimos de lanzas, piñas escamosas y cogollos de hojas. En las bateas redondas de sardinas, giran los reflejos de plata y de azafrán, las orlas de aletas y colas en pincel; de una cuba sale la bestial cabeza del pescado, bigotudo y atónito. [...] A otro término, el jardín artificial de tapices y de tejidos; los juguetes de metal y de piedra, raros y monstruosos, sólo comprensibles –siempre– para el pueblo que los fabrica y juega con ellos; los mercaderes rifadores, los joyeros, los pellejeros, los alfareros, agrupados rigurosamente por gremios, como en las procesiones de Alsloot. Entre las vasijas morenas se pierden los senos de la vendedora. Sus brazos corren por entre el barro como en su elemento nativo: forman asas a los jarrones y culebrean por los cuellos rojizos. Hay, en la cintura de las tinajas, unos vivos de negro y oro que recuerdan el collar ceñido a su garganta. Las anchas ollas parecen haberse sentado, como la india, con las rodillas pegadas y los pies paralelos. El agua, rezumando, gorgoritea en los búcaros olorosos.

ALFONSO REYES, *Prosa y poesía*: «Visión de Anáhuac». (1917). Cátedra, Letras Hispánicas, Madrid, 1984. Pp. 103-107.

Juan Rulfo consiguió plasmar en *Pedro Páramo* lo esencial de la realidad y del alma mexicana. Con prosa sobria pero de enorme poder sugestivo, describe aquí un mercadillo indígena malogrado por la lluvia. Los indios, que realizan sus actividades económicas, religiosas y sociales el día de mercado, acatan con el fatalismo que les caracteriza los rigores de la naturaleza, intercambian unas cuantas yerbas, esperan, rezan devotamente y vuelven a casa sonrientes, más pobres y miserables que cuando llegaron a Comala.

TIENDEN SUS YERBAS EN EL SUELO

Sobre los campos del valle de Comala está cayendo la lluvia. Una lluvia menuda, extraña para estas tierras que sólo saben de aguaceros. Es domingo. De Apango han bajado los indios con sus rosarios de manzanillas, su romero, sus manojos de tomillo. No han traído ocote* porque el ocote está mojado, y ni tierra de encino porque también está mojada por el mucho llover. Tienden sus yerbas en el suelo, bajo los arcos del portal, y esperan.

La lluvia sigue cayendo sobre los charcos.

Entre los surcos, donde está naciendo el maíz, corre el agua en ríos. Los hombres no han venido hoy al mercado, ocupados en romper los surcos para que el agua busque nuevos cauces y no arrastre la milpa* tierna. Andan en grupos, navegando en la tierra anegada, bajo la lluvia, quebrando con sus palas los blandos terrones, ligando con sus manos la milpa y tratando de protegerla para que crezca sin trabajo.

Los indios esperan. Sienten que es un mal día. Quizá por eso tiemblan debajo de sus mojados «gabanes» de paja; no de frío, sino de temor. Y miran la lluvia desmenuzada y al cielo que no suelta sus nubes.

Nadie viene. El pueblo parece estar solo. La mujer les encargó un poco de hilo de remiendo y algo de azúcar, y de ser posible y de haber, un cedazo para colar el atole*. El «gabán» se les hace pesado de humedad conforme se acerca el mediodía. Platican*, se cuentan chistes y sueltan la risa. Las manzanillas brillan salpicadas por el rocío. Piensan: «Si al menos hubiéramos traído *tantito** pulque*, no importaría; pero el cogollo de los magueyes* está hecho un mar de agua. En fin, qué se le va a hacer».

Justina Díaz, cubierta con paraguas, venía por la calle derecha que viene de la Media Luna, rodeando los chorros que borbotaban sobre las banquetas. Hizo la señal de la cruz y se persignó al pasar por la puerta de la Iglesia Mayor. Entró en el portal. Los indios voltearon a verla. Vio la mirada de todos como si la escudriñaran. Se detuvo en el primer puesto, compró diez centavos* de hojas de romero, y regresó, seguida por las miradas en hilera de aquel montón de indios.

«Lo caro que está todo en este tiempo –dijo, al tomar de nuevo el camino hacia la Media Luna–. Este triste ramito de romero por diez centavos*. No alcanzará ni siquiera para dar olor.»

Los indios levantaron sus puestos al oscurecer. Entraron en la lluvia con sus pesados tercios a la espalda; pasaron por la iglesia para rezarle a la Virgen, dejándole un manojo de tomillo de limosna. Luego enderezaron hacia Apango, de donde habían venido. «Ahí será otro día», dijeron. Y por el camino iban contándose chistes y soltando la risa.

JUAN RULFO, *Pedro Páramo.* (1955). Cátedra, Letras Hispánicas, Madrid, 1990. Pp. 155-156.

Vivían en el extremo del pueblo, en una casa de techo de palma con paredes de cal desconchadas.

GABRIEL GARCÍA MÁRQUEZ

Enormes terrenos de esparcimiento, cancha de golf y playa propia. Casa y muebles *Art Nouveau*. Baños recubiertos de mármol. En el último piso, mirador con azulejos y columnas negras.

JORGE EDWARDS

Nos gustaba la casa porque, aparte de espaciosa y antigua (hoy que las casas antiguas sucumben a la más ventajosa liquidación de sus materiales), guardaba los recuerdos de nuestros bisabuelos, el abuelo paterno, nuestros padres y toda la infancia.

JULIO CORTÁZAR

Quizás había una o dos casas buenas, con portones grandes y chapas de fierro y canales de latón: eran siempre la del agiotista y la del jefe político.

CARLOS FUENTES

La casa del viejo cuenta con dos habitaciones y un espacioso corredor, como que es una buena casa. El viento cuchichea entre las secas hojas del techo y bate sus alas a través de los carrizos de la quincha*, refrescando a los moradores del bochorno perenne de estos valles.

CIRO ALEGRÍA

10. CASAS, RANCHOS Y PALACIOS

En sociedades tan complejas como las iberoamericanas, que tienen además tal variedad de climas y paisajes, no se puede esperar uniformidad en la vivienda. Entre el bohío* tropical (paredes de madera y cubierta vegetal) y el caserón colonial de las tierras frías, hay múltiples tipos de habitación: en las zonas rurales abundan las casitas de adobe con techo de teja que poco a poco son sustituidas por humildes construcciones de ladrillo o bloque de cemento con tejado de cinc; en las grandes ciudades se contemplan portentosos alardes de arquitectura contemporánea que se codean con misérrimas chabolas. Evidentemente, también las diferencias socioeconómicas perfilan el tipo de aposento. Los asombrosos contrastes de nivel de vida que se observan en el Continente se manifiestan de forma muy explícita en el tamaño, configuración y materiales de la vivienda. Frente a la mayoría de casas, pequeñas para albergar a los numerosos miembros de las familias americanas e incapaces de combatir los rigores de climas extremos, destacan mansiones fastuosas cuyo lujo y dimensiones son difíciles de describir.

La paleta cromática de Miguel Ángel Asturias es amplísima. Naturalmente, usa diferentes tonos para pintar la ambición de los poderosos, la crueldad de los violentos o las ilusiones de los humildes. En este breve texto describe con sensibilidad exquisita la realización del sueño de Roselia y Adelaido: tener su propia casa. Siguiendo la tradición, los indígenas festejan la inauguración de su humilde y colorista vivienda.

LO DE ARRIBA DE LA PARED, ROSADO, Y EL ZÓCALO, AMARILLO

—...Nadie sabe. Yo salí a despedir a un amigo que iba malo para la capital y al día siguiente desperté con la Roselia –contaba años después Adelaido Lucero, cuando se hablaba de casamientos. De sus amigos, lo cierto es que casi todos se casaron con la voluntad del guaro*–. A mí, al menos cuando me jodieron, estaba en mi juicio.

La construcción de Adelaido Lucero avanzaba a fuerza de ladrillo, fila sobre fila, mezcla y mezcla y cuchara todos los domingos y feriados y ratos sin mucho sopor, algo así a la entrada de la tarde, en que hacía de albañil. Buen cimiento y las paredes con su peso a plomo. El techo fue más trabajoso. Pero se hizo. Un buen día los ojos de la Roselia no toparon el descampado encima de la casa, sino lo oscuro de las tejas sobre las vigas madres y los travesaños. Era aquella tiniebla como si la casa tuviera trenzas y se le vieran por dentro. Trenzas olorosas a madera recién cortada, a tierra mojada, a repollo fresco.

Lucero batuqueaba la pintura en unos botes de lata, para pintar la casa. Explicó a su mujer: lo de arriba de la pared, rosado, y el zócalo, amarillo. Ella le replicó que así quedaría feo. Y él le daba la razón de lo feo.

—¡Es que así ibas vestida, Roselia de León, el día en que te *vide* por primera vez!

Cuánta ternura puso entonces en los brochazos que lamían la sed de las paredes hasta quedar de bonito color parejo. Se bendijo. A falta de cura, alguien echó el agua bendita. Por allí no fácilmente había Padre. Se bendijo con una media fiestecita. Los amigos. Se adornó con cadenas de papel de china, color azul y verde; se pusieron en los pilares manojos de cañas bravas amarradas con bejucos floreados; se regó pino en los pisos de ladrillo nuevo, y la Roselia, para completar la fiesta, resultó vestida con la enagua amarilla y la blusa rosada, sólo que ya no le venían, había que darles de adelante, porque estaba preñada.

MIGUEL ÁNGEL ASTURIAS, *Obras Completas:* «Viento Fuerte». (1949). Aguilar, Madrid, 1969. Vol. II, Pp. 18-19.

El poeta de lo mítico y lo espiritual se preocupa también por los aspectos materiales de su país, con el que se siente profundamente comprometido. Cuadra ha vivido identificado con el dolor de su pueblo y ha intentado encontrar las causas de sus problemas y de sus condiciones de vida. *El Nicaragüense* es un recorrido filosófico y antropológico por el pequeño país centroamericano. En el texto que sigue, describe los tipos de habitación más generalizados en Nicaragua y ofrece su interpretación sobre la sobriedad de la vivienda popular.

EL RANCHO Y LA CASA DEL NICARAGÜENSE

Observemos la habitación, la casa del nicaragüense.

Aparte de lo que podamos decir luego, desde otro punto de vista, sobre nuestro típico rancho* o choza de paja –que es la habitación del noventa por ciento de nuestra población campesina– no cabe duda de que su morador actual no intenta agregar a ese funcionalísimo tipo de edificación primitiva ninguna estructura, aditamento o mejora que altere su carácter absolutamente PROVISIONAL y su concepción ultrasimple de la habitación humana. Cuando nuestro rancho típico tiene una apariencia más bella y cumple mejor su oficio protector es cuando se edifica con mayor fidelidad al modelo milenario que se inventó en nuestra protohistoria. Su perfección consiste en su suplicidad. Y ese modelo yo lo definiría como el hecho de guarecerse bajo de un árbol [sic] traducido arquitecturalmente.

Su armazón es de varas y troncos sin labrar –es decir, su esqueleto, es arbóreo–, techo de paja o de palmas; paredes de cañas o de palma tejida, o de paja, o de tablas; piso de tierra; muebles esquemáticos (pata de gallina*, tapescos*); cocina de barro y las tres tradicionales piedras o tenamastes* del fogón. Ningún adorno. Es la tienda vegetal de un nómada del trópico. Está hecha con los materiales que se tienen a mano. Nada retiene en él para que el peregrino reanude su marcha.

La otra casa proletaria, la de nuestras villas y pueblos, la de nuestros barrios, «la casa de teja» –que dice el pueblo–, aunque edificada con materiales más permanentes se presenta con la misma desnudez que el rancho. Sus cuatro paredes son de barro y como raras veces las encalan o pintan y como no tiene cielo raso y el piso es de tierra, ni siquiera ofrece esa libertad pajarera y vegetal del rancho, sino que es una habitación oscura, cavernaria, casa expulsadora, que en vez de acoger y encender el calor familiar del hogar, echa fuera a sus moradores. La tertulia es en la calle –en la acera–, el juego es afuera, la familia se dispersa expulsada de su paraíso. [...]

No puedo aquí extenderme describiendo la funcionalidad de esta casa de mezclado origen andaluz y mediterráneo. Solo quiero llamar la atención hacia su sobriedad. En todos aquellos elementos arquitectónicos donde nuestro pueblo hubiera podido expresar tendencia al lujo o a la exuberancia ornamental, en las portadas, molduras, remates, mochetas, capiteles, marcos de ventanas y puertas, arcos, soleras, poyos, etcétera, el nicaragüense usa las líneas más simples, los adornos más sencillos, la elegancia más sobria. En esos elementos, la tradición arquitectónica nicaragüense ha sido la menos recargada si se compara con el resto de Hispanoamérica. [...]

Finalmente, quiero terminar estos apuntes sobre «la tendencia a la simplicidad» en nuestras edificaciones con una advertencia: no hay que olvidar que el ejercicio más frecuente de nuestra pobre Patria, desde su fundación, ha sido resucitar de sus cenizas. Nuestra arquitectura es sobria por ancestral tendencia de nuestro pueblo, pero es también la arquitectura del dolor. Hemos sido un país pequeño y poco poblado, devastado por los piratas durante tres siglos, por una casi exhaustiva Guerra Nacional de liberación contra los filibusteros, por las guerras civiles y por terremotos. Hay que contrastar, por ejemplo, lo que dicen los cronistas y viajeros de los primeros siglos, que llamaban a Nicaragua «el Paraíso de Mahoma» (o que alababan «la belleza de las casas de Granada» como Tomás Gage) con lo que narran los viajeros que recorren Nicaragua en el siglo XIX, después de la Guerra Nacional. Entonces la sobriedad aparece con un cilicio de ruinas y de destrucción.

¡Entonces la sobriedad ya no se distingue de la miseria!

PABLO ANTONIO CUADRA, *Obras en prosa:* «El nicaragüense». (1967). Ed. Libro Libre, San José, 1987. Vol. III, Pp. 29-31.

Viejos palacios jalonan la América Colonial. Unos yacen abandonados o semiderruidos; otros están ocupados por instituciones oficiales, y los menos han sido restaurados y acondicionados para la vida moderna por viejas familias criollas o extranjeras. El mundo de Julius transcurre en uno de estos viejos caserones. Es un mundo de lujos y de halagos, de caprichos y riquezas, pero, también, un mundo de soledad y de nostalgia. Julius echa de menos el calor familiar y busca en las habitaciones de la servidumbre un mundo más humano y afable.

UN PALACIO CON COCHERAS

Julius nació en un palacio de la avenida Salaverry, frente al antiguo hipódromo de San Felipe; un palacio con cocheras, jardines, piscina, pequeño huerto donde a los dos años se perdía y lo encontraban siempre parado* de espaldas, mirando, por ejemplo, una flor; con departamentos para la servidumbre, como un lunar de carne en el rostro más bello, hasta con una carroza que usó tu bisabuelo, Julius, cuando era Presidente de la República, ¡cuidado! no la toques, está llena de telarañas, y él, de espaldas a su mamá, que era linda, tratando de alcanzar la manija de la puerta. La carroza y la sección servidumbre ejercieron siempre una extraña fascinación sobre Julius, la fascinación de «no lo toques, amor; por ahí no se va, *darling*». [...]

Sus hermanos comían ya en el comedor verdadero o principal del palacio, un comedor inmenso y lleno de espejos, al cual la chola* hermosa traía siempre cargado* a Julius, para que le diera un beso con sueño a su padre, primero, y luego, al otro extremo de la mesa, toda una caminata, el último besito del día a su madre, que siempre olía riquísimo. Pero esto cuando tenía meses, no ahora en que solito [sic] se metía al comedor principal y pasaba largos ratos contemplando un enorme juego de té de plata, instalado como cúpula de catedral en una inmensa consola que el bisabuelo-presidente había adquirido en Bruselas.[...] En ese comedor que, además del juego de té y los espejos, tenía vitrinas de cristal, alfombra persa, vajilla de porcelana y la que nos regaló el Presidente Sánchez Cerro una semana antes de que lo mataran, ahí comían ahora sus hermanos.

Sólo Julius comía en el comedorcito o comedor de los niños, llamado ahora comedor de Julius. Aquí lo que había era una especie de Disneylandia: las paredes eran puro* Pato Donald, Caperucita Roja, Mickey Mouse, Tarzán, Chita, Jane bien vestidita, Superman sacándole la mugre probablemente a Drácula, Popeye y Olivia muy, muy flaca; en fin, todo esto pintado en las cuatro paredes. Los espaldares de las sillas eran conejos riéndose a carcajadas, las patas eran zanahorias y la mesa en que comía Julius la cargaban cuatro indiecitos que nada tenían que ver con los indiecitos que la chola hermosa de Puquio le contaba mientras lo bañaba en Beverly Hills. [...]

Minutos después, Julius entró por primera vez en la sección servidumbre del palacio. Miraba hacia todos lados: todo era más chiquito, más ordinario, menos bonito, feo también, todo disminuía por ahí.

ALFREDO BRYCE ECHENIQUE, *Un mundo para Julius.* (1970). Plaza y Janés, Barcelona, 1992. Pp. 9-10, 11-12 y 16.

En el Acto Preparatorio de *Al filo del agua*, Yáñez crea el marco adecuado para ambientar su novela. Este marco, que presenta al pueblo de mujeres enlutadas, es ya un clásico de la literatura mexicana. En los fragmentos aquí reproducidos se aprecian, a través de la descripción de las casas de Yahualica, los elementos que van a configurar la novela: protagonistas de clase acomodada amantes del orden, la dignidad y la limpieza; pasiones contenidas, inhibiciones, machismo... Y sobre todo, el peso de la religión, que está representada por innumerables cruces y santos, y el clamor machacón de las campanas recordando el quehacer de cada día. Sin lugar a dudas, el Yahuilca del México prerrevolucionario recuerda a muchos pueblos de España y la ambientación del Acto Preparatorio parece inspirado en *La casa de Bernarda Alba* de García Lorca.

EL CLAUSTRO FAMILIAR

Casas de las que no escapan rumores, risas, gritos, llantos; pero a lo alto, la fragancia de finos leños consumidos en hornos y cocinas, envuelta para regalo del cielo con telas de humo.

En el corazón y en los aledaños, el igual hermetismo. Casas de las orillas, junto al río, junto al cerro, al salir de los caminos, con la nobleza de su cantería, que sella dignidad a los muros de adobe.

Y cruces al remate de la fachada más humilde, coronas de las esquinas, en las paredes interminables; [...]

En cada casa un brocal, oculto a las miradas forasteras, como las yerbas florecidas en macetas que pueblan los secretos patios, los adentrados corredores, olientes a frescura y a paz.

Muy más adentro [sic] la cocina, donde también se come y es el centro del claustro familiar. Allí las mujeres vestidas de luto, pero destocadas, lisamente peinadas.

Luego las recámaras*. Imágenes. Imágenes. Lámparas. Una petaquilla* cerrada con llave. Algún armario. Ropas colgadas, como ahorcados fantasmas. Canastas con cereales. Algunas sillas. Todo pegado a las paredes. La cama, las camas arrinconadas (debajo, canastas con ropa blanca). Y en medio de las piezas*, grandes, vacíos espacios.

Salas que lo son por sus muchas sillas y algún canapé. No falta una cama. La cama del señor. En las rinconeras, las imágenes principales del pueblo y del hogar, con flores de artificio, esferas y tibores. La Mano de la Providencia, el Santo Cristo, alguna Cruz Milagrosa que fue aparecida en algún remoto tiempo, a algún ancestro legendoso.

De las casas emana el aire de misterio y hermetismo que sombrea las calles y el pueblo. De las torres bajan las órdenes que rigen el andar de la casa. Campanadas de hora fija, clamores, repiques.

AGUSTÍN YÁNEZ, *Al filo del agua* (1947). Casa de las Américas, La Habana, 1967. Pp. 3 y 5.

La gente de kaki se removía, como las abejas a la boca de una colmena, en las puertas de los restaurantes, fonduchos y mesones, en las mesas de comistrajos y puestos al aire libre, donde al lado de una batea de chicharrones rancios se alzaba un montón de quesos mugrientos.

MARIANO AZUELA

En el baile de doña Pule hay dos indios cajeros*, con sus bombos y flautas, y un cojo que toca el acordeón y canta. La chicha* abunda en baldes, en poros*, en vasos, en mates*.

CIRO ALEGRÍA

«Queríamos conocer «Tropicana», el *night-club,* que se anuncia a sí mismo como el «cabaret» más fabuloso del mundo.»

GUILLERMO CABRERA INFANTE

Él no contestó, entraron en el bar. Él pidió un whisky con agua; ella pidió un whisky con agua. El la miró. Ella no dijo nada; el sabor del whisky era agradable, fresco y con cierto amargor apenas sensible; el salón servía de refugio a la huida final de la tarde...

EDUARDO MALLEA

Esta tarde
en un café
he bebido
Un licor tembloroso
Como un pescado rojo

VICENTE HUIDOBRO

II. CANTINAS, BARES Y CLUBS

Todos los pueblos y todas las clases sociales tienen centros de reunión que facilitan la comunicación entre individuos y colectividades. Lugares de evasión, venden y sirven comidas y bebidas a turistas, trabajadores, viajeros y solitarios. Variopintas pulperías*, cantinas, posadas y clubs campestres aparecen reflejadas en la Literatura Hispanoamericana como escenarios de acontecimientos insólitos y cotidianos: en ellos tienen lugar trascendentales conversaciones y triviales cotilleos, bailes populares, apuestas y enfrentamientos o meditaciones filosóficas. Otras tabernas aparecen como último refugio de seres atormentados por la falta de comunicación o problemas existenciales. Las más son lugar de encuentro, donde los hombres acuden a tomar bebidas alcohólicas para olvidar los problemas de cada día. Muchos de estos locales, que no suelen ser frecuentados por *mujeres decentes*, son testigos de habituales borracheras, prostitución, juego y bailes galantes.

Nicolás Guillén, fiel a su compromiso social y amigo de las voces populares, presenta en los siguientes versos una visión amable y un tanto idílica de las tabernas. El bar de Guillén se encuentra junto al mar y sirve de centro de reunión al que la gente sencilla acude sólo para *beber* y *charlar*: es punto de encuentro después del trabajo donde se olvidan, con la ayuda del alcohol, las preocupaciones cotidianas.

BARES

Amo los bares y tabernas
junto al mar,
donde la gente charla y bebe
sólo por beber y charlar.
Donde Juan Nadie llega y pide
su trago* elemental
y están Juan Bronco y Juan Navaja
y Juan Narices y hasta Juan
Simple, el solo, el simplemente
Juan.

Allí la blanca ola
bate de la amistad;
una amistad de pueblo, sin retórica,
una ola de ¡hola! y ¿cómo estás?
Allí huele a pescado,
a mangle*, a ron, a sal
y a camisa sudada puesta a secar al sol.

Búscame, hermano y me hallarás
(en La Habana, en Oporto,
en Jacmel, en Shanghai)
con la sencilla gente
que sólo por beber y charlar
puebla los bares y tabernas
junto al mar.

NICOLÁS GUILLÉN, *Summa Poética*: «La paloma de vuelo popular». (1958). Cátedra, Letras Hispánicas, Madrid, 1990. Pp. 167-168.

Vargas Llosa utiliza «La Catedral», un popular comedor de la Lima marginal, como punto de partida para su más severa denuncia de la sociedad peruana. En la mugrienta taberna, tras un encuentro fortuito, se reúnen un joven de la opulenta burguesía y Ambrosio, el antiguo chófer de su padre. En este siniestro marco mantienen una conversación que, entrelazada de recuerdos, hechos y anécdotas, abarca toda la larguísima novela. Con la sórdida descripción del lugar –en la más pura tradición de la novela realista española, enriquecida por sorprendentes innovaciones estilísticas y estructurales– el autor parece querer anticipar la miseria moral que domina su obra: corrupción política, persecución policial, perversiones, soledad y homosexualidad.

LA CATEDRAL

—Este trajín me ha dado sed –dice Santiago–. Ven, vamos a tomar algo. ¿Conoces algún sitio por aquí?

—Conozco el sitio donde como –dice Ambrosio–. «La Catedral», uno de pobres, no sé si le gustará.

—Si tienen cerveza helada me gustará –dice Santiago–. Vamos, Ambrosio.

Parecía mentira que el niño Santiago tomara ya cerveza, y Ambrosio ríe, los recios dientes amarillo verdosos al aire: el tiempo volaba, caracho. Suben la escalera, entre los corralones de la primera cuadra de Alfonso Ugarte hay un garaje blanco de la Ford, y en la bocacalle de la izquierda asoman, despintados por la grisura inexorable, los depósitos del Ferrocarril Central. Un camión cargado de cajones oculta la puerta de «La Catedral». Adentro, bajo el techo de calamina, se apiña en bancas y mesas toscas una rumorosa muchedumbre voraz. Dos chinos en mangas de camisa vigilan desde el mostrador las caras cobrizas, las angulosas facciones que mastican y beben, y un serranito extraviado en un rotoso* mandil distribuye sopas humeantes, botellas, fuentes de arroz. Mucho cariño, muchos besos, mucho amor truena una radiola multicolor, y al fondo, detrás del humo, el ruido, el sólido olor a viandas y licor y los danzantes enjambres de moscas, hay una pared agujereada –piedras, chozas, un hilo de río, el cielo plomizo–, y una mujer ancha, bañada en sudor, manipula ollas y sartenes cercada por el chisporroteo de un fogón. Hay una mesa vacía junto a la radiola, entre la constelación de cicatrices del tablero se distingue un corazón flechado, un nombre de mujer: Saturnina.

—Yo ya almorcé, pero tú pide algo de comer –dice Santiago.

—Dos Cristales bien fresquitas –grita Ambrosio, haciendo bocina con sus manos–. Una sopa de pescado, pan y menestras* con arroz.

No debiste venir, no debiste hablarle, Zavalita, no estás jodido sino loco. Piensa: la pesadilla va a volver. Será tu culpa, Zavalita, pobre papá, pobre viejo.

—Choferes, obreros de las fabriquitas de por aquí –Ambrosio señala el rededor, como excusándose–. Se vienen desde la avenida Argentina porque la comida es pasable y, sobre todo, barata.

El serranito trae las cervezas, Santiago sirve los vasos y beben a su salud niño, a la tuya Ambrosio, y hay un olor compacto e indescifrable que debilita, marea y anega la cabeza de recuerdos. [...]

Huele a sudor, ají* y cebolla, a orines y basura acumulada, y la música de la radiola se mezcla a la voz plural, a rugidos de motores y bocinazos, y llega a los oídos deformada y espesa. Rostros chamuscados, pómulos salientes, ojos adormecidos por la rutina o la indolencia vagabundean entre las mesas, forman racimos junto al mostrador, obstruyen la entrada. Ambrosio acepta el cigarrillo que Santiago le ofrece, fuma, arroja el pucho* al suelo y lo entierra con el pie. Sorbe la sopa ruidosamente, mordisquea los trozos de pescado, coge los huesos y los chupa y deja brillantes, escuchando o respondiendo o preguntando, y engulle pedacitos de pan, apura largos tragos de cerveza y se limpia con la mano el sudor: el tiempo se lo tragaba a uno sin darse cuenta, niño. Piensa: ¿por qué no me voy? Piensa: tengo que irme y pide más cerveza. Llena los vasos, atrapa el suyo y mientras habla, recuerda, sueña o piensa, observa el círculo de espuma salpicado de cráteres, bocas que silenciosamente se abren vomitando burbujas rubias y desaparecen en el líquido amarillo que su mano calienta.

MARIO VARGAS LLOSA, *Conversación en La Catedral.* (1969).
Seix Barral, Biblioteca Breve, Barcelona, 1983. Pp. 24 y 25.

Crítico e irónico, Echenique hace una radiografía de la oligarquía limeña a la que él mismo pertenece. En la novela que nos ocupa, el pequeño Julius crece indefenso ante una galería de millonarios, aristócratas y *playboys*. La frivolidad, la hipocresía, el despilfarro y la falsa solidaridad presiden el ámbito de sus relaciones. En el siguiente pasaje, el peruano describe el lugar más frecuentado por las clases altas americanas: el club de golf, protegido siempre de las «intromisiones de la chusma».

EL ALTO CERCO ALREDEDOR DEL CLUB

El verano entre Preparatoria y primero de Primaria lo pasó Julius metido en el Club de Golf.[...]

Los golfistas y sus mujeres iban entrando al comedor; aparecían bronceados, elegantemente bronceados y se les notaba ágiles y en excelente situación económica. Se saludaban, aunque se odiaran en los negocios, y ahí nadie había cometido un pecado si se había divorciado, por ejemplo; a los amantes se les aceptaba en voz baja pero se les aceptaba. Claro que no faltaban las de apellidos más antiguos, un poco más finas o conservadoras que las otras, a veces, pero también muchas veces ya no tenían tanto dinero y por eso quizá no protestaban; hasta se daba el caso de que llegaran invitadas: pobres, ése era su lugar pero había el problema de la cuota de ingreso; no podían, pues, estarse fijando en las vulgares o en las inmorales. Con los aperitivos se recuperaba el equilibrio, salía a flote el comedor y, mirando por los ventanales al campo, era como navegar sobre un mar verde, un viaje de placer por un océano que desgraciadamente tenía sus límites: todo el alto cerco alrededor del Club, para que no se metieran los palomillas* a robarse las pelotitas.[...]

Pero Juan Lucas insistió en explicarle cómo era su tía Susana en ropa de baño, y ahí sí que ya todos soltaron carcajadas varoniles y pidieron *gin and tonics* que venían de adentro, del bar del Club, traídos por mozos que atravesaban de mármol entre tanta mujer, tanta niña, tanta gringa* en ropa de baño. Nadie pagaba en ese grupo; las cuentas se las jugaban por la tarde, en el bar: pedían cachitos*, y mientras las señoras esperaban en la terraza, ellos iniciaban el póker, acompañado por las copas del atardecer; iban lanzando los dados y comentando el día de golf, los resultados de hoy, el número de golpes, los dados se encargaban de decidir cuál entre todos soltaría un ¡carajo! sin importancia, varonil solamente, y firmaría el vale que ya algún día llegará a la oficina.

ALFREDO BRYCE ECHENIQUE, *Un mundo para Julius.* (1970). Plaza y Janés, Barcelona, 1992. Pp. 105-107.

El joven Borges, poeta clásico y ecléctico pensador, recorre los barrios bajos de Buenos Aires, buscando gentes y lugares que ilustren su irónica y escéptica visión del universo. En el relato que nos ocupa, uno de los más conocidos del autor, el escritor penetra en un suburbio porteño donde va a tener lugar un acontecimiento que, por insólito que parezca, no deja de ser cotidiano. La rivalidad machista entre tres individuos (el narrador, Rosendo y el Corralero) adquiere verosimilitud por la autenticidad de los personajes y la ambientación del salón de baile. El mate*, el ritmo de las habaneras, la milonga y el tango –sobre todo el *tanguear* de la concurrencia– otorgan al cuento características nacionales; la arrogancia de los protagonistas y el intento de reflejar la jerga barriobajera de Buenos Aires dan a la breve historia de amor y celos sabor bonaerense. El desenlace de la tensa trama confirmará la constante argumentación del argentino sobre la relatividad de las apariencias.

EL SALÓN DE JULIA

Los muchachos estábamos *dende* temprano en el salón de Julia, que era un galpón* de chapas de cinc, entre el camino de Gauna y el Maldonado. Era un local que *usté* lo divisaba de lejos, por la luz que mandaba a la redonda el farol sinvergüenza, y por el barullo también. La Julia, aunque de humilde color, era de lo más consciente y formal, así que no faltaban musicantes, *güen beberaje* y compañeras resistentes *pal baile*. Pero la Lujanera, que era la mujer de Rosendo, *las sobraba* lejos a todas. Se murió, señor, y digo que hay años en que ni pienso en ella, pero había que verla en sus días, con esos ojos. Verla, no daba sueño.

La caña*, la milonga*, el hembraje*, una condescendiente mala palabra de boca de Rosendo, una palmada suya en el montón que yo trataba de sentir como *una amistá*: la cosa es que yo estaba lo más feliz. Me tocó una compañera muy seguidora, que iba como adivinándome la intención. El tango* hacía *su voluntá* con nosotros y nos arriaba y nos perdía y nos ordenaba y nos volvía a encontrar. En esa diversión estaban los hombres, lo mismo que en un sueño, cuando de golpe me pareció crecida la música, y era que ya se entreveraba con ella la de los guitarreros del coche, cada vez más cercano. Después, la brisa que la trajo tiró por otro rumbo, y volvía a atender a mi cuerpo y al de mi compañera y a las conversaciones del baile. Al rato largo llamaron a la puerta *con autoridá*, un golpe y una voz. En seguida un silencio general, una pechada* poderosa a la puerta y el hombre estaba adentro. El hombre era parecido a la voz.

Para nosotros no era todavía Francisco Real, pero sí un tipo alto, fornido, trajeado enteramente de negro, y una chalina* de color como bayo, echada sobre el hombro. La cara recuerdo que era aindiada, esquinada.

Me golpeó la hoja de la puerta al abrirse. De puro atolondrado *me le juí* encima y le encajé la zurda en la facha, mientras con la derecha sacaba el cuchillo filoso que cargaba* en la sisa del chaleco, junto al sobaco izquierdo. Poco iba a durarme la atropellada. El hombre, para afirmarse, estiró los brazos y me hizo a un lado, como despidiéndose de un estorbo. Me dejó agachado detrás, todavía con la mano abajo del saco*, sobre el arma inservible. Siguió como si tal cosa, adelante. Siguió, siempre más alto que cualquiera de los que iba desapartando, siempre como sin ver. Los primeros –puro italianaje mirón– se abrieron como abanico, apurados. La cosa no duró. En el montón siguiente ya estaba el Inglés esperándolo, y antes de sentir en el hombro la mano del forastero, se le durmió con un planazo que tenía listo. *Jué* ver ese planazo y *jué* venírsele ya todos al humo. El establecimiento tenía más de muchas varas de fondo, y lo arriaron como un cristo, casi de punta a punta, a pechadas, a silbidos y a salivasos. Primero le tiraron trompadas, después, al que ni se atajaba los golpes, cachetadas a mano abierta o con el fleco inofensivo de las chalinas, como riéndose de él. También, como reservándolo *pa Rosendo*, que no se había movido para eso de *la paré* del fondo, en la que hacía espaldas, callado. Pitaba con apuro su cigarrillo, como si ya entendiera lo que vimos claro después. El Corralero fue empujado hasta él, firme y ensangrentado, con ese viento de chamuchina* pifiadora detrás. Silbando, chicoteado*, escupido, *recién** habló cuando se enfrentó con Rosendo. Entonces lo miró y se despejó la cara con el antebrazo y dijo estas cosas:

«Yo soy Francisco Real, un hombre del Norte. Yo soy Francisco Real, que le dicen el Corralero. Yo les he consentido a estos infelices que me alzaran la mano, porque lo que estoy buscando es un hombre. Andan por ahí unos bolaceros* diciendo que en estos andurriales hay uno que tiene mentas* de cuchillero, y de malo, y que le dicen el Pegador. Quiero encontrarlo *pa que* me enseñe a mí, que *soy naides*, lo que es un hombre de coraje y de vista».

Dijo estas cosas y no le quitó los ojos de encima. Ahora le relucía un cuchillón en la mano derecha, que en fija lo había traído en la manga. Alrededor se habían ido abriendo los que empujaron, y todos los mirábamos a los dos, en un gran silencio. Hasta la jeta del mulato ciego que tocaba el violín, acataba ese rumbo.[...]

La música parecía dormilona, las mujeres que tangueaban con los del Norte, no decían esta boca es mía.

JORGE LUIS BORGES, *Historia universal de la infamia.* (1935): «Hombre de la esquina rosada». Bruguera, Col. Narradores de hoy, Barcelona, 1980. Vol. I, Pp. 290-291 y 293-294.

«También en el penal Rigoberto mataba por encargo. Haciendo cuentas con él, una noche, hallamos que de sus 65 años, 42 los había pasado en la Penitenciaría.»

Álvaro Mutis

«Allí los presos sufren una reclusión solitaria, particularmente los designados como objeto de la venganza del Dictador; todos están sin comunicación y engrillados, con un centinela a la vista. No se les permite tener luz encendida, ni ocuparse en nada.»

Augusto Roa Bastos

«—¿Cómo te trataron?

—Nada, como puto, como siempre.

—*Escuchá*, ahí me parece que vienen.

—Sí, ahí están. *Sacá* las revistas de ahí, que no las vean o se las van a robar.

—Me muero de hambre.

—Por favor, Valentín, no te vayas a quejar al guardia.
—No...»

Manuel Puig

«...si una no está presa, se dice que está en libertad. Pero mi papá está preso y está en Libertad, porque así se llama la cárcel...Mi papá es un preso pero no porque haya matado o robado... Está en Libertad por sus ideas.»

Mario Benedetti

12. LA CÁRCEL

Los regímenes penitenciarios, que tienen como objetivo el castigo y la recuperación social del delincuente, posibilitan pocas veces la formación o reeducación de los presos. En todo el mundo, la esperanza de esa recuperación se basa en la privación de libertad. Amén de la problemática carcelaria universal, en las prisiones sudamericanas son problemas habituales el hacinamiento, la promiscuidad, la falta de higiene y reiterados motines reprimidos con violencia. A menudo, terroristas, malhechores y criminales utilizan su paso por la cárcel para organizarse militarmente, mejorar sus técnicas delictivas o tomar contacto con miembros del hampa. Naturalmente, la literatura ha penetrado en las cárceles para criticar sus condiciones de vida, bajos presupuestos, la dinámica corruptora y la inmoralidad de los funcionarios que dirigen la tortura de presos comunes y políticos. Describe a guardianes vengativos que se dejan sobornar por reos poderosos, se ensañan en el castigo y descargan sus frustraciones en los reclusos más débiles. Otras veces, las cárceles reflejan situaciones de soledad e incomunicación, o describen los vicios y abusos de los presidiarios.

Onetti entrelaza la descripción detallada de las cosas con el estudio de la complicada mente de sus protagonistas. Determinados aspectos de la realidad captan la atención de los personajes y nos dan acceso a su problemática. Al detenerse en ciertos elementos cotidianos –lógicos o aparentemente absurdos– el uruguayo crea también el clima de soledad inquietante que domina su narrativa. Sigue a continuación un pasaje de *El astillero*, en el que Larsen va a visitar a su jefe, recluido por delitos financieros en la cárcel de la mítica ciudad de Santa María. La deshumanización, la frialdad y la desolación parecen ser el ámbito del penal recreado por Onetti.

SANTA MARÍA

La cárcel de Santa María, a la que todos los habitantes de la ciudad mayores de treinta años continuamos llamando «el Destacamento», era aquella tarde un edificio blanco y nuevo. Tenía a la entrada una garita con paredes de vidrio y techo de cemento donde se clava aún el larguísimo mástil de la bandera. No es más que una comisaría agrandada y ocupa ahora un cuarto de manzana en el costado norte de la Plaza Vieja. Aquella tarde tenía un solo piso, aunque ya estaban acumulando bolsas de cemento, escaleras y andamios para construir el segundo.

Los presos podían ser visitados de tres a cuatro. Larsen se sentó en un banco, sobre el borde de la plaza circular de verdes oscuros y húmedos, pavimentada con gastados ladrillos envueltos en musgo, rodeada por casas viejas de frente color rosa y crema, enrejados y herméticos, con manchas que se hacen intensas a cada amenaza de lluvia. Miró la estatua y su leyenda asombrosamente lacónica, BRAUSEN-FUNDADOR, chorreada de verdín. Mientras fumaba un cigarrillo al sol pensó distraídamente que en todas las ciudades, en todas las casas, en él mismo, existía una zona de sosiego y penumbra, un sumidero, donde se refugiaban para tratar de sobrevivir los sucesos que la vida iba imponiendo. Una zona de exclusión y ceguera, de insectos tardos y chatos, de emplazamientos a largo plazo, de desquites sorprendentes y nunca bien comprendidos, nunca oportunos.

A las tres en punto saludó al uniforme azul detrás del vidrio de la garita, y desde la puerta del Destacamento se volvió para mirar al hombre y al caballo de bronce, inconvincentes, resignados, bajo el blanco sol de invierno.[...]

Larsen se introdujo en el frío del pasillo embaldosado y se detuvo, sombrero en mano, frente al escritorio, al uniforme, al mestizo de bigotes colgantes.

—Buenas –sonrió con un desprecio, con una burla ya serenados, viejos de cuarenta años. Entregó cerrada la cédula de identidad–. Para ver al señor Petrus, don Jeremías Petrus; sí dan permiso.

Avanzó después por una soledad resonante, dobló a la izquierda y se detuvo a esperar que otro uniformado, de pie y con máuser, le hiciera preguntas. Un hombre viejo, en tricota* y alpargatas, fue y vino, le hizo una seña con la cabeza y se adelantó para guiarlo en un nuevo laberinto de líneas rectas, más frío, invadido por olores de sentina y bodega. Junto a un extinguidor de fuego sujeto a la pared, el viejo se detuvo y abrió una puerta sin llave.

—¿Cuánto tiempo puedo estar? –preguntó Larsen, mirando hacia la penumbra adentro.

—Hasta que se aburra –contestó el viejo, alzando los hombros–. Después arreglamos.

Larsen entró y permaneció inmóvil hasta escuchar el ruido de la puerta al cerrarse. No estaba en una celda; la habitación era una oficina con muebles arrumbados, escaleras y tarros de pintura. Avanzó luego con un saludo en la cara, en dirección equivocada, oscilando con pesadez al atravesar el olor a aguarrás. De golpe descubrió al prisionero, a la derecha, detrás de un escritorio en ochava en un rincón, pequeño, alerta, afeitado, como si lo hubiera estado acechando, como si hubiera planeado la distribución de los muebles para sorprenderlo, como si esa ventaja inicial pudiera asegurarle alguna victoria en la entrevista.

JUAN CARLOS ONETTI, *El astillero.* (1961). Cátedra, Letras Hispánicas, Madrid, 1989. Pp. 204-206.

En 1986 tuvo lugar en Lurigancho un sangriento motín que culminó con la matanza de más de seiscientos presos. Vargas Llosa parece haber intuido el trágico suceso. En *Historia de Mayta* (1984), el autor vuelve obsesivamente a su tierra natal para hurgar en las raíces de la problemática peruana, zarandeando las instituciones y vapuleando a los políticos. En el siguiente episodio denuncia las condiciones de vida de los presos (aglomeración, miseria e insalubridad) y describe la violencia latente en el penal limeño.

LURIGANCHO

La primera vez que vine a Lurigancho fue hace cinco años. Los presos del pabellón número dos me invitaron a la inauguración de una biblioteca, a la que alguno tuvo la idea de poner mi nombre, y acepté, movido por la curiosidad de comprobar si era cierto lo que había oído sobre la cárcel de Lima.

Para llegar hasta allí hay que pasar frente a la Plaza de Toros, atravesar el barrio de Zárate, y, después, pobres barriadas, y, por fin, muladares en los que se alimentan los chanchos* de las llamadas «chancherías clandestinas». La pista pierde el asfalto y se llena de agujeros. En la húmeda mañana, entonces, medio borrados por la neblina, aparecen los pabellones de cemento, incoloros como los arenales del contorno. Incluso a gran distancia se advierte que las innumerables ventanas han perdido todos los vidrios, si alguna vez los tuvieron, y que la animación en los cuadraditos simétricos son caras, ojos, atisbando el exterior.

De esa primera visita recuerdo el hacinamiento, esos seis mil reclusos asfixiados en unos locales construidos para mil quinientos, la suciedad indescriptible y la atmósfera de violencia empozada, a punto para estallar con cualquier pretexto en refriegas y crímenes. En esa masa desindividualizada, que tenía más de horda o jauría que de colectividad humana, se encontraba entonces Mayta, ahora lo sé con seguridad. Pudiera ser que lo hubiera mirado y hasta cambiado una venia con él. ¿Estaría entonces en el pabellón número dos? ¿Asistiría a la inauguración de la biblioteca?

Los pabellones se alinean en dos hileras, los impares adelante y los pares atrás. Rompe la simetría un pabellón excéntrico, recostado contra las alambradas y muros occidentales, donde tienen aislados a los maricas. Los pabellones pares son de presos reincidentes o de delitos mayores, en tanto que ocupan los impares los primerizos, aún no condenados o que cumplen condenas leves. [...]

Al terminar aquella primera visita pensé: «No es verdad que los reclusos vivan como animales: éstos tienen más espacio para moverse; las perreras, pollerías, establos son más higiénicos que Lurigancho».

Entre los pabellones corre el llamado, sarcásticamente, Jirón de la Unión, un pasadizo estrecho y atestado, casi a oscuras de día y en tinieblas de noche, donde se producen los choques más sangrientos entre las bandas y los matones del penal y donde *los cafiches** subastan a sus pupilos. Tengo muy presente lo que fue cruzar el pasadizo de pesadilla, entre esa fauna calamitosa y como sonámbula, de negros semidesnudos y cholos con tatuajes, mulatos de pelos intrincados, verdaderas selvas que les llovían hasta la cintura, y blancos alelados y barbudos, extranjeros de ojos azules y cicatrices, chinos escuálidos e indios en ovillos contra las paredes y locos que hablaban solos. [...]

Para llegar al pabellón número dos tuve que circundar los pabellones impares y franquear dos alambradas. El director del penal, despidiéndome en la primera, me dijo que de allí en adelante seguía por mi cuenta y riesgo, pues los guardias republicanos no entran a ese sector ni nadie que tenga un arma de fuego. Apenas crucé la reja, una multitud se me vino encima, gesticulando, hablando todos a la vez. La delegación que me había invitado me rodeó y así avanzamos, yo en medio de la argolla, y, afuera, una muchedumbre de reos que, confundiéndome con alguna autoridad, exponían su caso, desvariaban, protestaban por abusos, vociferaban y exigían diligencias. Algunos se expresaban con coherencia pero la mayoría lo hacía de manera caótica. Noté a todos desasosegados, violentos, aturdidos. Mientras caminábamos, tenía, a la izquierda, la explicación de la sólida hediondez y las nubes de moscas: un basural de un metro de altura en que debían haberse acumulado los desperdicios de la cárcel a lo largo de meses y años. Un reo desnudo dormía a pierna suelta entre las inmundicias. Era uno de los locos a los que se acostumbra distribuir en los pabellones de menos peligrosidad, es decir en los impares. Recuerdo haberme dicho, luego de aquella primera visita, que lo extraordinario no era que hubiera locos en Lurigancho, sino que hubiera tan pocos, que los seis mil reclusos no se hubieran vuelto, todos, dementes, en esa ignominia abyecta.

MARIO VARGAS LLOSA, *Historia de Mayta.* (1984). Seix Barral, Biblioteca Breve, Barcelona, 1984. Pp. 309- 312.

La comprometida narrativa de Otero Silva utiliza como herramientas de creación el expresionismo, la fluidez del lenguaje popular y el sentido humor. *Cuando quiero llorar no lloro* cuenta las peripecias de tres jóvenes pertenecientes a diferentes medios sociales, nacidos el mismo día del mismo mes del mismo año y bautizados con el nombre del santo del día de su nacimiento: Victorino. El texto que reproducimos describe los preparativos de fuga de la cárcel de Victorino Pérez. El autor muestra aquí su comprensión y simpatía por los presos, que participan solidariamente en la huida del protagonista. El penal parece estar dividido en un mundo de buenos y malos: de un lado están los esbirros o guardias represores; de otro, aquellos que han sido *obligados* a delinquir y cuyos delitos son redimidos moralmente en una cárcel vengativa, de dudosa capacidad para regenerar a los transgresores de la ley.

CÁRCEL DE MACHOS

No hubo preso ni ordenanza en este penal que no brindara su colaboración, que no le arrimara el hombro a la fuga. LA INTRÉPIDA EVASIÓN DE VICTORINO PÉREZ, EL ENEMIGO PÚBLICO NÚMERO UNO DE NUESTRA SOCIEDAD, así lo titularán los periódicos. Los dos maricas que duermen en el patio (no se han atrevido a meterlos en ningún calabozo, igual peligro entraña darles compañía de su mismo sexo que del contrario) se fajarán* en una pelea devoradora a las 4 y 30 minutos en punto, uno de ellos conserva un reloj de pulsera que se salvó de las requisas por un milagro del Nazareno. El guarda correrá a separarlos, a imponerles la autoridad y el silencio de cualquier modo, para eso le pagan puerco salario de esbirro. En ese instante estallará la gritería de las cuatro ninfas que están encerradas en el calabozo del fondo y que han sido traídas a esta cárcel de machos por perturbadoras del orden público y por un navajazo barrigudo que una de ellas (no pudieron sacarles en los interrogatorios, se pusieron duras, cuál fue la que manejó el chuzo*) le dio al camarero de El Vagón. El guardia embestirá berreando, a investigar qué pasa, a insultar a las mujeres, a meterlas en cintura. Victorino debe estar entonces fuera de su calabozo, encogido para saltar como un gato a la celda de enfrente, ahí se hallan incomunicados los seis menores del asalto a la farmacia, ellos ya habrán descerrajado el cangrejo de la puerta para abrirle paso, ya tendrán lista una tronera en el techo después de una noche de envergado trabajo. Usando como peldaños las manos y los hombros de los seis menores, Victorino subirá hasta el hueco donde titila la madrugada, *lo demás corre por cuenta de mi buena leche, de la velocidad de mis talones, del temple de mis timbales, un plan rinquincalla, incubado sin la ayuda de nadie en el moropo de Victorino Pérez, el choro* más firmeza y más comecandela* de esta ciudad de Caracas, capital de la República y cuna del Libertador, ése soy yo.*

A las 4 y 25 los apremiantes siseos de Victorino han despabilado al guardia, lo han arrancado de los cabeceos que conciliaba envuelto en su cobija* barcina, abandona la silla de cuero y se acerca arrastrando los *brodequines**, de mala gana y ofensivamente hediondo a despertar de policía.

—¿Qué te pasa, negroemierda?

Frente a su mirada Victorino se cimbrea como una mujer con dolores de parto, los dedos de ambas manos entrecruzados sobre el ombligo en un rictus trepidante. Me muero, jipea. Se está muriendo a velas desplegadas, con los ojos de vidrio y los labios salpicados por un hervor de espumas. No alcanza a expresar su agonía sino a través de un gruñido sobreagudo, desgarrador, de lechón magullado por un camión de carga, que asusta (no es suficiente asustarlo, es imprescindible que abra el candado con la llave que le cuelga del cinturón) al guardia. Súbitamente arrecia el ataque, un tembleque rígido sacude las extremidades del preso, sus espaldas retumban una y otra vez pesadamente sobre los ladrillos del calabozo, su cabeza golpea en tumbos de badajo contra las paredes. El guardia abre el candado a las 4 y 30 en punto.

—¡Bandida, hija de mala madre, te voy a desquiciar la dentadura por pérfida y calumniadora! –vocifera Rosa de Fuego, el marico más feo que ha inventado Dios, con ese pelo colorado de barbas de maíz y esa nariz papuda de zanahoria.

—¡Atrévete conmigo y te sacaré las pupilas, malparida! –responde el alarido de Niña Isabel, el otro *parguete**, y le dispara un arañazo a la cara que va de veras y le escupe un salivazo verdoso que le deshonra la frente.

El guardia vacila dos segundos, inicia el ademán de cerrar nuevamente el candado, se lo obstruye el cuerpo de Victorino caído entre convulsiones, la mitad del calabozo, las piernas pateando allá adentro como émbolos enloquecidos. El guardia lo deja morir de mengua y acude hecho un basilisco* a reprimir el zipipizape de los sodomitas. Lleva enarbolado un retaco garrote blanco, presto a descargarlo sin contemplaciones sobre las cabezas entigrecidas de ambos gladiadores.

Ahora les toca a ellas, estalla en las tinieblas del trasfondo el zafarrancho de las prostitutas, un contrapunto a cuatro voces, indescifrable porque las cuatro eructan al unísono el interminable catálogo de insolencias que han atesorado en su accidentada carrera, de nombres y sobrenombres de aquellas partes del cuerpo humano, de aquellas secreciones que intervienen en el acto sexual o el remate de las funciones digestivas. Sus gritos son limones podridos que se estrellan contra las paredes de la cárcel. El guardia abre los brazos, desenfrenado:

—¡A callarse, putas del carajo!

Y abandona a su destino la reyerta de los sodomitas, galopa hacia las destempladas, apremia al pito furiosos chiflidos intermintentes, acuden en su refuerzo los cuatro guardias de la prevención, vienen toalla al pescuezo y peinilla* en mano. Los cinco forajidos subalternos se coaligan para emprenderla a cintarazos contra las magdalenas indefensas.

Este útlimo y doloroso episodio se le escapa a Victorino. Desde el primer aullido de Rosa de Fuego se incorporó de sus fingidos padecimientos en un rebote de ardilla, cruzó en cuatro zancadas el espacio que lo separaba del cubil de los menores, entró en ráfaga por la puerta de antemano fracturada, cayó en medio del grupo que lo esperaba convertido en estatuario y alerta equipo de circo.

MIGUEL OTERO SILVA, *Cuando quiero llorar no lloro.* (1970). Tiempo nuevo, Caracas, 1972. Pp. 47-49.

VELORIO DE PAPÁ MONTERO

Ya se acabó Baldomero
¡zumba, canalla y rumbero!
Sólo dos velas están
quemando un poco de sombra;
con esas dos velas sobra.
Y aun te alumbran, más que velas,
la camisa colorada
que iluminó tus canciones,
la prieta sal de tus sones,
y tu melena planchada.

NICOLÁS GUILLÉN

...la mujer de Hilario se puso a llorar muy recio en su rincón. No tanto por el niño, que ya se lo había llevado Dios, sino porque no había más luces para velarlo y le daba pena su angelito, allí en aquella oscuridad.

JUAN JOSÉ ARREOLA

Cerca de la noche dos indios músicos se acomodaron a la cabecera de la muerta, tendida en el suelo entre cuatro mecheros de sebo que ardían en tiestos de barro cocido. Desde que se acomodaron el tambor y *el pingullo** se llenó la vivienda mal alumbrada y hedionda con golpes monótonos y desesperantes.

JORGE ICAZA

«Los asistentes [al velorio de mi madre] se dividían en dos clases: los que empezaban a llorar desde la puerta y después me sacudían entre sus brazos, y los que llegaban tan sólo a cumplir, me daban la mano con empalagosa compunción y a los diez minutos estaban contando chistes verdes.»

MARIO BENEDETTI

«Si hay algo que nos sale bien a los argentinos son los velorios. Somos grandes *veloristas*.»

ABEL POSSE

13. VELORIOS

Velas, cirios y candelabros; terciopelos o crespones; lirios, nardos y jazmines son recursos sensoriales imprescindibles para dotar de dramatismo al escenario del velorio de difuntos. El velatorio o acto de acompañar y *festejar* a los muertos junto con familiares y amigos, tiene gran arraigo desde el Río Grande hasta la Patagonia y es una de las ceremonias más recurrentes en la narrativa hispanoamericana. La despedida de los seres queridos puede durar varios días con sus noches; en muchas regiones se conserva la tradición prehispánica de despedir al cadáver con música, plañideras, comidas y abundantes bebidas alcohólicas. Entre los autores que describen este rito ancestral domina el asombro y el respeto por la tradición popular, lo que no impide actitudes escépticas o mordaces hacia alguna de sus manifestaciones.

Los *ritos de la muerte* conllevan grandes preparativos formales; los participantes en el duelo (familiares, amigos, enemigos y curiosos) deben comportarse también según las normas convencionales. Allende demuestra gran conocimiento de las tradiciones populares al ambientar el velorio de Rosa del Valle, joven de la burguesía criolla que había muerto misteriosamente.

ROSA DEL VALLE

Nívea y Severo del Valle despertaron tarde en la mañana siguiente. Los parientes habían decorado la casa para los ritos de la muerte, las cortinas estaban cerradas y adornadas con crespones negros y a lo largo de las paredes se alineaban las coronas de flores y su aroma dulzón llenaba el aire. Habían hecho una capilla ardiente en el comedor. Sobre la gran mesa, cubierta con un paño negro de flecos dorados, estaba el blanco ataúd con remaches de plata de Rosa. Doce cirios amarillos en candelabros de bronce, iluminaban a la joven con un difuso resplandor. La habían vestido con un traje de novia y puesto la corona de azahares de cera que guardaba para el día de su boda.

A mediodía comenzó el desfile de familiares, amigos y conocidos a dar el pésame y acompañar a los del Valle en su duelo. Se presentaron en la casa hasta sus más encarnizados enemigos políticos y a todos Severo del Valle los observó fijamente, procurando descubrir en cada par de ojos que veía, el secreto del asesino, pero en todos, incluso en el presidente del Partido Conservador, vio el mismo pesar y la misma inocencia.

Durante el velorio, los caballeros circulaban por los salones y corredores de la casa, comentando en voz baja sus asuntos de negocios. Guardaban respetuoso silencio cuando se aproximaba alguien de la familia. En el momento de entrar al comedor y acercarse al ataúd para dar una última mirada a Rosa, todos se estremecían, porque su belleza no hacía más que aumentar en esas horas. Las señoras pasaban al salón, donde ordenaron las sillas de la casa formando un círculo. Allí había comodidad para llorar a gusto, desahogando con el buen pretexto de la muerte ajena, otras tristezas propias. El llanto era copioso, pero digno y callado. Algunas murmuraban oraciones en voz baja. Las empleadas de la casa circulaban por los salones y los corredores ofreciendo tazas de té, copas de coñac, pañuelos limpios para las mujeres, confites caseros y pequeñas compresas empapadas en amoníaco, para las señoras que sufrían mareos por el encierro, el olor de las velas y la pena. Todas las hermanas del Valle, menos Clara, que era todavía muy joven, estaban vestidas de negro riguroso, sentadas alrededor de su madre como una ronda de cuervos. Nívea, que había llorado todas sus lágrimas, se mantenía rígida sobre su silla, sin un suspiro, sin una palabra y sin el alivio del amoníaco porque le daba alergia. Los visitantes que llegaban, pasaban a darle el pésame. Algunos la besaban en ambas mejillas, otros la abrazaban estrechamente por unos segundos, pero ella parecía no reconocer ni a los más íntimos. Había visto morir a otros hijos en la primera infancia o al nacer, pero ninguno le produjo la sensación de pérdida que tenía en ese momento.

ISABEL ALLENDE, *La casa de los espíritus.* (1982). Plaza y Janés. Barcelona, 1992. Pp. 33 y 34.

Poco después de la muerte de Eva Duarte (la idolatrada esposa del General Perón), cuyo cadáver fue utilizado por políticos y militares, un desconocido monta un falso velorio. El hombre consigue despertar la atención de la gente apelando a la sensibilidad del pueblo argentino: explota su tradicional gusto por los actos fúnebres y estimula el fervor popular suscitado por Evita. Para Borges, el culto a los muertos, como la vida misma, es a menudo una farsa. Y no solamente los protagonistas de la ficción son farsantes. También los personajes históricos –concluye el fabulador– representan un papel acorde a la mitología que, sobre ellos, elabora el pueblo.

EL SIMULACRO

En uno de los días de julio de 1952, el enlutado apareció en aquel pueblito del Chaco. Era alto, flaco, aindiado, con una cara inexpresiva de opa* o de máscara; la gente lo trataba con deferencia, no por él sino por lo que representaba o ya era. Eligió un rancho* cerca del río; con la ayuda de unas vecinas, armó una tabla sobre dos caballetes y encima una caja de cartón con una muñeca de pelo rubio. Además, encendieron cuatro velas en candeleros altos y pusieron flores alrededor. La gente no tardó en acudir. Viejas desesperadas, chicos atónitos, peones que se quitaban con respeto el casco de corcho, desfilaban ante la caja y repetían: «Mi sentido pésame, General». Éste, muy compungido, los recibía junto a la cabecera, las manos cruzadas sobre el vientre, como mujer encinta. Alargaba la derecha para estrechar la mano que le tendían y constestaba con entereza y resignación: «Era el destino. Se ha hecho todo lo humanamente posible». Una alcancía* de lata recibía la cuota de dos pesos y a muchos no les bastó venir una sola vez.

¿Qué suerte de hombre (me pregunto) ideó y ejecutó esa fúnebre farsa? ¿Un fanático, un triste, un alucinado o un impostor y un cínico? ¿Creía ser Perón al representar su doliente papel de viudo macabro? La historia es increíble pero ocurrió y acaso no una vez, sino muchas, con distintos actores y con diferencias locales. En ella está la cifra perfecta de una época irreal y es como el reflejo de un sueño o como aquel drama en el drama, que se ve en Hamlet. El enlutado no era Perón y la muñeca rubia no era la mujer Eva Duarte, pero tampoco Perón era Perón ni Eva era Eva sino desconocidos o anónimos (cuyo nombre secreto y cuyo rostro verdadero ignoramos) que figuraron, para el crédulo amor de los arrabales, una crasa mitología.

JORGE LUIS BORGES, *El hacedor.* (1960). Alianza, Emecé, Madrid, 1984. Pp. 31 y 32.

Asturias no escatima sórdidas imágenes ni crueles escenas en su denuncia del régimen de terror implantado en su país. En *El Señor Presidente* cuenta cómo Fedina, mujer de un pobre hombre acusado de asesinato, acaba de tener su primer hijo, que muere a las pocas horas de nacer. Ese mismo día es detenida, y el Auditor de guerra la vende por diez mil pesos a la dueña de un burdel. Escondiendo el caváder del niño, Fedina es arrastrada por los soldados a *El Dulce Encanto*, donde, con la solidaridad de las prostitutas, es instalado el velorio del pequeño.

A TODAS SE LES HABÍA MUERTO UN HIJO

Fedina se tendió por tierra con su muertecito sin abrir los ojos ni responder. Ya no lo sentía de tanto llevarlo en la misma postura. La Calvario iba y venía vociferando y persignándose.

En una de tantas vueltas y revueltas sintió mal olor en la cocina. Regresaba del lavadero con un plato. Sin detenerse en pequeñas dio de puntapiés a Fedina gritando:

—¡La que *jiede* es esta podrida! ¡Vengan a sacarla de aquí! ¡Llévensela de aquí! ¡Yo no la quiero aquí!

A sus gritos alborotadores vino doña Chón y entre ambas, a la fuerza, como quebrándole las ramas a un árbol, le abrieron los brazos a la infeliz, que al sentir que le arrancaban a su hijo, peló los ojos, soltó un alarido y cayó redonda.

—El niño es el que *jiede*. ¡Si está muerto! ¡Qué bárbara...! –exclamó doña Manuela.

La *Diente de Oro* no pudo soplar palabra, y mientras las prostitutas invadían la cocina, corrió al teléfono para dar parte a la autoridad. Todas querían ver y besar al niño, besarlo muchas veces, y se lo arrebataban de las manos, de las bocas. Una máscara de saliva de vicio cubrió la carita arrugada del cadáver, que ya olía mal. Se armó la gran lloradera y el velorio. El mayor Farfán intervino para lograr la autorización de la policía. Se desocupó una de las alcobas galantes, la más amplia; quemóse incienso para quitar a los tapices la hedentina de esperma* viejo; doña Manuela quemó brea en la cocina, y en un charol* negro, entre flores y linos, se puso al niño todo encogido, seco, amarillento, como un germen de ensalada china.

A todas se les había muerto aquella noche un hijo. Cuatro cirios ardían. Olor de tamales* y aguardiente, de carnes enfermas, de colillas y orines. Una mujer medio borracha, con un seno fuera y un puro en la boca, que tan pronto lo masticaba como lo fumaba, repetía, bañada en lágrimas:

¡*Dormite*, niñito,
cabeza de ayote*,
que si no te *dormís*
te come el coyote*!
¡*Dormite*, mi vida,
que tengo que hacer,
lavar los pañales,
sentarme a coser!

MIGUEL ÁNGEL ASTURIAS, *Obras Completas:* «El Señor Presidente». (1946). Aguilar, Madrid, 1967. Tomo I, pp. 324 y 325.

Carpentier destaca la grandeza de las honras fúnebres que se celebran en un poblado cercano a la selva y otorga a las mujeres del Orinoco la categoría de heroínas de tragedia griega. El narrador no puede evitar la comparación de estos patéticos ritos con los que se practican en la sociedad occidental, fríos y deshumanizados.

EL RITO MILENARIO

(Noche del viernes)

En aquel caserón de ocho ventanas enrejadas seguía trabajando la muerte. Estaba en todas partes, diligente, solícita, ordenando sus pompas, agrupando los llantos, encendiendo los cirios, velando porque cupiera el pueblo entero en las vastas estancias de poyos profundos y anchos umbrales para contemplar mejor su obra. Ya se alzaba, sobre un túmulo de viejos terciopelos mordidos por los hongos, el ataúd aún resonante de martillazos, hincado de gruesos clavos plateados, recién traído por el Carpintero, que nunca faltaba en lo de dar la exacta medida de un difunto, pues su memoria precavida conservaba la humana mensuración de todos los vivos que moraban en la villa. De la noche surgían flores demasiado olorosas, que eran flores de patios, de alféizares, de jardines recobrados por la selva –nardos y jazmines de pétalos pesados, lirios silvestres, cerosas magnolias–, apretados en ramos, con cintas que ayer adornaban peinados de bailar. En el zaguán, en el recibidor, los hombres, de pie, hablaban gravemente, mientras las mujeres rezaban en antífona en los dormitorios, con la obsesionante repetición por todas de un *Dios te salve, María, llena eres de gracia; el Señor es contigo, bendita tú eres entre todas las mujeres,* cuyo rumor se levantaba en los rincones oscuros, entre imágenes de santos y rosarios colgados de ménsulas, hinchándose y cayendo, con el tiempo invariable de olas apacibles que hicieran rodar las gravas de un arrecife. Los espejos todos, en cuyas honduras había vivido el muerto, estaban velados con crespones y lienzos. Varios notables: el Práctico de Raudales, el Alcalde y el Maestro, el Pescador de Toninas, el Curtidor de Pieles, acababan de inclinarse sobre el cadáver, luego de echar la colilla de tabaco en el sombrero. En aquel momento, una muchacha flacuchenta, vestida de negro, dio un grito agudo y cayó al suelo, como sacudida de convulsiones. En brazos fue sacada de la habitación. Pero era Rosario la que ahora se acercaba al túmulo. Toda enlutada, con el pelo lustroso apretado a la cabeza, pálidos los labios, me pareció de una sobrecogedora belleza. Miró a todos con los ojos agrandados por el llanto, y, de súbito, como herida en las entrañas, crispó sus manos junto a la boca, lanzó un aullido largo, inhumano, de bestia flechada, de parturienta, de endemoniada, y se abrazó al ataúd. Decía ahora con voz ronca, entrecortada de estertores, que iba a lacerar sus vestidos, que iba a arrancarse los ojos, que no quería vivir más, que se arrojaría a la tumba para ser cubierta de tierra. Cuando quisieron apartarla se resistió enrabecida, amenazando a los que trataban de desprender sus dedos del terciopelo negro, en un lenguaje misterioso, escalofriante, como surgido de las profundidades de la videncia y de la profecía. Con la garganta rajada por los sollozos hablaba de grandes desgracias, del fin del mundo, del Juicio Final, de plagas y expiaciones. Al fin la sacaron de la estancia, como desmayada, con las piernas inertes, la cabellera deshecha. Sus medias negras, rotas en la crisis; sus zapatos de tacón gastado, recién teñidos, arrastrados sobre el piso con las puntas hacia dentro, me causaron un desgarramiento atroz. Pero ya otra de las hermanas se estaba abrazando al ataúd... Impresionado por la violencia de ese dolor, pensé, de pronto, en la tragedia antigua. En esas familias tan numerosas, donde cada cual tenía sus ropas de luto plegadas en las arcas, la muerte era cosa bien corriente. Las madres que parían mucho sabían a menudo de su presencia. Pero esas mujeres que se repartían tareas consabidas en torno a una agonía, que desde la infancia sabían de vestir difuntos, velar espejos, rezar lo apropiado, *protestaban* ante la muerte, por rito venido de lo muy remoto. Porque esto era, ante todo, una suerte de protesta desesperada, conminatoria, casi mágica, ante la presencia de la Muerte en la casa. Frente al cadáver, esas campesinas clamaban en diapasón de coéforas, soltando sus cabelleras espesas, como velos negros, sobre rostros terribles de hijas de reyes: perras sublimes, aullantes troyanas, arrojadas de sus palacios incendiados. [...]

Los hombres de las ciudades en que yo había vivido siempre no conocían ya el sentido de esas voces, en efecto, por haber olvidado el lenguaje de quienes saben hablar a los muertos. El lenguaje de quienes saben del horror último de quedar solos y adivinan la angustia de los que imploran que no los dejen solos en tan incierto camino. Al gritar que se arrojarían a la tumba del padre, las nueve hermanas cumplían con una de las más nobles formas del rito milenario, según el cual se dan cosas al muerto, se le hacen promesas imposibles, para burlar su soledad –se le ponen monedas en la boca, se le rodea de figuras de servidores, de mujeres, de músicos–; se le dan santos y señas, credenciales, salvoconductos, para Barqueros y Señores de la Otra Orilla, cuyas tarifas y exigencias ni siquiera se conocen. Recordaba, a la vez, cuán mezquina y mediocre cosa se había vuelto la muerte para los hombres de mi Orilla –mi gente–, con sus grandes negocios fríos, de bronces, pompas y oraciones, que mal ocultaban, tras de sus coronas y lechos de hielo, una mera agremiación de preparadores enlutados, con solemnidades de cumplido, objetos usados por muchos, y algunas manos tendidas sobre el cadáver, en espera de monedas.

ALEJO CARPENTIER, *Los pasos perdidos.* (1953). Ed. Quetzal, Buenos Aires, 1977. Pp. 158-162.

Tal es la importancia de los velorios argentinos que Cortázar decide *destripar* su estructura y significado. El resultado es sorprendente: el autor describe con ironía (no exenta de respeto por los sentimientos populares) *el método preciso* que rige el ceremonial y enumera sus ingredientes esenciales: bebidas, flores de fuerte olor y espacios con diferentes funciones. Además, el agudo psicólogo escenifica el ritual haciendo jugar un papel específico a cada uno de los participantes: plañideras, investigadores, maestros de ceremonias... Sin embargo, la perspectiva del autor de *Rayuela,* es más satírica que antropológica, pues ridiculiza los convencionalismos que subyacen en el culto a los muertos. En este irónico manual de conducta hay que destacar la falta de referencias al propio difunto y a los sentimientos que inspira a los asistentes.

CONDUCTA EN LOS VELORIOS

No vamos por el anís, ni porque hay que ir. Ya se habrá sospechado: vamos porque no podemos soportar las formas más solapadas de la hipocresía. Mi prima segunda, la mayor, se encarga de cerciorarse de la índole del duelo, y si es de verdad, si se llora porque llorar es lo único que les queda a esos hombres y a esas mujeres entre el olor a nardos y a café, entonces nos quedamos en casa y los acompañamos desde lejos. A lo sumo, mi madre va un rato y saluda en nombre de la familia; no nos gusta interponer insolentemente nuestra vida ajena a ese diálogo con la sombra. Pero si de la pausada investigación de mi prima surge la sospecha de que en un patio cubierto o en la sala se han armado los trípodes del camelo, entonces la familia se pone sus mejores trajes, espera a que el velorio esté a punto, y se va presentando de a poco pero implacablemente.

En Pacífico las cosas ocurren casi siempre en un patio con macetas y música de radio. Para estas ocasiones los vecinos condescienden a apagar las radios, y quedan solamente los jazmines y los parientes, alternándose contra las paredes. Llegamos de a uno o de a dos, saludamos a los deudos, a quienes se reconoce fácilmente porque lloran apenas ven entrar a alguien, y vamos a inclinarnos ante el difunto, escoltados por algún pariente cercano. Una o dos horas después toda la familia está en la casa mortuoria, pero aunque los vecinos nos conocen bien, procedemos como si cada uno hubiera venido por su cuenta y apenas hablamos entre nosotros. Un método preciso ordena nuestros actos, escoge los interlocutores con quienes se departe en la cocina, bajo el naranjo, en los dormitorios, en el zaguán, y de cuando en cuando se sale a fumar al patio o a la calle, o se da una vuelta a la manzana para ventilar opiniones políticas o deportivas. No nos lleva demasiado tiempo sondear los sentimientos de los deudos más inmediatos, los vasitos de caña*, el mate* dulce y los Particulares livianos son el puente confidencial; antes de medianoche estamos seguros, podemos actuar sin remordimientos. Por lo común mi hermana la menor se encarga de la primera escaramuza; diestramente ubicada a los pies del ataúd, se tapa los ojos con un pañuelo violeta y empieza a llorar, primero en silencio, empapando el pañuelo a un punto increíble, después con hipos y jadeos, y finalmente le acomete un ataque terrible de llanto que obliga a las vecinas a llevarla a la cama preparada para esas emergencias, darle a oler agua de azahar y consolarla, mientras otras vecinas se ocupan de los parientes cercanos bruscamente contagiados por la crisis. Durante un rato hay un amontonamiento de gente en la puerta de la capilla ardiente, preguntas y noticias en voz baja, encogimientos de hombros por parte de los vecinos. Agotados por un esfuerzo en que han debido emplearse a fondo, los deudos amenguan en sus manifestaciones, y en ese mismo momento mis tres primas segundas se largan a llorar sin afectación, sin gritos, pero tan conmovedoramente que los parientes y vecinos sienten la emulación, comprenden que no es posible quedarse así descansando mientras extraños de la otra cuadra* se afligen de tal manera, y otra vez se suman a la deploración general, otra vez hay que hacer sitio en las camas, apantallar a señoras ancianas, aflojar el cinturón a viejitos convulsionados. Mis hermanos y yo esperamos por lo regular este momento para entrar en la sala mortuoria y ubicarnos junto al ataúd. Por extraño que parezca estamos realmente afligidos, jamás podemos oir llorar a nuestras hermanas sin que una congoja infinita nos llene el pecho y nos recuerde cosas de la infancia, unos campos cerca de Villa Albertina, un tranvía que chirriaba al tomar la curva en la calle General Rodríguez, en Banflield, cosas así, siempre tan tristes. Nos basta ver las manos cruzadas del difunto para que el llanto nos arrase de golpe, nos obligue a taparnos la cara avergonzados, y somos cinco hombres que lloran de verdad en el velorio, mientras los deudos juntan desesperadamente el aliento para igualarnos, sintiendo que cueste lo que cueste deben demostrar que el velorio es el de ellos, que solamente ellos tienen derecho a llorar así en esa casa. Pero son pocos, y mienten (eso lo sabemos por mi prima segunda la mayor, y nos da fuerzas). En vano acumulan los hipos y los desmayos, inútilmente los vecinos más solidarios los apoyan con sus consuelos y sus reflexiones, llevándolos y trayéndolos para que descansen y se reincorporen a la lucha. Mis padres y mi tío, el mayor, nos reemplazan ahora, hay algo que impone respeto en el dolor de estos ancianos que han venido desde la calle Humboldt, cinco cuadras contando desde la esquina, para velar al finado. Los vecinos más coherentes empiezan a perder pie, dejan caer a los deudos, se van a la cocina a beber grapa* y a comentar; algunos parientes, extenuados por una hora y media de llanto sostenido, duermen estertorosamente. Nosotros nos relevamos en orden, aunque sin dar la impresión de nada preparado; antes de las seis de la mañana somos los dueños indiscutibles del velorio, la mayoría de los vecinos se han ido a dormir a sus casas, los parientes yacen en diferentes posturas y grados de agotamiento, el alba nace en el patio. Rendidos, extraviados, comprendiendo vagamente pero incapaces de reaccionar, los deudos se dejan llevar y traer, beben cualquier cosa que se les acerca a los labios y responden con vagas protestas inconsistentes a las cariñosas solicitudes de mis primas y mis hermanas. Cuando es hora de partir y la casa está llena de parientes y amigos, una organización invisible pero sin brechas decide cada movimiento, el director de la funeraria acata las órdenes de mi padre, la remoción del ataúd se hace de acuerdo con las indicaciones de mi tío el mayor. Alguna que otra vez los parientes llegados a último momento adelantan una reivindicación destemplada; los vecinos, convencidos ya de que todo es como debe ser, los miran escandalizados y los obligan a callarse. En el coche del duelo.

JULIO CORTÁZAR, *Historias de cronopios y de famas.* (1962): «Ocupaciones raras». Edhasa, Barcelona, 1992. Pp. 46-49.

Un foco rojo alumbraba la calle en la puerta de *El Dulce Encanto*. Parecía la pupila inflamada de una bestia. Hombres y piedras tomaban un tinte trágico. Los hombres llegaban a bañarse en aquella lumbrarada roja, como variolosos para que no les quedara la cicatriz.

MIGUEL ÁNGEL ASTURIAS

...la discusión terminó en la casa de las muchachitas que se acostaban por hambre, un burdel de mentiras en los arrabales de Macondo. Aureliano encontró en el burdelito imaginario una cura de burro para la timidez.

GABRIEL GARCÍA MÁRQUEZ

...correr a un burdel, encamarse hasta llorar, correr sobre todo a ese burdel donde creía haber visto una cara conocida.

ALFREDO BRYCE ECHENIQUE

...éste es el pingüe negocio del faraónico señor Pantoja: convertir a las guarniciones y campamentos de la selva, a las bases y puestos fronterizos, en pequeñas sodomas y gomorras, gracias a sus próstibulos aéreos y fluviales.

MARIO VARGAS LLOSA

14. BURDELES

Alcohol, sexo y machismo, soledad, injusticia y frustraciones desembocan en el burdel. El prostíbulo es uno de los escenarios más retratados en la Literatura Hispanoamericana. Numerosos poemas y narraciones reflejan, por medio de instantáneas o de detalladas descripciones, variopintos prostíbulos en diferentes ámbitos geográficos o sociales. Algunos alcanzan categoría mítica por representar la única posibilidad de comunicación de personajes desarraigados y solitarios. Vulgares prostitutas, adolescentes engañadas y mujeres inteligentes se ofrecen a los hombres en la calle, en miserables lupanares o elegantes locales. Otras forman parte de tropas ambulantes que recorren periódicamente pequeñas poblaciones en intrincados parajes. Algunas asumen la profesión voluntariamente, por placer o escepticismo, y otras son explotadas y humilladas por perversas alcahuetas y clientes canallescos. La mayoría de los autores americanos destacan la función terapeútica del burdel, recogen las reacciones que provoca en los sectores conservadores, son solidarios con las prostitutas y se rebelan contra una sociedad que recurre, para solventar problemas masculinos, a una institución degradante para la mujer.

En su recorrido por la tragedia del continente americano, Pablo Neruda se detiene también en el inmundo escenario del burdel. Con imágenes estremecedoras, el poeta repudia la explotación de las clases marginales, producto de la prosperidad de los más acomodados. En este caso, son jóvenes muchachas las que, una vez atrapadas en la prostitución, son privadas para siempre de la dignidad y de la libertad.

DE LA PROSPERIDAD NACIÓ EL BURDEL

De la prosperidad nació el burdel,
acompañando el estandarte
de los billetes hacinados:
sentina respetada
del capital, bodega de la nave
de mi tiempo.

Fueron mecanizados
burdeles en la cabellera
de Buenos Aires, carne fresca
exportada por el infortunio
de las ciudades y los campos
remotos, en donde el dinero
acechó los pasos del cántaro
y aprisionó la enredadera.
Rurales lenocinios, de noche,
en invierno, con los caballos
a la puerta de las aldeas
y las muchachas atolondradas
que cayeron de venta en venta
en la mano de los magnates.
Lentos prostíbulos provinciales
en que los hacendados del pueblo
-dictadores de la vendimia-
aturden la noche venérea
con los espantosos estertores.
Por los rincones, escondidas,
grey de rameras, inconstantes
fantasmas, pasajeras
del tren mortal, ya os tomaron,
ya estáis en la red mancillada,
ya no podéis volver al mar,
ya os acecharon y cazaron,
ya estáis muertas en el vacío
de lo más vivo de la vida,
ya podéis deslizar la sombra
por las paredes: a ninguna
otra parte sino a la muerte
van estos muros por la tierra.

PABLO NERUDA, *Canto General.* (1950). Cátedra, Letras Hispánicas, Madrid, 1992. Pp. 328-329.

Para dar veracidad a relatos entretejidos por audaces técnicas y a acontecimientos insólitos y cimentar su denuncia social, Vargas Llosa se apoya a menudo en la descripción realista. En este caso, el peruano pormenoriza la distribución y decoración del legendario burdel de Piura, punto de encuentro de los episodios convergentes que relata en *La Casa*

Verde. La estructura de la novela –compleja e innovadora– presenta, tras la aparente incoherencia, una unidad perfecta. A continuación se reproducen pasajes sobre la expectación y reacción popular ante la construcción del prostíbulo en la ciudad.

LA CASA VERDE ERA UNA AFRENTA

Cuando estuvo edificada, don Anselmo dispuso que fuera íntegramente pintada de verde. Hasta los niños reían a carcajadas al ver cómo esos muros se cubrían de una piel esmeralda donde se estrellaba el sol y retrocedían reflejos escamosos. Viejos y jóvenes, ricos y pobres, hombres y mujeres, bromeaban alegremente por el capricho de don Anselmo de pintarrajear su vivienda de tal manera. La bautizaron de inmediato: *«La Casa Verde»*. Pero no sólo los divertía el color, también su extravagante anatomía. Constaba de dos plantas, pero la inferior apenas merecía ese nombre: un espacioso salón cortado por cuatro vigas, también verdes, que sostenían el techo; un patio descubierto, tapizado de piedrecillas pulidas por el río y un muro circular, alto como un hombre. La segunda planta comprendía seis cuartos minúsculos, alineados ante un corredor con balaustrada de madera que sobrevolaba el salón del primer piso. Además de la entrada principal, la Casa Verde tenía dos puertas traseras, una caballeriza y una gran despensa.[...]

Brotaron las sospechas. De casa en casa, de salón en salón, cuchicheaban las beatas, las señoras miraban a sus maridos con desconfianza, los vecinos cambiaban sonrisas maliciosas y, un domingo, en la misa de doce, el Padre García afirmó desde el púlpito: «Se prepara una agresión contra la moral en esta ciudad». Los piuranos asaltaban a don Anselmo en la calle, le exigían hablar. Pero era inútil: –«es un secreto–, les decía, regocijado como un colegial–; un poco de paciencia, ya sabrán».[...]

A las pocas semanas de regresar a Piura don Anselmo con la caravana de habitantas, la Casa Verde había impuesto su dominio. Al principio, sus visitantes salían de la ciudad a ocultas; esperaban la oscuridad, discretamente cruzaban el Viejo Puente y se sumergían en el arenal. Luego las incursiones aumentaron y a los jóvenes, cada vez más imprudentes, ya no les importó ser reconocidos por las señoras apostadas tras las celosías del Malecón. En ranchos* y salones, en las haciendas, no se hablaba de otra cosa. Los púlpitos multiplicaban advertencias y exhortos, el Padre García estigmatizaba la licencia con citas bíblicas. Un Comité de Obras Pías y Buenas Costumbres fue creado y las damas que lo componían visitaron al Prefecto y al Alcalde. Las autoridades asentían, cabizbajas: cierto, ellas tenían razón, la Casa Verde era una afrenta a Piura, pero, ¿qué hacer? Las leyes dictadas en esa podrida capital que es Lima amparaban a don Anselmo, la existencia de la Casa Verde no contradecía la Constitución ni era penada por el Código. Las damás quitaron el saludo a las autoridades, les cerraron sus salones. Entre tanto, los adolescentes, los hombres y hasta los pacíficos ancianos se precipitaban en bandadas hacia el bullicioso y luciente edificio. [...]

El primer año, el local albergó a cuatro habitantas solamente, pero el año siguiente, cuando aquéllas partieron, don Anselmo viajó y regresó con ocho y dicen que en su apogeo la Casa Verde llegó a tener veinte habitantas. Llegaban directamente a la construcción de las afueras. Desde el Viejo Puente se las veía llegar, se oían sus chillidos y desplantes. Sus indumentarias de colores, sus pañuelos y afeites, centelleaban como crustáceos en el árido paisaje.

MARIO VARGAS LLOSA, *La Casa Verde.* (1965). Seix Barral, Biblioteca Breve, Barcelona, 1983. Pp. 96, 97, 99 y 101.

Los prostíbulos de la selva no ocupan necesariamente un local a tiempo completo. El calendario de fiestas y celebraciones locales determina los traslados del burdel itinerante, que es acogido con regocijo por hombres y mujeres. Carpentier muestra su asombro por esta curiosa alternancia, pero su sólida formación humanística termina estableciendo vínculos históricos entre los pobladores del Orinoco petrolero y los de la Europa medieval.

EL ITINERARIO DE LOS CAMPANARIOS

El comedor de la fonda estaba lleno de hombres que hablaban a gritos, como aneblados por el humo de las parrilladas. Con las máscaras antigases colgadas aún debajo de la barbilla, sin haberse quitado todavía las ropas del trabajo, parecía que sobre ellos se hubieran fijado, en coladas, borrones y pringues, las más negras exudaciones de la tierra. Todos bebían desaforadamente con las botellas empuñadas por el gollete, entre naipes y fichas revueltas sobre las mesas. Pero de pronto, las briscas quedaron en suspenso y los jugadores se volvieron hacia el patio en una grita de júbilo. Allí se producía un golpe de teatro: traídas por no sé qué vehículo, habían aparecido mujeres en traje de baile, con zapato de tacón y muchas luces en el pelo y el cuello, cuya presencia en aquel corral fangoso, orlado de pesebres, me pareció alucinante. Además, la mostacilla, las cuentas, los abalorios que adornaban los vestidos, reflejaban a la vez las llamaradas que a cada cambio de viento daban nuevo rumbo a su ronda de resplandores. Esas mujeres rojas corrían y trajinaban entre los hombres oscuros, llevando fardos y maletas, en una algarabía que acababa de atolondrarse con el espanto de los burros y el despertar de las gallinas dormidas en las vigas de los sobradillos. Supe entonces que mañana sería la fiesta del patrón del pueblo, y que aquellas mujeres eran prostitutas que viajaban así todo el año, de un lugar a otro, de ferias a procesiones, de minas a romerías, para aprovecharse de los días en que los hombres se mostraban espléndidos. Así, seguían el itinerario de los campanarios, fornicando por San Cristobal o por Santa Lucía, los Fieles Difuntos o los Santos Inocentes, a las orillas de los caminos, junto a las tapias de los cementerios, sobre las playas de los grandes ríos o en los cuartos estrechos, de palangana en tierra, que alquilaban en la trastienda de las tabernas. Lo que más me asombraba era el buen humor con que las recién llegadas eran acogidas por la gente de fundamento, sin que las mujeres honestas de la casa, la esposa, la joven hija del posadero, hicieran el menor gesto de menosprecio. Me parecía que se las miraba un poco como a los bobos, gitanos o locos graciosos, y las fámulas de cocina reían al verlas saltar, con sus vestidos de baile, por sobre los cochinos y los charcos, cargando sus hatos con ayuda de algunos mineros ya resueltos a gozarse de sus primicias. Yo pensaba que esas prostituas errantes, que venían a nuestro encuentro, metiéndose en nuestro tiempo, eran primas de las ribaldas del Medievo, de las que iban de Bremen a Hamburgo, de Amberes a Gante, en tiempos de feria, para sacar malos humores a maestros y aprendices, aliviándose de paso a algún romero de Compostela, por el permiso de besar la venera de tan lejos traída.

ALEJO CARPENTIER, *Los pasos perdidos.* (1953). Ed. Quetzal, Buenos Aires, 1977. Pp. 99-101.

La calle es también escenario de la prostitución. Ixca Cienfuegos, personaje clave de *La región más transparente*, recoge en la obra las voces y el sentir de todos los mexicanos. Aquí nos comunica los problemas reales y los anhelos inconscientes de una prostituta callejera que suele recalar en el mismo bar y merodea siempre por la misma esquina. El lenguaje popular, las alusiones a espacios concretos de la capital azteca y la enumeración de alimentos y locales confieren casticismo a esta página de Fuentes. El autor, además, hace un retrato arquetípico de las prostitutas de todo el mundo, destacando tanto su drama personal como sus características y actitudes externas.

LA PUTA BARATA SALE A LA CALLE

El sábado, al filo de las diez de la noche, la puta barata entra en una lonchería* de San Juan de Letrán y pide una torta* compuesta de chorizo y puerco con una taza de café. Mientras engulle, se mira en el espejo del lugar y saluda con tres dedos nerviosos a otras mujeres que, con rapidez, comen allí o se untan saliva en las carreras de las medias o fruncen los labios frente a un espejo de mano sin dejar de hablar. Todas son *manas** y en el lugar las conocen y cuando andan* muy amoladas* les regalan algo de comer, pero la que come la torta de chorizo y puerco no se mezcla con las otras; las otras creen que lo hace por apretada o por nueva en el oficio, pero ella sabe que le cuesta contar las mismas mentiras, inventar, como todas, que viene de Guadalajara y que tiene un viejo al cual mantener y que un político la encontró con su viejo y la golpeó; le cuesta inventar esas aventuras que rompan un poco la monotonía sin fechas de lo que sólo es su trabajo, sin excusas, sin madre vieja, hijo recién nacido o hermano tullido que mantener, por el puro gusto de ser puta, porque trabajar de criada o dependiente de almacén la aburre y ahora hasta de puta se aburre y cree que va poder dormir toda la mañana y a las once del día ya está despierta y aburrida, contando las horas hasta las diez de la noche para llegar a la lonchería y comer su torta y subir al hotel *cabaret* y ver si le regalan otra torta y después esperar y hacer como que baila y pedir un agua pintada tras otra y despachar al cliente en diez minutos. Se arregla la cola de caballo, se polvea los pómulos oscuros y sale a la calle, con la mirada clavada en la acera por donde caminan los hombres de camisola y pantalones bombos y algunos jotos* descarados que se acercan a cabos del ejército y no sabe que el aire delgado y el vapor que asciende de las aceras y el cielo cargado que araña las azoteas pelonas y los avisos luminosos y todo el perfil quebrado de la ciudad quieren acariciarla y hacerla suya, gota viva de la ciudad, y llevarla hasta el origen de la misma ciudad y todos sus habitantes, que es donde la ciudad y todos sus hombres y mujeres dejaron su sabiduría: así piensa Ixca Cienfuegos cuando, en la esquina de Mesones, ve cruzar a la puta barata que no levanta la vista de la acera y camina con un contoneo impuesto que ya es su meneo natural. Entonces Ixca Cienfuegos va arrastrando los pies por las calles, al lado de la puta barata que para* la trompa y se detiene y se clava las manos en la cintura regordeta y mal fajada.

CARLOS FUENTES, *La región más transparente.* (1958). Cátedra, Col. Letras Hispánicas, Madrid, 1991. Pp. 309-310.

Las esperanzas, sedentarias, se dejan viajar por las cosas y los hombres.

JULIO CORTÁZAR

El autobús trepaba. Era una pobre cosa, con techo pintado de rojo, que subía y subía, agarrándose con las ruedas, afincándose en las piedras, entre las vertientes casi verticales de una barranca.

ALEJO CARPENTIER

«Tuvimos que viajar una buena parte de la noche a lomo de las bestias, con mantas de Castilla como único abrigo contra la camanchaca*, avanzando con lentitud en aquellas interminables soledades donde sólo el instinto de mi guía garantizaba que llegaríamos a destino...»

ISABEL ALLENDE

«Cuando salimos de Comitán ya está crecido el día. Mi padre y Ernesto van adelante, a caballo. Mi madre, mi hermano y yo, en sillas de mano que cargaban los indios.»

ROSARIO CASTELLANOS

El pequeño avión volando bajo, y volando lento.

ERNESTO CARDENAL

15. EL VIAJE

El escritor es eterno viajero y la literatura conserva recuerdos e impresiones de fascinantes viajes por el continente americano. La aventura, la familia y el amor, la diversión, la política y la religión desplazan por el territorio a innumerables personajes que describen inhóspitos y solitarios parajes. La América gigantesca y deshabitada es el itinerario preferido por narradores y poetas. Los grandes ríos, la bruma de las altas cumbres, el calor del trópico y las polvorientas tierras del desierto son reflejados desde diferentes estados de ánimo. El humor, la fantasía, el espíritu realista y el estudio de la Historia recrean recorridos sorprendentes y viajes químicos. La vida misma, procesos de cambio personal, introspección y conocimiento metafísico son reflejados por la metáfora del viaje. Asimismo, nuestros autores describen misceláneos medios de locomoción, insólitos y tradicionales, que hacen posible el traslado de los viajeros del siglo XX.

Largos viajes a famosos santuarios de América han movido a millones de personas en busca de consuelo religioso y milagrosas curaciones. En un marco un tanto macabro, Juan Rulfo nos presenta la peregrinación y la penitencia como dos sobrecogedoras manifestaciones de fe. Tanilo, que sufre una enfermedad que le produce graves ampollas y llagas, consigue que su mujer y su hermano (narrador del cuento) lo lleven a visitar a la Virgen de Talpa. La dureza del viaje y la precariedad de su estado no impiden a Tanilo participar en la liturgia de la peregrinación, que incluye castigos corporales, rezos y bailes comunitarios.

ENTRAMOS A TALPA CANTANDO *EL ALABADO*

Así, a tirones, fue como llegamos con él a Talpa.

Ya en los últimos días también nosotros nos sentíamos cansados. Natalia y yo sentíamos que se nos iba doblando el cuerpo entre más y más. Era como si algo nos detuviera y cargara un pesado bulto sobre nosotros. Tanilo se nos caía más seguido y teníamos que levantarlo y a veces llevarlo sobre los hombros. Tal vez de eso estábamos como estábamos: con el cuerpo flojo y lleno de flojera* para caminar. Pero la gente que iba allí junto a nosotros nos hacía andar más aprisa.

Por las noches, aquel mundo desbocado se calmaba. Desperdigadas por todas partes brillaban fogatas y en derredor de la lumbre la gente de la peregrinación rezaba el rosario, con los brazos en cruz, mirando hacia el cielo de Talpa. Y se oía cómo el viento llevaba y traía aquel rumor, revolviéndolo, hasta hacer de él un solo mugido. Poco después todo se quedaba quieto. A eso de la medianoche podía oírse que alguien cantaba muy lejos de nosotros. Luego se cerraban los ojos y se esperaba sin dormir a que amaneciera.

Entramos a Talpa cantando *el Alabado.*

Habíamos salido a mediados de febrero y llegamos a Talpa en los últimos días de marzo, cuando ya mucha gente venía de regreso. Todo se debió a que Tanilo se puso a hacer penitencia. En cuanto se vio rodeado de hombres que llevaban pencas de nopal* colgadas como escapulario, él también pensó en llevar las suyas. Dio en amarrarse los pies uno con otro con las mangas de su camisa para que sus pasos se hicieran más desesperados. Después quiso llevar una corona de espinas. *Tantito* después* se vendó los ojos, y más tarde, en los últimos trechos del camino, se hincó en la tierra, y así, andando sobre los huesos de sus rodillas y con las manos cruzadas hacia atrás, llegó a Talpa aquella cosa tan llena de cataplasmas y de hilos oscuros de sangre que dejaba en el aire, al pasar, un olor agrio como de animal muerto.

Y cuando menos acordamos lo vimos metido entre las danzas. Apenas si nos dimos cuenta ya estaba allí, con la larga sonaja en la mano, dando duros golpes en el suelo con sus pies amoratados y descalzos. Parecía enfurecido, como si estuviera sacudiendo el coraje que llevaba encima desde hacía tiempo; o como si estuviera haciendo un último esfuerzo por conseguir vivir un poco más.

JUAN RULFO, *El llano en llamas.* (1953): «Talpa». Cátedra, Letras Hispánicas, Madrid, 1990. Pp. 82 y 83.

José Arcadio Buendía había dado muerte con una lanza a Prudencio Aguilar. Pero el fantasma del muerto y otros extraños acontecimientos persiguen a José Arcadio y a su mujer. El matrimonio promete a Prudencio abandonar el lugar. Alentados y dirigidos por símbolos y sueños, emprenden un largo viaje en busca de un lugar donde fundar su propia aldea. En el relato del *éxodo* y de la fundación de Macondo hay claras alusiones bíblicas y míticas que, junto con otros elementos sobrenaturales, confieren a *Cien años de soledad* la categoría de epopeya.

HACIA LA TIERRA QUE NADIE LES HABÍA PROMETIDO

—Está bien, Prudencio –le dijo–. Nos iremos de este pueblo, lo más lejos que podamos, y no regresaremos jamás. Ahora vete tranquilo.

Fue así como emprendieron la travesía de la sierra. Varios amigos de José Arcadio Buendía, jóvenes como él, embullados con la aventura, desmantelaron sus casas y cargaron con sus mujeres y sus hijos hacia la tierra que nadie les había prometido. Antes de partir, José Arcadio Buendía enterró la lanza en el patio y degolló uno tras otro sus magníficos gallos de pelea, confiando en que en esa forma le daba un poco de paz a Prudencio Aguilar. Lo único que se llevó Úrsula fue un baúl con sus ropas de recién casada, unos pocos útiles domésticos y el cofrecito con las piezas de oro que heredó de su padre. No se trazaron un itinerario definido. Solamente procuraban viajar en sentido contrario al camino de Riohacha para no dejar ningún rastro ni encontrar gente conocida. Fue un viaje absurdo. A los catorce meses, con el estómago estragado por la carne de mico* y el caldo de culebras, Úrsula dio a luz un hijo con todas sus partes humanas. Había hecho la mitad del camino en una hamaca* colgada de un palo que dos hombres llevaban en hombros, porque la hinchazón le desfiguró las piernas, y las varices se le reventaban como burbujas. Aunque daba lástima verlos con los vientres templados y los ojos lánguidos, los niños resistieron el viaje mejor que sus padres, y la mayor parte del tiempo les resultó divertido. Una mañana, después de casi dos años de travesía, fueron los primeros mortales que vieron la vertiente occidental de la sierra. Desde la cumbre nublada contemplaron la inmensa llanura acuática de la ciénaga grande, explayada hasta el otro lado del mundo. Pero nunca encontraron el mar. Una noche, después de varios meses de andar perdidos entre los pantanos, lejos ya de los últimos indígenas que encontraron en el camino, acamparon a la orilla de un río pedregoso cuyas aguas parecían un torrente de vidrio helado.[...] José Arcadio Buendía soñó esa noche que en aquel lugar se levantaba una ciudad ruidosa con casas de paredes de espejo. Preguntó qué ciudad era aquella, y le contestaron con un nombre que nunca había oído, que no tenía significado alguno, pero que tuvo en el sueño una resonancia sobrenatural: Macondo. Al día siguiente convenció a sus hombres de que nunca encontrarían el mar. Les ordenó derribar los árboles para hacer un claro junto al río, en el lugar más fresco de la orilla, y allí fundaron la aldea.

GABRIEL GARCÍA MÁRQUEZ, *Cien años de soledad.* (1967). Cátedra, Letras Hispánicas, Madrid, 1987. Pp. 96-97.

En *Las lanzas coloradas* Uslar Pietri se traslada al siglo XVI para narrar uno de los descabellados viajes de indios y españoles en busca del oro de El Dorado. La legendaria región ha atraído durante siglos la codicia de soñadores y aventureros y ha atrapado en sus fauces a indígenas, soldados y aristócratas. Los pasajes épicos de la novela, que tienen lugar en escenarios fantásticos, pero convincentes son a la vez recreación histórica y velada denuncia de la injusticia de todos los tiempos.

EN BUSCA DE EL DORADO

—¿Estás seguro de haberlo visto?

—Sí, mi amo.

—Si lo has visto, El Dorado existe y es posible encontrarlo.

Don Carlos de Arcedo no pensó en nada más. Organizó una expedición con treinta indios y diez españoles, y con el guía deslumbrado se pusieron en camino una madrugada en el nombre de Dios. Iban poseídos de una infinita ansia.

Pasaron los días. La hija de don Carlos, en la casa, rodeada de esclavas, se consumía rezando interminables oraciones ante un Cristo de rostro agónico. Pasaron los meses. De aquel pequeño grupo de hombres, perdido en la vasta tierra desconocida, no tornaba nadie, y las gentes los sentían sumidas como en un misterio vecino de la muerte.

Pasó un año. Pasó año y medio.

Inesperadamente, enfermo, herido, cadavérico, regresó uno de la partida. Su relato fue horrible.

Habían andado por días y días y días inaugurando el misterio de la tierra inexplorada, y cada vez el paisaje era distinto y la distancia, ante los ojos, mayor. Escaseaban las provisiones, comenzaron a enfermarse algunos, a desesperanzarse los otros, a estar descontentos los más. Un día tuvieron consejo con don Carlos. Le propusieron regresar, ya que todavía sus recursos lo permitían. No quiso oírlos. Iban en busca de El Dorado y no regresarían sin encontrarlo. La marcha se iba haciendo más penosa. Avanzaban cada vez menos. El guía hablaba constantemente de que estaban a punto de llegar; desde lo hondo de sus corazones exhaustos todos se resolvían a hacer el esfuerzo; pero continuaban por horas y horas dentro de la montaña idéntica y terrible, como si marchasen dentro de un círculo cerrado. Andaban por lugares adonde nunca había penetrado ninguno de ellos y donde les era imposible orientarse. A veces topaban con una partida de indios nómadas, que al verles las barbas y las armas huían sin querer detenerse. Al fin resolvieron acampar unos días para reponer las fuerzas y cuidar los enfermos. Se alimentaban de raíces, de hojas y de uno que otro animal que lograban cazar difícilmente. Una mañana no hallaron al guía. Había desparecido misteriosamente por la noche. Nadie lo había visto, nadie lo había sentido irse. La desesperación se apoderó de todos, y muchos gritaban y lloraban como niños. Se sabían perdidos y destinados a morir de hambre. A alguien se le ocurrió: por su cuenta, sin consultarlo a los demás, trajo carne fresca, y todos la comieron con voracidad, y nadie preguntó; pero todos tenían la certidumbre de que era carne de indio. Y así otro día, y así el otro. No quedaron sino los españoles. Volvieron a recomenzar el hambre y la desesperación. Soportaron varios días, hasta que, enloquecidos, abandonaron los enfermos y se fueron como fantasmas, en una marcha lenta, desesperada y tenaz, atravesando la montaña. Iban sin noción exacta de sus personas ni de las cosas. Estaban como en un sueño. Marcharon horas, quizá días, en todo caso un tiempo impreciso y monótono. Les silbaban los oídos y veían temblar los troncos de los árboles como a través de las llamas. Alguien comenzó a oír ruido de agua, de mucha agua desplazándose, y otro también, y otro. Algunos corrieron. Llegaban a la orilla de un río ancho y lento. Las cabezas sedientas se precipitaron en el agua como piedras y quedaron allí saciadas, adormecidas, refrescadas, dentro del agua suave que acaricia. Después se fueron incorporando. Todos estaban transfigurados, sentían un gozo estúpido e inconsciente, chapoteaban con las manos en el agua; uno cantó, otro propuso:

—Sería bueno que hiciéramos una balsa y nos dejáramos llevar por el río.

Se pusieron a la obra. Con bejucos y jirones de los vestidos unieron algunas gruesas ramas, hasta hacer una plataforma suficiente para todos. La echaron al agua, se subieron sobre ella y comenzaron a deslizarse lentamente. El resbalar muelle, el resonar sordo del río, la fatiga y el hambre, todo incitaba a dormir. Dulcemente fueron dejándose vencer. Medio día después, tan sólo quedaba uno despierto, alerta, gobernando la navegación de la balsa. Un día más tarde aún continuaba, y entonces comenzó a oír un ruido lejano que iba creciendo, creciendo vertiginosamente, hasta convertirse en un estruendo ensordecedor; se puso de pie y vio que a lo lejos la superficie del río terminaba bruscamente. Comprendió que llegaban a un salto de agua, tal vez a una profunda catarata. La evidencia del peligro le dio fuerzas. Comenzó a sacudir a los otros, a llamarlos a gritos, a golpearlos. Nadie respondía: eran como cadáveres. Cada vez el ruido era mayor y la proximidad más inminente. Invocó a Dios, los sacudió como fardos, les pegó. Todo inútilmente. Ninguno respondía. La distancia se acortaba a cada segundo. Desesperado, fuera de sí se lanzó al agua, y con un resto de energía pudo ganar la orilla. Desde allí acompañaba al paso el desplazamiento de la balsa, llamándolos a gritos: «¡Muévanse! ¡Sálvense! ¡Van a morir! ¡Don Carlos!». Nadie respondía. La balsa aceleraba cada vez más, arrastrada por la corriente. Entonces, en la margen, el hombre flaco y extenuado cayó de rodillas, exhausto, con los ojos extraviados, y comenzó a grandes voces a rezar una oración de difuntos. [...] Cuando volvió a mirar, la superficie del río estaba limpia.

Arturo Uslar Pietri, *Las lanzas coloradas.* (1931). Alianza Editorial, El libro de bolsillo, Madrid, 1988. Pp. 22-25.

Mutis escribe intimistas crónicas de sus exóticos periplos. Aquí recrea un viaje que traspasa la realidad. Su prosa, transparente y límpida como su poesía, describe el fascinante y periódico trayecto de un tren colombiano. La excursión está animada por vivificantes voces de la Naturaleza y por pequeñas anécdotas de la vida cotidiana. Es posible que nos encontremos ante una optimista fabulación de la vida misma.

EL VIAJE

No sé si en otro lugar he hablado del tren del que fui conductor. De todas maneras, es tan interesante este aspecto de mi vida, que me propongo referir ahora cuáles eran algunas de mis obligaciones en ese oficio y de qué manera las cumplía.

El tren en cuestión salía del páramo el 20 de febrero de cada año y llegaba al lugar de su destino, un pequeña estación de veraneo situada en tierra caliente, entre el 8 y el 12 de noviembre. El recorrido total del tren era de 122 kilómetros, la mayor parte de los cuales los invertía descendiendo por entre brumosas montañas sembradas íntegramente de eucaliptos. (Siempre me ha extrañado que no se construyan violines con la madera de ese perfumado árbol de tan hermosa presencia. Quince años permanecí como conductor del tren y cada vez me sorprendía deliciosamente la riquísima gama de sonidos que despertaba la pequeña locomotora de color rosado, al cruzar los bosques de eucaliptos.)

Cuando llegábamos a la tierra templada y comenzaban a aparecer las primeras matas de plátano y los primeros cafetales, el tren aceleraba su marcha y cruzábamos veloces los vastos potreros donde pacían hermosas reses de largos cuernos. El perfume del pasto *yaraguá* nos perseguía entonces hasta llegar al lugarejo donde terminaba la carrilera.

Constaba el tren de cuatro vagones y un furgón, pintados todos de color amarillo canario. No había diferencia alguna de clases entre un vagón y otro, pero cada uno era invariablemente ocupado por determinadas gentes. En el primero, iban los ancianos y los ciegos; en el segundo, los gitanos, los jóvenes de dudosas costumbres y, de vez en cuando, una viuda de furiosa y postrera adolescencia; en el tercero, viajaban los matrimonios burgueses, los sacerdotes y los tratantes de caballos; el cuarto y último había sido escogido por las parejas de enamorados, ya fueran recién casados o se tratara de alocados muchachos que habían huido de sus hogares. Ya para terminar el viaje, comenzaba a oírse en este último coche los tiernos lloriqueos de más de una criatura y, por la noche, acompañadas por el traqueteo adormecedor de los rieles, las madres arrullaban a sus pequeños mientras los jóvenes padres salían a la plataforma para fumar un cigarrillo y comentar las excelencias de sus respectivas compañeras.

La música del cuarto vagón se confunde en mi recuerdo con el ardiente clima de una tierra sembrada de jugosas guanábanas*, en donde hermosas mujeres de mirada fija y lento paso escanciaban el guarapo* en las noches de fiesta.

Con frecuencia actuaba el sepulturero. Ya fuera un anciano fallecido en forma repentina o se tratara de un celoso joven del segundo vagón envenenado por sus compañeros, una vez sepultado el cadáver permanecíamos allí tres días vigilando el túmulo y orando ante la imagen de Cristobal Colón, Santo Patrono del tren.

Cuando estallaba un violento drama de celos entre los viajeros del segundo coche o entre los enamorados del cuarto, ordenaba detener el tren y dirimía la disputa. Los amantes reconciliados, o separados para siempre, sufrían los amargos y duros reproches de todos los demás viajeros. No es cualquier cosa permanecer en medio de un páramo helado o de una ardiente llanura donde el sol reverbera hasta agotar los ojos, oyendo las peores indecencias, enterándose de las más vulgares intimidades y descubriendo, como en un espejo de dos caras, tragedias que en nosotros transcurrieron soterradas y silenciosas, denunciando apenas su paso con un temblor en las rodillas o una febril ternura en el pecho.

Los viajes nunca fueron anunciados previamente. Quienes conocían la existencia del tren, se pasaban a vivir a los coches uno o dos meses antes de partir, de tal manera que, a finales de febrero se completaba el pasaje con alguna ruborosa pareja que llegaba acezante o con un gitano de ojos de escupitajo y voz pastosa.

En ocasiones sufríamos, ya en camino, demoras hasta de varias semanas debido a la caída de un viaducto. Días y noches nos atontaba la voz del torrente, en donde se bañaban los viajeros más arriesgados. Una vez reconstruido el paso, continuaba el viaje. Todos dejábamos un ángel feliz de nuestra memoria rondando por la fecunda cascada, cuyo ruido permanecía intacto y, de repente, pasados los años, nos despertaba sobresaltados, en medio de la noche.

Cierto día me enamoré perdidamente de una hermosa muchacha que había quedado viuda durante el viaje. Llegado que hubo el tren a la estación terminal del trayecto me fugué con ella. Después de un penoso viaje nos establecimos a orillas del Gran Río, en donde ejercí por muchos años el oficio de colector de impuestos sobre la pesca del pez púrpura que abunda en esas aguas.

Respecto al tren, supe que había sido abandonado definitivamente y que servía a los ardientes propósitos de los veraneantes. Una tupida maraña de enredaderas y bejucos invade ahora completamente los vagones y los azulejos han fabricado su nido en la locomotora y el furgón.

Álvaro Mutis, *Obra Literaria*: «El viaje». (1948). Ed. Procultura, Bogotá, 1985. Tomo II, Poesía, Pp. 208-210.

Los recursos literarios de Asturias son magistrales e inagotables. En el siguiente fragmento se puede apreciar cómo la onomatopeya, la repetición machacona y el juego de palabras consiguen efectos descriptivos y dramáticos. Cara de Ángel, el que fuera maquiavélico ingeniero del aparato represor de *El Señor Presidente,* redimido por el amor, se va distanciando del tirano. El astuto dictador lo rodea de lujos y de halagos, y lo envía a realizar una misión especial a la Costa... Pero los premonitorios juegos de palabras y el vaivén del tren refuerzan la intriga y anticipan al lector la posibilidad de un trágico desenlace para el *afortunado* viaje.

CADA VEZ CADA VER

¡Qué suerte alejarse de aquel hombre en carro* de primera, rodeado de atenciones, sin cola con orejas, con cheques en la bolsa*! Al paso del tren los campos cobraban movimiento y echaban a correr como chiquillos uno tras otro, uno tras otro, uno tras otro: árboles, casas, puentes.

...¡Qué suerte alejarse de aquel hombre en carro de primera!...

...Uno tras otro, uno tras otro, uno tras otro... ...La casa perseguía al árbol, el árbol a la cerca, la cerca al puente, el puente al camino, el camino al río, el río a la montaña, la montaña a la nube, la nube a la siembra, la siembra al labriego, el labriego al animal...[...]

Cara de Ángel abandonó la cabeza en el respaldo del asiento de junco. Seguía la tierra baja, plana, caliente, inalterable de la costa con los ojos perdidos de sueño y la sensación confusa de ir en el tren, de no ir en el tren, de irse quedando atrás del tren, cada vez más atrás del tren, más atrás del tren, más atrás del tren, más atrás del tren, cada vez más atrás, cada vez más atrás, cada vez más atrás, más y más cada vez, cada ver cada vez, cada vez cada vez, cada ver cada vez, cada ver cada vez, cada ver cada ver cada ver cada ver cada ver...

MIGUEL ÁNGEL ASTURIAS, *Obras Completas:* «El Señor Presidente». (1946). Aguilar, Madrid, 1969. Tomo I, p. 439.

III. REALIDADES Y FANTASÍAS

Usaban también [los mayas*] de ciertos caracteres o letras con los cuales escribían en sus libros sus cosas antiguas y sus ciencias, y con estas figuras y algunas señales de las mismas, entendían sus cosas y las daban a entender y enseñaban.

FRAY DIEGO DE LANDA

[A nosotros, los libros] «Nos leen (cuando nos leen) en dos, tres, cinco días. Luego nos comprimen unos contra los otros, sin que nada nos relacione con nuestros camaradas inmediatos. Y nos olvidan.»

MANUEL MUJICA LÁINEZ

Como los escribas continuarán, los pocos lectores que en el mundo había van a cambiar de oficio y se pondrán también de escribas. Cada vez más los países serán de escribas y de fábricas de papel y tinta,...

JULIO CORTÁZAR

[Menard] No quería componer otro Quijote -lo cual es fácil- sino el *Quijote*. Inútil agregar que no encaró nunca una transcripción mecánica del original; no se proponía copiarlo. Su admirable ambición era producir unas páginas que coincidieran -palabra por palabra y línea por línea- con las de Miguel de Cervantes. [...] El método inicial que imaginó era relativamente sencillo. Conocer bien el español, recuperar la fe católica, guerrear contra los moros o contra el turco, olvidar la historia de Europa entre los años de 1602 y de 1918, *ser* Miguel de Cervantes.

JORGE LUIS BORGES

I. LOS LIBROS Y LA PALABRA

La fuerza de la palabra es incuestionable. La expresión oral ha condicionado todas las culturas y su representación gráfica ha sido el punto de partida de las grandes civilizaciones. De los *glifos* de las estelas mayas y las estilizaciones de la realidad entretejidas por los incas* en paños de llama* y vicuña* arranca el vigor de la Literatura Hispanoamericana. Códices y manuscritos en náhuatl*, quechua*, quiché*, maya y guaraní*, ricos en imágenes y vocablos, alcanzaron mayor esplendor y difusión al ser transcritos con caracteres latinos por los misioneros españoles. La fusión de estas lenguas con el habla de Castilla y la convergencia de originales valores estéticos en un solo idioma ha configurado la Literatura Hispanoamericana, que ha supuesto una auténtica conmoción en el siglo XX. El libro, todavía contenedor de la palabra y recipiendiario de anhelos humanos, historia y cavilaciones, tiene un singular contenido en Iberoamérica donde aglutina valores autóctonos y foráneos. De esta afluencia han brotado novedosas corrientes literarias, como la tendencia de lo real maravilloso y el realismo mágico. El deseo de renovación y la vuelta a los orígenes siguen palpitantes, y mientras unos cuestionan el valor de los signos y del lenguaje convencional, otros se remontan a códigos y caracteres milenarios para dar consistencia y veracidad a sus fábulas.

Reproducimos dos textos de las memorias de Neruda que recogen su experiencia sobre la emoción artística y sobre la alquimia que utiliza para su composición literaria.

Siempre es interesante conocer los comienzos de un Premio Nobel y las dificultades e ilusiones de un poeta de 19 años. Pablo Neruda recuerda aquí la embriagadora sensación que le causó la publicación de su primer libro de poemas, momento irrepetible en la vida de cualquier escritor.

¡MI PRIMER LIBRO!

En 1923 se publicó ese mi primer libro: *Crepusculario*. Para pagar la impresión tuve dificultades y victorias cada día. Mis escasos muebles se vendieron. A la casa de empeños se fue rápidamente el reloj que solemnemente me había regalado mi padre, reloj al que él le había hecho pintar dos banderitas cruzadas. Al reloj siguió mi traje negro de poeta. El impresor era inexorable y, al final, lista totalmente la edición y pegadas las tapas, me dijo con aire siniestro: «No. No se llevará ni un solo ejemplar sin antes pagármelo todo». El crítico Alone aportó generosamente los últimos pesos, que fueron tragados por las fauces del impresor; y salí a la calle con mis libros al hombro, con los zapatos rotos y loco de alegría.

Mi primer libro! Yo siempre he sostenido que la tarea del escritor no es misteriosa ni trágica, sino que, por lo menos la del poeta, es una tarea personal, de beneficio público. Lo más parecido a la poesía es un pan o un plato de cerámica, o una madera tiernamente labrada, aunque sea por torpes manos. Sin embargo, creo que ningún artesano puede tener, como el poeta la tiene, por una sola vez durante su vida, esta embriagadora sensación del primer objeto creado con sus manos, con la desorientación aún palpitante de sus sueños. Es un momento que ya nunca más volverá. Vendrán muchas ediciones más cuidadas y bellas. Llegarán sus palabras trasvasadas a la copa de otros idiomas como un vino que cante y perfume en otros sitios de la tierra. Pero ese minuto en que sale fresco de tinta y tierno de papel el primer libro, ese minuto arrobador y embriagador, con sonido de alas que revolotean y de primera flor que se abre en la altura conquistada, ese minuto está presente una sola vez en la vida del poeta.[...]

Neruda, mago de la palabra, expresa en el siguiente fragmento su veneración por el lenguaje y explica con fruición los ritos y liturgia de su creación poética. Como si fuera un sofisticado jefe de cocina, expone la forma en que amasa términos cultos y vulgares hasta lograr esa fórmula maravillosa que a todos seduce. El ingrediente mágico es la palabra que dejaron los conquistadores en América; la lengua es el único legado valioso que dejaron los españoles, dice el poeta, y su belleza y poder compensan todo lo que del Nuevo Mundo se llevaron los bárbaros.

TODO ESTÁ EN LA PALABRA

...Todo lo que usted quiera, sí señor, pero son las palabras las que cantan, las que suben y bajan... Me prosterno ante ellas... Las amo, las adhiero, las persigo, las muerdo, las derrito... Amo tanto las palabras... Las inesperadas... Las que glotonamente se esperan, se acechan, hasta que de pronto caen... Vocablos amados... Brillan como piedras de colores, saltan como platinados peces, son espuma, hilo, metal, rocío... Persigo algunas palabras... Son tan hermosas que las quiero poner todas en mi poema... Las agarro al vuelo, cuando van zumbando, y las atrapo, las limpio, las pelo, me preparo frente al plato, las siento cristalinas, vibrantes, ebúrneas, vegetales, aceitosas, como frutas, como algas, como ágatas, como aceitunas... Y entonces las revuelvo, las agito, me las bebo, me las zampo, las trituro, vuelvo, las emperejilo, las liberto... Las dejo como estalactitas en mi poema, como pedacitos de madera bruñida, como carbón, como restos de naufragio, regalos de la ola... Todo está en la palabra... Una idea entera se cambia porque una palabra se trasladó de sitio, o porque otra se sentó como una reinita adentro de una frase que no la esperaba y que le obedeció... Tienen sombra, transparencia, peso, plumas, pelos, tienen de todo lo que se les fue agregando de tanto rodar por el río, de tanto transmigrar de patria, de tanto ser raíces... Son antiquísimas y recientísimas... Viven en el féretro escondido y en la flor apenas comenzada... Qué buen idioma el mío, qué buena lengua heredamos de los conquistadores torvos... Éstos andaban a zancadas por las tremendas cordilleras, por las Américas encrespadas, buscando patatas, butifarras, frijolitos*, tabaco negro, oro, maíz, huevos fritos, con aquel apetito voraz que nunca más se ha visto en el mundo... Todo se lo tragaban, con religiones, pirámides, tribus, idolatrías iguales a las que ellos traían en sus grandes bolsas... Por donde pasaban quedaba arrasada la tierra... Pero a los bárbaros se les caían de las botas, de las barbas, de los yelmos, de las herraduras, como piedrecitas, las palabras luminosas que se quedaron aquí resplandecientes... el idioma. Salimos perdiendo... Salimos ganando... Se llevaron el oro y nos dejaron el oro... Se lo llevaron todo y nos dejaron todo... Nos dejaron las palabras.

PABLO NERUDA, *Confieso que he vivido. Memorias.* (1974). Seix Barral, Bibioteca Breve, Barcelona, 1991. Pp. 72 y 77-78.

A la publicación de la primera obra de Monterroso *Obras completas (y otros cuentos)* (–nótese la ironía del título–) habrían de seguir diez años de silencio. En las últimas páginas de su siguiente libro, *La oveja negra y demás fábulas*, el guatemalteco explica su mutismo; parodia además, en muy breves líneas, las dificultades, pasiones y rencillas del mundo editorial: la pedantería, la crítica y la crítica de la crítica, la calidad de las traducciones y la envidia solapada de los escritores. En esta fábula se puede adivinar un autorretrato del autor que se reconoce sabio y astuto y que elegantemente se jacta de estar por encima de los acontecimientos.

EL ZORRO ES MÁS SABIO

Un día que el Zorro estaba muy aburrido y hasta cierto punto melancólico y sin dinero, decidió convertirse en escritor, cosa a la cual se dedicó inmediatamente, pues odiaba ese tipo de personas que dicen voy a hacer esto o lo otro y nunca lo hacen.

Su primer libro resultó muy bueno, un éxito; todo el mundo lo aplaudió, y pronto fue traducido (a veces no muy bien) a los más diversos idiomas.

El segundo fue todavía mejor que el primero, y varios profesores norteamericanos de lo más granado del mundo académico de aquellos remotos días lo comentaron con entusiasmo y aun escribieron libros sobre los libros que hablaban de los libros del Zorro.

Desde ese momento el Zorro se dio con razón por satisfecho, y pasaron los años y no publicaba otra cosa.

Pero los demás empezaron a murmurar y a repetir: «¿Qué pasa con el Zorro?», y cuando lo encontraban en los cocteles puntualmente se le acercaban a decirle: «Tiene usted que publicar más».

—Pero si ya he publicado dos libros– respondía él con cansancio.

—Y muy buenos -le contestaban-; por eso mismo tiene usted que publicar otro.

El Zorro no lo decía, pero pensaba: «En realidad lo que éstos quieren es que yo publique un libro malo; pero como soy el Zorro, no lo voy a hacer».

Y no lo hizo.

AUGUSTO MONTERROSO, *La oveja negra y demás fábulas.* (1969). Ed. Nueva Nicaragua, Ediciones Monimbó, Managua, 1982. Pp. 85-86.

Al descubrir el deforme cadáver de su hijo, el último Buendía empieza a comprender las claves del manuscrito de Melquíades, que predecía la saga de la familia y le auguraba una maldición: el gitano había anunciado que tras cometer incesto, los Buendía habrían de procrear un vástago con cola de cerdo; a continuación la estirpe y Macondo serían destruidos. Los pergaminos presentan ante Aureliano, como si se tratase de una bola mágica, viejos aromas, antiguas sensaciones y las claves del origen y fin de los Buendía. El legado profético está escrito en sánscrito y no respeta el orden lineal del tiempo; la magia de sus palabras transforma y deslumbra a Aureliano, que descubre su parentesco real con Amaranta Úrsula, su gran amor y madre de su hijo. El lector, incapaz de descifrar todos los códigos en las últimas páginas de la novela (aquí reproducidas), seguirá fascinado por el lado oculto de *Cien años de soledad.* El libro, como todas las grandes obras literarias y religiosas, no desvela la totalidad del misterio; los enigmas de Macondo perduran entre *murmullos de geranios antiguos.*

LOS MANUSCRITOS DE MELQUÍADES

Aureliano no pudo moverse. No porque lo hubiera paralizado el estupor, sino porque en aquel instante prodigioso se le revelaron las claves definitivas de Melquíades, y vio el epígrafe de los pergaminos perfectamente ordenado en el tiempo y el espacio de los hombres: *El primero de la estirpe está amarrado en un árbol y al último se lo están comiendo las hormigas.*

Aureliano no había sido más lúcido en ningún acto de su vida que cuando olvidó sus muertos y el dolor de sus muertos, y volvió a clavar las puertas y las ventanas con las crucetas de Fernanda para no dejarse perturbar por ninguna tentación del mundo, porque entonces sabía que en los pergaminos de Melquíades estaba escrito su destino. Los encontró intactos, entre las plantas prehistóricas y los charcos humeantes y los insectos luminosos que habían desterrado del cuarto todo vestigio del paso de los hombres por la tierra, y no tuvo serenidad para sacarlos a la luz, sino que allí mismo, de pie, sin la menor dificultad, como si hubieran estado escritos en castellano bajo el resplandor deslumbrante del mediodía, empezó a descifrarlos en voz alta. Era la historia de la familia, escrita por Melquíades hasta en sus detalles más triviales, con cien años de anticipación. La había redactado en sánscrito, que era su lengua materna, y había cifrado los versos pares con la clave privada del emperador Augusto, y los impares con claves militares lacedemonias. La protección final, que Aureliano empezaba a vislumbrar cuando se dejó confundir por el amor de Amaranta Úrsula, radicaba en que Melquíades no había ordenado los hechos en el tiempo convencional de los hombres, sino que concentró un siglo de episodios cotidianos, de modo que todos coexistieran en un instante. Fascinado por el hallazgo, Aureliano leyó en voz alta, sin saltos, las encíclicas cantadas que el propio Melquíades le hizo escuchar a Arcadio, y que eran en realidad las predicaciones de su ejecución, y encontró anunciado el nacimiento de la mujer más bella del mundo que estaba subiendo al cielo en cuerpo y alma, y conoció el origen de dos gemelos póstumos que renunciaban a descifrar los pergaminos, no sólo por incapacidad e inconstancia, sino porque sus tentativas eran prematuras. En este punto, impaciente por conocer su propio origen, Aureliano dio un salto. Entonces empezó el viento, tibio, incipiente, lleno de voces del pasado, de murmullos de geranios antiguos, de suspiros de desengaños anteriores a las nostalgias más tenaces. No lo advirtió porque en aquel momento estaba descubriendo los primeros indicios de su ser, en un abuelo concupiscente que se dejaba arrastrar por la frivolidad a través de un páramo alucinado, en busca de una mujer hermosa a quien no haría feliz. Aureliano lo reconoció, persiguió los ocultos caminos de su descendencia, y encontró el instante de su propia concepción entre los alacranes y las mariposas amarillas de un baño crepuscular, donde un menestral saciaba su lujuria con una mujer que se le entregaba por rebeldía. Estaba tan absorto, que no sintió tampoco la segunda arremetida del viento, cuya potencia ciclónica arrancó de los quicios las puertas y las ventanas, descuajó el techo de la galería oriental y desarraigó los cimientos. Sólo entonces descubrió que Amaranta Úrsula no era su hermana, sino su tía, y que Francis Drake había asaltado a Riohacha solamente para que ellos pudieran buscarse por los laberintos más intrincados de la sangre, hasta engendrar el animal mitológico que había de poner término a la estirpe. Macondo era ya un pavoroso remolino de polvo y escombros centrifugado por la cólera del huracán bíblico, cuando Aureliano saltó once páginas para no perder el tiempo en hechos demasiado conocidos, y empezó a descifrar el instante que estaba viviendo, descifrándolo a medida que lo vivía, profetizándose a sí mismo en el acto de descifrar la última página de los pergaminos, como si se estuviera viendo en un espejo hablado. Entonces dio otro salto para anticiparse a las predicciones y averiguar la fecha y las circunstancias de su muerte. Sin embargo, antes de llegar al verso final ya había comprendido que no saldría jamás de ese cuarto, pues estaba previsto que la ciudad de los espejos (o los espejismos) sería arrasada por el viento y desterrada de la memoria de los hombres en el instante en que Aureliano Babilonia acabara de descifrar los pergaminos, y que todo lo escrito en ellos era irrepetible desde siempre y para siempre, porque las estirpes condenadas a cien años de soledad no tenían una segunda oportunidad sobre la tierra.

GABRIEL GARCÍA MÁRQUEZ, *Cien años de soledad.* (1967). Cátedra, Col. Letras Hispánicas, Madrid, 1987. Pp. 490-492.

Tres tristes tigres recoge las voces que pueblan las noches de La Habana prerrevolucionaria y los divertimentos de un grupo de noctámbulos. Curiosamente, los amigos son contagiados por la obsesión de un personaje ya fallecido, El Bustrofedón, que cuestionaba el valor absoluto que otorgamos al lenguaje. Cabrera Infante proyecta en esta su mejor novela la rebeldía frente a las convenciones lingüísticas y literarias. La palabra y su ortografía, las frases hechas, los tópicos y la literatura academicista imposibilitan la comunicación, concluye el autor. Por ello, en actitud lúdica y escapista, recrea en su obra juegos de palabras, rompecabezas, adivinanzas, vocablos que tienen diferente significado cuando son invertidos... Recomendando al lector que no intente captar el hilo argumental, presentamos la reproducción facsímil de dos páginas del libro, «escrito en cubano». En ellas se podrán comprobar también los juegos lingüísticos y tipográficos, la anarquía formal y los experimentos ópticos realizados por un escritor que investiga simultáneamente la literatura, la fotografía y el cine.

DEL OTRO LADO DEL ESPEJO ¿UNA BROMA?

¿Una broma? ¿Y qué otra cosa fue si no la vida de B? ¿Una broma? ¿Una broma dentro de una broma? Entonces, caballeros, la cosa es seria. ¿Y los problemas que ponía a Silvestre para su desespero (el de Silvestre que le decía, Eres el Capablanca de la escritura invisible: ¿Por qué? preguntaba Bustro. El no se conformaba con las 64 casillas del tablero: ¿Quería 69? decía riendo Bustró: No, respondía serio Silvestre que no admite bromas cuando él habla en serio o al revés, Quería añadir dificultad al juego-ciencia, que le parecía ya demasiado juego y poca ciencia o viceversa: y Bustró que decía, Sólo que yo soy un Capablanca que mira cómo juegan solos los (caryl) chessmen: escribo con tinta simpática) y el regocijo entonces del Bust que parecía el jinete de una carrera de steeplechase (palabras que enfuriarían a este Eddy Arcaro del diccionario, como lo hacían las frases el desierto de Sahara y el monte Mont-Blanc o la ciudad de Leningrado, que lo enfurecían siempre que alguien las decía, excepto cuando las decía él, que parecían aliviarlo) o mejor: él mismo el maestro diseñador de los obstáculos literarios y proponía entonces una literatura en que las palabras significaran lo que le diera la gana al autor, que no tenía más que declarar al principio en un prólogo que siempre que escribiera noche se leyera día o cuando pusiera negro se creyera rojo o azul o sin color o blanco y si afirmaba que un personaje era mujer debía suponer el lector que era hombre y después que el libro estuviera escrito, suprimiera el prólogo (aquí Silvestre saltaba: jump) antes de publicarlo o empastelar las teclas de la máquina de escribir al azar (esta frase le gustaría al B. si la leyera, estoy seguro) y mecanografiar entonces .wdyx gtsdw ñ'r hiayseos! r'ayiu drfty/tp? O querer ver un libro escrito todo al revés, donde la última palabra fuera la primera y a la inversa, y ahora que sé que Bus viajó al otro mundo, a su viceversa, al negativo, a la sombra, del otro lado del espejo, pienso que leerá está página como él siempre quiso: así:

¿Una broma? ¿Y qué otra cosa fue si no la vida de B? ¿Una broma? ¿Una broma dentro de una broma? Entonces, caballeros, la cosa es seria. ¿Y los problemas que ponía a Silvestre para su desespero (el de Silvestre que le decía, Eres el Capablanca de la escritura invisible: ¿Por qué? preguntaba Bustro. El no se conformaba con las 64 casillas del tablero: ¿Quería 69? decía riendo Bustró: No, respondía serio Silvestre que no admite bromas cuando él habla en serio o al revés, Quería añadir dificultad al juego-ciencia, que le parecía ya demasiado juego y poca ciencia o viceversa: y Bustró que decía, Sólo que yo soy un Capablanca que mira cómo juegan solos los (caryl) chessmen: escribo con tinta simpática) y el regocijo entonces del Bust que parecía el jinete de una carrera de steeplechase (palabras que enfuriarían a este Eddy Arcaro del diccionario, como lo hacían las frases el desierto de Sahara y el monte Mont-Blanc o la ciudad de Leningrado, que lo enfurecían siempre que alguien las decía, excepto cuando las decía él, que parecían aliviarlo) o mejor: él mismo el maestro diseñador de los obstáculos literarios y proponía entonces una literatura en que las palabras significaran lo que le diera la gana al autor, que no tenía más que declarar al principio en un prólogo que siempre que escribiera noche se leyera día o cuando pusiera negro se creyera rojo o azul o sin color o blanco y si afirmaba que un personaje era mujer debía suponer el lector que era hombre y después que el libro estuviera escrito, suprimiera el prólogo (aquí Silvestre saltaba: jump) antes de publicarlo o empastelar las teclas de la máquina de escribir al azar (esta frase le gustaría al B. si la leyera, estoy seguro) y mecanografiar entonces .wdyx gtsdw ñ'r hiayseos! r'ayiu drfty/tp? O querer ver un libro escrito todo al revés, donde la última palabra fuera la primera y a la inversa, y ahora que sé que Bus viajó al otro mundo, a su viceversa, al negativo, a la sombra, del otro lado del espejo, pienso que leerá está página como él siempre quiso: así:

GUILLERMO CABRERA INFANTE, *Tres tristes tigres.* (1967). Seix Barral, Biblioteca de bolsillo, Barcelona, 1988. Pp. 264-265.

Mirar el río hecho de tiempo y agua
Y recordar que el tiempo es otro río,
Saber que nos perdemos como el río
Y que los rostros pasan como el agua.

JORGE LUIS BORGES

No hay remedio contra el tiempo. O, al menos, no lo conocemos. Pero hay que confiarse a la corriente temporal, hay que vivir. El cuerpo envejece porque es tiempo como todo lo que existe sobre esta tierra.

OCTAVIO PAZ

Hubo en un siglo un día que duró muchos siglos.

MIGUEL ÁNGEL ASTURIAS

¿Cuánto vive el hombre, por fin?
¿Vive mil años o uno sólo?
¿Vive una semana o varios siglos?
¿Qué quiere decir para siempre?

PABLO NERUDA

...y una vez más se estremeció con la comprobación de que el tiempo no pasaba, como ella lo acababa de admitir, sino que daba vueltas en redondo.

GABRIEL GARCÍA MÁRQUEZ

2. EL RELOJ Y EL TIEMPO

Plenamente integrada en la filosofía occidental del siglo XX, la Literatura Hispanoamericana participa en la reflexión sobre el tiempo. Resignadas imágenes de tradición hispánica sobre el fluir de las aguas del río acompañan a contestatarias reacciones del hombre contra su poder destructor. Además, Iberoamérica, conformada por sociedades modernas y poblaciones muy arcaicas, ha ofrecido a los escritores diferentes ámbitos para la experimentación temporal. Poesía, narrativa y ensayo reflejan con gran riqueza de matices la contraposición del tiempo convencional de relojes y calendarios a la noción de duración vivencial. Temporalidad e intemporalidad, tiempo lineal y tiempo circular, cronología y simultaneidad constituyen preocupaciones obsesivas de una literatura que refleja la América real y mágica.

En *Historias de cronopios y de famas* Cortázar da vida a tres grupos de personajes imaginarios que representan dos actitudes posibles ante las convenciones sociales: los cronopios, despreocupados e imaginativos, y los famas, conservadores y ordenados. Las esperanzas, también criaturas de ficción, son contrapunto en algunas situaciones. Reproducimos a continuación tres textos donde, mediante reacciones absurdas frente a situaciones cotidianas, Cortázar expone de forma divertida el conflicto entre el tiempo abstracto, el tiempo personal y el tiempo marcado por el reloj. El hombre no acierta a diferenciar las distintas dimensiones del tiempo y se convierte en esclavo de su reloj que llega a engañarlo y confundirlo. Pero, ¿qué importa, sugiere Cortázar, si al final cualquier tiempo es tan sólo una carrera hacia la muerte?.

PREÁMBULO A LAS INSTRUCCIONES PARA DAR CUERDA AL RELOJ

Piensa en esto: cuando te regalan un reloj te regalan un pequeño infierno florido, una cadena de rosas, un calabozo de aire. No te dan solamente el reloj, que los cumplas muy felices y esperamos que te dure porque es de buena marca, suizo con áncora de rubíes; no te regalan solamente ese menudo picapedrero que te atarás a la muñeca y pasearás contigo. Te regalan –no lo saben, lo terrible es que no lo saben–, te regalan un nuevo pedazo frágil y precario de ti mismo, algo que es tuyo pero no es tu cuerpo, que hay que atar a tu cuerpo con su correa como un bracito desesperado colgándose de tu muñeca. Te regalan la necesidad de darle cuerda todos los días, la obligación de darle cuerda para que siga siendo un reloj; te regalan la obsesión de atender a la hora exacta en las vitrinas de las joyerías, en el anuncio por la radio, en el servicio telefónico. Te regalan el miedo de perderlo, de que te lo roben, de que se te caiga al suelo y se rompa. Te regalan su marca, y la seguridad de que es una marca mejor que las otras, te regalan la tendencia a comparar tu reloj con los demás relojes. No te regalan un reloj, tú eres el regalado, a ti te ofrecen para el cumpleaños del reloj.

INSTRUCCIONES PARA DAR CUERDA AL RELOJ

Allá en el fondo está la muerte, pero no tenga miedo. Sujete el reloj con una mano, tome con dos dedos la llave de la cuerda, remóntela suavemente. Ahora se abre otro plazo, los árboles despliegan sus hojas, las barcas corren regatas, el tiempo como un abanico se va llenando de sí mismo y de él brotan el aire, las brisas de la tierra, la sombra de una mujer, el perfume del pan.

¿Qué más quiere, qué más quiere? Átelo pronto a su muñeca, déjelo latir en libertad, imítelo anhelante. El miedo herrumbra las áncoras, cada cosa que pudo alcanzarse y fue olvidada va corroyendo las venas del reloj, gangrenando la fría sangre de sus pequeños rubíes. Y allá en el fondo está la muerte si no corremos y llegamos antes y comprendemos que ya no importa.

RELOJES

Un fama tenía un reloj de pared y todas las semanas le daba cuerda *con gran cuidado*. Pasó un cronopio y al verlo se puso a reír, fue a su casa e inventó el reloj-alcachofa o alcaucil, que de una y otra manera puede y debe decirse.

El reloj alcaucil de este cronopio es un alcaucil de la gran especie, sujeto por el tallo a un agujero de la pared. Las innumerables hojas del alcaucil marcan la hora presente y además todas las horas, de modo que el cronopio no hace más que sacarle una hoja y ya sabe una hora. Como las va sacando de izquierda a derecha, siempre la hoja da la hora justa, y cada día el cronopio empieza a sacar una nueva vuelta de hojas. Al llegar al corazón el tiempo no puede ya medirse, y en la infinita rosa violeta del centro el cronopio encuentra un gran contento, entonces se la come con aceite, vinagre y sal, y pone otro reloj en el agujero.

JULIO CORTÁZAR, *Historias de cronopios y de famas.* (1962). Edhasa, Barcelona, 1992. Pp. 23, 24, y 104.

El protagonista de *El túnel* es consciente de la diferencia entre el tiempo real y el tiempo personal. La intensidad de las vivencias modifica la duración y la dirección del tiempo. Los instantes pueden ser eternos; pueden además hacernos revivir el pasado o trasladarnos a otros espacios, insólitos o intemporales. También Sábato utiliza la imagen del río, tranquilo o tumultuoso, tan recurrente en la Literatura Española para respresentar al tiempo.

MI PROPIO TIEMPO

Fue una espera interminable. No sé cuánto tiempo pasó en los relojes, de ese tiempo anónimo y universal de los relojes, que es ajeno a nuestros sentimientos, a nuestros destinos, a la formación o al derrumbe de un amor, a la espera de una muerte. Pero de mi propio tiempo fue una cantidad inmensa y complicada, lleno de cosas y vueltas atrás, un río oscuro y tumultuoso a veces, y a veces extrañamente calmo y casi mar inmóvil y perpetuo donde María y yo estábamos frente a frente contemplándonos estáticamente, y otras veces volvía a ser río y nos arrastraba como en un sueño a tiempos de infancia y yo la veía correr desenfrenadamente en su caballo, con los cabellos al viento y los ojos alucinados, y yo me veía en mi pueblo del sur, en mi pieza de enfermo, con la cara pegada al vidrio de la ventana, mirando la nieve con ojos también alucinados.

ERNESTO SÁBATO, *El túnel.* (1948). Seix Barral, Biblioteca Breve, Barcelona, 1982. P. 130.

Es frecuente encontrar en la narrativa de Juan Rulfo lugares geográficamente desconocidos y no localizados en el tiempo histórico. Éste es el caso de Luvina, cuyos habitantes, inmersos en la monotonía, no tienen tampoco noción del tiempo real. Su transcurso parece no importarles porque su rutinaria vida carece de interés y sólo esperan la llegada de la muerte; el tiempo es para siempre el mismo, para siempre eterno.

COMO SI SE VIVIERA SIEMPRE EN LA ETERNIDAD

—Me parece que usted me preguntó cuántos años estuve en Luvina, ¿verdad...? La verdad es que no lo sé. Perdí la noción del tiempo desde que las fiebres me lo enrevesaron; pero debió haber sido una eternidad... Y es que allá el tiempo es muy largo. Nadie lleva la cuenta de las horas ni a nadie le preocupa cómo van amontonándose los años. Los días comienzan y se acaban. Luego viene la noche. Solamente el día y la noche hasta el día de la muerte, que para ellos es una esperanza.

»Usted ha de pensar que le estoy dando vueltas a una misma idea. Y así es, sí señor... Estar sentado en el umbral de la puerta, mirando la salida y la puesta del sol, subiendo y bajando la cabeza, hasta que acaban aflojándose los resortes y entonces todo se queda quieto, sin tiempo, como si se viviera siempre en la eternidad. Eso hacen allí los viejos.

JUAN RULFO, *El llano en llamas: «Luvina»*. (1953). Cátedra, Letras Hispánicas, Madrid, 1991. Pp. 125-126

En los albores de la Revolución Mexicana, Ixtepec, un pequeño pueblo, es el narrador de *Los recuerdos del porvenir.* En las primeras páginas de la novela ya se perfilan los aspectos de la realidad que va a explorar Elena Garro. Martín Moncada, cabeza de una rancia familia local, canaliza sus nostalgias y temores cavilando sobre las dimensiones del tiempo. La añoranza del pasado y la intuición de los trágicos acontecimientos que habrían de acarrear los desmanes de los revolucionarios hacen que Martín se refugie en un tiempo propio, hecho a su medida. Para ello, detiene el tictac del reloj y se refugia en recuerdos, vividos o imaginados, que él querría convertir en porvenir. Con inusitado hálito poético, la autora alterna descripciones costumbristas e introspección psicológica. Connotaciones proustianas y experiencias literarias de la autora dan paso a uno de los arbitrarios usos de la temporalidad cultivados por la narrativa del *Boom.*

¿QUÉ ES EL PORVENIR?

El reloj martilleaba los segundos desde su caja de caoba.

—¡Cuánto ruido haces en la noche! –le dijo don Martín, mirándolo con severidad y amenazándolo con el dedo índice.

—Son las nueve –respondió Félix desde su rincón; obedeciendo a una vieja costumbre de la casa, se levantó de su escabel, se dirigió al reloj, abrió la puertecilla de vidrio y desprendió el péndulo. El reloj quedó mudo. Félix colocó la pieza de bronce sobre el escritorio de su amo y volvió a ocupar su sitio.

—Ya por hoy no nos vas a corretear –comentó Martín mirando las manecillas inmóviles sobre la carátula de porcelana blanca.

Sin el tictac, la habitación y sus ocupantes entraron en un tiempo nuevo y melancólico donde los gestos y las voces se movían en el pasado. Doña Ana, su marido, los jóvenes y Félix se convirtieron en recuerdos de ellos mismos, sin futuro, perdidos en una luz amarilla e individual que los separaba de la realidad para volverlos sólo personajes de la memoria. Así los veo ahora, cada uno inclinado sobre su círculo de luz, atareados en el olvido, fuera de ellos mismos y de la pesadumbre que por las noches caía sobre mí cuando las casas cerraban sus persianas.

—¡El porvenir! ¡El porvenir...! ¿Qué es el porvenir? –exclamó Martín Moncada con impaciencia.

Félix movió la cabeza, y su mujer y sus hijos guardaron silencio. Cuando pensaba en el porvenir una avalancha de días apretujados los unos contra los otros se le venía encima y se venía encima de su casa y de sus hijos. Para él los días no contaban de la misma manera que contaban para los demás. Nunca se decía: «el lunes haré tal cosa» porque entre ese lunes y él, había una multitud de recuerdos no vividos que lo separaba de la necesidad de hacer «tal cosa ese lunes». Luchaba entre varias memorias y la memoria de lo sucedido era la única irreal para él. De niño pasaba largas horas recordando lo que no había visto ni oído nunca. Le sorprendía mucho más la presencia de una buganvilia* en el patio de su casa que el oír que existían unos países cubiertos por la nieve. Él recordaba la nieve como una forma del silencio. Sentado al pie de la buganvilia se sentía poseído por un misterio blanco, tan cierto para sus ojos oscuros como el cielo de su casa.

—¿En qué piensa, Martín? –le preguntó su madre, sorprendida ante su actitud concentrada.

—Me acuerdo de la nieve –contestó él desde la memoria de sus cinco años. A medida que creció, su memoria reflejó sombras y colores del pasado no vivido que se confundieron con imágenes y actos del futuro, y Martín Moncada vivió siempre entre esas dos luces que en él se volvieron una sola. Esa mañana su madre se echó a reír sin consideración para aquellos recuerdos suyos que se abrían paso muy adentro de él mismo, mientras contemplaba incrédulo la violencia de la buganvilia. Había olores ignorados en Ixtepec que sólo él percibía. Si las criadas encendían la lumbre en la cocina, el olor del ocote* quemado abría, en sus otros recuerdos, unas visiones de pinos, y el olor de un viento frío y resinoso subía por su cuerpo hasta hacerse consciente en su memoria. Sorpendido miraba a su alrededor y se encontraba cerca del brasero caliente respirando un aire cargado de olores pantanosos que llegaban del jardín. Y la impresión extraña de no saber dónde se encontraba, de hallarse en un lugar hostil, le hacía desconocer las voces y las caras de sus nanas*. La buganvilia que llameaba a través de la puerta abierta de la cocina le producía espanto y se ponía a llorar al sentirse extraviado en un paraje desconocido. «¡No llores, Martín, no llores!», le apuraban las criadas acercando a su rostro sus trenzas oscuras. Y él, más solo que nunca entre aquellas caras extrañas, lloraba con más desconsuelo. «¡Quién sabe qué tiene!», decían las criadas volviéndole la espalda. Y él poco a poco se reconocía en Martín, sentado en una silla de tule* y esperando el desayuno en la cocina de su casa.

Después de la cena, cuando Félix detenía los relojes, corría con libertad a su memoria no vivida. El calendario también lo encarcelaba en un tiempo anecdótico y lo privaba del otro tiempo que vivía dentro de él. En ese tiempo un lunes era todos los lunes, las palabras se volvían mágicas, las gentes se desdoblaban en personajes incorpóreos y los paisajes se transmutaban en colores. Le gustaban los días festivos. La gente deambulaba por la Plaza hechizada por el recuerdo olvidado de la fiesta; de ese olvido provenía la tristeza de esos días. «Algún día recordaremos, recordaremos», se decía con la seguridad de que el origen de la fiesta, como todos los gestos del hombre, existía intacto en el tiempo y que bastaba un esfuerzo, un querer ver, para leer en el tiempo la historia del tiempo.

ELENA GARRO, *Los recuerdos del porvenir.* (1963). Joaquín Mortiz, Col. Lecturas mexicanas, México, 1985. Pp. 18-21.

¡Oh mi dios!, haya abundancia de maíz:
la tierra mata de maíz se estremece ante ti,
tiene fija en ti la vista hacia tus montañas, te adora.

XIPPE TOTEC YAHUALLAHUANA [POETA NÁHUATL]

El chocolate, *xocolatl*, es otra palabra azteca y otro producto azteca. En el imperio de Moctezuma era precioso y abundante a la vez, y hacía las veces de circulante monetario. El emperador Moctezuma gozaba bebiendo chocolate.

CARLOS FUENTES

[mascando hoja de coca] se puede caminar doblando jornadas sin comer a las veces otra cosa.

JOSÉ DE ACOSTA, S.I.

«...dormí la siesta y me levanté un poco pesado, de mal humor. Tomé unos mates* y me fastidió que estuviera amargo.»

MARIO BENEDETTI

«Nadie debe entrar donde yo estoy trabajando. Pues hay algunos que tienen el ojo caliente y ponen el mal donde miran. Y entonces el chocolate se corta.»

ROSARIO CASTELLANOS

...Don Eduardo comía anticuchos* y ceviche* y ají* de gallina y de postre picarones* y suspiros* a la limeña.

ALFREDO BRYCE ECHENIQUE

—¡Hay mucha hambre, niña! Mucha hambre. No sólo nosotros la padecemos, en mi pueblo todos andamos en la misma desgracia. Por eso venimos del campo a buscar consuelo en la ciudad.

ELENA GARRO

3. DIETA, AROMAS Y SABORES

Cabe esperar de pueblos que llegaron a otorgar categoría divina al maíz, alimento básico de América, que alcancen grandes dosis de refinamiento gastronómico. En la historia prehispánica, hay referencias al uso ritual de comidas y bebidas en ceremonias religiosas y sociales. Los productos *ultramarinos*, que habrían de enriquecer la dieta europea, incorporaron sabiamente ingredientes y recetas de la cocina occidental. Todo ello ha dado lugar a exquisitos manjares autóctonos y a ricas y variadas culturas culinarias. Lamentablemente, este brillante panorama se ve ensombrecido por tres problemas fundamentales. En primer lugar, el subdesarrollo y las grandes diferencias de clases hacen que una gran parte de la población esté subalimentada. Por otro lado, el excesivo consumo de alcohol, que muchos antropólogos consideran herencia de las libaciones precolombinas, causa estragos sanitarios y sociales. También la costumbre de mascar coca ha deteriorado el desarrollo físico e intelectual de algunas poblaciones. En el tema de la dieta observamos claramente la grandeza y la miseria de la América moderna y de la América profunda, ambas reflejadas en la literatura de nuestro siglo.

Arciniegas confirma aquí la teoría de que la dieta de un pueblo puede configurar su cultura. El maíz (junto con la mandioca) es la base de la alimentación de la mayoría de los pueblos americanos y ha sido fermentado a través de los siglos para obtener bebidas alcohólicas de uso ritual. La dependencia del grano sagrado ha sido una de las fuentes de la cosmología autóctona y origen de decisiones científicas y artísticas. El historiador colombiano funda sus aseveraciones en la contemplación de la América contemporánea y, sobre todo, en el *Popol Vuh*, bello legado maya del siglo XVI que nos cuenta cómo los dioses crearon al hombre haciendo un muñeco de palo y de maíz.

EN EL PRINCIPIO FUE EL MAÍZ*

Como el arroz en el Oriente o el trigo en Europa, es el maíz en América. El maíz agrupó y retuvo al hombre lo mismo en el Perú que en México o la América Central. Sembrar, cosechar, moler, usar el maíz en panes o en chichas*, son cosas que llevan a la agricultura y a la industria. Por el maíz aprendieron los americanos a clasificar y cultivar las plantas. Por el maíz empieza el estudio de una astronomía empírica que culmina con el calendario azteca, el calendario maya y el calendario incaico. El maíz fija en una comarca a la tribu y la lleva a ser el principio de una nación, de un imperio. El maíz pasa a ser adorado como un dios, y de la mágica invocación de los dioses se llega al complicado sistema de las religiones, que determina la construcción de los templos, dando oportunidad al genio creador de los arquitectos. Se estimula al escultor, cuya carrera va desde el barro modelado de los tiempos de la Venus de Tlatilco hasta las grandes esculturas en piedra de Palenque.

El *Popol Vuh*, libro sagrado de los mayas Quiché, es una de las pocas obras que se lograron salvar recogiendo las ideas religiosas, la historia de las migraciones, los acentos poéticos de la más poderosa entre las naciones que poblaron el altiplano guatemalteco. Su autor fue uno de los primeros indios que aprendió de los frailes misioneros a escribir su idioma en caracteres latinos. El indio recogió la tradición de su pueblo y mitos que anunciaban la venida de los blancos con la nueva religión. En el *Popol Vuh* se refiere así la creación del hombre:

«Solamente había inmovilidad y silencio en la oscuridad de la noche. Sólo el Creador, el Formador, Tepen, Gueumatz, los Progenitores, estaban en el agua rodeados de claridad. [...]

«Estando terminada la creación de todos los cuadrúpedos y las aves, les fue dicho a los cuadrúpedos y pájaros por el Creador y el Formador y los Progenitores: Hablad, gritad, gorjead, llamad, hablad cada uno según vuestra especie, según la variedad de cada uno. Así fue dicho a los venados, los pájaros, leones, tigres y serpientes. [...]

«Pero no pudo conseguirse que hablaran como los hombres; sólo chillaban, cacareaban y graznaban; pero no se manifestó la forma de su lenguaje, y cada uno gritaba de manera diferente...

¡Así hubo que hacer una nueva tentativa de crear y formar al hombre por el Creador, el Formador y los Progenitores!

«¡A probar otra vez! ¡Ya se acercan el Amanecer y la Aurora; hagamos al que nos sustentará y alimentará! ¿Cómo haremos para ser invocados, para ser recordados sobre la tierra? Ya hemos probado con nuestras primeras obras, nuestras primeras criaturas; pero no se pudo lograr que fuésemos alabados y venerados por ellas. Así, probemos a hacer unos seres obedientes, respetuosos, que nos sustenten y alimenten.

«Entonces fue la creación y la formación del hombre. De tierra, de lodo, se hicieron la carne. Pero vieron que no estaba bien, porque se deshacía, estaba blando, no tenía movimiento, no tenía fuerza, se caía, estaba aguado, no movía la cabeza, la cara se le iba para un lado, tenía velada la vista, no podía ver hacia atrás. Al principio hablaba, pero no tenía entendimiento. Rápidamente se humedeció dentro del agua y no se pudo sostener...

«Entonces desbarataron y deshicieron su obra y su creación. Y en seguida dijeron: —¿Cómo haremos para perfeccionar, para que salgan bien nuestros adoradores?...

«—Echad la suerte con vuestros granos de maíz y de tzité (árbol que se usa en el campo para los cercados; su fruto es una vaina que encierra unos granos rojos). Hágase así y se sabrá y resultará, si labramos o tallamos su boca y sus ojos en madera. Así les fue dicho por los adivinos.

«A continuación vino la adivinación, la echada de la suerte con el maíz y el tzité. —¡Suerte! ¡Criatura...!

«Y comenzando la adivinación dijeron así: –¡Juntaos, acoplaos...! Tú, maíz, tú, tzité; tú, suerte; tú, criatura: ¡uníos, ayuntaos! –les dijeron al maíz, al tzité, a la suerte, a la criatura...

«Entonces hablaron y dijeron la verdad: –Buenos saldrán vuestros muñecos hechos de madera; hablarán y se conservarán sobre la faz de la tierra.

«-¡Así sea! —Contestaron, cuando hablaron.

«Y al instante fueron hechos los muñecos labrados en madera. Se parecían al hombre, hablaban como el hombre y poblaron la superficie de la tierra...» [...]

Se ha discutido dónde se encontró primero el maíz; dónde se inició su cultivo, si en México y Centroamérica o en Sudamérica –Perú o Paraguay–. La más antigua fecha arqueológica determinada hasta hoy por el carbono 14 ha sido la de unos depósitos encontrados en Puebla (México), que corresponde al año 5000 a.C. Con el maíz comienza el desarrollo de la agricultura peruana, que luego se enriquece con la papa* y otros productos. Pero la influencia del maíz en la América se extiende en zonas tan vastas y es tan constante que aún hoy uno de los pueblos más laboriosos de Colombia, el pueblo antioqueño*, se llama «maicero», y tiene el orgullo de considerarse «de todo el maíz». El maíz sigue siendo en México la base de las tortillas*, que ya se comían como pan antes de llegar los españoles, y es tal la variedad de panes, sopas, chichas y otras bebidas, platos de sal y de dulce que se hacen con las múltiples variedades del maíz, y aún son tantas las regiones en que ni el trigo ni el arroz han desalojado el uso del maíz, que al menos en este aspecto fundamental de las costumbres el americano sigue siendo fiel a su cultura tradicional.

GERMÁN ARCINIEGAS, *El continente de siete colores.* (1965). Editorial Sudamericana, Buenos Aires, 1970. Pp. 45-49.

Para Laura Esquivel la gastronomía, además de ser arte refinadísimo, tiene poderes mágicos capaces de cambiar la vida y la conducta de los comensales. *Como agua para chocolate** es una *Novela de entregas mensuales, con recetas, amores y remedios caseros*, que consta de doce capítulos. Cada uno contiene una receta de cocina y describe la elaboración del exquisito manjar, así como las consecuencias que conlleva su ingestión. En el capítulo III la escritora mexicana narra los efectos afrodisíacos de los pétalos de rosa mezclados con la sangre de la cocinera. Nada más comer las codornices, los enamorados furtivos sienten los efluvios del amor y Gertrudis, una de las hermanas de Tita, huye de casa con un general revolucionario. Es de destacar la habilidad con la que Esquivel hilvana recetas, diálogos y acontecimientos familiares.

CAPÍTULO III. MARZO

CODORNICES EN PÉTALOS DE ROSAS.

INGREDIENTES:

12 rosas, de preferencia rojas
12 castañas
Dos cucharadas de mantequilla
Dos cucharadas de fécula de maíz*
Dos gotas de esencia de rosas
Dos cucharadas de anís
Dos cucharadas de miel
Dos ajos
6 codornices
1 *pithaya**

Manera de hacerse:

Se desprenden con mucho ciudado los pétalos de las rosas, procurando no pincharse los dedos, pues aparte de que es muy doloroso (el piquete*), los pétalos pueden quedar impregnados de sangre y esto, aparte de alterar el sabor del platillo, puede provocar reacciones químicas, por demás peligrosas.

Pero Tita era incapaz de recordar este pequeño detalle ante la intensa emoción que experimentaba al recibir un ramo de rosas, de manos de Pedro. Era la primera emoción profunda que sentía desde el día de la boda de su hermana, cuando escuchó la declaración del amor que Pedro sentía por ella y que trataba de ocultar a los ojos de los demás. [...]

Tita apretaba las rosas con tal fuerza contra su pecho que, cuando llegó a la cocina, las rosas, que en un principio eran de color rosado, ya se habían vuelto rojas por la sangre de las manos y el pecho de Tita. Tenía que pensar rápidamente qué hacer con ellas. ¡Estaban tan hermosas! No era posible tirarlas a la basura, en primera porque nunca antes había recibido flores y en segunda porque se las había dado Pedro. De pronto escuchó claramente la voz de Nacha, dictándole al oído una receta prehispánica donde se utilizaban pétalos de rosa. [...]

La fusión de la sangre de Tita con los pétalos de las rosas que Pedro le había regalado resultó ser de lo más explosiva.

Cuando se sentaron a la mesa había un ambiente ligeramente tenso, pero no pasó a mayores hasta que se sirvieron las codornices. Pedro, no contento con haber provocado los celos de su esposa, sin poderse contener, al saborear el primer bocado del platillo, exclamó, cerrando los ojos con verdadera lujuria:

—¡Este es un placer de los dioses!

Mamá Elena, aunque reconocía que se trataba de un guiso verdaderamente exquisito, molesta por el comentario dijo:

—Tiene demasiada sal.

Rosaura, pretextando náuseas y mareos, no pudo comer más que tres bocados. En cambio, a Gertrudis algo raro le pasó.

Parecía que el alimento que estaba ingiriendo producía en ella un efecto afrodisíaco pues empezó a sentir que un intenso calor le invadía las piernas. Un cosquilleo en el centro de su cuerpo no la dejaba estar correctamente sentada en su silla. Empezó a sudar y a imaginar qué se sentiría ir sentada a lomo de un caballo, abrazada por un villista*, uno de esos que había visto una semana antes entrando a la plaza del pueblo, oliendo a sudor, a tierra, a amaneceres de peligro e incertidumbre, a vida y a muerte. [...]

Parecía que habían descubierto un código nuevo de comunicación en el que Tita era la emisora, Pedro el receptor y Gertrudis la afortunada en quien se sintetizaba esta singular relación sexual, a través de la comida.

Pedro no opuso resistencia, la dejó entrar hasta el último rincón de su ser sin poder quitarse la vista el uno del otro. Le dijo:

—Nunca había probado algo tan exquisito, muchas gracias.

—Es que verdaderamente este platillo es delicioso. Las rosas le proporcionan un sabor de lo más refinado.

Ya que se tienen los pétalos deshojados se muelen en el molcajete* junto con el anís. Por separado, las castañas se ponen a dorar en el comal*, se descascaran y se cuecen en agua. Después se hacen puré. Los ajos se pican finamente y se doran en la mantequilla; cuando están acitronados, se les agregan el puré de castañas, *la pithaya* molida, la miel, los pétalos de rosa y sal al gusto. Para que espese un poco...

LAURA ESQUIVEL, *Como agua para chocolate.* (1989). Planeta Mexicana, México, D.F., 1993. Pp. 51-53, 54, 55 y 56-57.

La dieta no está condicionada únicamente por factores económicos o regionales; también la religión y la historia influyen en la ingestión de comidas y bebidas. Entre los pueblos indígenas que conservan patrones culturales prehispánicos, los ritos de la muerte y otras celebraciones sociales conllevan el consumo de ciertos alimentos y de grandes cantidades de licor. Alcides Arguedas, defensor y conocedor de los indios bolivianos, describe el bello ceremonial de la muerte de un campesino, enturbiado por el excesivo consumo de alcohol que exige el atávico ritual.

COPAS DE LICOR Y PUÑADOS DE COCA*

La viuda se proveyó con abundancia de toda suerte de licores y comestibles; hizo degollar, por esta única vez, un torillo, algunos corderos y todas las gallinas y preparó diligente y serena, una gran comilona para los amigos y parientes del difunto que asistirían al largo ceremonial del entierro.

Para hacer frente a todos estos gastos, viose constreñida a atacar las economías acumuladas por el matrimonio en varios años de ruda labor y vender las dos únicas vacas, que Troche se las llevó en menos de la mitad de su justo precio, pues el pobre Quilco tuvo la desgracia de morirse cuando no había un solo amigo que contase alguna reserva de capital en este año de miseria y abandono.

Dos días estuvo expuesto el cadáver en el patio sobre parihuelas, y fue velado en la casa mortuoria por casi toda la peonada de la hacienda, y a la que tuvo que atender la viuda obsequiándola con toda suerte de comidas, refrescos y licores.

En la mañana del tercero, temprano, se formó el cortejo, y esa fue la hora de intensa fruición para la viuda, pues cada uno de sus numerosos compadres se presentó con su estandarte negro adornado de campanillas y blancas lágrimas de metal. Todos vestían fúnebremente, y sus negros pendones probaban la estima en que había vivido el difunto y los favores que hiciera.

Hombres y mujeres estaban trajeados de luto. Las mujeres ocultaban la cabeza y parte del rostro en la mantilla negra, y la viuda iba absolutamente arrebujada en el manto, no descubriendo sino los ojos y la nariz. [...]

Los ayudantes, allí enviados con anticipación, se dieron a repartir copas de licor y puñados de coca, que los acompañantes consumían sin proferir palabra. Lanzó la viuda un prolongado suspiro, suspiraron los parientes cercanos y después los demás, ostensiblemente. Bebieron otra copa aún, y otros amigos echaron sobre sus hombros las parihuelas para salvar el postrer tramo de la ruta. [...]

—¡Ay, era bueno *no más* mi marido...! Me pegaba algunas veces, pero era *no más** porque me quería... Tenía su concubina, pero nunca dejó sin dineros la casa... Sabía embriagarse, pero era tranquilo en su borrachera...

Toda la historia simple fue narrada hasta el cementerio, y allí se reprodujo el aullido desesperado de las mujeres cuando cayó la primera palada de tierra sobre los despojos del muerto.

Con la última comenzaron las libaciones hasta bien entrada la tarde, hora en que tomaron el camino de retorno.

Volvían en grupos dispersos y todos estaban abominablemente ebrios. Cantaban los hombres en lamentos y las mujeres aullaban detrás de sus mantillas negras; y aullidos y cantos resonaban tristemente en la estepa y hacían levantar el vuelo a innumerables aves que poblaban la orilla del lago.

Caía la tarde y el sol brillaba en el ocaso, detrás de los lejanos cerros del estrecho, apareciendo y ocultándose entre inmensos nubarrones pardos que se extendían en todo lo ancho del horizonte e iban cubriendo poco a poco la vasta planicie rutilante: dijérase un velo que corría.

—Creo que el tiempo se compone; tendremos nieve –dijo Tokorcunki a su compañero señalando la altura, pues a pesar de la borrachera, no había podido vencer sus inquietudes respecto del tiempo.

Los otros no le hicieron caso. Iban cogidos de bracero, sosteniéndose mutuamente para no caer. Quienes no podían más con sus cuerpos tendiánse a lo largo del camino, en la vera, y quedaban allí a dormir de bruces el pesado sueño de la borrachera, para pasar algunos al hondo sueño sin ensueños de la muerte...

Choquela, la viuda, ebria hasta la idiotez, iba en brazos de dos mujeres, casi a rastras. Había cesado de llorar y lamentarse, pero no dejaba de lanzar su nota plañidera, ya ronca de tan gastada. Iban las tres tropezando con los guijos y escobajos del sendero, en estado deplorable. Una de sus compañeras era la madre del difunto. La otra mujer, no mal parecida ni apersonada, no cesaba de interrumpir sus quejidos para hablarle de negocios:

-¡Cuidado con vender el macho! Mi marido te ha de dar buen precio por él, y aun puede que te perdone la deuda del difunto. Se querían mucho los dos... ¡hi, hi hi...!

Al descender a una ondulación del camino tropezaron con un hombre caído en media ruta. Era el esposo de la negociante. Lo reconoció la mujer, y soltando el brazo de la viuda se acerdó al ebrio e intentó despertarlo; pero el infeliz parecía muerto. Lo arrastró hasta la vera, penosamente, y con el esfuerzo que hizo para colocarlo en postura conveniente, cayó sobre él y se quedó dormida.

Las dos mujeres siguieron caminando, sin preocuparse de la compañera; pero su marcha era más trabajosa. Caían a cada paso y tenían que andar a rastras para ponerse en pie. En uno de esos movimientos rodó la viuda en un hoyo cubierto de grama fina al borde de la ruta, y al sentir la blandura del piso, se volvió de pechos contra el suelo y se durmió, con las piernas al aire y la cabeza baja, en tanto que la suegra rodaba también a los pocos metros, como inerte masa.

ALCIDES ARGUEDAS, *Raza de bronce.* (1919). Planeta-Agostini, Barcelona, 1985. Pp. 138-141.

Mientras la dieta del pueblo cubano se reducía a arroz y frijoles*, la burguesía criolla llegó a elaborar un refinado arte culinario. Para la culta familia de José Cemí, el protagonista de *Paradiso*, la comida tiene un valor extraordinario; tanto la madre de José como su abuela se empeñan en seguir cuidadosamente el ceremonial gastronómico requerido para la incorporación de ingredientes cubanos a platos internacionales. Veamos el contenido y desarrollo de una comida familiar organizada por el abuelo del niño, ágape que formaba parte de los ritos de iniciación a la vida, al arte y a la historia celebrados por los Cemí.

PINTADAS A LA ROMANA

[el abuelo] Reunía toda la parentela hasta donde su memoria le aconsejaba, persiguiendo las últimas ramas del árbol familiar. Se agazapaba, se concentraba durante el año, y ese día movía los resortes de su locuacidad, de sus anécdotas, como si también le gustase ese perfil que tomaba un día solo del año. No se trataba de una conmemoración, de un santo, de un día jubilar dictado por el calendario. Era el día sin día, sin santo ni señal. En silencio iba allegando delicias de confitados y almendras, de jamones al salmanticense modo, frutas, las que la estación consignaba, pastas austríacas, licores extraídos de las ruinas pompeyanas, convertidos ya en sirope*, o añejos que vertiendo una gota sobre el pañuelo, hacía que adquiriesen la calidad de áquel con el cual Mario había secado sus sudores en las ruinas de Cartago. Confitados que dejaban las avellanas como un cristal, pudiéndose mirar al trasluz; piñas abrillantadas, reducidas al tamaño del dedo índice; cocos* del Brasil, reducidos como un grano de arroz, que al mojarse en un vino de orquídeas volvían a presumir su cabezote. Entre los primeros, colocado en justo equilibrio de la sucesión de golosinas, algún plato que invencionaba. Ese año a los familiares más respetables por su edad, los llamaba aparte y les deslizaba: «Este año tengo "pintada a la romana". Usted sabe –continuaba con un tono muy noble y seguro– que los conquistadores llamaban pintada a lo que hoy se dice guinea. La trato –y parecía que le daba la mano a una de esas pintadas–; con mieles; de tal manera, que ni ellas ni su paladar se pueden sentir quejosas de ese asado, afirmando, después de saborearlas, la nobleza de mi trato, pues la miel conseguida es de mucho cuidado. Es la miel de la flor azul de Pinar del Río, elaborada por abejas de epigrama griego. Rueda un plato por ahí, "pechuga de guinea a la Virginia", pero usted sabe –continuaba hablando con su interlocutor que se distraía– que en esa ciudad, que le dio tantos malos ratos a los ingleses cuando lo de la Independencia, no hay guineas. Nosotros, –terminaba con el orgullo de un final de arenga–, tenemos la guinea y la miel. Entonces podemos tener también "la pintada a la romana"».

JOSÉ LEZAMA LIMA, *Paradiso.* (1963). Cátedra, Letras hispánicas, Madrid, 1989.Pp. 124-125.

...también la sátira puede ser una forma de la caridad, si se dirige a los humanos con la sonrisa que tal vez los ángeles esbozan ante la locura de los hombres.

LEOPOLDO MARECHAL

A. —...Yo le propuse a Macedonio que nos suicidáramos, para discutir sin estorbo.

Z (Burlón).-Pero sospecho que al final no se resolvieron.

A (ya en plena mística). —Francamente no recuerdo si esa noche nos suicidamos.

JORGE LUIS BORGES

Bolapiés de sonajeros atafagan el boquín
Y en las dalas, en las dalas de Gehenna
Recurvan los borborignos de la simonía de abril.

GUILLERMO CABRERA INFANTE

Tome en sus brazos a la mujer amada y extiéndala con un rodillo sobre la cama, después de amasarla a besos y caricias. [...] En el momento supremo, apriételе el pescuezo con las dos manos y toda la energía. [...] Suéltela y sepárese de ella cuando el corazón haya dejado de latir y no haya sospechas de necrofilia.

JUAN JOSÉ ARREOLA

¿hay o no hay libertad de expresión en este país...?
–Hay
ay
áááy!

NICANOR PARRA

4. HUMOR

Si bien los autores americanos no necesitan muchas páginas para desarrollar el humorismo, resulta difícil reflejar en pequeñas citas su sutil sentido del humor. Las tradicionales técnicas humorísticas basadas en la sátira, los juegos de palabras, el humor negro, la exageración y la extravagancia (aunque todavía manejadas en el Continente con gran éxito) han ido dejando lugar a un sentido del humor que brota de las variantes de la ironía. Hoy el humorismo no es solamente un genéro lúdico; es, sobre todo, un mecanismo de crítica social o una forma de reflejar el escepticismo. Con sólida raigambre en el Cono Sur, la burla ingeniosa o la sátira mordaz suelen ser expresión de descontento o censura de convencionalismos. A veces, el humor o la parodia buscan expresar sin patetismo las dudas y limitaciones humanas; otras, la ironía intenta afrontar sin acritud el vacío existencial. Hay que destacar el talante provocador de algunos humoristas, que buscan despertar el espíritu crítico del lector ante situaciones absurdas con el fin de conducirlo a la revisión de temas vitales. También es frecuente la utilización del juego intelectual y de las interpretaciones múltiples para demostrar el relativismo de las cosas o de las ideas. Para terminar, hay que resaltar el escaso arraigo que ha tenido el sarcasmo, burla cruel y sangrienta, en las Letras Hispanoamericanas.

Generalmente Cortázar intenta romper normas y convenciones sociales describiendo con rigor realista hechos absurdos o fantásticos. También recurre al sentido del humor para hacernos meditar sobre nuestros actos y la vida cotidiana. He aquí un ejemplo de la capacidad del argentino para analizar un hecho de la vida real y hacernos reír de nosotros mismos.

INSTRUCCIONES PARA SUBIR UNA ESCALERA

Nadie habrá dejado de observar que, con frecuencia, el suelo se pliega de manera tal que una parte sube en ángulo recto con el plano del suelo y, luego, la parte siguiente se coloca paralela a este plano para dar paso a una nueva perpendicular, conducta que se repite en espiral o en línea quebrada hasta alturas sumamente variables. Agachándose y poniendo la mano izquierda en una de las partes verticales, y la derecha en la horizontal correspondiente, se está en posesión momentánea de un peldaño o escalón. Cada uno de estos peldaños formados, como se ve, por dos elementos, se sitúa un tanto más arriba y más adelante que el anterior, principio que da sentido a la escalera, ya que cualquier otra combinación produciría formas quizás más bellas o pintorescas, pero incapaces de trasladar de una planta baja a un primer piso.

Las escaleras se suben de frente, pues hacia atrás o de costado resultan particularmente incómodas. La actitud natural consiste en mantenerse de pie, los brazos colgando sin esfuerzo, la cabeza erguida aunque no tanto que los ojos dejen de ver los peldaños inmediatamente superiores al que se pisa, y respirar lenta y regularmente. Para subir una escalera se comienza por levantar esa parte del cuerpo situada a la derecha abajo, envuelta casi siempre en cuero o gamuza, y que salvo excepciones, cabe en el escalón. Puesta en el peldaño dicha parte, que para abreviar llamaremos pie, se recoge la parte equivalente de la izquierda (también llamada pie, pero que no hay que confundir con el pie antes citado), y llevándola a la altura del pie, se le hace seguir hasta colocarla en el segundo peldaño, con lo cual en éste descansará el pie, y en el primero descansará el pie. (Los primeros peldaños son siempre los más difíciles, hasta adquirir la coordinación necesaria. La coincidencia de nombre entre el pie y el pie hace difícil la explicación. Cuídese especialmente de no levantar al mismo tiempo el pie y el pie.)

Llegado en esta forma al segundo peldaño, basta repetir alternadamente los movimientos hasta encontrarse con el final de la escalera. Se sale de ella fácilmente, con un ligero golpe de talón que la deja fija en su sitio, del cual no se moverá hasta el momento del descenso.

JULIO CORTÁZAR, *Historias de cronopios y de famas.* (1962). Edhasa, Barcelona, 1992. Pp. 21-22.

Como todo creador de fábulas, Monterroso es un moralista. Su mensaje ético, sin embargo, va encubierto en una ironía sutil y en un sentido del humor perspicaz e ingenioso. En la primera de las fábulas aquí reproducidas cuestiona el maniqueísmo y la tendencia a simplificar las cosas complejas. En la segunda ridiculiza a los que cambian sus hábitos según las críticas ajenas o los dictados de la moda. Ambos cuentos tienen planteamientos muy extravagantes y nos llevan a contundentes moralejas sobre el relativismo moral.

MONÓLOGO DEL BIEN

«Las cosas no son tan simples –pensaba aquella tarde el Bien– como creen algunos niños y la mayoría de los adultos.

«Todos saben que en ciertas ocasiones yo me oculto detrás del Mal, como cuando te enfermas y no puedes tomar un avión y el avión se cae y no se salva ni Dios; y que a veces, por lo contrario, el Mal se esconde detrás de mí, como aquel día en que el hipócrita Abel se hizo matar por su hermano Caín para que éste quedara mal con todo el mundo y no pudiera reponerse jamás.

Las cosas no son tan simples.»

LA BUENA CONCIENCIA

En el centro de la Selva existió hace mucho una extravagante familia de plantas carnívoras que, con el paso del tiempo, llegaron a adquirir conciencia de su extraña costumbre, principalmente por las constantes murmuraciones que el buen Céfiro les traía de todos los rumbos de la ciudad.

Sensibles a la crítica, poco a poco fueron cobrando repugnancia a la carne, hasta que llegó el momento en que no sólo la repudiaron en el sentido figurado, o sea el sexual, sino que por último se negaron a comerla, asqueadas a tal grado que su simple vista les producía náuseas.

Entonces decidieron volverse vegetarianas.

A partir de ese día se comen únicamente unas a otras y viven tranquilas, olvidadas de su infame pasado.

AUGUSTO MONTERROSO, *La oveja negra y demás fábulas.* (1969). Ed. Nueva Nicaragua, Ediciones Monimbó, Managua, 1982. Pp. 48 y 77.

Además del género épico, lírico y dramático, García Márquez cultiva en *Cien años de soledad* un acertado humorismo. Presentamos un breve pasaje de la obra en el que Meme Buendía, mimada y consentida por toda la familia, lleva a su casa a setenta y dos invitadas. La inverosímil situación, enriquecida por múltiples exageraciones, resulta hilarante y veraz al mismo tiempo. El colombiano, profundo psicólogo y conocedor de lo cotidiano, hace reír al lector al contraponer las extravagancias de las protagonistas y la capacidad de aguante de los antagonistas. Del mismo modo, la oposición entre realidad y fantasía, entre lógica y capricho dan un desconcertante toque humorístico al acontecimiento. A pesar de la abundancia de despropósitos, éste adquiere credibilidad gracias a la descripción precisa de detalles accesorios y a la conducta esperada de los miembros de la familia, que han sido sabiamente retratados en páginas anteriores de la novela.

EL CUARTO DE LAS BACINILLAS

Meme apareció en la casa con cuatro monjas y sesenta y ocho compañeras de clase, a quienes invitó a pasar una semana en familia, por propia iniciativa y sin ningún anuncio.

—¡Qué desgracia! –se lamentó Fernanda–. ¡Esta criatura es tan bárbara como su padre!

Fue preciso pedir camas y hamacas* a los vecinos, establecer nueve turnos en la mesa, fijar horarios para el baño y conseguir cuarenta taburetes prestados para que las niñas de uniformes azules y botines de hombre no anduvieran todo el día revoloteando de un lado a otro. La invitación fue un fracaso, porque las ruidosas colegialas apenas acababan de desayunar cuando ya tenían que empezar los turnos para el almuerzo, y luego para la cena, y en toda la semana sólo pudieron hacer un paseo a las plantaciones. Al anochecer, las monjas estaban agotadas, incapacitadas para moverse, para impartir una orden más, y todavía el tropel de adolescentes incansables estaba en el patio cantando desabridos himnos escolares. Un día estuvieron a punto de atropellar a Úrsula, que se empeñaba en ser útil precisamente donde más estorbaba. Otro día, las monjas armaron un alboroto porque el coronel Aureliano Buendía orinó bajo el castaño sin preocuparse de que las colegialas estuvieran en el patio. Amaranta estuvo a punto de sembrar el pánico, porque una de las monjas entró en la cocina cuando ella estaba salando la sopa, y lo único que se le ocurrió fue preguntar qué eran aquellos puñados de polvo blanco.

—Arsénico –dijo Amaranta.

La noche de su llegada, las estudiantes se embrollaron de tal modo tratando de ir al excusado* antes de acostarse, que a la una de la madrugada todavía estaban entrando las últimas. Fernanda compró entonces setenta y dos bacinillas, pero sólo consiguió convertir en un problema matinal el problema nocturno, porque desde el amanecer había frente al excusado una larga fila de muchachas, cada una con su bacinilla en la mano, esperando turno para lavarla. Aunque algunas sufrieron calenturas y a varias se les infectaron las picaduras de los mosquitos, la mayoría demostró una resistencia inquebrantable frente a las dificultades más penosas, y aun a la hora de más calor correteaban por el jardín. Cuando por fin se fueron, las flores estaban destrozadas, los muebles partidos y las paredes cubiertas de dibujos y letreros, pero Fernanda les perdonó los estragos en el alivio de su partida. Devolvió las camas y taburetes prestados y guardó las setenta y dos bacinillas en el cuarto de Melquíades. La clausurada habitación, en torno a la cual giró en otro tiempo la vida espiritual de la casa, fue conocida desde entonces como *el cuarto de las bacinillas.*

GABRIEL GARCÍA MÁRQUEZ, *Cien años de soledad.* (1967). Cátedra, Col. Letras Hispánicas, Madrid, 1987. Pp. 335-336.

La obra de Macedonio Fernández ha dejado gran impronta en las literaturas del Cono Sur. En esta *novela*, reproducida en su totalidad, vemos su voluntad de crear la *antinovela*; en ella, además, aparecen casi todos los elementos y recursos literarios del humorismo macedoniano. Aquí se puede apreciar el talante provocador del argentino que, tras un estilo aparentemente descuidado, elabora una esmerada prosa, necesaria para crear la atmósfera deseada (absurda y desconcertante) y para posibilitar múltiples interpretaciones del lector. Fernández presenta en pocas líneas varios temas e intrigas (esbozadas y no desarrolladas), una larga lista de equívocos y giros antitéticos y un desenlace sorprendente. Asimismo, como resultado de su cuestionamiento filosófico, ridiculiza reglas ortográficas y formas literarias convencionales. Reconozcamos que sus intencionados disparates consiguen, además de captar el interés, alterar nuestro sistema nervioso.

UNA NOVELA PARA NERVIOS SÓLIDOS

Se estaba produciendo una lluvia de día domingo con completa equivocación porque estábamos en martes, día de semana seco por excelencia. Pero con todo esto no estaba sucediendo nada: la orden de huelga de sucesos se cumplía.

Sin contrariar este revuelto estado de cosas empujé hacia atrás con un movimiento decidido la silla que ocupaba, y luego de este ruido oficinesco y autoritario de 2º jefe burocrático que tiene temblándole veinte bostezantes sobresaltados, le retiré la percha al sombrero y en las mangas de éste introduje ambos brazos, di cuerda al almanaque, arranqué la hojita del día al reloj y eché carbón a la heladera, aumenté hielo a la estufa, añadí al termómetro colgado todos los termómetros que tenía guardados para combatir el frío que empezaba, y como pasaba alcanzablemente un lento tranvía di el salto hacia la vereda y caí cómodamente sentado en mi buen sillón de escritorio.

Por cierto que había mucho que pensar; los días transcurrían de un tiempo a esta parte y sin embargo no se aclaraba el misterio (todos ignorábamos que hubiera uno) en el puente proyectado. Primero: se nos hizo conocer un dibujo del puente tal y como estaban de adelantados sus trabajos antes de que nadie hubiera pensado en hacerlo existir; segundo: dibujo de cómo era el puente cuando alguien pensó en él; tercero: fotografía de transeúnte del puente; cuarto: ya está el primer tramo empezado.

En suma: que el puente ya estaba concluido, sólo que había que hacerlo llegar a la otra orilla porque por una módica equivocación había sido dirigida su colocación de una orilla a la misma orilla.

Ahora bien, ¿por qué en el meditado discurso que el Ministro le tosió al puente por hallarse medio resfriado aquél, o éste, no estoy seguro, se acusó de ingratitud para con el Gobierno?

Sabido es cuánto ha sufrido la humanidad por ingratitudes de puentes. Pero en éste, ¿dónde estaba la ingratitud? En la otra orilla no puede ser, porque el puente no apuntaba hacia la otra orilla y en verdad el arduo problema del momento era torcer el río de modo que pasase por debajo del puente. Esto era lo menos que se podía molestar, y esperar de un río que no se había tomado trabajo ninguno en el asunto puente.

MACEDONIO FERNÁNDEZ, *Manera de una psique sin cuerpo.* (1941): «Una novela para nervios sólidos». Tusquets Editor, Barcelona, 1973. Pp. 29-30.

Hombres necios que acusáis
a la mujer sin razón,
sin ver que sois la ocasión
de lo mismo que culpáis:
si con ansia sin igual
solicitáis su desdén,
¿por qué queréis que obren bien
si las incitáis al mal?

Sor Juana Inés de la Cruz

El muy bárbaro la desnudó, se quedó con la ropa y la dejó ir desnuda por el bananal*; otro más hombre le salió al paso y la tumbó; pero vino otro más hombre y se la quitó...

Miguel Ángel Asturias

Los hermanos fueron criados para ser hombres. Ellas habían sido educadas para casarse. «Cualquier hombre será feliz con ellas, porque han sido educadas para sufrir.»

Gabriel García Márquez

Juan se llamaba y le apodaban Charrasqueado,
era valiente y arriesgado en el amor.
A las mujeres más bonitas se llevaba,
de aquellos campos no quedaba ni una flor.

Corrido popular mexicano

5. MACHISMO

La opinión pública atribuye al machismo hispanoamericano la categoría de institución. Prepotencia sexual y arrogancia masculina, crueldad y violencia dominan grandes obras como *Pedro Páramo* y *La ciudad y los perros*; continuos alardes de hombría o de desprecio a la vida, y abusos sexistas aparecen en la narrativa del siglo XX, donde también destacan textos explicativos sobre el arraigo y las causas de ritos y prejuicios discriminatorios. La mayoría de las interpretaciones suelen coincidir en que el machismo es una máscara o mecanismo de defensa que trata de ocultar frustaciones y debilidades masculinas. También nos cuenta la literatura cómo la sociedad, acostumbrada a grandes dosis de sexismo, exige constantes e innecesarias manifestaciones de virilidad. Ante tal grado de marginación femenina, llama la atención la pasividad de la mujer: ésta, salvo honrosas excepciones, no ha reclamado igualdad de trato y de derechos hasta bien avanzado nuestro siglo. También es un hecho que la gran mayoría de las mujeres, por la educación recibida, comodidad o conformismo, ha alimentado la tradición machista en el seno de sus familias. Antes algunas habían criticado los abusos de los hombres y en la actualidad numerosas voces feministas, serenas o estridentes, exigen la abolición de leyes, costumbres y actitudes que discriminan y humillan a la mujer.

Desde el desengaño que habría de dominar su vida y su obra, Alfonsina Storni denunció muchas actitudes machistas. La poetisa argentina se valió de su poesía, depurada y de métrica impecable, para condenar los abusos de los hombres. En *Tú me quieres blanca* acusa, con acento personal, a mujeriegos y donjuanes, que exigen a la mujer decencia y virginidad. Recrimina los devaneos y desmanes masculinos y, ante sus pretensiones de pureza ajena, les recomienda una ascesis personal. Esta purificación debe realizarse lejos de los placeres mundanos, y en la meditación y vivencia de la Naturaleza.

TÚ ME QUIERES BLANCA

Tú me quieres alba,
Me quieres de espumas,
Me quieres de nácar.
Que sea azucena

Sobre todas, casta.
De perfume tenue.
Corola cerrada.

Ni un rayo de luna
Filtrado me haya.
Ni una margarita
Se diga mi hermana
Tú me quieres nívea,
Tú me quieres blanca,
Tú me quieres alba.
Tú, que hubiste todas
Las copas a mano,
De frutas y mieles
Los labios morados.
Tú, que en el banquete
Cubierto de pámpanos,
Dejaste las carnes
Festejando a Baco.
Tú, que en los jardines
Negros del Engaño,
Vestido de rojo
Corriste al Estrago.
Tú que el esqueleto
Conservas intacto
No sé todavía
Por cuáles milagros,
Me pretendes blanca
(Dios te lo perdone),
Me pretendes casta
(Dios te lo perdone),
Me pretendes alba.

Huye hacia los bosques;
Vete a la montaña;
Límpiate la boca;
Vive en las cabañas;
Toca con las manos
La tierra mojada;
Alimenta el cuerpo
Con raíz amarga;
Bebe de las rocas;
Duerme sobre escarcha;
Renueva tejidos
Con salitre y agua;

Habla con los pájaros
Y lévate al alba.
Y cuando las carnes
Te sean tornadas,
Y cuando hayas puesto
En ellas el alma,
Que por las alcobas
Se quedó enredada,
Entonces, buen hombre,
Preténdeme blanca,
Preténdeme nívea,
Preténdeme casta.

ALFONSINA STORNI, *Obra poética*: «El dulce daño». (1918). Ramón J. Roggero y Cia, Buenos Aires, 1946. Pp. 82-84.

Arreola, maestro en ambientación y escenificación, suele escatimar información concreta sobre la trama de sus relatos. Al final de este cuento, persiste el enigma del cómo y del por qué de la contienda. El mexicano sólo esboza a grandes trazos la prepotencia de dos adversarios y el desenlace del corrido. Aficionado a dotar a sus personajes de rasgos animales, el fabulador utiliza en este caso el símil de los gallos de pelea para describir la rivalidad de los protagonistas. Como los gallos, criados para el enfrentamiento, los hombres sucumben al destino fatal que les impone una sociedad machista: ante la pasividad y prejuicios de los vecinos, salvan su honor y destruyen irremediablemente la imagen de la mujer. El autor, él mismo un misógino, describe con maestría los móviles ocultos del machismo: la mujer, cualquier mujer, no es más que un pretexto para la afirmación de la hombría.

CORRIDO*

Hay en Zapotlán una plaza que le dicen de Ameca, quien sabe por qué. Una calle ancha y empedrada se da contra un testerazo, partiéndose en dos. Por allí desemboca el pueblo en sus campos de maíz*.

Así es la Plazuela de Ameca, con su esquina ochavada y sus casas de grandes portones. Y en ella se encontraron una tarde, hace mucho, dos rivales de ocasión. Pero hubo una muchacha por medio.

La Plazuela de Ameca es tránsito de carretas. Y las ruedas muelen la tierra de los baches, hasta hacerla finita, finita. Un polvo de *tepetate** que arde en los ojos, cuando el viento sopla. Y allí había, hasta hace poco, *un hidrante*. Un caño de agua de dos pajas, con su llave de bronce y su pileta de piedra.

La que primero llegó fue la muchacha con su cántaro rojo, por la ancha calle que se parte en dos. Los rivales caminaban frente a ella, por las calles de los lados, sin saber que se darían un tope en el testerazo. Ellos y la muchacha parecía que iban de acuerdo con el destino, cada uno por su calle.

La muchacha iba por agua y abrió la llave. En ese momento los dos hombres quedaron al descubierto, sabiéndose interesados en lo mismo. Allí se acabó la calle de cada quién, y ninguno quiso dar paso adelante. La mirada que se echaron fue poniéndose tirante, y ninguno bajaba la vista.

—Oiga amigo, qué me mira.

—La vista es muy natural.

Tal parece que así se dijeron, sin hablar. La mirada lo estaba diciendo todo. Y ni un *ai te va*, ni *ai te viene*. En la plaza que los vecinos dejaron desierta como adrede, la cosa iba a comenzar.

El chorro de agua, al mismo tiempo que el cántaro, los estaba llenando de ganas de pelear. Era lo único que estorbaba aquel silencio tan entero. La muchacha cerró la llave dándose cuenta cuando ya el agua se derramaba. Se echó el cántaro al hombro, casi corriendo con susto.

Los que la quisieron estaban en el último suspenso, como los gallos todavía sin soltar, embebidos uno y otro en los puntos negros de sus ojos. Al subir la banqueta* del otro lado, la muchacha dio un mal paso y el cántaro y el agua se hicieron trizas en el suelo.

Esa fue *la merita** señal. Uno con daga, pero así de grande, y otro con machete costeño. Y se dieron de cuchillazos, sacándose el golpe un poco con el sarape*. De la muchacha no quedó más que la mancha de agua, y allí están los dos peleando por los destrozos del cántaro.

Los dos eran buenos, y los dos se dieron en la madre. En aquella tarde que se iba y se detuvo. Los dos se quedaron allí bocarriba, quién degollado y quién con la cabeza partida. Como los gallos buenos, *que nomás** a uno le queda *tantito** resuello.

Muchas gentes vinieron después, a la nochecita. Mujeres que se pusieron a rezar y hombres *que dizque** iban a dar parte. Uno de los muertos todavía alcanzó a decir algo: preguntó que si también al otro se lo había llevado la tiznada*.

Después se supo que hubo una muchacha de por medio. Y la del cántaro quebrado se quedó con la mala fama del pleito. Dicen que ni siquiera se casó. Aunque se hubiera ido hasta Jilotlán de los Dolores, allá habría llegado con ella, a lo mejor antes que ella su mal nombre de mancornadora*.

JUAN JOSÉ ARREOLA, *Confabulario definitivo*: *Corrido.* (1952). Cátedra, Letras Hispánicas. Madrid, 1986. Págs. 183-185.

Para Fuentes el machismo es un disfraz que adoptan los hombres para esconder su debilidad. Los *hombres* necesitan exhibir su fortaleza y para ser recibidos en algunos sectores tienen que pasar alguna prueba de fuego que determine su valentía. Un general de la Revolución Mexicana, orgulloso de su rango militar, pone a prueba la resistencia del estómago de un gringo antes de aceptarlo como colaborador. El viejo, que ya había hecho una demostración de hombría haciendo valer su destreza en el manejo del revólver, no se ve afectado por la bebida local ni por la comida, muy condimentada y de ingredientes de gran connotación machista.

TODOS LOS LUGARES COMUNES DEL MACHISMO

El gringo* viejo sonrió cuando el general Tomás Arroyo se sopló el mechón de pelo cobrizo que le cubría los ojos, adelantando el labio inferior para sacar el aire antes de decir su nombre y plantársele en jarras al extranjero.

—Yo soy el general Tomás Arroyo.

El nombre propio salió disparado por delante, pero su flecha personal era el título militar y a partir de ese momento el gringo sabía que todos los lugares comunes del machismo mexicano le iban a ser arrojados sobre la blanca cabeza, uno tras otro, para ver hasta dónde podían llegar con él, probarlo, sí, pero también disfrazarse ante él, no mostrarle a él sus caras verdaderas.

Lo vitorearon después de la hazaña de la Colt y le regalaron un sombrero de alas anchas; le obligaron a comer tacos* de criadillas con chile* serrano y *moronga**; le mostraron la botella de mezcal* para espantar payos, con un gusanito asentado en la base del licor.

—Conque tenemos un general gringo con nosotros.

—Oficial cartógrafo –dijo el viejo–. Noveno Regimiento de Voluntarios de Indiana. Guerra civil norteamericana.

—¡La guerra civil! Pero si eso pasó hace cincuenta años, cuando aquí andábamos* defendiéndonos de los franceses.

—¿Qué tienen los tacos?

—Testículos de toro y sangre, general indiano. Las dos cosas las vas a necesitar si entras al ejército de Pancho Villa.

—¿Qué tiene el alcohol?

—No te preocupes, general indiano. El gusanito no está vivo. *Nomás** le alarga la vida al mezcalito.

Las soldaderas le dieron los tacos. Arroyo y los muchachos se miraron entre sí sin expresión alguna. El gringo viejo comió en silencio, tragándose enteros los chiles, sin que los ojos le lloraran o la cara se le pusiera roja.

CARLOS FUENTES, *Gringo viejo.* (1985). Mondadori, Madrid, 1989. Pp. 37 y 38.

Vargas Llosa considera que el machismo es una manifestación de la violencia generada por desigualdades sociales y frustaciones individuales. En el Leoncio Prado –colegio militar donde fue internado por su padre antes de cumplir los catorce años– Mario contempla cómo la lucha por el poder se basa en la afirmación de la *virilidad*. Crueldad, sadismo y arrogancia son mecanismos de defensa y arma arrojadiza utilizados por los cadetes para autoafirmarse humana y socialmente.

LOS MITOS ELEMENTALES DEL MACHISMO

Buena parte de la tremenda violencia –lo que me parecía a mí tremenda y era para otros cadetes menos afortunados que yo la condición natural de la vida– provenía precisamente de esa confusión de razas, regiones y niveles económicos de los cadetes. La mayoría de nosotros llevaba a ese espacio claustral los prejuicios, complejos, animosidades y rencores sociales y raciales que habíamos mamado desde la infancia y allí se vertían en las relaciones personales y oficiales y encontraban maneras de desfogarse en esos ritos que, como el bautizo o las jerarquías militares entre los propios estudiantes, legitimaban la matonería y el abuso. La escala de valores erigida en torno a los mitos elementales del machismo y la virilidad servía, además, de cobertura moral para esa filosofía darwiniana que era la del colegio. Ser valiente, es decir *loco,* era la forma suprema de la hombría, y ser cobarde, la más abyecta y vil. El que denunciaba a un superior los atropellos de que era víctima merecía el desprecio generalizado de los cadetes y se exponía a represalias. Eso se aprendía rápido. A uno de mis compañeros de sección, llamado Valderrama, durante el bautizo, unos cadetes de cuarto lo hicieron treparse a lo alto de una escalera y luego se la movieron para hacerlo resbalar. Cayó mal y la propia escalera le cercenó un dedo contra el filo de un lavador. Valderrama nunca delató a los culpables y por eso todos lo respetábamos.

La hombría se afirmaba de varios modos. Ser fuerte y aventado, saber trompearse –«tirar golpe» era la expresión que resumía maravillosamente con su mezcla de sexo y violencia ese ideal–, era una de ellas. Otra, atreverse a desafiar las reglas, haciendo audacias o extravagancias que, de ser descubiertas, significaban la expulsión. Perpetrar estas hazañas daba acceso a la ansiada categoría de *loco*. Ser «loco» era una bendición, porque entonces quedaba públicamente reconocido que no se pertenecía ya nunca a la temible categoría de «huevón* o «cojudo»*.

Ser «huevón» o «cojudo» quería decir ser un cobarde: no atreverse a darle un cabezazo o un puñete al que venía a «batirlo» a uno (tomarle el pelo o hacerle alguna maldad), no saber trompearse, no atreverse, por timidez o falta de imaginación, a «tirar contra» (escaparse del colegio después del toque de queda, para ir a un cine o una fiesta) o cuando menos esconderse a fumar o a jugar dados en la glorieta o en el edificio abandonado de la piscina en vez de ir a clases. Quienes pertenecían a esta condición eran las víctimas propiciatorias, a quienes los «locos» maltrataban de palabra y de obra para su diversión y la de los demás, orinándoles encima cuando estaban dormidos, exigiéndoles cuotas de cigarrillos, tendiéndoles «cama chica» (una sábana doblada a la mitad que uno descubría al meterse a la cama y encontrarse con un tope para las piernas) y haciéndolos padecer toda clase de humillaciones. Buena parte de estas proezas eran las típicas mataperradas de la adolescencia, pero las características del colegio –el encierro, la variopinta composición del alumnado, la filosofía castrense– muchas veces crispaban las travesuras a extremos de verdadera crueldad. Recuerdo un compañero al que apodamos Huevas Tristes. Era flaquito, pálido, muy tímido, y todavía al comienzo del año, un día que el temible Bolognesi –había sido mi condiscípulo en La Salle y al entrar al Leoncio Prado reveló una naturaleza de «loco» desatado– lo atormentaba con sus burlas, se echó a llorar. Desde entonces, se volvió el payaso de la compañía, al que cualquiera podía insultar o vejar para mostrarle al mundo y a sí mismo lo macho que era. Huevas Tristes llegó a convertirse en una posma, sin iniciativa, sin voz y casi sin vida, al que yo vi un día ser escupido en la cara por un «loco», limpiarse con su pañuelo y seguir su camino. De él se decía, y, como de él, de todos los «huevones», que le habían «ganado la moral».

MARIO VARGAS LLOSA, *El pez en el agua.* (1993). Seix Barral, Biblioteca Breve, Barcelona, 1993. Pp. 104-106.

Hermosa flor eres tú,
Punzante espina soy yo;
Tú eres vida de mi vida
Eres amor de mi amor.

TAQUI QUECHUA

Se entregaron a la idolatría de sus cuerpos, al descubrir que los tedios del amor tenían posibilidades inexploradas, mucho más ricas que las del deseo.

GABRIEL GARCÍA MÁRQUEZ

...sabía ahora que amor es tristeza y engendra sin remedio soledad. Estaba acompañado y solo. En este sitio había peleado y amado. Allí estaban su raíz, su alegría y su infortunio.

AUGUSTO ROA BASTOS

«...yo la forzaba, en la desesperación de consolidar de algún modo esa fusión, a unirnos corporalmente; sólo lográbamos confirmar la imposibilidad de prolongarla o consolidarla mediante un acto material.»

ERNESTO SÁBATO

El fuego original y primordial, la sexualidad, levanta la llama roja del erotismo y ésta, a su vez, sostiene y alza otra llama, azul y trémula: la del amor. Erotismo y amor: la llama doble de la vida.

OCTAVIO PAZ

6. EL AMOR

Desde el principio de la Historia, las artes han luchado por representar e investigar este tema, el más íntimo e inexpugnable de las relaciones humanas. También la Literatura Hispanoamericana ha penetrado en todas las parcelas y manifestaciones del amor. Experiencias personales, sueños, descripciones realistas y meditación filosófica sobre amor, sexo y erotismo han llenado miles de páginas de novelas, poemas y ensayos. Amor cortés y amor platónico, amores de adolescentes y de ancianos, homosexualidad o amor de Dios han sido la principal preocupación de los autores americanos. Sin embargo, si se quiere encontrar rasgos dominantes en la más reciente literatura amatoria, hay que destacar su esfuerzo por reflejar la incapacidad del *amor* para combatir la soledad y la sacralización del cuerpo humano. El desamor, la incomunicación, la rutina del matrimonio y el dominio del sexo están magistralmente analizados en la nueva narrativa. Del mismo modo, el vacío existencial del hombre moderno empuja a poetas y ensayistas a buscar y definir un amor que colme los anhelos humanos de comunicación total.

Muchos jóvenes han conocido a Neruda a través de sus *Veinte poemas de amor y una canción desesperada.* Durante los años sesenta varios cantautores pusieron música al famoso *Poema veinte* y lo cantaron en teatros y polideportivos de todo el mundo. Obra de juventud, tiene un fondo romántico y recrea con nostalgia un amor perdido y, por tanto, doloroso; la mujer no es ahora una realidad, sino la búsqueda de un ideal. Dramáticamente, el enamorado se aproxima y huye de la amada, disfrutando tanto del amor como de la melancolía que le produce el abandono.

20

Puedo escribir los versos más tristes esta noche.
Escribir por ejemplo: «La noche está estrellada,
y tiritan, azules, los astros, a lo lejos».
El viento de la noche gira en el cielo y canta.
Puedo escribir los versos más tristes esta noche.
Yo la quise, y a veces ella también me quiso.

En las noches como ésta la tuve entre mis brazos.
La besé tantas veces bajo el cielo infinito.
Ella me quiso, a veces yo también la quería.
Cómo no haber amado sus grandes ojos fijos.
Puedo escribir los versos más tristes esta noche.
Pensar que no la tengo. Sentir que la he perdido.
Oír la noche inmensa, más inmensa sin ella.
Y el verso cae al alma como al pasto el rocío.
Qué importa que mi amor no pudiera guardarla.
La noche está estrellada y ella no está conmigo.
Eso es todo. A lo lejos alguien canta. A lo lejos.
Mi alma no se contenta con haberla perdido.
Como para acercarla mi mirada la busca.
Mi corazón la busca, y ella no está conmigo.
La misma noche que hace blanquear los mismos árboles.
Nosotros, los de entonces, ya no somos los mismos.
Ya no la quiero, es cierto, pero cuánto la quise.
Mi voz buscaba el viento para tocar su oído.
De otro. Será de otro. Como antes de mis besos.
Su voz, su cuerpo claro. Sus ojos infinitos.
Ya no la quiero, es cierto, pero tal vez la quiero.
Es tan corto el amor, y es tan largo el olvido.
Porque en noches como ésta la tuve entre mis brazos,
mi alma no se contenta con haberla perdido.
Aunque éste sea el último dolor que ella me causa,
y éstos sean los últimos versos que yo le escribo.

PABLO NERUDA, *Veinte poemas de amor y una canción desesperada.* (1924). Alianza Editorial, El libro de bolsillo, Madrid, 1991. Pp. 107-109.

Ante el fracaso de las expectativas humanas (amor, comunicación, libertad, bondad) Cortázar no ofrece soluciones. Sus protagonistas se debaten entre la esperanza y el desengaño, critican arquetipos milenarios y se escudan en actitudes irónicas y libertarias. Para resaltar el abismo existente entre sus criaturas y los prototipos que establece la sociedad, el autor desmonta las formas literarias tradicionales y construye formas y estructuras anárquicas. Este texto refleja, desde la burla y la rebeldía, la concatenación de críticas y protestas, anhelos e ilusiones de un argentino residente en París que no alcanza la plenitud en el amor.

CONVENCIDOS DEL AMOR-QUE-SIENTEN-POR-SUS-ESPOSAS

Pero el amor, esa palabra... Moralista Horacio, temeroso de pasiones sin una razón de aguas hondas, desconcertado y arisco en la ciudad donde el amor se llama con todos los nombres de todas las calles, de todas las casas, de todos los pisos, de todas las habitaciones, de todas las camas, de todos los sueños, de todos los olvidos o los recuerdos. Amor mío, no te quiero *por vos** ni por mí ni por los dos juntos, no te quiero porque la sangre me llame a quererte, te quiero porque *no sos* mía, porque estás del otro lado, ahí donde *me invitás* a saltar y no puedo dar el salto, porque en lo más profundo de la posesión no estás en mí, no te alcanzo, no paso de tu cuerpo, de tu risa, hay horas en que me atormenta que me ames (cómo te gusta usar el verbo amar, con qué cursilería lo vas dejando caer sobre los platos y las sábanas y los autobuses), me atormenta tu amor que no me sirve de puente porque un puente no se sostiene de un solo lado, jamás Wright ni Le Corbusier van a hacer un puente sostenido de un solo lado, y no me mires con esos ojos de pájaro, para vos la operación del amor es tan sencilla, te curarás antes que yo y eso que me querés como yo no te quiero. Claro que te curarás, porque *vivís* en la salud, después de mi será cualquier otro, eso se cambia como los corpiños. Tan triste oyendo al cínico Horacio que quiere un amor pasaporte, amor pasamontañas, amor llave, amor revólver, amor que le dé los mil ojos de Argos, la ubicuidad, el silencio desde donde la música es posible, la raíz desde donde se podría empezar a tejer una lengua. Y es tonto porque todo eso duerme un poco *en vos*, no habría más que sumergirte en un vaso de agua como una flor japonesa y poco a poco empezarían a brotar los pétalos coloreados, se hincharían las formas combadas, crecería la hermosura. Dadora de infinito, yo no sé tomar, perdoname. Me estás alcanzando una manzana y yo he dejado los dientes en la mesa de luz. *Stop*, ya está bien así. También puedo ser grosero, fijate. Pero fijate bien, porque no es gratuito.

¿Por qué *stop*? Por miedo de empezar las fabricaciones, son tan fáciles. *Sacás* una idea de ahí, un sentimiento del otro estante, *los atás* con ayuda de palabras, perras negras, y resulta que te quiero. Total parcial: te quiero. Total general: te amo. Así viven muchos amigos míos, sin hablar de un tío y dos primos, convencidos del amor-que-sienten-por-sus-esposas. De la palabra a los actos, *che**; en general sin verba no hay res. Lo que mucha gente llama amar consiste en elegir a una mujer y casarse con ella. La eligen, te lo juro, los he visto. Como si se pudiese elegir en el amor, como si no fuera un rayo que te parte los huesos y te deja estaqueado en la mitad del patio. *Vos dirás* que la eligen porque-la-aman, yo creo que es al vesre. A Beatriz no se la elige, a Julieta no se la elige. *Vos no elegís* la lluvia que te va a calar hasta los huesos cuando *salís* de un concierto.

JULIO CORTÁZAR, *Rayuela.* (1963). Editorial Sudamericana, Buenos Aires, 1973. Pp. 483-484.

Cuando la mujer americana (Mistral, Storni, Ibarbourou, Agustini...) escribe sobre el amor, su voz deja traslucir la experiencia personal y la preocupación por el destino de las demás mujeres. Su testimonio, íntimo y desgarrado, a menudo denuncia la prepotencia machista y la pasividad femenina ante el amor: educada para esperar, la mujer se entrega ciegamente a los hombres, sin exigir nada a cambio. En este corto relato Elena Poniatowska se compadece de la *espera* de la narradora y destaca su sensibilidad ante el detalle, lo bello y lo cotidiano. En la nota que esta débil mujer escribe a su amante, se vislumbra la esperanza de encontrar un muro de apoyo y unas migajas de amor. La escritora mexicana ha conseguido dotar a esta carta de amor de gran ternura e insospechado lirismo.

EL RECADO

Vine, Martín, y no estás. Me he sentado en el peldaño de tu casa, recargada en tu puerta y pienso que en algún lugar de la ciudad, por una onda que cruza el aire, debes intuir que aquí estoy. Es éste tu pedacito de jardín; tu mimosa se inclina hacia afuera y los niños al pasar le arrancan las ramas más accesibles... En la tierra, sembradas alrededor del muro, muy rectilíneas y serias veo unas flores que tienen hojas como espadas. Son azul marino, parecen soldados. Son muy graves, muy derechas. Tú también eres un soldado. Marchas por la vida, uno, dos, uno, dos... Todo tu jardín es sólido, es como tú, tiene una reciedumbre que inspira confianza.

Aquí estoy contra el muro de tu casa, así como estoy a veces contra el muro de tu espalda. El sol da también contra el vidrio de tu ventana y poco a poco se debilita porque ya es tarde. El cielo enrojecido ha calentado tu madreselva y su olor se vuelve aún más penetrante. Es el atardecer. El día va a decaer. Tu vecina pasa. No sé si me habrá visto. Va a regar su pedazo de jardín. Recuerdo que ella te trae una sopa de pasta cuando estás enfermo y que su hija te pone inyecciones... Pienso en ti muy despacito, como si te dibujara dentro de mí y quedaras allí grabado. Quisiera tener la certeza de que te voy a ver mañana y pasado mañana y siempre en una cadena ininterrumpida de días; que podré mirarte lentamente aunque ya me sé cada rinconcito de tu rostro; que nada entre nosotros ha sido provisional o un accidente.

Estoy inclinada ante una hoja de papel y te escribo todo esto y pienso que ahora, en alguna cuadra donde camines apresurado, decidido como sueles hacerlo, en alguna de esas calles por donde te imagino siempre: Donceles y Cinco de Febrero y Venustiano Carranza, en alguna de esas banquetas* grises y monocordes, rotas sólo por el remolino de gente que va a tomar el camión*, has de saber dentro de ti que te espero. Vine nada más a decirte que te quiero y como no estás te lo escribo. Ya casi no puedo escribir porque ya se fue el sol y no sé a bien lo que te pongo. Afuera pasan más niños, corriendo. Y una señora con una olla advierte irritada: «No me sacudas la mano porque voy a tirar la leche...» Y dejo este lápiz, Martín, y dejo la hoja rayada y dejo que mis brazos cuelguen inútilmente a lo largo de mi cuerpo y te espero. Pienso que te hubiera querido abrazar. A veces quisiera ser más vieja porque la juventud lleva en sí, la imperiosa, la implacable necesidad de relacionarlo todo al amor.

Ladra un perro; ladra agresivamente. Creo que es hora de irme. Dentro de poco vendrá la vecina a prender la luz de tu casa; ella tiene llave y encenderá el foco* de la recámara* que da hacia afuera porque en esta colonia asaltan mucho, roban mucho. A los pobres les roban mucho; los pobres se roban entre sí... Sabes, desde mi infancia me he sentado así a esperar, siempre fui dócil, porque te esperaba. Te esperaba a ti. Sé que todas las mujeres aguardan. Aguardan la vida futura, todas esas imágenes forjadas en la soledad, todo ese bosque que camina hacia ellas; toda esa inmensa promesa que es el hombre; una granada que de pronto se abre y muestra sus granos rojos, lustrosos; una granada como una boca pulposa de mil gajos. Más tarde esas horas vividas en la imaginación, hechas horas reales, tendrán que cobrar peso y tamaño y crudeza. Todos estamos –oh mi amor– tan llenos de retratos interiores, tan llenos de paisajes no vividos.

Ha caído la noche y ya casi no veo lo que estoy borroneando en la hoja rayada. Ya no percibo las letras. Allí donde no le entiendas en los espacios blancos, en los huecos, pon: «Te quiero»... No sé si voy a echar esta hoja debajo de la puerta, no sé. Me has dado un tal respeto de ti mismo... Quizá ahora que me vaya, sólo pase a pedirle a la vecina que te dé el recado; que te diga que vine.

ELENA PONIATOWSKA, *Querido Diego, te abraza Quiela* y *otros cuentos*: «El recado». (1979). Alianza Tres\Era, Madrid, 1987. Pp. 87-89.

Bioy Casares presenta en este relato el amor de un hombre posesivo y atormentado que, basándose en recuerdos de infancia, vive y quiere vivir convencido de que su cariño será correspondido eternamente. El tenso desarrollo de la trama y el final de la historia (siempre sorprendente en la obra del argentino) demostrarán que el proyecto de vida en común con Paulina es fruto de la necesidad de evasión del narrador, de sus sueños y alucinaciones. Reproducimos el comienzo del cuento donde se describe el amor cortés que siente el relator, sus sueños de comunión espiritual con la mujer idealizada y la *pudorosa amistad* de los amantes.

SIEMPRE QUISE A PAULINA

Siempre quise a Paulina. En uno de mis primeros recuerdos, Paulina y yo estamos ocultos en una oscura glorieta de laureles, en un jardín con dos leones de piedra. Paulina me dijo: «Me gusta el azul, me gustan las uvas, me gusta el hielo, me gustan las rosas, me gustan los caballos blancos». Yo comprendí que mi felicidad había empezado, porque en esas preferencias podía identificarme con Paulina. Nos parecimos tan milagrosamente que en un libro sobre la final reunión de las almas en el alma del mundo, mi amiga escribió en el margen: *Las nuestras ya se reunieron.* «Nuestras», en aquel tiempo, significaba la de ella y la mía.

Para explicarme ese parecido argumenté que yo era un apresurado y remoto borrador de Paulina. Recuerdo que anoté en mi cuaderno: *Todo poema es un borrador de la Poesía y en cada cosa hay una prefiguración de Dios.* En lo que me parezca a Paulina estoy a salvo. Veía (y aún hoy veo) la identificación con Paulina como la mejor posibilidad de mi ser, como el refugio en donde me libraría de mis defectos naturales, de la torpeza, de la negligencia, de la vanidad.

La vida fue una dulce costumbre que nos llevó a esperar, como algo natural y cierto, nuestro futuro matrimonio. Los padres de Paulina, insensibles al prestigio literario prematuramente alcanzado, y perdido, por mí, prometieron dar el consentimiento cuando me doctorara. Muchas veces nosotros imaginábamos un ordenado porvenir, con tiempo suficiente para trabajar, para viajar y para querernos. Lo imaginábamos con tanta vividez que nos persuadíamos de que ya vivíamos juntos.

Hablar de nuestro casamiento no nos inducía a tratarnos como novios. Toda la infancia la pasamos juntos y seguía habiendo entre nosotros una pudorosa amistad de niños. No me atrevía a encarnar el papel de enamorado y a decirle, en tono solemne: «Te quiero». Sin embargo, cómo la quería, con qué amor atónito y escrupuloso yo miraba su resplandeciente perfección.

ADOLFO BIOY CASARES, *La trama celeste.* (1948): «En memoria de Paulina». Castalia, Clásicos Castalia, Madrid, 1990. Pp. 79-80.

Frecuentemente Paz utiliza el viaje como símbolo de su indagación metafísica. Asimismo, el amor y el cuerpo femenino son expresión de la búsqueda poética y de su anhelo de romper las barreras individuales. Ambos temas, amor y viaje, están presentes en *Piedra de sol*, donde la poesía erótica alcanza gran belleza, profundidad y sensualidad. Para una óptima interpretación del extenso poema (del que sólo reproducimos una parte) remitimos a la propia explicación del poeta mexicano: «El tema central es la recuperación del instante amoroso como recuperación de la verdadera libertad, *puerta del ser* que nos lleva a la comunión con otro cuerpo, con los demás hombres, con la naturaleza. Este salto del *yo al otro*, al reino de los pronombres enlazados, es la mujer».

BUSCO A TIENTAS

voy por tu cuerpo como por el mundo,
tu vientre es una plaza soleada,
tus pechos dos iglesias donde oficia

la sangre sus misterios paralelos,
mis miradas te cubren como yedra,
eres una ciudad que el mar asedia,
una muralla que la luz divide
en dos mitades de color durazno*,
un paraje de sal, rocas y pájaros
bajo la ley del mediodía absorto,

vestida del color de mis deseos
como mi pensamiento vas desnuda,
voy por tus ojos como por el agua,
los tigres beben sueño en esos ojos,
el colibrí* se quema en esas llamas,
voy por tu frente como por la luna,
como la nube por tu pensamiento,
voy por tu vientre como por tus sueños,

tu falda de maíz* ondula y canta,
tu falda de cristal, tu falda de agua,
tus labios, tus cabellos, tus miradas,
toda la noche llueves, todo el día
abres mi pecho con tus dedos de agua,
cierras mis ojos con tu boca de agua,
sobre mis huesos llueves, en mi pecho
hunde raíces de agua un árbol líquido,

voy por tu talle como por un río,
voy por tu cuerpo como por un bosque,
como por un sendero en la montaña
que en un abismo brusco se termina,
voy por tus pensamientos afilados
y a la salida de tu blanca frente
mi sombra despeñada se destroza,
recojo mis fragmentos uno a uno
y prosigo sin cuerpo, busco a tientas, [...]
frente a la tarde de salitre y piedra
armada de navajas invisibles
una roja escritura indescifrable
escribes en mi piel y esas heridas
como un traje de llamas me recubren,
ardo sin consumirme, busco el agua
y en tus ojos no hay agua, son de piedra,

y tus pechos, tu vientre, tus caderas
son de piedra, tu boca sabe a polvo,
tu boca sabe a tiempo emponzoñado,
tu cuerpo sabe a pozo sin salida,
pasadizo de espejos que repiten
los ojos del sediento, pasadizo
que vuelve siempre al punto de partida,
y tú me llevas ciego de la mano
por esas galerías obstinadas

OCTAVIO PAZ, *Libertad bajo palabra*: «Piedra de sol». (1957). Cátedra, Letras Hispánicas, Madrid, 1990. Pp. 336-337 y 341.

En la soledad yo canto
a aquél que es mi Dios.

TLALTECATZÍN (POETA NÁHUATL)

Había una vez un Espejo de mano que cuando se quedaba solo y nadie se veía en él se sentía de lo peor, como que no existía, y quizá tenía razón; pero los otros espejos se burlaban de él, y cuando por las noches los guardaban en el mismo cajón del tocador dormían a pierna suelta satisfechos, ajenos a la preocupación del neurótico.

AUGUSTO MONTERROSO

...porque las estirpes condenadas a cien años de soledad no tenían una segunda oportunidad sobre la tierra.

GABRIEL GARCÍA MÁRQUEZ

¿Quién estaba de vuelta de sí mismo, de la soledad absoluta que representa no contar siquiera con la compañía propia, tener que meterse en el cine o en el prostíbulo o en casa de los amigos o en una profesión absorbente o en el matrimonio para estar por lo menos solo-entre-los-demás?

JULIO CORTÁZAR

La soledad es también un homenaje al prójimo.

PABLO BENEDETTI

7. SOLEDAD E INCOMUNICACIÓN

Aunque el sentimiento de soledad es tan viejo como el hombre mismo y aparece plasmado en todas las literaturas, el agnostiscismo y vacío existencial imperantes en la sociedad occidental han hecho de la soledad una de las principales preocupaciones de la Literatura Hispanoamericana. Por otro lado, los avances del psicoanálisis y de la introspección, y la perspectiva subjetivista impuesta por las vanguardias han potenciado el tratamiento en profundidad del tema de la comunicación entre seres humanos. El resultado de explorar el alma humana es a veces un desgarrado lamento del individuo solitario o un riguroso ensayo sobre el malestar colectivo. Otras veces, tras constatar la imposibilidad de comunicación plena con los demás, la literatura refleja cómo intelectuales, misántropos y personajes desengañados intentan sustituir el ansia de amor absoluto por actitudes escapistas, la búsqueda de Dios o el refugio en la Naturaleza.

Huidobro ha sentido el gran peso del vacío existencial. Su continua búsqueda de nuevas formas literarias y su caústico sentido del humor no son sino manifestaciones de amargura y decepción al no poder saciar sus anhelos en la Naturaleza, en la religión o en el amor. Desde el abismo de su soledad, Altazor, *alter ego* del poeta, lanza duros e irónicos ataques contra Dios, que podría ser todo y en realidad no es *nada.*

ALTAZOR EL DEL ANSIA INFINITA

Soy yo Altazor el del ansia infinita
Del hambre eterno y descorazonado
Carne labrada por arados de angustia
¿Cómo podré dormir mientras haya adentro tierras desconocidas?
Problemas
Misterios que se cuelgan a mi pecho
Estoy solo
La distancia que va de cuerpo a cuerpo
Es tan grande como la que hay de alma a alma
Solo

Solo
Solo
Estoy solo parado en la punta del año que agoniza
El universo se rompe en olas a mis pies
Los planetas giran en torno a mi cabeza
Y me despeinan al pasar con el viento que desplazan
Sin dar una respuesta que llene los abismos
Ni de sentir este anhelo fabuloso que busca en la fauna del cielo
Un ser materno donde se duerma el corazón
Un lecho a la sombra del torbellino de enigmas
Una mano que acaricie los latidos de la fiebre.
Dios diluido en la nada y el todo
Dios todo y nada
Dios en las palabras y en los gestos
Dios mental
Dios aliento
Dios joven Dios viejo
Dios pútrido
lejano y cerca
Dios amasado de congoja

VICENTE HUIDOBRO, *Altazor.* (1931). Cátedra, Letras Hispánicas, Madrid, 1992. Pp. 65-66.

Para Octavio Paz la soledad es condición inseparable de la naturaleza humana. El hombre vive en una constante fuga de sí mismo y en una desesperada búsqueda de otro ser. Todos estamos condenados a vivir solos, así como a intentar superar nuestra soledad, esfuerzo que nos mantiene unidos a la vida.

LA DIALÉCTICA DE LA SOLEDAD

La soledad, el sentirse y el saberse solo, desprendido del mundo y ajeno a sí mismo, separado de sí, no es característica exclusiva del mexicano. Todos los hombres, en algún momento de su vida, se sienten solos; y más: todos los hombres están solos. Vivir es separarnos del que fuimos para internarnos en el que vamos a ser, futuro extraño siempre. La soledad es el fondo último de la condición humana. El hombre es el único ser que se siente solo y el único que es búsqueda de otro. Su naturaleza –si se puede hablar de naturaleza al referirse al hombre, el ser que, precisamente, se ha inventado a sí mismo al decirle «no» a la naturaleza– consiste en un aspirar a realizarse en otro. El hombre es nostalgia y búsqueda de comunión. Por eso cada vez que se siente a sí mismo se siente como carencia de otro, como soledad.

Uno con el mundo que lo rodea, el feto es vida pura y en bruto, fluir ignorante de sí. Al nacer, rompemos los lazos que nos unen a la vida ciega que vivimos en el vientre materno, en donde no hay pausa entre deseo y satisfacción. Nuestra sensación de vivir se expresa como separación y ruptura, desamparo, caída en un ámbito hostil o extraño. A medida que crecemos esa primitiva sensación se transforma en sentimiento de soledad. Y más tarde, en conciencia: estamos condenados a vivir solos, pero también lo estamos a traspasar nuestra soledad y a rehacer los lazos que en un pasado paradisíaco nos unían a la vida. Todos nuestros esfuerzos tienden a abolir la soledad. Así, sentirse solos posee un doble significado: por una parte consiste en tener conciencia de sí; por la otra, en un deseo de salir de sí. La soledad, que es la condición misma de nuestra vida, se nos aparece como una prueba y una purgación, a cuyo término angustia e inestabilidad desaparecerán. La plenitud, la reunión, que es reposo y dicha, concordancia con el mundo, nos esperan al fin del laberinto de la soledad.

OCTAVIO PAZ, *El laberinto de la soledad.* (1950). Fondo de Cultura Económica, Colección Popular, México, 1973. Pp. 175-176.

Un pintor argentino dominado por una profunda angustia se enamora apasionadamente de una mujer y busca en ella respuesta a su aislamiento. Sin embargo, la incapacidad de comunicación del artista le lleva a una soledad mayor que desembocará en locura. La acertada metáfora del túnel es felizmente utilizada por Sábato, el científico que abandonó la investigación para dedicarse a la novela metafísica. La sabiduría para describir la introspección, la pesadilla y la fuerza del sentimiento otorgan tensa emoción a la lucha del protagonista por comunicarse plenamente con la mujer amada.

TÚNELES PARALELOS

Y era como si los dos hubiéramos estado viviendo en pasadizos o túneles paralelos, sin saber que íbamos el uno al lado del otro, como almas semejantes en tiempos semejantes, para encontrarnos al fin de esos pasadizos, delante de una escena pintada por mí, como clave destinada a ella sola, como un secreto anuncio de que ya estaba yo allí y que los pasadizos se habían por fin unido y que la hora del encuentro había llegado.

¡La hora del encuentro había llegado! Pero, ¿realmente los pasadizos se habían unido y nuestras almas se habían comunicado? ¡Qué estúpida ilusión mía había sido todo esto! No, los pasadizos seguían paralelos como antes, aunque ahora el muro que los separaba fuera como un muro de vidrio y yo pudiese verla a María como una figura silenciosa e intocable... No, ni siquiera ese muro era siempre así: a veces volvía a ser de piedra negra y entonces yo no sabía qué pasaba del otro lado, qué era de ella en esos intervalos anónimos, qué extraños sucesos acontecían; y hasta pensaba que en esos momentos su rostro cambiaba y que una mueca de burla lo deformaba y que quizá había risas cruzadas con otro y que toda la historia de los pasadizos era una ridícula invención o creencia mía y que *en todo caso había un solo túnel, oscuro y solitario: el mío, el túnel en que había transcurrido mi infancia, mi juventud, toda mi vida.* Y en uno de esos trozos transparentes del muro de piedra yo había visto a esta muchacha y había creído ingenuamente que venía por otro túnel paralelo al mío, cuando en realidad pertenecía al ancho mundo, al mundo sin límites de los que no viven en túneles; y quizá se había acercado por curiosidad a una de mis extrañas ventanas y había entrevisto el espectáculo de mi insalvable soledad, o le había intrigado el lenguaje mudo, la clave de mi cuadro. Y entonces, mientras yo avanzaba siempre por mi pasadizo, ella vivía afuera su vida normal, la vida agitada que llevan esas gentes que viven afuera, esa vida curiosa y absurda en que hay bailes y fiestas y alegría y frivolidad. Y a veces sucedía que cuando yo pasaba frente a una de mis ventanas ella estaba esperándome muda y ansiosa (¿por qué esperándome?, ¿y por qué muda y ansiosa?); pero a veces sucedía que ella no llegaba a tiempo o se olvidaba de este pobre ser encajonado, y entonces yo, con la cara apretada contra el muro de vidrio, la veía a lo lejos sonreír o bailar despreocupadamente o, lo que era peor, no la veía en absoluto y la imaginaba en lugares inaccesibles o torpes. Y entonces sentía que mi destino era infinitamente más solitario que lo que había imaginado.

ERNESTO SÁBATO, *El túnel.* (1948). Seix Barral, Biblioteca Breve, Barcelona, 1982. Pp. 130-131.

El mítico personaje de «El Gaviero» es inseparable de Mutis. Ya en verso, ya en prosa, el marinero errante expresa poéticamente las inquietudes y nostalgias del colombiano. En este breve texto que el autor incluye entre sus poesías, el aventurero, tras múltiples avatares marítimos, sufre en plena selva un naufragio espiritual. El vacío y el pánico ante la posibilidad de locura son el saldo de una noche de vigilia y soledad.

SOLEDAD

En mitad de la selva, en la más oscura noche de los grandes árboles, rodeado del húmedo silencio esparcido por las vastas hojas del banano* silvestre, conoció El Gaviero el miedo de sus miserias más secretas, el pavor de un gran vacío que le acechaba tras sus años llenos de historias y de paisajes. Toda la noche permaneció El Gaviero en dolorosa vigilia, esperando, temiendo el derrumbe de su ser, su naufragio en las girantes aguas de la demencia. De estas amargas horas de insomnio le quedó al Gaviero una secreta herida de la que manaba en ocasiones la tenue linfa de un miedo secreto e innombrable. La algarabía de las cacatúas que cruzaban en bandadas la rosada extensión del alba, lo devolvió al mundo de sus semejantes y tornó a poner en sus manos las usuales herramientas del hombre. Ni el amor, ni la desdicha, ni la esperanza, ni la ira volvieron a ser los mismos para él después de su aterradora vigilia en la mojada y nocturna soledad de la selva.

ÁLVARO MUTIS, *Obra literaria*: POESÍA: «Soledad». (1973). Procultura, Bogotá, 1985. Tomo II, Poesía, P. 219.

...me niego a ver en los sacrificios humanos de los aztecas* una expresión aislada de crueldad sin relación con el resto de esa civilización: la extracción de corazones y las pirámides monumentales, la escultura y el canibalismo* ritual, la poesía y la guerra «florida», la teocracia y los mitos grandiosos son un todo indisoluble.

OCTAVIO PAZ

Esa doña Rosario, señora muy devota, ha levantado en la pieza más espaciosa de su vivienda el altar de la patrona de Sartín. La Virgen está en un ángulo, ante una hilera de velas, rodeada de flores y rubicundos ángeles de cartón.

CIRO ALEGRÍA

Toda la locura y la terquedad del mundo en nombre de Dios. Dios de los Ejércitos; Dios de los dientes apretados; Dios fuerte y terrible, hostil y sordo, de piedra ardiendo, de sangre helada.

JOSÉ REVUELTAS

[Dominga de Adviento] Se había hecho católica sin renunciar a su fe yoruba, y practicaba ambas a la vez, sin orden ni concierto. Su alma estaba en sana paz, decía, porque lo que le faltaba en una lo encontraba en la otra.

GABRIEL GARCÍA MÁRQUEZ

Entonces oí hablar al Creador, sin nombre, que es un simple hueco en el vacío, hermoso como un ombligo.

VICENTE HUIDOBRO

8. FE Y SENTIMIENTO RELIGIOSO

Viejos códices y crónicas de frailes y soldados han dejado constancia del arraigo del sentimiento religioso entre las gentes que poblaban América. Soberbios templos son testimonio de grandes civilizaciones de régimen teocrático y la imaginería refleja dioses crueles que reclamaban sacrificios humanos y las prehispánicas exigencias de deidades más benignas. El ímpetu apostólico de los españoles encontró así abonado el terreno para la difusión del Evangelio, y la predicación de un dios más benévolo fue una de las causas del triunfo de la Conquista. Hoy, se puede afirmar que la América Hispana es católica; sin embargo, la presencia de cultos y creencias precolombinas y la penetración de otras sectas y religiones (sobre todo protestantes) hacen que, a nivel popular, ritos y sentimientos monoteístas estén a menudo impregnados de prácticas indígenas, africanas o protestantes. Por esta razón, muchas manifestaciones religiosas son tachadas de superstición o fanatismo, sin tener en cuenta que tal dualismo es lógico resultado de la superposición de elementos religiosos occidentales y de mitos ancestrales. El sincretismo religioso es una muestra más de la avidez espiritual del hombre americano. La literatura contemporánea recoge cómo iletrados e intelectuales mantienen un diálogo –crítico, iconoclasta o fervoroso– con Dios y con los Santos que, en América, invaden y condicionan la vida.

La omnipresencia de la Naturaleza y la problemática indígena dominan la narrativa de José María Arguedas. Ambos temas están latentes en la visita que realiza el joven narrador de *Los ríos profundos* a la Catedral de Lima. El tremendismo religioso heredado de España y el sentimiento trágico del indígena se traslucen en este texto, sabiamente ambientado por el escritor peruano. Sin duda, la grandeza barroca del templo contribuye al patetismo que posee y transmite la imagen del Cristo; este dramatismo es uno de los rasgos característicos del arte colonial, que nació de la feliz coincidencia de artistas españoles y americanos.

EL SEÑOR DE LOS TEMBLORES

Ingresamos al templo, y el Viejo se arrodilló sobre las baldosas. Entre las columnas y los arcos, rodeados del brillo del oro, sentí que las bóvedas altísimas me rendían. Oí rezar desde lo alto, con voz de moscardones, a un coro de hombres.

Había poca gente en el templo. Indias con mantas de colores sobre la cabeza, lloraban. La catedral no resplandecía tanto. La luz filtrada por el alabastro de las ventanas era distinta de la del sol. Parecía que habíamos caído, como en las leyendas, a alguna ciudad escondida en el centro de una montaña, debajo de los mantos de hielo inapagables que nos enviaban luz a través de las rocas. Un alto coro de madera lustrada se elevaba en medio del templo. Se levantó el Viejo y nos guió hacia la nave derecha.

—El Señor de los Temblores –dijo, mostrando un retablo que alcanzaba la cima de la bóveda. Me miró, como si no fuera yo un niño.

Me arrodillé junto a él y mi padre al otro lado.

Un bosque de ceras ardía delante del Señor. El Cristo aparecía detrás del humo, sobre el fondo del retablo dorado, entre columnas y arcos en que habían tallado figuras de ángeles, de frutos y de animales.

Yo sabía que cuando el trono de ese Crucificado aparecía en la puerta de la catedral, todos los indios del Cuzco lanzaban un alarido que hacía estremecer la ciudad, y cubrían, después, las andas del Señor y las calles y caminos, de flores de *ñujchu*, que es roja y débil.

El rostro del Crucificado era casi negro, desencajado, como el del pongo*. Durante las procesiones, con sus brazos extendidos, las heridas profundas, y sus cabellos caídos a un lado, como una mancha negra, a la luz de la plaza, con la catedral, las montañas o las calles ondulantes, detrás, avanzaría ahondando las aflicciones de los sufrientes, mostrándose como el que más padece, sin cesar. Ahora, tras el humo y esa luz agitada de la mañana y de las velas, aparecía sobre el altar hirviente de oro, como al fondo de un crepúsculo del mar, de la zona tórrida, en que el oro es suave o brillante, y no pesado y en llamas como el de las nubes de la sierra alta, o de la helada, donde el sol del crepúsculo se rasga en mantos temibles.

Renegrido, padeciendo, el Señor tenía un silencio que no apaciguaba. Hacía sufrir; en la catedral tan vasta, entre las llamas de las velas y el resplandor del día que llegaba tan atenuado, el rostro del Cristo creaba sufrimiento, lo extendía a las paredes, a las bóvedas y columnas. Yo esperaba que de ellas brotaran lágrimas. Pero estaba allí el Viejo, rezando apresuradamente con su voz metálica. Las arrugas de su frente resaltaron a la luz de las velas; eran esos surcos los que daban la impresión de que su piel se había descarnado de los huesos.

—No hay tiempo para más –dijo.

JOSÉ MARÍA ARGUEDAS, *Los ríos profundos.* (1958). Lumen, Biblioteca Ayacucho, Madrid, 1978. Pp. 15 y 16.

Una de las manifestaciones más interesantes de la cultura hispánica es el sincretismo religioso. Muchos americanos son fervorosos creyentes de la religión católica y conservan reminiscencias de cultos precolombinos. Invocan a todos los santos del santoral romano y a dioses aztecas*, quechuas* o mayas*. La festividad religiosa se convierte a menudo en ceremonial de lamentos, rezos polivalentes, brujería y consumo ritual de aguardiente. Rosario Castellanos describe con crudeza la celebración de una fiesta en una finca de México: entre ritos, deidades y símbolos mayas y cristianos los indígenas dan rienda suelta a su desgarrador sufrimiento.

HERENCIA DE LA PAGANÍA

El día de Nuestra Señora de la Salud amaneció nublado. Desde el amanecer se escuchaba el tañido de la campana de la ermita, y sus puertas se abrieron de par en par. Entraban los indios trayendo las ofrendas: manojos de flores silvestres, medidas de copal*, diezmos de las cosechas. Todo venía a ser depositado a los pies de la Virgen, casi invisible entre los anchos y numerosos pliegues de su vestido bordado con perlas falsas que resplandecían a la luz de los cirios. El ir y venir de los pies descalzos marchitaban la juncia esparcida en el suelo y cuyo aroma, cada vez más débil, ascendía confundido con el sudor de la multitud, con el agrio olor a leche de los recién nacidos y las emanaciones del aguardiente que se pegaba a los objetos, a las personas, al aire mismo. Otras imágenes de santos, envueltos a la manera de las momias, en metros y metros de yerbilla, se reclinaban contra la pared o se posaban en el suelo, mostrando una cabeza desproporcionadamente pequeña, la única parte de su cuerpo que los trapos no cubrían.

Las mujeres, enroscadas en la tierra, mecían a la criatura chillona y sofocada bajo el rebozo*, e iniciaban, en voz alta y acezante, un monólogo que al dirigirse a las imágenes que la tela maniataba y reducía a la impotencia, adquiría inflexiones ásperas como de reprensión, como de reproche ante el criado torpe, como de vencedor ante el vencido. Y luego las mujeres volvían el rostro humilde ante el nicho que aprisionaba la belleza de Nuestra Señora de la Salud. Las suplicantes desnudaban su miseria, sus sufrimientos, ante aquellos ojos esmaltados, inmóviles. Y su voz era entonces la del perro apaleado, la de la res separada brutalmente de su cría. A gritos solicitaban ayuda. En su dialecto, frecuentemente entreverado de palabras españolas, se quejaban del hambre, de la enfermedad, de las asechanzas armadas por los brujos. Hasta que, poco a poco, la voz iba siendo vencida por la fatiga, iba disminuyendo hasta convertirse en un murmullo ronco de agua que se abre paso entre las piedras. Y se hubiera creído que eran sollozos los espasmos repentinos que sacudían el pecho de aquellas mujeres si sus pupilas, tercamente fijas en el altar, no estuvieran veladas por una seca opacidad mineral.

Los hombres entraban tambaleándose en la ermita y se arrodillaban a lado de sus mujeres. Con los brazos extendidos en cruz conservaban un equilibrio que su embriaguez hacía casi imposible y balbucían una oración confusa de lengua hinchada y palabras enemistadas entre sí. Lloraban estrepitosamente golpeándose la cabeza con los puños y después, agotados, vacíos como si se hubieran ido en una hemorragia, se derrumbaban en la inconsciencia. Roncando, proferían amenazas entre sueños. Entonces las mujeres se inclinaban hasta ellos y, con la punta del rebozo, limpiaban el sudor que empapaba las sienes de los hombres y el viscoso hilillo de baba que escurría de las comisuras de su boca. Permanecían quietas, horas y horas, mirándolos dormir.

No había testigo para estas ceremonias hechas a espaldas de la gente de la casa grande. Los patrones se hacían los desentendidos para no autorizar con su presencia un culto que el señor cura había condenado como idolátrico. Durante muchos años estos desahogos de los indios estuvieron prohibidos. Pero ahora que las relaciones entre César y los partidarios de Felipe eran tan hostiles, César no quiso empeorarlas imponiendo su voluntad en un asunto que, en lo íntimo, le era indiferente y que para los indios significaba la práctica de una costumbre inmemorial. Pero en la noche, que era cuando César asistía al rezo del último día de la novena, acompañado de toda la familia, ya no debería haber ni una huella de los acontecimientos diurnos. Las imágenes envueltas en yerbilla serían guardadas de nuevo en el lugar oculto que era su morada durante todo el año. La juncia pisoteada se renovaría por cargas de juncia fresca. Y los cirios consumidos serían reemplazados por otros cirios de llama nueva, de pabilo intacto. Pero ahora, en el recinto de la ermita, los indios, momentáneamente libres de la tutela del amo, alzaban su oración bárbara, cumplían un rito ingenuo, mermada herencia de la paganía. Torpe gesto de alianza, de súplica, petición de tregua hecha por la criatura atemorizada ante la potencia invisible que lo envuelve todo como una red.

ROSARIO CASTELLANOS, *Balún-Canán.* (1957). Fondo de Cultura Económica, México D.F., 1986. Pp. 126-128.

Roa Bastos ve en las creencias y ritos populares la huella de la historia de cada comunidad. El Cristo del cerrito, a quien los itapeños todos los años clavan y desclavan de la cruz, ha sido tallado por un santo carpintero, discriminado por su vergonzante enfermedad, la lepra. Para el pueblo, su Cristo es símbolo de sufrimiento y marginación. El escritor paraguayo se pregunta si tras el singular ceremonial del Viernes Santo en Itapé subyace, además de rebeldía ante los designios de Dios, el contrapunto entre la angustia y la esperanza de los lugareños.

UN REDENTOR HARAPIENTO

Como a media legua del pueblo se levanta el cerro de Itapé. La carretera pasa a sus pies, cortada por el arroyo que se forma en el manantial del cerro. A ciertas horas, cuando el promontorio se hincha y deshincha en las refracciones, se alcanza a ver el rancho del Cristo en lo alto, recortado contra la chapa incandescente del cielo.

Allí solía solemnizarse la celebración del Viernes Santo.

Los itapeños teñían su propia liturgia, una tradición nacida de ciertos hechos no muy antiguos pero que habían formado ya su leyenda.

El Cristo estaba siempre en la cumbre del cerrito, clavado en la cruz negra, bajo el redondel de espartillo terrado semejante al toldo de los indios, que lo resguardaba de la intemperie. No necesitaban, pues, representar las estaciones de la crucifixión. Luego del sermón de las Siete Palabras, venía el Descendimiento. Las manos se tendían crispadas y trémulas hacia el Crucificado. Lo desclavaban casi a tirones, con una especie de rencorosa impaciencia. El gentío bajaba el cerro con la talla a cuestas ululando roncamente sus cánticos y plegarias. Recorría la media legua de camino hasta la iglesia, pero el Cristo no entraba en ella jamás. Llegaba hasta el atrio solamente. Permanecía un momento, mientras los cánticos arreciaban y se convertían en gritos hostiles y desafiantes. Un rato después las parihuelas giraban sobre el tumulto y el Cristo regresaba al cerro en hombros de la procesión brillando con palidez cadavérica al humeante resplandor de las antorchas y de los faroles encendidos con velas de sebo.

Era un rito áspero, rebelde, primitivo, fermentado en un reniego de insurgencia colectiva, como si el espíritu de la gente se encrespara al olor de la sangre del sacrificio y estallase en ese clamor que no se sabía si era de angustia o de esperanza o de resentimiento, a la hora nona del Viernes de la Pasión.

Esto nos ha valido a los itapeños el mote de fanáticos y de herejes.

Pero la gente de aquel tiempo seguía yendo año tras año al cerro a desclavar el Cristo y pasearlo por el pueblo como a una víctima a quien debían vengar y no como a un Dios que había querido morir por los hombres.

Acaso este misterio no cabía en sus simples entendimientos.

O era Dios y entonces no podía morir. O era hombre, pero entonces su sangre había caído inútilmente sobre sus cabezas sin redimirlos, puesto que las cosas sólo habían cambiado para empeorar.

Quizá no era más que el origen del Cristo del cerrito, lo que había despertado en sus almas esa extraña creencia en un redentor harapiento como ellos, y que como ellos era continuamente burlado, escarnecido y muerto, desde que el mundo era mundo. Una creencia que en sí misma significaba una inversión de la fe, un permanente conato de insurrección.

Tal vez a quien verdaderamente querían desagraviar o al menos justificar, era a aquel Gaspar Mora, un constructor de instrumentos, que al enfermar de lepra se metió en el monte para no regresar al pueblo.

AUGUSTO ROA BASTOS, *Hijo de hombre.* (1960). Argos Vergara, Libros DB, Barcelona, 1979. Pp. 11-13.

La existencia de Dios ha sido uno de los temas más cuestionados a lo largo de la historia humana. A continuación, Borges, que declara en otro lado que al hombre le basta un dolor de muelas para inventarse a Dios, desarrolla una argumentación original y aparentemente sencilla que muestra su interés por problemas lógicos y metafísicos. ¿Qué pretende aquí el escritor? ¿Demuestra realmente la existencia de Dios?

ARGUMENTUM ORNITHOLOGICUM

Cierro los ojos y veo una bandada de pájaros. La visión dura un segundo o acaso menos; no sé cuántos pájaros vi. ¿Era definido o indefinido su número? El problema involucra el de la existencia de Dios. Si Dios existe, el número es definido, porque Dios sabe cuántos pájaros vi. Si Dios no existe, el número es indefinido, porque nadie pudo llevar la cuenta. En tal caso, vi menos de diez pájaros (digamos) y más de uno, pero no vi nueve, ocho, siete, seis, cinco, cuatro, tres o dos pájaros. Vi un número entre diez y uno, que no es nueve, ocho, siete, seis, cinco, etcétera. Ese número entero es inconcebible; *ergo*, Dios existe.

JORGE LUIS BORGES, *El hacedor.* (1960). Alianza Emecé, El libro de bolsillo, Madrid, 1972. P. 27.

El poeta argentino que ha escrito que «los humanos creemos más en Dios por autocompasión que por otra cosa», aquí medita resignadamente sobre *la maestría de Dios*. En el siguiente poema califica de *magnífica ironía* la contradicción divina al concederle la Dirección de la Biblioteca Nacional de Buenos Aires cuando ya estaba ciego y, por tanto, no podía leer. En los últimos versos del poema aquí reproducidos se puede observar también la permanente vinculación de Borges con la Historia Antigua, su veneración por los viejos manuscritos y su sufrimiento al verse privado de la lectura.

POEMA DE LOS DONES

Nadie rebaje a lágrima o reproche
Esa declaración de la maestría
De Dios, que con magnífica ironía
Me dio a la vez los libros y la noche.
De esta ciudad de libros hizo dueños
A unos ojos sin luz, que sólo pueden
Leer en las bibliotecas de los sueños
Los insensatos párrafos que ceden
Las albas a su afán. En vano el día
Les prodiga sus libros infinitos,

Arduos como los arduos manuscritos
Que perecieron en Alejandría.
De hambre y de sed (narra una historia griega)
Muere un rey entre fuentes y jardines;
Yo fatigo sin rumbo los confines
De esta alta y honda bilioteca ciega. [...]

JORGE LUIS BORGES, *El hacedor:* «Poema de los dones» (1960). Alianza Emecé, El libro de bolsillo. Madrid, 1972. P. 171.

También Octavio Paz se plantea el tema de la existencia de Dios y en toda su obra está latente la meditación teológica. Este poema pertenece a *Calamidades y Milagros* que expresa su rebeldía ante el régimen de injusticia padecido por los campesinos mexicanos. Desde un punto de vista personal, y a través de imágenes surrealistas, el poeta da rienda suelta a su dolor y dirige a Dios una larga sarta de reproches y reclamaciones. Reproducimos aquí el principio y el final del extenso poema.

EL AUSENTE

I

Dios insaciable que mi insomnio alimenta;
Dios sediento que refrescas tu eterna sed en mis lágrimas,
Dios vacío que golpeas mi pecho con un puño de piedra,
con un puño de humo,
Dios que me deshabitas,
Dios desierto, peña que mi súplica baña,
Dios que al silencio del hombre que pregunta
contestas con un silencio más grande,
Dios hueco, Dios de nada, mi Dios:
sangre, tu sangre, la sangre, me guía.

La sangre de la tierra,
la de los animales y la del vegetal somnoliento,
la sangre petrificada de los minerales
y la del fuego que dormita en la tierra,
tu sangre,
la del vino frenético que canta en primavera,
Dios esbelto y solar,
Dios de resurrección,
estrella hiriente,

insomne flauta que alza su dulce llama entre sombras caídas,
oh Dios que en las fiestas convocas a las mujeres delirantes
y haces girar sus vientres planetarios y sus nalgas salvajes,
los pechos inmóviles y eléctricos,
atravesando el universo enloquecido y desnudo
y la sedienta extensión de la noche desplomada.

Sangre,
sangre que todavía te mancha con resplandores bárbaros,
la sangre derramada en la noche del sacrificio,
la de los inocentes y la de los impíos,
la de tus enemigos y la de tus justos,
la sangre tuya, la de su sacrificio. [...]

III

Dios vacío, Dios sordo, Dios mío,
lágrima nuestra, blasfemia,
palabra y silencio del hombre,
signo del llanto, cifra de sangre,
forma terrible de la nada,
araña del miedo,
reverso del tiempo,
gracia del mundo, secreto indecible,
muestra tu faz que aniquila,
que al polvo voy, al fuego impuro.

OCTAVIO PAZ, *Libertad bajo palabra.* (1938). Cátedra, Letras Hispánicas, Madrid, 1990. Pp. 167-168 y 170.

Cuando sueño contigo no hablo sino que canto
en sueños.

MARIO BENEDETTI

«—Si la conducta de esa persona –insistió Raúl– la muestra como amiga y en sueños usted la ve como enemiga, ¿en qué cree?

—¡En los sueños! –contestó Mansilla, sonriendo.

ADOLFO BIOY CASARES

...no sentimos horror porque nos oprime una esfinge, soñamos una esfinge para explicar el horror que sentimos.

JORGE LUIS BORGES

«Cuando te *despertás*, con los restos de un paraíso entrevisto en sueños, y que ahora te cuelgan como el pelo de un ahogado: una náusea terrible, ansiedad, sentimiento de lo precario, lo falso, sobre todo lo inútil.»

JULIO CORTÁZAR

Sueño con pajarillos voladores
Sueño que voy arrastrando un cadáver
Sueño que me condenan a la horca
Sueño con el diluvio universal
Sueño que soy una mata de cardo.
Sueño también que se me cae el pelo.

NICANOR PARRA

9. SUEÑOS

En confluencia con las corrientes psicoanalíticas y surrealistas, la Literatura Hispanoamericana ha pasado a otorgar gran importancia al mundo de los sueños; en ésta, la valoración de *la otra realidad* supera a menudo la de la realidad percibida a través de los sentidos. La recuperación de quimeras soñadas, evocaciones nocturnas y oscuras pesadillas constituye tarea imprescindible para la reconstrucción de criaturas literarias; la liberación de la fantasía creadora origina ámbitos alucinantes, espacios mágicos o protagonistas insólitos cuya trascendencia aventaja la de acontecimientos o personajes *reales*. Los sueños rescatan y confieren validez a deseos, recuerdos y sensaciones subconscientes que se contraponen a actos voluntarios, razones lógicas y normas sociales. Al presentar una visión desintegradora de la realidad, los sueños son representación de ilusiones o de angustia, o simple escapismo ante el dolor y la incertidumbre. La descripción de la dimensión lúdica o trágica del mundo onírico y el deseo de desentrañar incógnitas del laberinto de los sueños es sin duda uno de los aspectos más interesantes de la nueva poesía y narrativa latinoamericanas.

Ocampo encubre su crítica de la conducta humana en relajantes narraciones aparentemente infantiles. En el fragmento del cuento que reproducimos, un singular narrador es testigo de los sueños y ambiciones de tres hermanas. La moraleja concluye que el sueño, el milagro es posible si los ideales son modestos y nobles. Mantener la intriga hasta el último momento e incluso dejar incógnitas sin resolver es parte de la técnica de la escritora argentina que, en este caso, nos deja sin saber cuál es el último sueño de Leopoldina.

LOS SUEÑOS DE LEOPOLDINA

Leopoldina soñaba, sentada en la sillita de mimbre. A veces, al despertar, sobre su falda o al pie de la sillita, hallaba los objetos que aparecían en los sueños; pero los sueños eran tan modestos, tan pobres –sueños de espinas, sueños de piedras, sueños de ramas, sueños de plumitas–, que a nadie asombraba el milagro.

—¿Qué soñó, Leopoldina? –preguntó Leonor, aquella noche, al entrar en la casa.

—Soñé que andaba por un arroyo seco, juntando piedritas redondas. Aquí tengo una –dijo Leopoldina, con voz de flauta.

—¿Y cómo consiguió la piedrita?

—Mirándola *no más** –respondió.

Junto a la vertiente, Leonor y Ludovica no esperaron, como otras tardes, la llegada de la noche, en la esperanza de asistir a un milagro. Volvieron a la casa, con paso apresurado.

—¿Con qué soñó, Leopoldina? —preguntó Ludovica.

—Con las plumas de una torcaza, que caían al suelo. Aquí tengo una –agregó Leopoldina, mostrándole una plumita.

—Diga, Leopoldina, ¿por qué no sueña con otras cosas? –dijo Ludovica con impaciencia.

—*M'hijita*, ¿con qué quiere que sueñe?

—Con piedras preciosas, con anillos, con collares, con esclavas. Con algo que sirva para algo. Con automóviles.

—*M'hijita*, no sé.

—¿Qué es lo que no sabe?

—Lo que son esas cosas. Tengo como ciento veinte años y he sido muy pobre.

—Es tiempo de hacernos ricos. Usted puede traer la riqueza a esta casa.

Los días siguientes Leonor y Ludovica se sentaban junto a Leopoldina, para verla dormir. A cada rato la despertaban.

—¿Qué soñó? –le preguntaban–. ¿Qué soñó?

Ella respondía algunas veces que había soñado con plumitas, otro día con piedritas y otros con hierbas, con ramas o con ranas. Ludovica y Leonor a veces protestaban agriamente, a veces con ternura, para conmoverla, pero Leopoldina no era dueña de sus sueños: tanto la molestaron que ya no podía dormir. Resolvieron darle un guiso indigesto.

—El estómago pesado da sueñito –dijo Ludovica, preparando una fritura oscura con un olor riquísimo.

Leopoldina comió, pero no tuvo sueño.

—Le daremos vino –dijo Ludovica–. Vino caliente.

Leopoldina bebió, pero no durmió.

Leonor, que era previsora, fue en busca de la curandera, para pedirle unas hierbas dormitivas.[...]

Al vernos llegar, como si ella hubiera hecho el viaje, Leopoldina dijo que estaba cansada, y durmió por primera vez después de veinte días de insomnio.

—¡Qué bandida! –dijo Ludovica–. Duerme para hacernos un desprecio.

En cuanto vieron que despertaba le preguntaron:

—¿Qué soñó? Tiene que decirnos lo que soñó.

Leopoldina balbuceó algunas palabritas. Ludovica la zarandeó del brazo.

—Si no nos dice lo que soñó, Leonor le pondrá una inyección –agregó, mostrándole la aguja y la jeringa.

—Soñé que un perro escribía mi historia: aquí está –dijo Leopoldina, mostrando unas hojas de papel arrugado y sucio–. ¿No las leerían ustedes, hijitas, para que yo la escuche?

—¿No puede soñar con cosas más importantes? –dijo Leonor indignada, tirando al suelo las hojas. Luego trajo un libro enorme que olía a pis de gato, con láminas en colores, que le había prestado la maestra. Después de hojearlo atentamente, se detuvo en algunas láminas, que mostró a Leopoldina, restregándolas con el índice–. Automóviles –daba vuelta las hojas–, collares –daba vuelta las hojas–, pulseras –soplaba sobre las hojas–, joyas –se humedecía el pulgar con saliva–, relojes –giraban las hojas entre sus dedos–. Con estas cosas tiene que soñar y no con basuritas.[...]

—Si no se duerme le pondrán la inyección –amenazó Ludovica.

Leopoldina aterrada volvió a dormir. La silla de mimbre, meciéndose, hacía un ruidito extraño.

—¿Habrá ladrones? –interrogó Leonor.

—No hay luna.

—Serán las ánimas –contestó Ludovica.

¿Sabía por qué lloraba yo? Porque sentía venir el viento Zonda*.

Ni Leonor ni Ludovica lo oían, porque sus voces retumbaban, desesperadas o tal vez esperanzadas, preguntando:

—¿Qué soñó? ¿Qué soñó?

Esta vez Leopoldina salió afuera, sin contestar, y me dijo:

—Vamos, Changuito*, es la hora.

Inmediatamente comenzó a soplar el viento Zonda. Para los cristianos se había anunciado siempre con anticipación, con un cielo muy limpio, con un sol desteñido y bien dibujadito, con un amenazador ruido de mar (que no conozco) a lo lejos. Pero esta vez llegó como un relámpago, barrió el piso del patio, amontonó hojas y ramas en los huecos de los cerros, degolló, entre las piedras, los animales, destruyó las mieses y en un remolino levantó en el aire a Leopoldina y a mí, su perro pila, llamado Changuito, que escribió esta historia en el penúltimo sueño de su patrona.

SILVINA OCAMPO, *La furia y otros cuentos.* (1959): «Los sueños de Leopoldina». Edit. Sur, Buenos Aires, 1959.Págs. 140-145.

En el mundo onírico del pequeño José Cemí (*alter ego* de Lezama Lima) se entrelazan las fantasías infantiles y la fuerza de los vínculos familiares. En *Paradiso*, larga y compleja novela, la magia, los mitos y los sueños se combinan con descripciones realistas de sorprendente detalle. El sueño del niño asmático –del que sólo se reproduce una parte– es un reflejo de la desasosegada juventud del autor y de su visión del universo.

EN EL ACUARIO DEL SUEÑO

El brazo caía por un costado de la pequeña cama. Por momentos era recorrido el brazo, pendiente como si en el agua buscase una casi invisible salvación, por un sudor lento y frío, que en sus intermitencias coincidía con la respiración, que se hacía más dificultosa y anhelante. Luego, la calma, el brazo se iba encogiendo hasta cruzarse sobre el pecho. En el acuario del sueño parecía como si su respiración desprendiese burbujas como hojas, que iban hasta los portales de la casa de la Abuela Augusta, en el paseo del Prado, donde el Coronel de uniforme se inclinaba brevemente para saludar. El sudor de nuevo por el brazo, y comenzaba a reproducir la separación del dedo de su padre. En ese momento, en el sueño, parecía como si le pusiesen una mano frente a los ojos, entonces una ola oscura y con cuernos, seguía sus volteretas con él en el centro, desproporcionada, untuosamente gigante, como cuando las alfombras se enrollan con un cigarro inapresable, y después inauguran un ojo quemado en el espesor de sus tejidos. Llegaba después un pez anchuroso, con su rosado ingenuote y navideño, moviendo la iridiscencia de sus aletas como si se peinase. El pez contemplaba el dedo desamparado y se reía. Después se llevaba el dedo a la boca y comenzaba a impartirle su protección. Tirándolo por el dedo lo había llevado a unas flotaciones muscíneas, donde comenzaba la música acompasada, de fino cálculo, de su nueva respiración. Luego, ya no veía la salvación por el pez, pero veía el rostro de su madre. Si de nuevo, tal vez por algún prodigio de la glándula pineal, pudiésemos ver en el interior de su sueño, comtemplaríamos una estrella de mar, que se contraía o expandía a la cercanía del pez, que se borraba en el reposo de hojas gigantescas, de visible circulación clorofílica, para metamorfosearse en el rostro de su madre. Cada despertar era para él como descubrir la expansión infinita de cada una de las radiaciones de la estrella de mar. Al coincidir el arco de su respiración y la expansión de la estrella de mar, había formado un blanco tegumento algoso que seguía los movimientos de la lámina marina. Allí iban desembarcando enanos, tal vez eran elfos, de cabezotas con larguísimas pelambreras canas, que llegaban riendo su vaivén. Se dirigen a una casa de madera, como de cazadores canadienses. Allí también estaba la madre de José Cemí, con su ceremonial de criolla, exacta y jovialísima. Les iba comunicando la ordenanza de sus asientos, y parecía dirigir, aunque después se hacía casi invisible, el concierto gastronómico. El brazo se extendió de nuevo, en su torcida tensión pareció que iba a tocar los rosetones del sueño. Al descender la descarga de sudor por el canal del brazo, parecía que el rosetón, ya en horas de la madrugada, recibía el rocío, permitiendo las misteriosas equivalencias del sueño, que se removiesen y temblasen las hojas excesivamente coloreadas de su pentágono. Veía de nuevo a su hermana Violante descender por el boquete infernal de aquella piscina, que parecía buscar el centro de la tierra, el infierno de los griegos. Temblando se acercaba al pozo, remansada la refracción irregular mientras duraba el ingurgite, pero ahora lo que veía en el lecho de aquel boquerón, era siempre la cara de su madre sonriéndole, hablando con tranquila cortesía; dirigiéndoles a todos sonrisas y frases de digna amabilidad.

JOSÉ LEZAMA LIMA, *Paradiso.* (1966). Cátedra, Col. Letras hispánicas, Madrid, 1989. Pp. 264 y 265.

Los sueños reflejan a menudo nuestras obsesiones, y obsesiva es para Ernesto Sábato la falta de comunicación entre los seres humanos. Juan Pablo, aislado en un mundo donde nadie más puede entrar, sueña que es transformado en pájaro sin que nadie lo perciba. La angustia y la soledad del personaje quedan perfectamente plasmadas en el sueño y en el grito desesperado del joven pintor. Con frecuencia, Sábato se adentra en el mundo onírico para encontrar respuesta a los enigmas existenciales; pero su análisis deja en *El túnel* un saldo desalentador: *nadie, nunca*, podrá compartir la tragedia que se esconde tras nuestros sueños.

NADIE SE DIO CUENTA

Desperté tratando de gritar y me encontré de pie en medio del taller. Había soñado esto: teníamos que ir, varias personas, a la casa de un señor que nos había citado. Llegué a la casa, que desde afuera parecía como cualquier otra, y entré. Al entrar tuve la certeza instantánea de que no era así, de que era diferente a las demás. El dueño me dijo:

—Lo estaba esperando.

Intui que había caído en una trampa y quise huir. Hice un enorme esfuerzo, pero era tarde: mi cuerpo ya no me obedecía. Me resigné a presenciar lo que iba a pasar, como si fuera un acontecimiento ajeno a mi persona. El hombre aquel comenzó a transformarme en pájaro, en un pájaro de tamaño humano. Empezó por los pies: ví cómo se convertían poco a poco en unas patas de gallo o algo así. Después siguió la transformación de todo el cuerpo, hacia arriba, como sube el agua en un estanque. Mi única esperanza estaba ahora en los amigos, que inexplicablemente no habían llegado. Cuando por fin llegaron, sucedió algo que me horrorizó: no notaron mi transformación. Me trataron como siempre, lo que probaba que me veían como siempre. Pensando que el mago los ilusionaba de modo que me vieran como una persona normal, decidí referir lo que me había hecho. Aunque mi propósito era referir el fenómeno con tranquilidad, para no agravar la situación irritando al mago con una reacción demasiado violenta (lo que podría inducirlo a hacer algo todavía peor), comencé a contar todo a gritos. Entonces observé dos hechos asombrosos: la frase que quería pronunciar salió convertida en un áspero chillido de pájaro, un chillido desesperado y extraño, quizá por lo que encerraba de humano; y lo que era infinitamente peor, mis amigos no oyeron ese chillido, como no habían visto mi cuerpo de gran pájaro; por el contrario, parecían oír mi voz habitual diciendo cosas habituales, porque en ningún momento mostraron el menor asombro. Me callé, espantado. El dueño de casa me miró entonces con un sarcástico brillo en sus ojos, casi imperceptible y en todo caso sólo advertido por mí. Entonces comprendí que *nadie, nunca,* sabría que yo había sido transformado en pájaro. Estaba perdido para siempre y el secreto iría conmigo a la tumba.

ERNESTO SÁBATO, *El túnel.* (1948). Seix Barral, Biblioteca Breve, Barcelona, 1982. Pp. 98-99.

De pronto salimos del sueño,
sólo vinimos a soñar,
no es cierto, no es cierto,
que vinimos a vivir sobre la tierra.

TOCHIHUITZIN COYOCHIUHQUI

Y puesto que debemos vivir y no nos suicidamos
Mientras vivamos juguemos.

VICENTE HUIDOBRO

—Y qué crees que es la vida, Justina, sino un pecado? ¿No oyes cómo rechina la tierra?

JUAN RULFO

...su definitiva manera de estar hundido en la sucia vida de los hombres.

JUAN CARLOS ONETTI

«Pero no era la felicidad, era sólo una tregua. Ahora estoy otra vez metido en mi destino. Y es más oscuro que antes, mucho más.»

MARIO BENEDETTI

«—Usted escribe, supongo.

—No –dijo Oliveira– Qué voy a escribir, para eso hay que tener alguna certidumbre de haber vivido.

—La existencia precede a la esencia –dijo Morelli sonriendo.

—Si quiere. No es exactamente así, en mi caso.»

JULIO CORTÁZAR

10. IDENTIDAD Y EXISTENCIA

Sólo en la América Meridional han arraigado corrientes abiertamente existencialistas; sin embargo, la Literatura Hispanoamericana presenta, a menudo, una amarga visión de la existencia: la vida es pasión inútil, incertidumbre, sentimiento de culpa, amenaza de muerte o, simplemente, un absurdo. Ante tales conclusiones sólo queda el escapismo, la ironía, la frustración o la desesperanza. También son frecuentes las interpretaciones calderonianas sobre la existencia y la identidad, y relevantes autores consideran la vida como un teatro en el que los protagonistas pueden representar uno o varios papeles. La metáfora peninsular del sueño como símil de vida (en asombrosa coincidencia con la literatura náhuatl*) y el desdoblamiento de la personalidad son, asimismo, utilizados en fábulas, relatos y poemas.

En la corriente modernista ya subyace el sentimiento de angustia y malestar que iba a propiciar la negativa visión de la existencia dominante en el siglo XX. En la madurez de Rubén Darío, el pesimismo se hace más patente. Así, en el poema que sigue expresa un hondo temor derivado de la incertidumbre ante la vida: lo único seguro es la muerte; la única certeza es el dolor de vivir. Para paliar esta desesperanza, Darío manifiesta en otros poemas un escapismo exquisito hacia una realidad de ensueño.

LO FATAL

Dichoso el árbol que es apenas sensitivo,
y más la piedra dura, porque ésta ya no siente,
pues no hay dolor más grande que el dolor de ser vivo,
ni mayor pesadumbre que la vida consciente.
Ser, y no saber nada, y ser sin rumbo cierto,
y el temor de haber sido, y un futuro terror...
Y el espanto seguro de estar mañana muerto,
y sufrir por la vida, y por la sombra, y por
lo que no conocemos y apenas sospechamos,
y la carne que tienta con sus frescos racimos,

y la tumba que aguarda con sus fúnebres ramos,
¡y no saber adónde vamos,
ni de dónde venimos...!

RUBÉN DARÍO, *Obras Completas:* «Cantos de vida y esperanza», «Los Cisnes y Otros Poemas». (1905). Aguilar, Madrid, 1954. Pp. 778 y 779.

Sábato reflexiona insistentemente sobre el *misterio esencial de la existencia* y ve pocas salidas a la desesperanza. La felicidad es momentánea e intermitente y sólo unos pocos escapan de los tenebrosos abismos del infierno existencial que encubre la ciudad de Buenos Aires. Los protagonistas de *Sobre héroes y tumbas* viven un amor imposible, fracasado por diferentes actitudes ante la vida y por la atmósfera degradante que respiran. Alejandra sucumbe ante la amargura que le produce el mundo que la rodea. Martín ha vivido una infancia muy dolorosa y busca refugio en el amor. Finalmente huye del sufrimiento, renunciando al papel pasivo que le había tocado representar en el teatro de la vida bonaerense. La última página de la angustiosa novela cuenta que, al abandonar Buenos Aires, el joven siente «que una paz purísima entraba por primera vez en su alma atormentada».

COMO SUCEDE EN EL TEATRO

Y Alejandra, mientras asentía con una sonrisa, le decía a Martín:

—El mundo es una porquería.

Martín reaccionó.

—¡No, Alejandra! ¡En el mundo hay muchas cosas lindas!

Ella lo miró, quizá pensando en su pobreza, en su madre, en su soledad: ¡todavía era capaz de encontrar maravillas en el mundo! Una sonrisa irónica se superpuso a su primera expresión de ternura, haciéndola contraer, como un ácido sobre una piel muy delicada.

—¿Cuáles?

—¡Muchas, Alejandra! –exclamó Martín apretando una mano de ella sobre su pecho–. Esa música... un hombre como Vania... y sobre todo *vos*, Alejandra... *vos...*

—Verdaderamente, tendré que pensar que no has sobrepasado la infancia, pedazo de tarado.

Se quedó un momento abstraída, tomó un poco de vodka y luego agregó:

—Sí, claro que *tenés* razón. En el mundo hay cosas hermosas... claro que hay...

Y entonces, dándose vuelta hacia él, con acento amargo agregó:

—Pero yo, Martín, yo soy una basura. *¿Me entendés?* No *te engañés* sobre mí.

Martín apretó una de las manos de Alejandra con las dos suyas, la llevó a sus labios y la mantuvo así, besándosela con fervor.

—¡No, Alejandra! ¡Por qué *decís* algo tan cruel! ¡Yo sé que no es así! ¡Todo lo que has dicho de Vania y muchas otras cosas que te he oído demuestran que no es así!

Sus ojos se habían llenado de lágrimas.

—Bueno, está bien, no es para tanto –dijo Alejandra.

Martín apoyó la cabeza sobre el pecho de Alejandra y ya nada le importó del mundo. Por la ventana veía cómo la noche bajaba sobre Buenos Aires y eso aumentaba su sensación de refugio en aquel escondido rincón de la ciudad implacable. Una pregunta que nunca había hecho a nadie (¿a quién habría podido hacérsela?) surgió de él, con los contornos nítidos y brillantes de una moneda que no ha sido manoseada, que millones de manos anónimas y sucias todavía no han atenuado, deteriorado y envilecido:

—*¿Me querés?*

Ella pareció vacilar un instante, pero luego contestó:

—Sí, te quiero. Te quiero mucho.

Martín se sentía aislado mágicamente de la dura realidad externa, como sucede en el teatro (pensaba años más tarde) mientras estamos viviendo el mundo del escenario, mientras fuera esperan las dolorosas aristas del universo diario, las cosas que inevitablemente golpearán apenas se apaguen las candilejas y quede abolido el hechizo. Y así como en el teatro, en algún momento el mundo externo logra llegar aunque atenuado en forma de lejanos ruidos (un bocinazo, el grito de un vendedor de diarios, el silbato de un agente de tránsito), así también llegaban hasta su conciencia, como inquietantes susurros, pequeños hechos, algunas frases que enturbiaban y agrietaban la magia: aquellas palabras que había dicho en el puerto y de las que él quedaba horrorosamente excluido («me iría con gusto de esta ciudad inmunda») y la frase que ahora acababa de decir («soy una basura, no te engañés sobre mí»).

ERNESTO SÁBATO, *Sobre héroes y tumbas.* (1961). Ed. Sudamericana, Col. Piragua, Buenos Aires, 1970. Pp. 104-106.

En el siguiente poema Octavio Paz refleja la imposibilidad de *vivir* la vida, al ser ésta una constante huida de la muerte. La vida sólo alcanza plenitud en los sueños; en ellos podemos *«caminar»*. Pero los sueños acaban y al despertar nos damos cuenta de la realidad: la vida nos ata a la muerte y de la muerte no podemos escapar.

LA ROCA

SOÑANDO vivía
y era mi vivir
caminar caminos
y siempre partir.

Desperté del sueño
y era mi vivir un estar atado
y un querer huir.

A la roca atado
me volví a dormir.
La vida es la cuerda,
la roca el morir.

Octavio Paz, Libertad bajo palabra. (1949). Cátedra, Letras Hispánicas, Madrid, 1990. P. 110

La identidad humana y su posible desdoblamiento en varias personalidades ha sido uno de los temas que más ha inquietado al escritor argentino. En este texto, el Borges anónimo se enfrenta con el famoso escritor que, con su obra, falsea y dramatiza sus gustos y preocupaciones. Así, el Borges cotidiano vive ahora buscando nuevas formas y pensamientos, huyendo de aquellos que fueron suyos, pero que ya han pasado a manos de la literatura.

BORGES Y YO

Al otro, a Borges, es a quien le ocurren las cosas. Yo camino por Buenos Aires y me demoro, acaso ya mecánicamente, para mirar el arco de un zaguán y la puerta cancel; de Borges tengo noticias por el correo y veo su nombre en una terna de profesores o en un diccionario biográfico. Me gustan los relojes de arena, los mapas, la tipografía del siglo XVIII, el sabor del café y la prosa de Stevenson; el otro comparte esas preferencias, pero de un modo vanidoso que las convierte en atributos de un actor. Sería exagerado afirmar que nuestra relación es hostil; yo vivo, yo me dejo vivir, para que Borges pueda tramar su literatura y esa literatura me justifica. Nada me cuesta confesar que ha logrado ciertas páginas válidas, pero esas páginas no me pueden salvar, quizá porque lo bueno ya no es de nadie, ni siquiera del otro, sino del lenguaje o la tradición. Por lo demás, yo estoy destinado a perderme, definitivamente, y sólo algún instante de mí podrá sobrevivir en el otro. Poco a poco voy cediéndole todo, aunque me consta su perversa costumbre de falsear y magnificar. Spinoza, entendió que todas las cosas quieren perseverar en su ser; la piedra eternamente quiere ser piedra y el tigre un tigre. Yo he de quedar en Borges, no en mí (si es que alguien soy), pero me reconozco menos en sus libros que en muchos otros o que en el laborioso rasgueo de una guitarra. Hace años yo traté de librarme de él y pasé de las mitologías del arrabal a los juegos con el tiempo y con lo infinito, pero esos juegos son de Borges ahora y tendré que idear otras cosas. Así mi vida es una fuga y todo lo pierdo y todo es del olvido, o del otro.

No sé cuál de los dos escribe esta página.

JORGE LUIS BORGES, *El hacedor.* (1960). Alianza Editorial, El Libro de Bolsillo, Madrid, 1984. Pp. 69-70.

En la narrativa de Onetti la trama no suele tener importancia y es la monotonía la que a menudo define el tono de sus novelas. En esta secuencia de *Los adioses,* el tedio parece dominar el destartalado almacén donde un distante narrador cuenta las pocas cosas que ocurren. Sin embargo, la pluma del uruguayo consigue, con sobrias imágenes y cuidada prosa, reflejar su pesimista visión de la existencia. La corta novela ya esboza la problemática que inquieta al autor de *Juntacadáveres* y *El Astillero.* El anonimato de los protagonistas (ni siquiera tienen nombre propio) y la aparente ambigüedad de su conducta comunica un mensaje inequívoco: la vida, que discurre con indiferencia ante los insolubles problemas personales, no merece la pena ser vivida. Los personajes son grises y desarraigados; faltos de ilusiones («el hombre» es un enfermo incurable), se someten pasivamente a un destino que adivinan perverso e irrevocable.

ES INÚTIL DAR VUELTAS PARA ESCAPAR AL DESTINO

Y ellos estaban mudos y mirándose, a través del tiempo que no puede ser medido ni separado, del que sentimos correr junto con nuestra sangre. Estaban inmóviles y permanentes. A veces ella alzaba el labio sin saber qué hacía, tal vez fuera una sonrisa, o la nueva forma del recuerdo que iba a darle el triunfo, o la confesión total, instantánea de quién era ella.

Algunos entraron a comprar y a traerme historias; un camionero atracó para pedir agua y una dirección; el último ómnibus para Los Pinos pasó sacudiéndose, desganado, cuando el sol empezaba a prolongar la sombra de la sierra. Adiviné la hora y miré el despertador colgado en un estante. Ellos estaban quietos en la mesa, la muchacha con los brazos cruzados sobre el pecho, empujando el respaldo de la silla para ganar distancia y ver mejor; él, de espaldas, ancho y débil, la mano en el hombro, el sombrero escondiéndole la nuca. «Sin otro propósito que el de mirar, sin fatiga, sin voluntad», pensé a medida que daba vueltas junto a ellos, sin resolverme a decirles que el ómnibus para la ciudad debía estar por llegar. Ahora pude ver la cara del hombre, enflaquecida, triste, inmoral. El enfermero me miraba con una sonrisa cargada de paciencia.

—El ómnibus –les dije–. Va a llegar en seguida.

Movieron la cabeza para asentir; volví a mi sitio en el mostrador y hablé con el enfermero de que es inútil dar vueltas para escapar al destino. El enfermero recordó varios ejemplos.

El ómnibus se detuvo frente al almacén y el guarda entró a tomar una cerveza; estuvo mirando la valija junto a la muchacha.

—No sé –dijo el enfermero, haciendo una sonrisa maquinalmente envilecida–. Podemos preguntar.

Parecía enfurecido cuando golpeó las manos: ¡Último ómnibus!

Ellos no se movieron; el enfermero encogió los hombros y apoyó de nuevo su cintura en el mostrador; yo sonreí al guarda, cara a cara. Ya se había ido el ómnibus y empezaba la noche cuando pensé que no bastaba que ellos estuvieran fuera de todo, porque este todo continuaba existiendo y esperando el momento en que dejaran de mirarse y de callar, en que la mano del hombre se desprendiera de la tela gris del traje para tocar a la muchacha. Siempre habría casas y caminos, autos y surtidores de nafta*, otra gente que está y respira, presiente, imagina, hace comida, se contempla tediosa y reflexiva, disimula y hace cálculos.

De pie contra la luz violácea de la puerta –él cargaba la valija y me sonreía, parpadeando, autorizándome a vivir–, la muchacha alzó una mano y la puso sobre la mejilla del hombre.

—¿Vas a ir a pie? –preguntó. El continuaba mirándome.

—A pie. ¿Por qué no? A veces camino mucho más que eso. No necesitamos apurarnos para alcanzar el tren.

Ensayaba, para mí, para los otros, los demás que yo representaba, asomándose detrás de la deliberada pesadez del enfermero, servicial y como una fotografía, una sonrisa de que no le hubiera creído capaz y que, no obstante, ella contemplaba sin asombro; una sonrisa con la que proclamaba su voluntad de amparar a la muchacha, de guardarla de preocupaciones transitorias, de suavizar la confesada imposibilidad de mantenerla aparte de lo que simbolizábamos el enfermero y yo, el almacén, la altura de la sierra.

Movieron las manos para despedirse y salieron al camino. Tenían que hacer dos cuadras a lo largo de la cancha de tenis del Royal y los fondos del tambo*; después doblarían a la derecha para andar entre paredones de tierra rojiza, sobre un sendero zigzagueante, en declive, hasta surgir frente al foco y la bandera del puesto policial. Marcharían del brazo, mucho menos rápidos que la noche, escuchando distraídos el estrépito de alharaca y disciplina que les iba a llegar desde la izquierda, desde los edificios flamantes del campo de aviación. Tal vez recordaran aquella marcha en otra noche, cuando llegó la muchacha y subieron la sierra hasta la casita; tal vez llevaran con ellos, secreto y actuante, pero no disponible aún como recuerdo, el viaje anterior, los sentidos obvios que podían añadirle y extraerle.

JUAN CARLOS ONETTI, *Los adioses.* (1954). Bruguera, Libro Amigo, Barcelona, 1986. Pp. 95-99.

¡He de dejar las bellas flores,
he de bajar al reino de las sombras,
luego, por breve tiempo,
se nos prestan los cantos de hermosura!

POEMA NÁHUATL*

En nosotros la vida vierte fuerza y calor.
¡Vamos al reino de la Muerte por el camino del Amor!

RUBÉN DARÍO

A lo sonoro llega la muerte
como un zapato sin pie, como un traje sin hombre,
llega a golpear con un anillo sin piedra y sin dedo,
llega a gritar sin boca, sin lengua, sin garganta.
Sin embargo sus pasos suenan
y su vestido suena, callado, como un árbol.

PABLO NERUDA

También a ti en remotas playas de oro
Te aguarda incorruptible tu tesoro:
La vasta y vaga populosa muerte.

JORGE LUIS BORGES

...había que convencerse aún de que la muerte no era un fin, sino un tránsito y que tras ella, esperaba otra vida...

ALEJO CARPENTIER

II. LA MUERTE

La herencia prehispánica está presente en el tratamiento del tema de la muerte ofrecido por los artistas latinoamericanos. En literatura, los enfoques que presentan son variados y originales y están enraizados en las culturas precolombinas y en la tradición peninsular. (En este terreno sorprende sobremanera la coincidencia de la filosofía indígena con el pensamiento clásico español). Algunos autores americanos presentan a la muerte acompañada de señales mágicas, otros como *fase de un ciclo infinito* cuya llegada no asusta, y algunos como tránsito hacia una vida mejor. En ciertos casos se contempla a la muerte con humor o desenfado y, a veces, su representación fantasmagórica sofoca y angustia a individuos o comunidades. Además de destacar tan variadas perspectivas hay que resaltar que en la nueva literatura la presencia de la muerte y de los muertos es casi inevitable. La premonición, alcance y repercusiones de la muerte constituyen el núcleo central de numerosos poemas, ensayos y narraciones, bien para contraponerla a la vida o al amor, bien para poner de manifiesto la transitoriedad de lo terrenal.

La Muerte aparece a menudo como personaje alegórico, grandioso y abrumador. Sin embargo, Mujica Láinez nos presenta en el siguiente texto una muerte casi ridícula, con complejos y pretensiones propias de los humanos; una muertecilla vestida de gran señora pero a quien un enano, pintado en un azulejo traído de Francia, consigue burlar. La actitud escapista del argentino permite el final feliz de un cuento donde se mezclan la imaginación, la ternura y la ironía. El resultado es una prosa deliciosamente sutil y llena de ingenio.

VESTIDA COMO UNA GRAN SEÑORA (1875)

Ese niño, ese Daniel a quien la Muerte atisba ahora desde el brocal, fue en seguida su amigo. Le apasionó el misterio del hombrecito del azulejo, de ese diminuto ser que tiene por dominio un cuadrado con diez centímetros por lado, y que sin duda vive ahí por razones muy extraordinarias y muy secretas. Le dio un nombre. Lo llamó Martinito, en recuerdo del gaucho* don Martín que le regaló un petiso* cuando estuvieron en la estancia de su tío materno, en Arrecifes, y que se le parece vagamente, pues lleva como él unos largos bigotes caídos y una barba en punta y hasta posee un bastón hecho con una rama de manzano.

—¡Martinito! ¡Martinito!

El niño lo llama al despertarse, y arrastra a la gata gruñona para que lo salude. Martinito es el compañero de su soledad. Daniel se acurruca en el suelo junto a él y le habla durante horas, [...]

Pero ahora el niño está enfermo, muy enfermo. Ya lo declararon al salir los doctores de barba rubia. Y la Muerte espera en el brocal.

El hombrecito se asoma desde su escondite y la espía. En el patio lunado, donde las macetas tienen la lividez de los espectros, y los hierros del aljibe se levantan como una extraña fuente inmóvil, la Muerte evoca las litografías del mexicano José Guadalupe Posada, ese que tantas «calaveras, ejemplos y corridos*» ilustró durante la dictadura de Porfirio Díaz, pues como en ciertos dibujos macabros del mestizo está vestida como si fuera una gran señora, que por otra parte lo es.

Martinito estudia su traje negro de revuelta cola, con muchos botones y cintas, y la gorra emplumada que un moño de crespón sostiene bajo el maxilar, y estudia su cráneo terrible, más pavoroso que el de los mortales porque es la calavera de la propia Muerte y fosforece con verde resplandor. Y ve que la Muerte bosteza. [...]

Martinito piensa que el niño, su amigo, va a morir, y le late el frágil corazón de cerámica. Ya nadie acudirá cantando a su escondite del zaguán; nadie le traerá los juguetes nuevos, para mostrárselos y que conversen con él. Quedará solo una vez más, mucho más solo ahora que sabe lo que es la ternura.

La Muerte, entretanto, balancea las piernas magras en el brocal poliédrico de mármol que ornan anclas y defines. El hombrecito da un paso y abandona su cuadrado refugio. [...]

—*Madame la Mort...*

A la Muerte le gusta, súbitamente, que le hablen en francés. Eso la aleja del modesto patio de una casa criolla perfumada con alhucema y benjui; la aleja de una ciudad donde, a poco que se ande por la calle, es imposible no cruzarse con cuarteadores* y con vendedores de empanadas. Porque esta Muerte, la Muerte de Daniel, no es la gran Muerte, como se pensará, la Muerte que las gobierna a todas, sino una de tantas Muertes, una Muerte de barrio, exactamente la Muerte del barrio de San Miguel en Buenos Aires, y al oírse dirigir la palabra en francés, cuando no lo esperaba, y por un caballero tan atildado, ha sentido crecer su jererquía en el lúgubre escalafón. [...]

El hombrecito está sonriendo en el borde del brocal, y la Muerte no ha observado hasta ahora que nadie le sonriera. Y hay más. El hombrecito sonriente se ha puesto a hablar, a hablar simplemente, naturalmente, sin énfasis, sin citas latinas, sin enrostrarle esto o aquello y, sobre todo, sin lágrimas. Y ¿qué le dice?

La Muerte consulta el reloj. Faltan cuarenta y cinco minutos.

Martinito le dice que comprende que su misión debe ser muy aburrida y que si se lo permite la divertirá, y antes que ella le responda, descontando su respuesta afirmativa, el hombrecito se ha lanzado a referir un complicado cuento que transcurre a mil leguas de allí, allende el mar, en Desvres de Francia. [...]

La Muerte ríe con sus huesos bailoteantes y mira el reloj. Faltan treinta y tres minutos.

Martinito se alisa la barba en punta y, como Buenos Aires ya no le brinda tema y no quiere nombrar a Daniel y a la amistad que los une, por razones diplomáticas, vuelve a hablar de Devres, del bosque trémulo de hadas, de gnomos y de vampiros, que lo circunda, y de la montaña vecina, donde hay bastiones ruinosos y merodean la hechiceras la noche del sábado. Y habla y habla. [...]

La Muerte ríe como una histérica, aferrada al forjado coronamiento del aljibe.

—Y además... –prosigue el hombrecito del azulejo.

Pero la Muerte lanza un grito tan siniestro que muchos se persignan en la ciudad, figurándose que un ave feroz revolotea entre los campanarios. Ha mirado su reloj de nuevo y ha comprobado que el plazo que el destino estableció para Daniel pasó hace cuatro minutos. De un brinco se para* en la mitad del patio, y se desespera. ¡Nunca, nunca había sucedido esto, desde que presta servicios en el barrio de San Miguel! ¿Qué sucederá ahora y cómo rendirá cuentas de su imperdonable distracción? Se revuelve, iracunda, trastornando el emplumado sombrero y el moño, y corre hacia Martinito. Martinito es ágil y ha conseguido, a pesar del riesgo y merced a la ayuda de los delfines de mármol adheridos al brocal, descender al patio, y escapa como un escarabajo veloz hacia su azulejo del zaguán. La Muerte lo persigue y lo alcanza en momentos en que pretende disimularse en la monotonía del zócalo. Y lo descubre, muy orondo, apoyado en el bastón, espejeantes las calzas de caballero antiguo.

—Él se ha salvado –castañetean los dientes amarillos de la Muerte–, pero tú morirás por él.

Se arranca el mitón derecho y desliza la falange sobre el pequeño cuadrado, en el que se diseña una fisura que se va agrandando; la cerámica se quiebra en dos trozos que caen al suelo. La Muerte los recoje, se acerca al aljibe y los arroja en su interior, donde provocan una tos breve al agua quieta y despabilan a la vieja tortuga ermitaña. Luego se va, rabiosa, arrastrando los encajes lúgubres. Aun tiene mucho que hacer y esta noche nadie volverá a burlarse de ella.

Los médicos jóvenes regresan por la mañana. En cuanto entran en la habitación de Daniel se percatan del cambio ocurrido. [...]

Una semana más tarde, el chico sale al patio. Alza en brazos a la gata gris y se apresura, titubeando todavía, a visitar a su amigo Martinito. Su estupor y su desconsuelo corren por la casa, al advertir la ausencia del hombrecito y que hay un hueco en el lugar del azulejo extraño. Madre y tías, criadas y cocinera, se consultan inútilmente. Nadie sabe nada. Revolucionan las habitaciones, en pos de un indicio, sin hallarlo. Daniel llora sin cesar. [...]

El tiempo camina, remolón, y Daniel no olvida al hombrecito. Un día vienen a la casa dos hombres con baldes, cepillos y escobas. Son los encargados de limpiar el pozo [...] uno de los hombres grita, desde la hondura, con voz de caverna:

—¡Ahí va algo, abarájenlo*!

Y el chico recibe en las manos tendidas el azulejo intacto, con su hombrecito en el medio; intacto, porque si un enano francés estampado en una cerámica puede burlar a la Muerte, es justo que también puedan burlarla las lágrimas de un niño.

MANUEL MUJICA LÁINEZ, *Misteriosa Buenos Aires*, *«El hombrecito del azulejo»*. (1951). Seix Barral, Barcelona, 1986. Pp. 253-260.

Muchos de los personajes de *Cien años de soledad* alcanzan la categoría de mito y su muerte viene siempre acompañada de hechos sobrenaturales. En primer lugar, se transcribe la muerte de José Arcadio Buendía, fundador de Macondo, que fallece tras un largo período de alucinaciones. A continuación, se reproduce la misteriosa muerte de su hijo –también llamado José Arcadio–; su sangre recorre todo el pueblo en busca de Úrsula, su madre. En ambos pasajes hay claros elementos de *realismo mágico,* tan presente en la narrativa hispanoamericana del *Boom.*

LLUVIA DE FLORES AMARILLAS

—He venido al sepelio del rey.

Entonces entraron al cuarto de José Arcadio Buendía, lo sacudieron con todas sus fuerzas, le gritaron al oído, le pusieron un espejo frente a las fosas nasales, pero no pudieron despertarlo. Poco después, cuando el carpintero le tomaba las medidas para el ataúd, vieron a través de la ventana que estaba cayendo una llovizna de minúsculas flores amarillas. Cayeron toda la noche sobre el pueblo en una tormenta silenciosa, y cubrieron los techos y atascaron las puertas, y sofocaron a los animales que durmieron a la intemperie. Tantas flores cayeron del cielo, que las calles amanecieron tapizadas de una colcha compacta, y tuvieron que despejarlas con palas y rastrillos para que pudiera pasar el entierro.

UN HILO DE SANGRE

Ese fue tal vez el único misterio que nunca se esclareció en Macondo. Tan pronto como José Arcadio cerró la puerta del dormitorio, el estampido de un pistoletazo retumbó en la casa. Un hilo de sangre salió por debajo de la puerta, atravesó la sala, salió a la calle, siguió en un curso directo por los andenes disparejos, descendió escalinatas abajo, subió pretiles, pasó de largo por la Calle de los Turcos, dobló una esquina a la derecha y otra a la izquierda, volteó en ángulo recto frente a la casa de los Buendía, pasó por debajo de la puerta cerrada, atravesó la sala de visitas pegado a las paredes para no manchar los tapices, siguió por la otra sala, eludió en una curva amplia la mesa del comedor, avanzó por el corredor de las begonias y pasó sin ser visto por debajo de la silla de Amaranta que daba una lección de aritmética a Aureliano José, y se metió por el granero y apareció en la cocina donde Úrsula se disponía a partir treinta y seis huevos para el pan.

—¡Ave María Purísima! –gritó Úrsula.

Siguió el hilo de sangre en sentido contrario, y en busca de su origen atravesó el granero, pasó por el corredor de las begonias donde Aureliano José cantaba que tres y tres son seis y seis y tres son nueve, y atravesó el comedor y las salas y siguió en línea recta por la calle, y dobló luego a la derecha y después a la izquierda hasta la Calle de los Turcos, sin recordar que todavía llevaba puestos el delantal de hornear y las babuchas caseras, y salió a la plaza y se metió por la puerta de una casa donde no había estado nunca, y empujó la puerta del dormitorio y casi se ahogó con el olor a pólvora quemada, y encontró a José Arcadio tirado boca abajo en el suelo sobre las polainas que se acababa de quitar, y vio el cabo original del hilo de sangre que ya había dejado de fluir de su oído derecho. No encontraron ninguna herida en su cuerpo ni pudieron localizar el arma. Tampoco fue posible quitar el penetrante olor a pólvora del cadáver.

GABRIEL GARCÍA MÁRQUEZ, *Cien años de soledad.* (1967). Cátedra, Letras Hispánicas, Madrid, 1987. Pp. 217 y 208-209.

En una clarividente meditación filosófica y antropológica, el Premio Nobel de Literatura analiza lo que es la muerte para él, lo que fue para los antiguos pobladores de México y lo que representa para el mexicano moderno. Paz concede a la muerte la misma importancia que a la vida y resalta que tanto los aztecas* como el mexicano contemporáneo encuadran ambos acontecimientos dentro de un ciclo infinito. Esta actitud conlleva un cierto desenfado ante la muerte y permite el gusto por símbolos y ritos mortuorios que a otros pueblos pueden parecer macabros.

DIME CÓMO MUERES Y TE DIRÉ QUIÉN ERES

Nuestra muerte ilumina nuestra vida. Si nuestra muerte carece de sentido, tampoco lo tuvo nuestra vida. Por eso cuando alguien muere de muerte violenta, solemos decir: «Se la buscó». Y es cierto, cada quien tiene la muerte que se busca, la muerte que se hace. Muerte de cristiano o muerte de perro son maneras de morir que reflejan maneras de vivir. Si la muerte nos traiciona y morimos de mala manera, todos se lamentan: hay que morir como se vive. La muerte es intransferible, como la vida. Si no morimos como vivimos es porque realmente no fue nuestra la vida que vivimos: no nos pertenecía como no nos pertenece la mala suerte que nos mata. Dime cómo mueres y te diré quién eres.

Para los antiguos mexicanos la oposición entre muerte y vida no era tan absoluta como para nosotros. La vida se prolongaba en la muerte. Y a la inversa. La muerte no era el fin natural de la vida, sino fase de un ciclo infinito. Vida, muerte y resurrección eran estadios de un proceso cósmico que se repetía insaciable. La vida no tenía función más alta que desembocar en la muerte, su contrario y complemento; y la muerte, a su vez, no era un fin en sí; el hombre alimentaba con su muerte la voracidad de la vida, siempre insatisfecha. El sacrificio poseía un doble objeto: por una parte, el hombre accedía al proceso creador (pagando a los dioses, simultáneamente, la deuda contraída por la especie); por la otra, alimentaba la vida cósmica y la social, que se nutría de la primera. [...]

También para el mexicano moderno la muerte carece de significación. Ha dejado de ser tránsito, acceso a otra vida más vida que la nuestra. Pero la intranscendencia de la muerte, no nos lleva a eliminarla de nuestra vida diaria. Para el habitante de Nueva York, París o Londres, la muerte es la palabra que jamás se pronuncia porque quema los labios. El mexicano, en cambio, la frecuenta, la burla, la acaricia, duerme con ella, la festeja, es uno de sus juguetes favoritos y su amor más permanente. Cierto, en su actitud hay quizá tanto miedo como la de los otros; mas, al menos no la esconde; la contempla cara a cara con impaciencia, desdén o ironía: «Si me han de matar mañana, que me maten de una vez». [...]

El desprecio a la muerte no está reñido con el culto que le profesamos. Ella está presente en nuestras fiestas, en nuestros juegos, en nuestros amores y en nuestros pensamientos. Morir y matar son ideas que pocas veces nos abandonan. La muerte nos seduce. [...]

Adornamos nuestras casas con cráneos, comemos el día de difuntos panes que fingen huesos y nos divierten canciones y chascarrillos en los que ríe la muerte pelona, pero toda esa familiaridad no nos dispensa de la pregunta que todos nos hacemos: «¿qué es la muerte?» No hemos inventado una nueva respuesta. Y cada vez que nos la preguntamos, nos encogemos de hombros: «¿qué me importa la muerte, si no me importa la vida?»

OCTAVIO PAZ, *El laberinto de la soledad.* (1947). Fondo de Cultura Económica, México, 1973. Pp. 48-49 y 51-53.

La soledad y el vacío constituyen el ámbito por donde deambulan los habitantes de Comala. Por el pueblo de Pedro Páramo vaga, codeándose con la vida, el fantasma de la muerte. Su espectro se adueña de los vivos y deja en ellos huellas indelebles. En esta secuencia Susana San Juan, objeto de la ambición y del deseo de Páramo, le recuerda a Justina, su vieja criada, que no sintió dolor alguno cuando murió su madre. Pero Susana, que no busca alivio en las prácticas religiosas ni en el dramatismo de los ritos funerarios, estará siempre marcada por la ausencia de la madre. La muerte ajena será para ella y para otros personajes de *Pedro Páramo* causa de enajenación, de muerte anímica y de alejamiento de la realidad. Sin embargo, Susana todavía espera otra justicia y otra vida *en otra parte*.

CREO SENTIR LA PENA DE SU MUERTE

Estoy acostada en la misma cama donde murió mi madre hace ya muchos años; sobre el mismo colchón; bajo la misma cobija* de lana negra con la cual nos envolvíamos las dos para dormir. Entonces yo dormía a su lado, en un lugarcito que ella me hacía debajo de sus brazos.

Creo sentir todavía el golpe pausado de su respiración; las palpitaciones y suspiros con que ella arrullaba mi sueño... Creo sentir la pena de su muerte...

Pero esto es falso.

Estoy aquí, boca arriba, pensando en aquel tiempo para olvidar mi soledad. Porque no estoy acostada sólo por un rato. Y ni en la cama de mi madre, sino dentro de un cajón negro como el que se usa para enterrar a los muertos. Porque estoy muerta.

Siento el lugar en que estoy y pienso...

Pienso cuando maduraban los limones. En el viento de febrero que rompía los tallos de los helechos, antes que el abandono los secara; los limones maduros que llenaban con su olor el viejo patio.

El viento bajaba de las montañas en las mañanas de febrero. Y las nubes se quedaban allí arriba en espera de que el tiempo bueno las hiciera bajar al valle; mientras tanto dejaban vacío el cielo azul, dejaban que la luz cayera en el juego del viento haciendo círculos sobre la tierra, removiendo el polvo y batiendo las ramas de los naranjos.

Y los gorriones reían; picoteaban las hojas que el aire hacía caer, y reían; dejaban sus plumas entre las espinas de las ramas y perseguían a las mariposas y reían. Era esa época.

En febrero, cuando las mañanas estaban llenas de viento, de gorriones, y de luz azul. Me acuerdo. Mi madre murió entonces.

Que yo debía haber gritado; que mis manos tenían que haberse hecho pedazos estrujando su desesperación. Así hubieras querido tú que fuera. ¿Pero acaso no era alegre aquella mañana? Por la puerta abierta entraba el aire, quebrando las guías de la yedra. En mis piernas comenzaba a crecer el vello entre las venas, y mis manos temblaban tibias al tocar mis senos. Los gorriones jugaban. En las lomas se mecían las espigas. Me dió lástima que ella ya no volviera a ver el juego del viento en los jazmines; que cerrara sus ojos a la luz de los días. ¿Pero por qué iba a llorar?

¿Te acuerdas, Justina? Acomodaste las sillas a lo largo del corredor para que la gente que viniera a verla esperara su turno. Estuvieron vacías. Y mi madre sola, en medio de los cirios; su cara pálida y sus dientes blancos asomándose apenitas entre sus labios morados, endurecidos por la amoratada muerte. Sus pestañas ya quietas; quieto ya su corazón. Tú y yo allí, rezando rezos interminables, sin que ella oyera nada, sin que tú y yo oyéramos nada, todo perdido en la sonoridad del viento debajo de la noche. Planchaste su vestido negro, almidonando el cuello y el puño de sus mangas para que sus manos se vieran nuevas, cruzadas sobre su pecho muerto; su viejo pecho amoroso sobre el que dormí en un tiempo y que me dio de comer y que palpitó para arrullar mis sueños.

Nadie vino a verla. Así estuvo mejor. La muerte no se reparte como si fuera un bien. Nadie anda en busca de tristezas.

Tocaron la aldaba. Tú saliste.

—Ve tú –te dije–. Yo veo borrosa la cara de la gente. Y haz que se vayan. ¿Que vienen por el dinero de las misas gregorianas? Ella no dejó ningún dinero. Díselos [sic] Justina. ¿Que no saldrá del Purgatorio si no le rezan esas misas? ¿Quiénes son ellos para hacer la justicia, Justina? ¿Dices que estoy loca? Está bien.

Y tus sillas se quedaron vacías hasta que fuimos a enterrarla con aquellos hombres alquilados, sudando por un peso ajeno, extraños a cualquier pena. Cerraron la sepultura con arena mojada; bajaron el cajón despacio, con la paciencia de su oficio, bajo el aire que les refrescaba su esfuerzo. Sus ojos fríos, indiferentes. Dijeron: «Es tanto.» Y tú les pagaste, como quien compra una cosa, desanudando tu pañuelo húmedo de lágrimas, exprimido y vuelto a exprimir y ahora guardando el dinero de los funerales...

Y cuando ellos se fueron, te arrodillaste en el lugar donde había quedado su cara y besaste la tierra y podrías haber abierto un agujero, si yo no te hubiera dicho: «Vámonos, Justina, ella está en otra parte, aquí no hay más que una cosa muerta».

JUAN RULFO, *Pedro Páramo.* (1955). Cátedra, Col. Letras Hispánicas, Madrid, 1990. Pp. 145-146.

Para Vallejo, la vida es una batalla y la muerte una tragedia sombría. Pero la muerte no es definitiva, la resurrección es posible: la masa, el hombre colectivo, puede hacer frente a todos los problemas humanos, incluso a la muerte. La solidaridad, tema que obsesiona al poeta peruano, puede librar al individuo del dolor, la injusticia y la explotación; también es capaz de devolverle la vida. El hombre, si se compromete con los demás, puede salvar al hombre, hacerlo inmortal.

MASA

Al fin de la batalla,
y muerto el combatiente, vino hacia él un hombre
y le dijo: «No mueras, te amo tánto!»
Pero el cadáver ¡ay! siguió muriendo.

Se le acercaron dos y repitiéronle:
«No nos dejes! ¡Valor! ¡Vuelve a la vida!»
Pero el cadáver ¡ay! siguió muriendo.

Acudieron a él veinte, cien, mil, quinientos mil,
clamando: «¡Tánto amor y no poder nada contra la muerte!»
Pero el cadáver ¡ay! siguió muriendo.

Le rodearon millones de individuos,
con un ruego común: «¡Quédate, hermano!»
Pero el cadáver ¡ay! siguió muriendo.

Entonces, todos los hombres de la tierra
le rodearon; les vió el cadáver triste, emocionado;
incorporóse lentamente,
abrazó al primer hombre; echóse a andar...

10 Nov 1937

CÉSAR VALLEJO, *Poemas humanos* (1939) y *España, aparta de mí este cáliz.* (1937). Clásicos Castalia, Madrid, 1987. P. 259.

En ese instante el mundo es apenas
                    un vitral confuso
los colores se invaden unos a otros
y las fronteras entre cosa y cosa
                    entre tierra y cielo
                    entre árbol y pájaro
están desilachadas e indecisas

el futuro es así un caleidoscopio de dudas...

MARIO BENEDETTI

Llegamos al término de nuestro viaje por el palacio confuso, por el fatigoso laberinto de nuestras aspiraciones literarias, en busca de nuestra expresión original y genuina. Y a la salida creo volver con el oculto hilo que me sirvió de guía. Mi hilo conductor ha sido el pensar que no hay secreto de la expresión sino uno: trabajarla hondamente, esforzarse en hacerla pura, bajando hasta la raíz de las cosas que queremos decir; afinar, definir, con ansia de perfección.

PEDRO HENRÍQUEZ UREÑA

¡Ah, los laberintos! ¡Ah, los símbolos! Al final de cada año me hago una promesa: el año próximo renunciaré a los laberintos, a los tigres, a los cuchillos, a los espejos. Pero no hay nada que hacer, es algo más fuerte que yo. Comienzo a escribir y, de golpe, he aquí que surge un laberinto, que un tigre cruza la página, que un cuchillo brilla, que un espejo refleja una imágen.

JORGE LUIS BORGES

12. LA RAYUELA Y EL LABERINTO

Arquitectura, leyendas e iconografía griega y medieval han simbolizado en la construcción laberíntica el espacio donde tiene lugar la búsqueda espiritual y metafísica. El pensamiento hispanoamericano, heredero de pueblos que construían complicadas pirámides y entroncado por sus raíces hispánicas a la civilización grecolatina, conserva y actualiza los viejos mitos del mundo clásico. De forma especial, a partir de Borges, la literatura ha profundizado en el mito del Laberinto y, en este ámbito, indaga desesperadamente las causas de enajenación del hombre moderno: incomunicación, imposibilidad del perfeccionamiento estético y literario o pérdida del sentido de la vida. La angustia, la incomprensión, la ilogicidad o la mediocridad son barreras intelectuales y afectivas que, según la literatura, impiden la posesión de lo absoluto a los nuevos minotauros hispanoamericanos. Éstos luchan contra obstáculos a menudo infranqueables y buscan hilos conductores que les permitan culminar el objeto de sus aspiraciones: la contemplación total del universo, la superación de la soledad, la armonía de las relaciones humanas o la perpetuación de la palabra.

La rayuela es un juego de niños. Con tiza, trazan en el suelo una gran figura con varias divisiones. El juego consiste en recorrer todas las casillas a la pata coja, sin pisar ninguna raya y siguiendo determinadas reglas.

Cortázar ha tomado de este juego el título de su única novela y su obra más importante. Por un lado le sirve para ilustrar la falta de comunicación entre personas muy próximas, pero que se encuentran separadas por barreras personales o sociales, encasilladas en el laberinto de la rayuela. Por otro lado, el autor intenta reflejar gráficamente su intención de hacer una «antinovela» destruyendo la teoría clásica de la novela: orden cronológico, lectura consecutiva de páginas numeradas, uso *burgués y absurdo* de la lengua, y clara delimitación del tiempo y del espacio.

El propio Cortázar incluye al principio de su novela un tablero de instrucciones para la lectura. Sugiere al lector que lea en distinto orden al de las páginas consecutivas y termina encerrándolo en un laberinto. Se reproduce aquí el famoso tablero, y en la página siguiente un breve texto de *Rayuela*, además del lomo del libro de la edición de la Editorial Sudamericana que ilustra al mismo tiempo el juego de los niños y la intención de Cortázar.

TABLERO DE DIRECCIÓN

A su manera este libro es muchos libros, pero sobre todo es dos libros. El lector queda invitado *a elegir* una de las dos posibilidades siguientes:

El primer libro se deja leer en la forma corriente, y termina en el capítulo 56, al pie del cual hay tres vistosas estrellitas que equivalen a la palabra *Fin*. Por consiguiente, el lector prescindirá sin remordimientos de lo que sigue.

El segundo libro se deja leer empezando por el capítulo 73 y siguiendo luego en el orden que se indica al pie de cada capítulo. En caso de confusión u olvido, bastará consultar la lista siguiente:

73 - 1 - 2 - 116 - 3 - 84 - 4 - 71 - 5 - 81 - 74 - 6 - 7 - 8
93 - 68 - 9 - 104 - 10 - 65 - 11 - 136 - 12 - 106 - 13
115 - 14 - 114 - 117 - 15 - 120 - 16 - 137 - 17 - 97 - 18
153 - 19 - 90 - 20 - 126 - 21 - 79 - 22 - 62 - 23 - 124
128 - 24 - 134 - 25 - 141 - 60 - 26 - 109 - 27 - 28 - 130
151 - 152 - 143 - 100 - 76 - 101 - 144 - 92 - 103 - 108
64 - 155 - 123 - 145 - 122 - 112 - 154 - 85 - 150 - 95
146 - 29 - 107 - 113 - 30 - 57 - 70 - 147 - 31 - 32 - 132
61 - 33 - 67 - 83 - 142 - 34 - 87 - 105 - 96 - 94 - 91
82 - 99 - 35 - 121 - 36 - 37 - 98 - 38 - 39 - 86 - 78 - 40
59 - 41 - 148 - 42 - 75 - 43 - 125 - 44 - 102 - 45 - 80
46 - 47 - 110 - 48 - 111 - 49 - 118 - 50 - 119 - 51 - 69
52 - 89 - 53 - 66 - 149 - 54 - 129 - 139 - 133 - 140 - 138
127 - 56 - 135 - 63 - 88 - 72 - 77 - 131 - 58 - 131 -

Con objeto de facilitar la rápida ubicación de los capítulos, la numeración se va repitiendo en lo alto de las páginas correspondientes a cada uno de ellos.

En el estrecho y complicado laberinto de la rayuela cada jugador ocupa una casilla, no puede saltar las rayas de las convenciones y no tiene espacio para entrar en el compartimento ocupado por otro. *Rayuela* es una obra compleja y es difícil resumir en un breve texto la intención de Cortázar. A modo de muestra se transcribe a continuación un fragmento, en el que está latente la visión del autor argentino sobre el problema del tiempo y de la comunicación humana.

DESDE LA RAYUELA

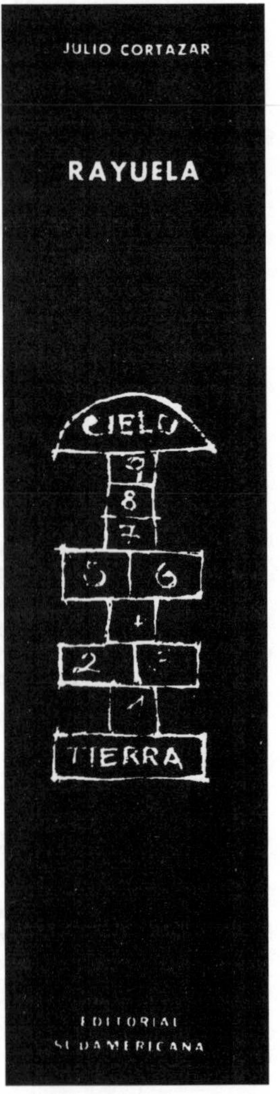

56[1]

Era así, la armonía duraba increíblemente, no había palabras para contestar a la bondad de esos dos ahí abajo, mirándolo y hablándole desde la rayuela porque Talita estaba parada* sin darse cuenta en la casilla tres, y Traveler tenía un pie metido en la seis, de manera que lo único que él podía hacer era mover un poco la mano derecha en un saludo tímido y quedarse mirando a la Maga, a Manú, diciéndose que al fin y al cabo algún encuentro había, aunque no pudiera durar más que ese instante terriblemente dulce en el que lo mejor sin lugar a dudas hubiera sido inclinarse apenas hacia afuera y dejarse ir, paf se acabó.

(-135)[2]

JULIO CORTÁZAR, *Rayuela.* (1963). Editorial Sudamericana, Buenos Aires, 1973. Pp. 7 y 404.

1 Capítulo al que pertenece el texto.

2 (-135): capítulo al que debe pasar el lector siguiendo las instrucciones de Cortázar en el *tablero de dirección*.

Para Octavio Paz la vigencia del mito del Laberinto es incuestionable. Nuestra soledad, dice, es producto de la incapacidad para transitar libremente por él, en busca de ese espacio sagrado del que *fuimos expulsados*. La marcha hacia el *palacio encantado* constituye el éxodo de la Humanidad por los vericuetos del Laberinto. Todos los pueblos, nostálgicos de gracia y comunión espiritual, caminan, practicando un ritual, al lugar donde se encuentra el talismán que ha de curar su nostalgia infinita. Nuestra sociedad ha encontrado un obstáculo más para llegar a la tierra prometida: *la medición espacial del tiempo*. El hombre moderno, extraviado ante múltiples encrucijadas, es también prisionero del tiempo cronométrico que le impide acceder al paraíso y prolonga su peregrinación por el Laberinto.

EL MITO DEL LABERINTO

El sentimiento de soledad, nostalgia de un cuerpo del que fuimos arrancados, es nostalgia de espacio. Según una concepción muy antigua y que se encuentra en casi todos los pueblos, ese espacio no es otro que el centro del mundo, el «ombligo» del universo. A veces el paraíso se identifica con ese sitio y ambos con el lugar de origen, mítico o real, del grupo. Entre los aztecas, los muertos regresaban a Mictlán, lugar situado al norte, de donde habían emigrado. Casi todos los ritos de fundación, de ciudades o de mansiones, aluden a la búsqueda de ese centro sagrado del que fuimos expulsados. Los grandes santuarios –Roma, Jerusalén, la Meca– se encuentran en el centro del mundo o lo simbolizan y prefiguran. Las peregrinaciones a esos santuarios son repeticiones rituales de las que cada pueblo ha hecho en un pasado mítico, antes de establecerse en la tierra prometida. La costumbre de dar una vuelta a la casa o a la ciudad antes de atravesar sus puertas, tiene el mismo origen.

El mito del Laberinto se inserta en este grupo de creencias. Varias nociones afines han contribuido a hacer del Laberinto uno de los símbolos míticos más fecundos y significativos: la existencia, en el centro del recinto sagrado, de un talismán o de un objeto cualquiera, capaz de devolver la salud o la libertad al pueblo; la presencia de un héroe o de un santo, quien tras la penitencia y los ritos de expiación, que casi siempre entrañan un período de aislamiento, penetra en el laberinto o palacio encantado; el regreso, ya para fundar la Ciudad, ya para salvarla o redimirla. Si en el mito de Perseo los elementos místicos apenas son visibles, en el del Santo Grial el ascetismo y la mística se alían: el pecado, que produce la esterilidad en la tierra y el cuerpo mismo de los súbditos del Rey Pescador; los ritos de purificación; el combate espiritual; y, finalmente, la gracia, esto es, la comunión.

No sólo hemos sido expulsados del centro del mundo y estamos condenados a buscarlo por selvas y desiertos o por los vericuetos y subterráneos del Laberinto. Hubo un tiempo en el que el tiempo no era sucesión y tránsito, sino manar continuo de un presente fijo, en el que estaban contenidos todos los tiempos, el pasado y el futuro. El hombre, desprendido de esa eternidad en la que todos los tiempos son uno, ha caído en el tiempo cronométrico y se ha convertido en prisionero del reloj, del calendario y de la sucesión.

OCTAVIO PAZ, *El laberinto de la soledad.* (1950). Fondo de Cultura Económica, Col. Popular, México, 1973. Pp. 187-188.

A pesar de que Borges intentaba huir de los laberintos, no solamente se vio asaltado por artificiosas figuraciones, sino que intentó atrapar y enredar al lector en su cosmovisión laberíntica, como se puede apreciar en la lúcida y compleja percepción del Universo que se presenta a continuación. Para Borges *lo real es una de las configuraciones del sueño*; por tanto, para exponer su visión del cosmos utiliza imágenes reales y fantásticas ya que no hay más realidad en unas que en otras. Espejos, complicadas formas geométricas, ensueños y hechizos confieren al que intenta comprender su *parábola* una mayor sensación de pérdida y enajenación. Borges sugiere que la aspiración de todo poeta que se adentra en el laberinto es aprehender el palacio, es decir, el Universo, a través de la palabra. Tras uno de sus juegos con final múltiple, expresión de su escepticismo, nos da la solución real, dejando a un lado las especulaciones filosóficas: irremediablemente la palabra es destruida, no consigue alcanzar la eternidad al no poder contener el palacio. Así el poeta se ve siempre obligado a seguir buscando vanamente en el laberinto la palabra del Universo.

PARÁBOLA DEL PALACIO

Aquel día, el Emperador Amarillo mostró su palacio al poeta. Fueron dejando atrás, en largo desfile, las primeras terrazas occidentales que, como gradas de un casi inabarcable anfiteatro, declinan hacia un paraíso o jardín cuyos espejos de metal y cuyos intrincados cercos de enebro prefiguraban ya el laberinto. Alegremente se perdieron en él, al principio como si condescendieran a un juego y después no sin inquietud, porque sus rectas avenidas adolecían de una curvatura muy suave pero continua y secretamente eran círculos. Hacia la medianoche, la observación de los planetas y el oportuno sacrificio de una tortuga les permitieron desligarse de esa región que parecía hechizada, pero no del sentimiento de estar perdidos, que los acompañó hasta el fin. Antecámaras y patios y bibliotecas recorrieron después y una sala exagonal con una clepsidra, y una mañana divisaron desde una torre un hombre de piedra, que luego se les perdió para siempre. Muchos resplandecientes ríos atravesaron en canoas de sándalo, o un solo río muchas veces. Pasaba el séquito imperial y la gente se prosternaba, pero un día arribaron a una isla en que alguno no lo hizo, por no haber visto nunca al Hijo del Cielo, y el verdugo tuvo que decapitarlos. Negras cabelleras y negras danzas y complicadas máscaras de oro vieron con indiferencia sus ojos; lo real se confundía con lo soñado o, mejor dicho, lo real era una de las configuraciones del sueño. Parecía imposible que la tierra fuera otra cosa que jardines, aguas, arquitecturas y formas de esplendor. Cada cien pasos una torre cortaba el aire; para los ojos el color era idéntico, pero la primera de todas era amarilla y la última escarlata, tan delicadas eran las gradaciones y tan larga la serie.

Al pie de la penúltima torre fue que el poeta (que estaba como ajeno a los espectáculos que eran maravilla de todos) recitó la breve composición que hoy vinculamos indisolublemente a su nombre y que, según repiten los historiadores más elegantes, le deparó la inmortalidad y la muerte. El texto se ha perdido; hay quien entiende que constaba de un verso; otros, de una sola palabra. Lo cierto, lo increíble, es que en el poema estaba entero y minucioso el palacio enorme, con cada ilustre porcelana y cada dibujo en cada porcelana y las penumbras y las luces de los crepúsculos y cada instante desdichado o feliz de las gloriosas dinastías de mortales, de dioses y de dragones que habitaron en él desde el interminable pasado. Todos callaron, pero el Emperador exclamó: «*¡Me has arrebatado el palacio!*», y la espada de hierro del verdugo segó la vida del poeta.

Otros refieren de otro modo la historia. En el mundo no puede haber dos cosas iguales; bastó (nos dicen) que el poeta pronunciara el poema para que desapareciera el palacio, como abolido y fulminado por la última sílaba. Tales leyendas, claro está, no pasan de ser ficciones literarias. El poeta era esclavo del emperador y murió como tal; su composición cayó en el olvido porque merecía el olvido y sus descendientes buscan aún, y no encontrarán, la palabra del universo.

JORGE LUIS BORGES, *El hacedor.* (1960). Alianza/Emecé, El libro de bolsillo, Madrid, 1984. Pp. 55-57.

Su Majestad es obligado, de precepto divino, a mandar poner en libertad a todos los indios, que los españoles tienen por esclavos.

FRAY BARTOLOMÉ DE LAS CASAS

[Españoles:] Si preferís nuestra causa a la de los tiranos, seréis perdonados y disfrutaréis de vuestros bienes, vida y honor; y si persistís en ser nuestros enemigos, alejaos de nuestro país, o preparaos a morir.

SIMÓN BOLÍVAR

...y entre los muros blancos juntaron sus sangres.

MARIO MONTEFORTE TOLEDO

¿Qué descubrimiento? La América ya estaba descubierta por los aborígenes.

MARIO BENEDETTI

De lo ibérico no podría prescindirse sin una espantosa mutilación. De suerte que lo ibérico tiene en sí un valor universal. Lo ibérico es una representación del mundo y del hombre, una estimulación de la vida y de la muerte fatigosamente elaboradas por el pueblo más fecundo de que queda noticia. Tal es nuestra magna herencia ibérica.

ALFONSO REYES

Nuestro único aliado en el mundo es España y el único aliado de España es Iberoamérica. De esta unión han emanado y surgirán más riquezas inéditas.

AUGUSTO ROA BASTOS

13. ESPAÑA: CONQUISTA Y COLONIA

Descubrimiento, conquista, colonización y las relaciones actuales con España han sido tratados desde múltiples perspectivas literarias. Defensas apasionadas de la Evangelización y otras empresas coloniales altruistas ocultan la crueldad de las guerras y encomiendas y enmarcan la aculturación forzosa en un contexto temporal que permitía el expansionismo y la esclavitud y fomentaba la uniformidad cultural. Por el contrario, furibundos y resentidos ataques (muchas veces desde el punto de vista anglosajón) ven la dominación española como la mayor masacre humana, cultural y religiosa realizada a lo largo de los siglos. Entre ambas posturas abundan los que admiten la grandeza y miseria de España y estimulan a los americanos a rescatar y fomentar los aspectos válidos de la herencia española. Hoy, una vez superadas ciertas corrientes nacionalistas, parece predominar la valoración positiva del legado de la lengua y de la cultura y la fe en un fecundo mestizaje. A nivel popular, la relación amor-odio perfila los vínculos afectivos de Iberoamérica hacia España.

Neruda dedicó a los conquistadores la tercera serie de su *Canto general*. La obra constituye al mismo tiempo una llamada a la liberación y una queja airada por las injusticias sufridas por el hombre americano. Después de describir las bienaventuranzas de los pueblos prehispánicos del año 1400 y de expresar su dolor ante las ruinas de tan glorioso pasado, el chileno pasa a narrar los crímenes de la Conquista. Para ello hace un recorrido por el continente y describe a algunos de los *carniceros* que arrasaron vidas, culturas y haciendas. La violencia de su denuncia se apoya en crueles e irónicas imágenes contra la Corona, los españoles y la religión católica. La capacidad para conmover y convencer (el Canto habría de tener gran repercusión literaria y política) brota también del fervoroso lirismo que intercala entre los versos de repudio. Transcribimos aquí el primero de los 25 poemas que componen la serie contra la dominación española.

LOS CARNICEROS DESOLARON LAS ISLAS

VIENEN POR LAS ISLAS (1493)

Los carniceros desolaron las islas.
Guanahaní fue la primera
en esta historia de martirios.

Los hijos de la arcilla vieron rota
su sonrisa, golpeada
su frágil estatura de venados,
y aun en la muerte no entendían.
Fueron amarrados y heridos,
fueron quemados y abrasados,
fueron mordidos y enterrados.
Y cuando el tiempo dio su vuelta de vals
bailando en las palmeras,
el salón verde estaba vacío.

Sólo quedaban huesos
rígidamente colocados
en forma de cruz, para mayor
gloria de Dios y de los hombres.

De las gredas mayorales
y el ramaje de Sotavento
hasta las agrupadas coralinas
fue cortando el cuchillo de Narváez.
Aquí la cruz, aquí el rosario,
aquí la Virgen del Garrote.
La alhaja de Colón, Cuba fosfórica,
recibió el estandarte y las rodillas
en su arena mojada.

PABLO NERUDA, *Canto General.* (1950). Cátedra, Letras Hispánicas, Madrid, 1992.Págs. 145-146.

Mordaz e ingenioso, Fuentes envía a un diario madrileño su colaboración para una separata de conmemoración del quinto centenario del descubrimiento de América. La irónica ficción entraña una dura crítica contra la intolerancia de los monarcas españoles y contra los desmanes de la España conquistadora. Más adelante, terminará concluyendo que las dos conquistas (la de América por los españoles y la España por los mayas) han alumbrado un vigoroso mestizaje, acrisolado por indios, españoles, árabes y judíos y vivificado por la lengua española.

LA CONQUISTA INDIA DE ESPAÑA

Yo vi todo esto. La caída de la gran ciudad andaluza, en medio del rumor de atabales, el choque del acero contra el pedernal y el fuego de los lanzallamas mayas*. Vi el agua quemada del Guadalquivir y el incendio de la Torre del Oro.

Cayeron los templos, de Cádiz a Sevilla; las insignias, las torres, los trofeos. Y al día siguiente de la derrota, con las piedras de la Giralda, comenzamos a edificar el templo de las cuatro religiones, inscrito con el verbo de Cristo, Mahoma, Abraham y Quetzalcóatl, donde todos los poderes de la imaginación y la palabra tendrían cupo, sin excepción, durando acaso tanto como los nombres de los mil dioses de un mundo súbitamente animado por el encuentro con todo lo olvidado, prohibido, mutilado...

Cometimos algunos crímenes, es cierto. A los miembros de la Santa Inquisición les dimos una sopa de su propio chocolate*, quemándoles en las plazas públicas, de Logroño a Barcelona y de Oviedo a Córdoba... Sus archivos los quemamos también, junto con las leyes de pureza de la sangre y cristianismo antiguo. Viejos judíos, viejos musulmanes y ahora viejos mayas, abrazamos a cristianos viejos y nuevos, y si algunos conventos, y sus inquilinas, fueron violados, el resultado, al cabo, fue un mestizaje acrecentado, indio y español, pero también árabe y judío, que en pocos años cruzó los Pirineos y se desparramó por toda Europa... La pigmentación del viejo continente se hizo enseguida más oscura, como ya lo era la de la España levantina y árabe.

Pues derogamos los decretos de expulsión de judíos y moriscos. Aquellos regresaron con las llaves heladas de sus casas abandonadas en Toledo y Sevilla para abrir de nuevo las puertas de madera y clavar de nuevo en los roperos, con manos ardientes, el viejo canto de su amor a España, la madre cruel que los expulsó y a la que ellos, los hijos de Israel, nunca dejaron de amar a pesar de todas las crueldades... Y el regreso de los moros llenó el aire de cantes a veces profundos como un gemido sexual, a veces tan altos como la voz de la puntual adoración del muecín. Dulces cantos mayas se unieron al de los trovadores provenzales, la flauta a la vihuela, la chirimía* a la mandolina, y del mar cerca del Puerto de Santa María emergieron sirenas de todos los colores, que nos habían acompañado desde las islas del Caribe... Cuantos contribuimos a la conquista india de España, sentimos de inmediato que un universo a la vez nuevo y recuperado, permeable, complejo, fecundo, nació del contacto entre las culturas, frustrando el fatal designio purificador de los Reyes Católicos.

No creáis, sin embargo, que el descubrimiento de España por los indios mayas fue un idilio. No pudimos frenar los atavismos religiosos de algunos de nuestros capitanes. Lo cierto, empero, es que los españoles sacrificados en los altares de Valladolid y Burgos, en las plazas de Cáceres y Jaén, tuvieron la distinción de morir ingresando a un rito cósmico y no, como pudo sucederles, por una de esas riñas callejeras tan habituales en España. O, para decirlo con símil más gastronómico, por una indigestión de cocido. Es cierto que esta razón fue mal comprendida por todos los humanistas, poetas, filósofos y erasmianos españoles, que al principio celebraron nuestra llegada, considerándola una liberación, pero que ahora se preguntaban si no habían cambiado, simplemente, la opresión de los Reyes Católicos por la de unos sanguinarios papas y caciques indios...

CARLOS FUENTES, *Las dos orillas*. ABC, Madrid, 23 de julio de 1992. P. 42.

El rigor intelectual de Octavio Paz no le permitió seguir a pies juntillas la corriente nacionalista del momento. En México, ciertos contenidos demagógicos de la Revolución exigían la negación de los valores coloniales y excluían la posibilidad de que Conquista y Evangelización hubieran dejado algún legado positivo. Sin embargo, el afán de llegar hasta el fondo de los problemas conduce al historiador y antropólogo a reconocer que la Colonia Española, a través de la integración del indio en la religión (que constituía el meollo de la sociedad occidental) incluye a los americanos en el orden universal. Después, obsesionado por la búsqueda de la identidad y de las posibilidades de su pueblo, dice Paz que, para lanzarse a la creación, el mexicano tiene que liberarse de la pesadilla que le supone el pasado colonial; para consumar el proceso creador, debe descubrir *la sustancia real o* saldo positivo que han dejado los horrores y bondades de la Conquista.

UN SITIO EN EL COSMOS

La presteza con que el Estado español –eliminando ambiciones de encomenderos, infidelidades de oidores y rivalidades de toda índole– recrea las nuevas posesiones a imagen y semejanza de la Metrópoli, es tan asombrosa como la solidez del edificio social que construye. La sociedad colonial es un orden hecho para durar. Quiero decir, una sociedad regida conforme a principios jurídicos, económicos y religiosos plenamente coherentes entre sí y que establecían una relación viva y armónica entre las partes y el todo. Un mundo suficiente, cerrado al exterior pero abierto a lo ultraterreno.

Es muy fácil reír de la pretensión ultraterrena de la sociedad colonial. Y más fácil aún denunciarla como una forma vacía, destinada a encubrir los abusos de los conquistadores o a justificarlos ante sí mismos y ante sus víctimas. Sin duda esto es verdad, pero no lo es menos que esa aspiración ultraterrena no era un simple añadido, sino una fe viva y que sustentaba, como la raíz al árbol, fatal y necesariamente, otras formas culturales y económicas. El catolicismo es el centro de la sociedad colonial porque de verdad es la fuente de vida que nutre las actividades, las pasiones, las virtudes y hasta los pecados de siervos y señores, de funcionarios y sacerdotes, de comerciantes y militares. Gracias a la religión el orden colonial no es una mera superposición de nuevas formas históricas, sino un organismo viviente.

Con la llave del bautismo el catolicismo abre las puertas de la sociedad y la convierte en un orden universal, abierto a todos los pobladores. Y al hablar de la Iglesia Católica, no me refiero nada más a la obra apostólica de los misioneros, sino a su cuerpo entero, con sus santos, sus prelados rapaces, sus eclesiásticos pedantes, sus juristas apasionados, sus obras de caridad y su atesoramiento de riquezas.

Es cierto que los españoles no exterminaron a los indios porque necesitaban la mano de obra nativa para el cultivo de los enormes feudos y la explotación minera. Los indios eran bienes que no convenía malgastar. Es difícil que a esta consideración se hayan mezclado otras de carácter humanitario. Semejante hipótesis hará sonreír a cualquiera que conozca la conducta de los encomenderos con los indígenas. Pero sin la Iglesia el destino de los indios habría sido muy diverso. Y no pienso solamente en la lucha emprendida para dulcificar sus condiciones de vida y organizarlos de manera más justa y cristiana, sino en la posibilidad que el bautismo les ofrecía de formar parte, por la virtud de la consagración, de un orden y de una Iglesia. Por la fe católica los indios, en situación de orfandad, rotos los lazos con sus antiguas culturas, muertos sus dioses tanto como sus ciudades, encuentran un lugar en el mundo. Esa posibilidad de pertenecer a un orden vivo, así fuese en la base de la pirámide social, les fue despiadadamente negada a los nativos por los protestantes de Nueva Inglaterra. Se olvida con frecuencia que pertenecer a la fe católica significaba encontrar un sitio en el Cosmos. La huida de los dioses y la muerte de los jefes habían dejado al indígena en una soledad tan completa como difícil de imaginar para un hombre moderno. El catolicismo le hace reanudar sus lazos con el mundo y el trasmundo. Devuelve sentido a su presencia en la tierra, alimenta sus esperanzas y justifica su vida y su muerte. [...]

La diferencia con las colonias sajonas es radical. Nueva España conoció muchos horrores, pero por lo menos ignoró el más grave de todos: negarle un sitio, así fuere el último en la escala social, a los hombres que la componían. Había clases, castas, esclavos, pero no había parias, gente sin condición social determinada o sin estado jurídico, moral o religioso. La diferencia con el mundo de las modernas sociedades totalitarias es también decisiva.

Es cierto que Nueva España, al fin y al cabo sociedad satélite, no creó un arte, un pensamiento, un mito o formas de vida originales. (Las únicas creaciones realmente originales de América –y no excluyo naturalmente a los Estados Unidos– son las precolombinas.) También es cierto que la superioridad técnica del mundo colonial y la introducción de formas culturales más ricas y complejas que las mesoamericanas, no bastan para justificar una época. Pero la creación de un orden universal, logro extraordinario de la Colonia, sí justifica a esa sociedad y la redime de sus limitaciones. La gran poesía colonial, el arte barroco, las Leyes de Indias, los cronistas, historiadores y sabios y, en fin, la arquitectura novohispana, en la que todo, aun los frutos fantásticos y los delirios profanos, se armoniza bajo un orden tan riguroso como amplio, no son sino reflejos del equilibrio de una sociedad en la que también todos los hombres y todas las razas encontraban sitio, justificación y sentido. La sociedad estaba regida por un orden cristiano que no es distinto al que se admira en templos y poemas.

No pretendo justificar a la sociedad colonial. En rigor, mientras subsista esta o aquella forma de opresión, ninguna sociedad se justifica. Aspiro a comprenderla como a un totalidad viva y, por eso, contradictoria. Del mismo modo me niego a ver en los sacrificios humanos de los aztecas una expresión aislada de crueldad sin relación con el resto de esa civilización: la extracción de corazones y las pirámides monumentales, la escultura y el canibalismo* ritual, la poesía y la «guerra florida», la teocracia y los mitos grandiosos son un todo indisoluble. Negar esto es tan infantil como negar al arte gótico o a la poesía provenzal en nombre de la situación de los siervos medievales, negar a Esquilo porque había esclavos en Atenas. La historia tiene la realidad atroz de una pesadilla; la grandeza del hombre consiste en hacer obras hermosas y durables con la sustancia real de esa pesadilla. O dicho de otro modo: transfigurar la pesadilla en visión, liberarnos, así sea por un instante, de la realidad disforme por medio de la creación.

OCTAVIO PAZ, *El laberinto de la soledad.* (1950). Fondo de Cultura Económica, Col. Popular, México, D.F., 1959. Pp. 91-94.

También con motivo del quinto centenario del Descubrimiento de América, José Donoso escribe sobre España. Aquí analiza los sentimientos que provoca entre los americanos. En los países de alto porcentaje de población indígena, dice Donoso, España sigue presente a pesar de que su permanencia se basa en el rencor y la enemistad. En otros, como Argentina y Uruguay, se percibe la herencia dejada por los emigrantes españoles que llegaron una vez acabada la Colonia. La nostalgia dejada por los antepasados peninsulares de muchos argentinos y uruguayos perpetúa la presencia de España. Sin embargo, en Chile, repoblado por otras migraciones, esta presencia se pudo apreciar sólo durante la primera parte del siglo: entonces las manifestaciones culturales que llegaban de la antigua metrópoli mantenían viva la tradición española. En 1992 el escritor chileno considera que en su país la importación de cultura anglosajona ha desplazado *lo español* y que se siente la ausencia de España.

AUSENCIA Y PRESENCIA

...en Chile no persiste la llaga que la conquista española dejó en países como México y Perú. Allí el rencor de los mestizos por los españoles, que hace siglos destruyeron las altas culturas de sus antepasados, mantiene una herida abierta que después de todo, resulta positiva: el descendiente del afrentado tiene por fuerza que reconocer la gran afrenta, y ese doloroso reconocimiento preserva la imagen del agresor. Es una relación atroz y, sin embargo, creadora, porque protege la sobrevivencia de ambas identidades: en esos países, España suele ser vista como un enemigo siempre acechante, pero que sobre todo está vivo y muy presente.

En Argentina y Uruguay sucede algo distinto. Carentes de la herida con que España marcó las culturas de México y Perú, y tan desprovistos de altas civilizaciones como lo es Chile, la inmigración de padres o abuelos españoles de muchos argentinos alimenta una nostalgia por España, para la que quizá la figura de una abuela gallega que cantó junto a una cuna sea emblemática; o también puede serlo un guiso nostálgico, preparado con elementos parecidos, pero con un sabor diferente, que, pese al hambre originario, permanece irrecuperable para las exigencias del recuerdo. La tierra de origen suele ser trasplantada, antes de desaparecer definitivamente del recuerdo, en el nombre memorioso de un bar de esquina o en el de una quinta comprada con tantas penurias. Los argentinos a menudo hablan de hermanos o de tíos españoles, a los cuales, si el amor y la fortuna perduran, suelen visitar en la Madre Patria. Hay calles en Buenos Aires y en Montevideo que recuerdan ciertos suburbios de Barcelona, Madrid o Valencia. No sucede lo mismo en Santiago.

En Chile yo siento la ausencia de una tradición española. El terreno que en un tiempo ocupó ha sido ocupado, sin dar grandes batallas, por los mitos cosmopolitas del cine, la televisión, y el «rock», y también por una economía que nos vincula con Chicago. Así como la tradición indígena tiene poca presencia en nuestra vida y el mestizaje ha llegado a adulterarse con la aculturación, también son pocos los que han tenido contacto con una tradición española viva. En Chile, todos somos más o menos descendientes del mismo puñado de españoles que se fueron adueñando del territorio en los siglos del comienzo de nuestra identidad –no somos un país de masas inmigrantes recientes– y aquí dejaron su desdendencia. Esta innegable genealogía española que une al plutócrata con el campesino de apellido semejante no conlleva un ánimo reveindicatorio de linajes. Pero, por desgracia, tampoco aporta la cultura de una Madre Patria ya demasiado distante en el tiempo para darle ese nombre. Esto ha dejado una suerte de espacio cultural abierto al que los ingleses, alemanes, franceses, árabes, yugoslavos, italianos fueron aportando, poco a poco, nombres y descendencia, muchas veces preclara por sus intervenciones en nuestra vida pública, pero en último término fueron siempre personajes, familias individualizadas –no grupos étnicos ni tradiciones nacionales–, y casi no alteraron nuestro modo de vivir chileno, incorporándose, más bien a él.

Existió una época, sin embargo, cuando todo lo español tuvo aquí mucha presencia. Nací en 1924: recuerdo que cuando era muy niño, mis padres iban al teatro y de sus comentarios recupero la imagen vivísima de un capitán de los tercios de Flandes, de capa colorada, montado en un caballo alazán. Yo no sabía el significado de Flandes, ni tercios, ni alazán, pero me enamoré de esas palabras y del nombre del autor, Marquina, y de la compañía, María Guerrero. Los grandes* iban al teatro a verla, y a Lola Membrives y a Margarita Xirgu, que mantuvieron palpitante la imaginación de los chilenos –más masivamente de lo que se cree, porque su popularidad trascendió una elite cultural y social– los nombres de Benavente, de García Lorca, de los Hermanos Álvarez Quintero, de Gregorio Martínez Sierra y de tantos otros españoles de calidad algunas veces discutible, pero que le daban cierto aire muy peninsular a la convivencia. Mis padres también asistían a ver las compañías de zarzuela en gira por estos lados y la juventud se enamoraba de las cupletistas que cantaban en el teatro Santiago. Una amplia clase media estaba enterada de quién era Ortega y quién Unamuno, y todo el mundo había leído las «Sonatas» de Valle-Inclán. La próxima novela de Baroja o de Blasco Ibáñez era esperada con un entusiasmo ausente en la acogida de las novelas españolas de ahora. Y entonces no era necesario importar hispanidad a la fuerza, porque la muchachada aún leía poesía y todos sabían de memoria poemas de Juan Ramón Jiménez y de los Machado, y más tarde de los poetas de la guerra civil.

José Donoso, *Ausencia y presencia.* (1992) ABC, Madrid, 23 de julio de 1992, P. 52.

Abrid los ojos americanos, no os dejéis seducir de nuestros enemigos; ellos [los españoles] no son católicos sino por política, su Dios es el dinero, y las conminaciones sólo tienen por objeto la opresión.

CURA MIGUEL HIDALGO

En América se vivía antes de la libertad [Independencia] como la llama* que tiene mucha carga encima. Era necesario quitarse de la carga, o morir.

JOSÉ MARTÍ

...entre 1910 y 1917 se hizo en México la revolución, antes que Lenin subiera al poder. El año que Lenin desata su revolución, México la corona.

GERMÁN ARCINIEGAS

Era tiempo ya de que nuestros burgueses pagaran una larga deuda pendiente con los nietos de quienes habían cimentado su fortuna bajo la tralla de los mayorales...

ALEJO CARPENTIER

...todas las revoluciones hacen en alguna etapa la misma experiencia: después de la espontaneidad inocente de los primeros años, muerden el fruto pecaminoso que la serpiente de la historia les pone a la vuelta del camino...

JORGE EDWARDS

14. INDEPENDENCIA Y REVOLUCIÓN

Los países americanos son jóvenes y su lucha por la autonomía está próxima en el tiempo; en muchos casos la búsqueda de derroteros políticos sigue palpitante. De siempre, intelectuales y escritores han recogido o encauzado las inquietudes del pueblo; algunos nos han dejado testimonio personal de su participación en contiendas. Ya en los movimientos insurgentes de la América Latina contra la Colonia y posteriores dominaciones, las Letras abanderaron pronunciamientos y revoluciones. Los próceres de la Independencia redactaron bien construidos manifiestos y enardecidas proclamas que recorrieron toda América. Novelistas mexicanos han luchado con los rebeldes en el campo de batalla lo que les permitió describir la Revolución Mexicana sin mitificarla. Las revoluciones de Cuba y Nicaragua han sido alentadas y aplaudidas por los escritores del *Boom*. A partir de los años sesenta, la enorme difusión internacional de la Literatura Hispanoamericana daría mucha popularidad a la lucha y a los cambios radicales de estos dos países. Sin embargo, también los escritores han denunciado los errores y excesos revolucionarios. En la actualidad, tras el avance de la democracia en numerosos países y la caída del Muro de Berlín, los grandes autores son más cautos a la hora de apoyar este tipo de movimientos.

La actitud del pueblo ante guerras y revoluciones es cuestionada por Uslar-Pietri en *Las lanzas coloradas*. Individuos que no tienen nada que perder e improvisados líderes que esperan sacar algo de la contienda se colocan insdistintamente en un bando o en otro. Uslar cuenta cómo en la Guerra de la Independencia un antiguo esclavo venezolano, Purificación Campos, planifica el asalto a un pueblo. La ausencia de motivaciones ideológicas del mulato rebelde y de sus hombres queda patente en el diálogo.

IGNORABA SI SERÍA REALISTA O REPUBLICANO

Campos mandó hacer alto y destacó un hombre para allegar informes. Aun no había decidido su conducta. Hasta ese instante había obrado sin recapacitar. Sólo sabía que iba para la guerra. Pero aún ignoraba si sería realista o republicano.

Mientras regresaba el emisario, llamó a uno de sus oficiales:

—Mira, Natividad; ven acá.

—A la orden, jefe.

—¿Qué te parece esta vaina*?

—¿Cuál?

—¡Guá! Esta de habernos alzado.

Natividad temía responder algo que estuviera en desacuerdo con el pensamiento de Campos.

—Muy bien hecho. ¿Hasta cuándo íbamos a aguantar?

—Ahora estamos arriba, Natividad. Los de abajo, que se acomoden.

El otro rió con malicia; rieron los dos, celebrando sus ideas siniestras.

—Bueno, Natividad. Pero tú no has pensado una cosa. ¿De qué lado nos vamos a meter?

—¿Cómo, de qué lado?

—¡Guá! ¿De qué lado? Si nos hacemos godos* o republicanos.

Natividad guardó silencio un instante.

—Bueno, mi jefe, ¿y qué diferencia hay?

—¡Mucha! ¡Cómo no! Tú no ves: los godos tienen bandera colorada y gritan: «¡Viva el rey!»

—Eso es.

—Mientras que los insurgentes tienen bandera amarilla y gritan: «¡Viva la libertad!»

—¡Ah, caray! ¿Y qué escogemos?

Otro de los oficiales, Cirilo, que había estado oyendo, se aproximó.

—Nadie me ha llamado, pero yo voy a meter mi cuchara. Esas son tonterías. ¿Qué nos ofrecen los insurgentes? ¿Libertad? ¡Ya la tenemos!

—Eso también es verdad –comentó Natividad.

—¿Y la patria? –agregó riendo Presentación Campos.

—Qué patria, ni qué patria de mis tormentos! ¿Qué me ha dado a mí la patria? Eso es para asustar a los muchachos. Si usted me permite, le hago una comparación.

—Échala.

—Ahí va pues. A mí, eso de la patria me suena lo mismo que eso del amor. ¿Usted no ha visto por ahí, pues, esas gentes que se enamoran, y andan suspiro y suspiro y no consiguen nada? Pues, lo mismo. La patria es un puro suspiro. No hay que enamorarse, sino barajustarle a la mujer.

Todos rieron estruendosamente celebrando la comparación.

—¡Ah, hijo e puya este Cirilo!

Por mi parte –dijo Natividad–, yo creo una cosa. Los godos tienen mucho tiempo mandando y ya están ricos y buchones. Con ellos se puede conseguir algo. Mientras que los insurgentes están más arrancados que un huérfano. Con esa gente no se consigue sino hambre.

A esa razón regresó el hombre destacado para espiar. El pueblo no tenía guarnición; las gentes eran pocas y desarmadas, y había una pulpería* con muchos víveres.

Después de oir los informes, Campos se acercó al grueso de su gente.

—Bueno, pues, muchachos. ¡Vamos a ver si es verdad! Ahí está ese pueblo, desarmado y con bastantes cosas. Lo vamos a rodear y entramos al mismo tiempo por todas las calles gritando mucho y meneando los machetes para asustar a la gente. Bueno, pues. ¡En el nombre de Dios!

Se separaron en varios pequeños grupos por distintos caminos, en ejecución del plan.

ARTURO USLAR-PIETRI, *Las lanzas coloradas* (1931). Alianza Editorial, El libro de bolsillo, Madrid, 1988. Pp. 91-92.

Azuela crea en México un sub-género épico: la novela de la Revolución. Con vigoroso realismo y trasfondo autobiográfico narra la sangrienta lucha de Demetrio Macías y sus hombres; lucha que será inútil pues, en realidad, no todos comparten los ideales revolucionarios. El texto aquí reproducido cuenta cómo Macías, recordando que un teniente federal le había salvado la vida a él y a su familia, detiene la masacre que la chusma iba a cometer con la familia de don Mónico, antiguo cacique del pueblo de Demetrio. Al final, solamente ordenará que le prendan fuego a su casa.

COMO PERROS HAMBRIENTOS

Tres golpes con la culata del rifle, otros tres y nadie responde. Pancracio se insolenta y no se atiende a más órdenes. Dispara, salta la chapa y se abre la puerta.

Vénse extremos de faldas, piernas de niños, todos en dispersión hacia el interior de la casa.

—¡Quiero vino...! ¡Aquí, vino!... –pide Demetrio con voz imperiosa, dando fuertes golpes sobre la mesa.

—Siéntense, compañeros.

Una señora asoma, luego otra y otra, y entre las faldas negras aparecen cabezas de niños asustados. Una de las mujeres, temblando, se encamina hacia un aparador, sacando copas y botellas y sirve vino.

—¿Qué armas tienen? –inquiere Demetrio con aspereza.

—¿Armas...? –contesta la señora, la lengua hecha trapo–. ¿Pero qué armas quieren ustedes que tengan unas señoras solas y decentes?

—¡Ah, solas...! ¿Y don Mónico...?

—No está aquí, señores... Nosotras sólo rentamos la casa... Al señor Don Mónico *no más** de nombre lo conocemos.

Demetrio manda que se practique un cateo.

—No, señores, por favor... Nosotras mismas vamos a traerles lo que tenemos; pero por el amor de Dios, no nos falten al respeto. ¡Somos niñas* solas y decentes! [...]

Demetrio sonríe, y ya sin más consideración, hace entrar a su gente.

Como perros habrientos que han olfateado su presa, la turba penetra, atropellando a las señoras, que pretenden defender la entrada con sus propios cuerpos. Unas caen desvanecidas, otras huyen; los chicos dan gritos.

Pancracio se dispone a romper la cerradura de un gran ropero, cuando las puertas se abren y de dentro salta un hombre con un fusil en las manos.

—¡Don Mónico! –exclaman sorprendidos.

—¡Hombre, Demetrio...! ¡No me haga nada...! ¡No me perjudique...! ¡Soy su amigo, don Demetrio...!

Demetrio Macías se ríe socarronamente y le pregunta si a los amigos se les recibe con el fusil en las manos.

Don Mónico, confuso, aturdido, se echa a sus pies, le abraza las rodillas, le besa los pies:

—¡Mi mujer...! ¡Mis hijos...! ¡Amigo don Demetrio...!

Demetrio, con mano trémula, vuelve el revólver a la cintura.

Una silueta dolorida ha pasado por su memoria. Una mujer con su hijo en los brazos, atravesando por las rocas de la sierra a medianoche y a la luz de la luna... Una casa ardiendo...

¡Vámonos...! ¡Afuera todos! –clama sombríamente.

Su Estado Mayor obedece; don Mónico y las señoras le besan las manos y lloran de agradecimiento.

En la calle la turba está esperando alegre y dicharachera el permiso del general para saquear la casa del cacique. [...]

Demetrio, irritado, repite que se vayan.

Un mozalbete de los últimos reclutados, con algún aguardiente en la cabeza, se ríe y avanza sin zozobra hacia la puerta.

Pero antes de que pueda franquear el umbral, un disparo instantáneo lo hace caer como los toros heridos por la puntilla.

Demetrio, con la pistola humeante en las manos, inmutable, espera que los soldados se retiren.

—Que se le pegue fuego a la casa –ordenó a Luis Cervantes cuando llegan al cuartel.

Y Luis Cervantes, con rara solicitud, sin transmitir la orden, se encargó de ejecutarla personalmente.

Cuando dos horas después la plazuela se ennegrecía de humo y de la casa de don Mónico se alzaban enormes lenguas de fuego, nadie comprendió el extraño proceder del general.

MARIANO AZUELA, *Los de abajo.* (1916). Cátedra, Col. Letras Hispánicas, Madrid, 1991. Pp. 161-164.

Neruda, en un texto suficientemente explícito, mide, de acuerdo con el termómetro esperanza-desesperanza, el tono vital de América. En su defensa de la Revolución Cubana, no habla de logros concretos, sino del estado de ánimo que invade a millones de americanos a raíz de la llegada al poder de Fidel Castro. El poeta sugiere que si la revolución suscita esperanza, la revolución es válida. Años más tarde el poeta será más crítico con el régimen cubano y duramente imprecado por Castro.

LA REVOLUCIÓN CUBANA

A América Latina le gusta mucho la palabra «esperanza». Nos complace que nos llamen «continente de la esperanza». Los candidatos a diputados, a senadores, a presidentes, se autotitulan «candidatos de la esperanza».

En la realidad esta esperanza es algo así como el cielo prometido, una promesa de pago cuyo cumplimiento se aplaza. Se aplaza para el próximo período legislativo, para el próximo año o para el próximo siglo.

Cuando se produjo la revolución cubana, millones de sudamericanos tuvieron un brusco despertar. No creían lo que escuchaban. Esto no estaba en los libros de un continente que ha vivido desesperadamente pensando en la esperanza.

He aquí de pronto que Fidel Castro, un cubano a quien antes nadie conocía, agarra la esperanza del pelo o de los pies, y no le permite volar, sino la sienta en su mesa, es decir, en la mesa y en la casa de los pueblos de América.

Desde entonces hemos adelantado mucho en este camino de la esperanza vuelta realidad. Pero vivimos con el alma en un hilo. Un país vecino, muy poderoso y muy imperialista, quiere aplastar a Cuba con esperanza y todo. Las masas de América leen todos los días el periódico, escuchan la radio todas las noches. Y suspiran de satisfacción. Cuba existe. Un día más. Un año más. Un lustro más. Nuestra esperanza no ha sido decapitada. No será decapitada.

PABLO NERUDA, *Confieso que he vivido. Memorias.* (1974). Seix Barral, Barcelona, 1991. P. 440.

Cardenal es cronista y juglar de la Revolución Nicaragüense. En su poesía épica narra la gesta del pueblo para liberarse de la dictadura de Somoza. Su verso libre incorpora elementos del arte pop: anuncios comerciales, lemas publicitarios, neón y objetos de consumo. En este poema épico hace de la luz, de todo tipo de luces, la antítesis de las tinieblas somocistas. El monje trapense, que llegó a ser ministro de Cultura, espera que esa mañana del 18 de julio de 1979, con el triunfo de la Revolución Sandinista, el pueblo pueda salir del oscurantismo y conquistar el progreso. La modernidad es simbolizada por la solidez de los materiales de construcción y por las conquistas técnicas e industriales (metales, aviones y buques). La Vía Láctea, la luna, el sol y las estrellas son testigos esperanzadores del despertar de Nicaragua.

LUCES

Aquel vuelo clandestino de noche.
Con peligro de ser derribados. La noche serena.
El cielo lleno, llenísimo de estrellas. La Vía Láctea
clarísima tras el grueso vidrio de la ventanilla,
masa blancuzca y rutilante en la noche negra
con sus millones de procesos de evoluciones y revoluciones.
Íbamos sobre el mar para evitar la aviación somocista,
pero cerca de la costa.
El pequeño avión volando bajo, y volando lento.
Primero las luces de Rivas, tomada y retomada
por los sandinistas,
ahora a medias en poder de los sandinistas.
Después otras luces: Granada, en poder de la Guardia
(sería atacada esa noche).
Masaya, totalmente liberada. Tantos cayeron allí.
Más allá un resplandor: Managua. Lugar de tantos
combates.
(El Bunker). Todavía el bastión de la Guardia.
Diriamba, liberada. Jinotepe, con combates.
Tanto heroísmo
relumbra en esas luces. Montelimar
–nos señala el piloto-:
la hacienda del tirano junto al mar.
Al lado, Puerto Somoza.
La Vía Láctea arriba, y las luces de la revolución
de Nicaragua.
Me parece mirar más lejos, en el norte,
la fogata de Sandino.
(«Aquella luz es Sandino»).
Las estrellas sobre nosotros, y la pequeñez de esta tierra
pero también la importancia de ella, de estas
pequeñitas luces de los hombres. Pienso: todo es luz.
El planeta viene del sol. Es luz hecha sólida.
La electricidad de este avión es luz. El metal es luz.
El calor de
la vida viene del sol.
«Hágase la luz».
También están las tinieblas.
Hay extraños reflejos –no sé de dónde vienen– en
la superficie transparente de las ventanillas.

Una luminosidad roja: las luces de la cola del avión.
Y reflejos en el mar tranquilo: serán las estrellas.
Miro la lucecita de mi cigarrillo –también viene del sol
de una estrella.
Y la silueta de un barco grande.
¿El portavión de los EE.UU.
enviado a patrullar la costa del Pacífico?
Una gran luz a la derecha nos sobresalta.
¿Un jet contra nosotros?
No. La luna que sale, media luna, serenísima,
iluminada por el sol.
El peligro de ir volando en una noche tan clara.
Y el radio de pronto.
Palabras confusas llenando el pequeño avión.
¿La Guardia? El piloto dice: «Son los nuestros».
Esas ondas son de nosotros.
Ya estamos cerca de León, el territorio liberado.
Una intensa luz rojo-anaranjada, como la brasa de un puro:
Corinto:
la potente iluminación de los muelles rielando en el mar.
Y ahora ya la playa de Poneloya, y el avión
entrando a tierra,
el cordón de espuma de la costa radiante bajo la luna.
El avión bajando. Un olor a insecticida.
Y me dice Sergio: «¡El olor de Nicaragua!».
Es el momento de mayor peligro, la aviación enemiga
puede estar esperándonos sobre este aeropuerto.
Y ya las luces del aeropuerto.
Estamos en tierra. Salen de la oscuridad
los compas verde-olivo
a abrazarnos.
Sentimos sus cuerpos calientes,que también vienen del sol,
que también son sol.
Es contra las tinieblas esta revolución.
Era la madrugada del 18 de julio. Y el comienzo
de todo lo que estaba por venir.

ERNESTO CARDENAL, *Tocar el cielo.* (1978). Loguez Ed., Salamanca, 1981. P. 24.

Una sola debe ser la patria de todos los americanos.

SIMÓN BOLÍVAR

Ínclitas razas ubérrimas, sangre de Hispania fecunda.

RUBÉN DARÍO

Todo estaba lleno de muerte
y sobre la agonía arrasada
de sus hijos desventurados,
en el territorio (roído
hasta los huesos por las ratas),
se sujetaban las entrañas
antes de matar y de matarse.

PABLO NERUDA

Pienso que lo latinoamericano es lo no norteamericano o no estadounidense, porque México es América del Norte también.

MARIO BENEDETTI

nosotros, luchamos con entidades imaginarias, vestigios del pasado o fantasmas engendrados por nosotros mismos.

OCTAVIO PAZ

Pese a todos los problemas Iberoamérica es un espacio abierto, es lo abierto en un mundo harto de su propia decadencia.

ABEL POSSE

...aunque el pesimismo parezca ser una actitud más realista que el optimismo para encarar el futuro inmediato de América Latina, esto de ninguna forma significa resignarse y alzar los brazos, sino seguir batallando...

MARIO VARGAS LLOSA

Aunque [en la última década] el despertar ha sido desigual y el proceso de crecimiento apenas embrionario, todo parece indicar que Hispanoamérica acierta por fin a discernir en provecho propio el curso de la historia occidental.

ENRIQUE KRAUZE

Lo Cortés no quita lo Cuauhtémoc.

JOSÉ BERGAMÍN

15. LA HORA DE AMÉRICA

En el siglo XX, la América Hispana busca agitadamente su identidad y se debate ante múltiples alternativas. El reto del futuro, el progreso, la vuelta al pasado y exacerbados nacionalismos han sido banderas de grandes y pequeños poetas; el achacar todos los males a pretéritos y actuales invasores ha desembocado a menudo en un improductivo y contagioso lamento; también el estudio de la historia y de sus componentes sociológicos ha servido para evaluar el pasado, perfilar las claves de su destino y estimular la vocación americana.

Ya a partir del movimiento independentista, mentes lúcidas lucharon por rescatar la singularidad latinoamericana y crear una ilusión sobre el porvenir de su continente: América, «nuestra América», consciente y orgullosa de sus peculiaridades –rezaba el discurso americanista de entreguerras– debe acometer una tarea común, afrontar el mañana con trabajo y gallardía, y buscar *el perfeccionamiento constante*. Pero el desencanto y el vacío de la Europa de la Postguerra habrían de llegar también a Iberoamérica. Durante varias décadas, las *décadas perdidas*, sólo voces aisladas mantuvieron la fe y la esperanza en los valores del hombre americano y en el potencial del Nuevo Mundo. La mayoría de los autores, reacios a ver en los propios errores la causa de una realidad a menudo dolorosa, cayeron en la crítica destructiva, el populismo panfletario o el victimismo infecundo. Muchos, desencantados, pasaron a considerar a Latinoamerica como una grey de «estirpes condenadas a vivir cien años de soledad» que esperan se les conceda desde el exterior «una segunda oportunidad sobre la Tierra»

Sin embargo, a finales de los años ochenta se observa un cambio de actitud que curiosamente coincide con la caída de la mayoría de las dictaduras y con el debilitamiento de largas luchas fratricidas. Hoy los grandes pensadores convienen en apuntalar la sincera búsqueda de la identidad iberoamericana, fomentar un riguroso análisis del pasado y solucionar conjuntamente aquellos problemas que pudieran parecer endémicos.

En este capítulo final se recogen, a modo de epílogo, textos sobre el futuro de América de algunos autores del siglo XX. Se destaca de forma especial el mensaje de los que desde principios de siglo, empeñándose en despertar la conciencia del ser americano, promueven la fe en la diversidad étnica y estudian las raíces históricas y culturales a la búsqueda de factores de identificación. Sin esperar a que desaparezcan los fantasmas de explotadores foráneos, resucitan las grandezas del pasado precolombino, reconocen los aspectos positivos del legado hispánico y potencian la identificación colectiva de indios, negros, mestizos y criollos; sólo así, consideran, los pueblos hispanoamericanos podrán ocupar el papel que les corresponde en la Historia. Convencidos de que la unión hace la fuerza, fomentan la unidad espiritual y política de Iberoamérica; ven en esta unión, propiciada por la vecindad y una lengua común, su posibilidad creadora y promueven la fe en el potencial del mestizaje sanguíneo y cultural. Infatigables, proclaman con Alfonso Reyes, que *ha llegado la hora de América.*

El sueño americano de Vasconcelos se basa en la *quinta raza*, síntesis de la roja, negra, blanca y amarilla. La complejidad étnica hace que esta estirpe americana, fusión de las sangres que forjaron la Historia, sea más universal, abierta y tolerante, rasgos que la consagran depositaria de los anhelos de la Humanidad. Las expectativas del mexicano sobre América fueron tan apasionadas como su juvenil defensa de la Revolución. Rector de la Universidad de México recorrió Iberoamérica proclamando su mensaje, mesiánico y *ciceroniano:* el sueño unitario de Bolívar debe hacerse realidad. Una vez Secretario de Educación del Gobierno Revolucionario, Vasconcelos, preocupado por la filosofía y la estética, intentó plasmar sus ideales en el terreno artístico, favoreciendo la arquitectura y la pintura mural indigenista.

LA SUPERACIÓN DE TODAS LAS ESTIRPES

Ellos [los sajones] no tienen en la mente el lastre ciceroniano de la fraseología, ni en la sangre los instintos contradictorios de la mezcla de razas disímiles; pero *cometieron el pecado de destruir esas razas, en tanto que nosotros las asimilamos, y esto nos da derechos nuevos y esperanzas de una misión sin precedente en la Historia.*

De aquí que los tropiezos adversos no nos inclinen a claudicar; vagamente sentimos que han de servirnos para descubrir nuestra ruta. Precisamente, en las diferencias encontramos el camino; si no más* imitamos, perdemos; si descubrimos, si creamos, triunfaremos. La ventaja de nuestra tradición es que posee mayor facilidad de simpatía con los extraños. Esto implica que nuestra civilización, con todos sus defectos, puede ser la elegida para asimilar y convertir a un nuevo tipo a todos los hombres. En ella se prepara de esta suerte la trama, el múltiple y rico plasma de la Humanidad futura. Comienza a advertirse este mandato de la Historia en esa abundancia de amor que permitió a los españoles crear una raza nueva con el indio y con el negro; prodigando la estirpe blanca a través del soldado que engendraba familia indígena y la cultura de Occidente por medio de la doctrina y el ejemplo de los misioneros que pusieron al indio en condiciones de penetrar en la nueva etapa, la etapa del mundo Uno. La colonización española creó mestizaje; esto señala su carácter, fija su responsabilidad y define su porvenir. El inglés siguió cruzándose sólo con el blanco, y exterminó al indígena; lo sigue exterminando en la sorda lucha económica, más eficaz que la conquista armada. [...] El objeto del continente nuevo y antiguo es mucho más importante. Su predestinación obedece al designio de constituir la cuna de una raza quinta en la que se fundirán todos los pueblos, para reemplazar a las cuatro que aisladamente han venido forjando la Historia. En el suelo de América hallará término la dispersión, allí se consumará la unidad por el triunfo del amor fecundo, y la superación de todas las estirpes.

Y se engendrará de tal suerte el tipo síntesis que ha de juntar los tesoros de la Historia, para dar expresión al anhelo total del mundo.

Los pueblos llamados latinos, por haber sido más fieles a su misión divina de América, son los llamados a consumarla. Y tal fidelidad al oculto designio es la garantía de nuestro triunfo.

En el mismo período caótico de la Independencia, que tantas censuras merece, se advierten, sin embargo, vislumbres de ese afán de universalidad que ya anuncia el deseo de fundir lo humano en un tipo universal y sintético. Desde luego, Bolívar, en parte porque se dio cuenta del peligro en que caíamos, repartidos en nacionalidades aisladas, y también por su don de profecía, formuló aquel plan de federación iberoamericana que ciertos necios todavía hoy discuten.

Y si los demás caudillos de la independencia latinoamericana, en general, no tuvieron un concepto claro del futuro, si es verdad que, llevados del provincialismo, que hoy llamamos patriotismo, o de la limitación, que hoy se titula soberanía nacional, cada uno se preocupó no más que de la suerte inmediata de su propio pueblo, también es sorprendente observar que casi todos se sintieron animados de un sentimiento humano universal que coincide con el destino que hoy asignamos al continente iberoamericano.[...]

De tal suerte se hizo en el bando latino lo que nadie ni pensó hacer en el continente sajón. Allí siguió imperando la tesis contraria, el propósito confesado o tácito de limpiar la tierra de indios, mogoles y negros, para mayor gloria y ventura del blanco. En realidad, desde aquella época quedaron bien definidos los sistemas que, perdurando hasta la fecha, colocan en campos sociológicos opuestos a las dos civilizaciones: la que quiere el predominio exclusivo del blanco, y la que está formando una raza nueva, raza de síntesis, que aspira a englobar y expresar todo lo humano en maneras de constante superación. Si fuese menester aducir pruebas, bastaría observar la mezcla creciente y espontánea que en todo el continente latino se opera entre todos los pueblos, y por la otra parte, la línea inflexible que separa al negro del blanco en los Estados Unidos, y las leyes, cada vez más rigurosas, para la exclusión de los japoneses y chinos de California.

Los llamados latinos, tal vez porque desde un principio no son propiamente tales latinos, sino un conglomerado de tipos y razas, persisten en no tomar muy en cuenta el factor étnico para sus relaciones sexuales. Sean cuales fueren las opiniones que a este respecto se emitan, y aun la repugnancia que el prejuicio nos causa, lo cierto es que se ha producido y se sigue consumando la mezcla de sangres. Y es en esta fusión de estirpes donde debemos buscar el rasgo fundamental de la idiosincrasia iberoamericana. [...]

Para expresar todas estas ideas que hoy procuro exponer en rápida síntesis, hace algunos años, cuando todavía no se hallaban bien definidas, procuré darles signo en el nuevo Palacio de la Educación Pública de México. Sin elementos bastantes para hacer exactamente lo que deseaba, tuve que conformarme con una construcción renacentista española, de dos patios, con arquerías y pasarelas, que tienen algo de la impresión de un ala. En los tableros de los cuatro ángulos del patio anterior hice labrar alegorías de España, de México, Grecia y la India, las cuatro civilizaciones particulares que más tienen que contribuir a la formación de la América Latina. En seguida, debajo de estas cuatro alegorías, debieron levantarse cuatro grandes estatuas de piedra de las cuatro grandes razas contemporáneas: la Blanca, la Roja, la Negra y la Amarilla, para indicar que la América es hogar de todas, y de todas necesita. Finalmente, en el centro debía erigirse un monumento que en alguna forma simbolizara la ley de los tres estados: el material, el intelectual y el estético. Todo para indicar que, mediante el ejercicio de la triple ley, llegaremos en América, antes que en parte alguna del globo, a la creación de una raza hecha con el tesoro de todas las anteriores, la raza final, la raza cósmica.

JOSÉ VASCONCELOS, *La raza cósmica.* (1925). Espasa Calpe Mexicana, Col. Austral, México, 1992. Pp. 26-29 y 52-53.

Cuando habla de América, García Márquez se debate entre la utopía y la desesperanza. Presentamos el final del bello discurso que pronunció en Estocolmo al recibir el Premio Nobel de Literatura. Después de describir con sugestivas imágenes la triste realidad continental, pasa a culpar a «la Europa venerable» de la soledad de América Latina; en medio de grandes contradicciones pide respaldo y solidaridad para lograr la independencia política y el cambio social con criterios autóctonos. Concluye su vibrante llamamiento con una confesión de fe en las posibilidades de vida, amor y libertad que tienen aún los pueblos americanos, *estirpes condenadas a cien años de soledad.*

INJUSTICIAS SECULARES Y AMARGURAS SIN CUENTO

Me atrevo a pensar que es esta realidad descomunal [la de América Latina], y no sólo su expresión literaria, la que este año ha merecido la atención de la Academia Sueca de las Letras. Una realidad que no es la del papel, sino que vive con nosotros y determina cada instante de nuestras incontables muertes cotidianas, y que sustenta un manantial de creación insaciable, pleno de desdicha y de belleza, del cual este colombiano errante y nostálgico no es más que una cifra más señalada por la suerte. Poetas y mendigos, músicos y profetas, guerreros y malandrines, todas las criaturas de aquella realidad desaforada hemos tenido que pedirle muy poco a la imaginación, porque el desafío mayor para nosotros ha sido la insuficiencia de los recursos convencionales para hacer creíble nuestra vida. Este es, amigos, el nudo de nuestra soledad.

Pues si estas dificultades nos entorpecen a nosotros, que somos su esencia, no es difícil entender que los talentos racionales de este lado del mundo, extasiados en la contemplación de sus propias culturas, se hayan quedado sin un método válido para interpretarnos. Es comprensible que insistan en medirnos con la misma vara con que se miden a sí mismos, sin recordar que los estragos de la vida no son iguales para todos, y que la búsqueda de la identidad propia es tan ardua y sangrienta para nosotros como lo fue para ellos. La interpretación de nuestra realidad con esquemas ajenos sólo contribuye a hacernos cada vez más desconocidos, cada vez menos libres, cada vez más solitarios. [...]

Pero creo que los europeos de espíritu clarificador, los que luchan también aquí por una patria grande más humana y más justa, podrían ayudarnos lejos [sic] si revisaran a fondo su manera de vernos. La solidaridad con nuestros sueños no nos hará sentir menos solos, mientras no se concrete con actos de respaldo legítimo a los pueblos que asuman la ilusión de tener una vida propia en el reparto del mundo.

América Latina no quiere ni tiene por qué ser un alfil sin albedrío ni tiene nada de quimérico que sus designios de independencia y originalidad se conviertan en una aspiración occidental. No obstante, los progresos de la navegación, que han reducido tantas distancias entre nuestras américas y Europa, parecen haber aumentado en cambio nuestra distancia cultural. ¿Por qué la originalidad que se nos admite sin reservas en la literatura se nos niega con toda clase de suspicacias en nuestras tentativas tan difíciles de cambio social? ¿Por qué pensar que la justicia social que los europeos de avanzada tratan de imponer en sus países no puede ser también un objetivo latinoamericano con métodos distintos en condiciones diferentes? No: la violencia y el dolor desmesurados de nuestra historia son el resultado de injusticias seculares y amarguras sin cuento, y no una confabulación urdida a 3.000 leguas de nuestra casa. Pero muchos dirigentes y pensadores europeos lo han creído, con el infantilismo de los abuelos que olvidaron las locuras fructíferas de su juventud, como si no fuera posible otro destino que vivir a merced de los dos grandes dueños del mundo. Este es, amigos, el tamaño de nuestra soledad.

Sin embargo, frente a la opresión, el saqueo y el abandono, nuestra respuesta es la vida. Ni los diluvios ni las pestes, ni las hambrunas ni los cataclismos, ni siquiera las guerras eternas a través de los siglos y los siglos han conseguido reducir la ventaja tenaz de la vida sobre la muerte. Una ventaja que aumenta y se acelera: cada año hay 74 millones más de nacimientos que de defunciones, una cantidad de vivos nuevos como aumentar siete veces cada año la población de Nueva York. La mayoría de ellos nacen en los países con menos recursos, y entre éstos, por supuesto, los de América Latina. En cambio, los países más prósperos han logrado acumular suficiente poder de destrucción como para aniquilar cien veces no sólo a todos los seres humanos que han existido hasta hoy, sino la totalidad de los seres vivos que han pasado por este planeta de infortunios.

Un día como el de hoy, mi maestro William Faulkner dijo en este lugar: «Me niego a admitir el fin del hombre». No me sentiría digno de ocupar este sitio que fue suyo si no tuviera la conciencia plena de que, por primera vez desde los orígenes de la humanidad, el desastre colosal que él se negaba a admitir hace 32 años, es ahora nada más que una simple posibilidad científica. Ante esta realidad sobrecogedora que a través de todo el tiempo humano debió de parecer una utopía, los inventores de fábulas, que todo lo creemos, nos sentimos con el derecho de creer que todavía no es demasiado tarde para emprender la creación de la utopía contraria. Una nueva y arrasadora utopía de la vida, donde nadie pueda decidir por otros hasta la forma de morir, donde de veras sea cierto el amor y sea posible la felicidad, y donde las estirpes condenadas a cien años de soledad tengan por fin y para siempre una segunda oportunidad sobre la Tierra.

GABRIEL GARCÍA MÁRQUEZ, *La soledad de América Latina.* (1982). El País, Madrid, 22 de octubre de 1982.

Estudioso de los clásicos, Henríquez Ureña recorre América con un discurso esperanzador. Considera que el Nuevo Mundo es sueño y prolongación de la civilización grecolatina y que, por tanto, tiene que vivir su propia utopía. Ésta, al estilo helénico, debe realizarse sobre bases humanas y espirituales, fomentar la crítica y la justicia social y comprometer, como la utopía clásica, al *perfeccionamiento constante.* De esta forma, el hombre americano se verá enriquecido por valores universales y podrá proyectarse hacia el futuro. La llamada del incansable humanista va dirigida a todos los pueblos de la América Española. Argumenta el dominicano que ya que cuentan con un legado común, deberían unirse, sin renunciar a aspectos genuinos de cada nacionalidad, para lograr culminar el sueño de la «magna patria».

AVANCEMOS HACIA NUESTRA UTOPÍA

Cuatro siglos de vida hispánica han dado a nuestra América rasgos que la distinguen.

La unidad de su historia, la unidad de propósitos en la vida política y en la intelectual, hacen de nuestra América una entidad, una «magna patria», una agrupación de pueblos destinados a unirse cada día más y más. Si conserváramos aquella infantil audacia con que nuestros antepasados llamaban Atenas a cualquier ciudad de América, no vacilaría yo en compararnos con los pueblos, políticamente disgregados pero espiritualmente unidos, de la Grecia clásica y de la Italia del Renacimiento. Pero si me atreveré a compararnos con ellos para que aprendamos de su ejemplo, que la desunión es el desastre.

Nuestra América debe afirmar la fe en su destino, en el porvenir de la civilización. Para mantenerlo no me fundo, desde luego, en el desarrollo presente o futuro de las riquezas materiales[...]

Me fundo sólo en el hecho de que, en cada una de nuestras crisis de civilización, es el espíritu quien nos ha salvado, luchando contra elementos en apariencia más poderosos; el espíritu solo, y no la fuerza militar o el poder económico. En uno de sus momentos de mayor decepción, dijo Bolívar que si fuera posible para los pueblos volver al caos, los de América Latina volverían a él.[...]

Si el espíritu ha triunfado, en nuestra América, sobre la barbarie interior, no cabe temer que lo rinda la barbarie de afuera. No nos deslumbre el poder ajeno: el poder es siempre efímero. Ensanchemos el campo espiritual: demos el alfabeto a todos los hombres; demos a cada uno los instrumentos mejores para trabajar en bien de todos; esforcémonos por acercarnos a la justicia social y a la libertad verdadera; avancemos, en fin, hacia nuestra utopía.

¿Hacia la utopía? Sí; hay que ennoblecer nuevamente la idea clásica. La utopía no es vano juego de imaginaciones pueriles: es una de las magnas creaciones espirituales del Mediterráneo, nuestro gran mar antecesor. El pueblo griego da al mundo occidental la inquietud del perfeccionamiento constante. Cuando descubre que el hombre puede individualmente ser mejor de lo que es y socialmente vivir mejor de como vive, no descansa para averiguar el secreto de toda mejora, de toda perfección. Juzga y compara; busca y experimenta sin descanso; no le arredra la necesidad de tocar a la religión y a la leyenda, a la fábrica social y a los sistemas políticos. Es el pueblo que inventa la discusión; que inventa la crítica. Mira al pasado, y crea la historia; mira al futuro, y crea las utopías.[...]

Hoy, en medio del formidable desconcierto en que se agita la humanidad, sólo una luz unifica a muchos espíritus: la luz de una utopía, reducida, es verdad, a simples soluciones económicas por el momento, pero utopía al fin, donde se vislumbra la única esperanza de paz entre el infierno social que atravesamos todos.

¿Cual sería, pues, nuestro papel en estas cosas? Devolverle a la utopía sus caracteres plenamente humanos y espirituales, esforzarnos por que el intento de reforma social y justicia económica no sea el límite de las aspiraciones; procurar que la desaparición de las tiranías económicas concuerde con la libertad perfecta del hombre individual y social, cuyas normas únicas, después del «neminem laedere», sean la razón y el sentido estético. Dentro de nuestra utopía, el hombre deberá llegar a ser plenamente humano, dejando atrás los estorbos de la absurda organización económica en que estamos prisioneros y el lastre de los prejuicios morales y sociales que ahogan la vida espontánea; a ser, a través del franco ejercicio de la inteligencia y de la sensibilidad, el hombre libre, abierto a los cuatro vientos del espíritu.

¿Y cómo se concilia esta utopía, destinada a favorecer la definitiva aparición del hombre universal, con el nacionalismo antes predicado, nacionalismo de jícaras* y poemas, es verdad, pero nacionalismo al fin? No es difícil la conciliación:

antes al contrario, es natural. El hombre universal con que soñamos, a que aspira nuestra América, no será descastado: sabrá gustar de todo, apreciar todos los matices, pero será de su tierra; su tierra, y no la ajena, le dará el gusto intenso de los sabores nativos, y esa será su mejor preparación para gustar de todo lo que tenga sabor genuino, carácter propio. La universalidad no es el descastamiento: en el mundo de la utopía no deberán desaparecer las diferencias de carácter que nacen del clima, de la lengua, de las tradiciones, pero todas estas diferencias, en vez de significar división y discordancia, deberán combinarse como matices diversos de la unidad humana. Nunca la uniformidad, ideal de imperialismos estériles; sí la unidad, como armonía de las multánimes voces de los pueblos.

Y por eso, así como esperamos que nuestra América se aproxime a la creación del hombre universal, por cuyos labios hable libremente el espíritu, libre de estorbos, libre de prejuicios, esperamos que toda América, y cada región de América, conserve y perfeccione todas sus actividades de carácter original, sobre todo en las artes: las literarias, en que nuestra originalidad se afirma cada día; las plásticas, tanto las mayores como las menores, en que poseemos el doble tesoro, variable según las regiones, de la tradición española y de la tradición indígena, fundidas ya en corrientes nuevas; y las musicales, en que nuestra insuperable creación popular aguarda a los hombres de genio que sepan extraer de ella todo un sistema nuevo que será maravilla del futuro.

Y sobre todo, como símbolos de nuestra civilización para unir y sintetizar las dos tendencias, para conservarlas en equilibrio y armonía, esperemos que nuestra América siga produciendo lo que es acaso su más alta característica: los hombres magistrales, héroes verdaderos de nuestra vida moderna, verbo de nuestro espíritu y creadores de vida espiritual.

PEDRO HENRÍQUEZ UREÑA, *Obras completas*: «La utopía de América». (1925). Universidad Nacional Pedro Henríquez Ureña, Santo Domingo, 1976. Vol. V, Pp. 235-238.

Uslar Pietri, novelista precursor del realismo mágico, también ha profundizado en la historia de los acontecimientos y de las ideas. Su americanismo toma el relevo conceptual de Vasconcelos, Reyes y Henríquez Ureña. Aquí deja patente su fe en el mestizaje e insiste en que, unidos por la sangre y por la lengua española, los ciudadanos del Nuevo Mundo ocuparán un gran lugar en la Historia y en el mundo de la cultura. Se realizará así, nos dice en 1969, la plenitud de la vocación americana. En el campo de las Letras su esperanza se haría realidad, ya que negros, indios, mestizos y criollos habrían de asombrar al mundo con el llamado *Boom* Hispanoamericano. Sin embargo, los anhelos del venezolano no han sido plenamente saciados y en sus ensayos sigue hoy clamando por una mayor cohesión para culminar el proceso creador del mestizaje americano.

EL MESTIZAJE CULTURAL

Por un absurdo y antihistórico concepto de pureza, los hispanoamericanos han tendido a mirar como una marca de inferioridad la condición de su mestizaje. Han llegado a creer que no hay otro mestizaje que el de la sangre y se han inhibido en buena parte para mirar y comprender lo más valioso y original de su propia condición.

Se miró al mestizaje como un indeseable rasgo de inferioridad. Se estaba bajo la influencia de las ideas de superioridad racial, que empezaron a aparecer en Europa desde el siglo XVIII y se afirmaron en el XIX con Gobineau, que dieron nacimiento a toda aquella banal literatura sobre la supremacía de los anglosajones y sobre la misión providencial y el fardo histórico del hombre blanco encargado de civilizar, dirigir y encaminar a sus inferiores hermanos de color. Se creó una especie de complejo de inferioridad y de pudor biológico ante el hecho del mestizaje sanguíneo. Se quería ocultar la huella de la sangre mezclada o hacerla olvidar ante los europeos, olvidándonos de que Europa era el fruto de las más increíbles mezcolanzas y de que el mestizaje de sangre podía ser un efecto, pero estaba lejos de ser la única causa ni la única forma del mestizaje cultural. Lo verdaderamente importante y significativo fue el encuentro de hombres de distintas culturas en el sorprendente escenario de la América. Ése y no otro es el hecho definidor del Nuevo Mundo.

Es claro que en el hacer de América hubo mestizaje sanguíneo, amplio y continuo. Se mezclaron los españoles y portugueses con los indios y los negros. Esto tiene su innegable importancia desde el punto de vista antropológico y muy favorables aspectos desde el punto de vista político, pero el gran proceso creador del mestizaje americano no estuvo ni puede estar limitado al mero mestizaje sanguíneo. El mestizaje sanguíneo pudo ayudar a ello, en determinados tiempos y regiones, pero sería cerrar los ojos a lo más fecundo y característico de la realidad histórica y cultural, hablar del mestizaje americano como de un fenómeno racial limitado a ciertos países, clases sociales o épocas.

En el encuentro de españoles e indígenas hubo propósitos manifiestos que quedaron frustrados o adulterados por la historia. Los indígenas, en particular los de más alto grado de civilización, trataron de preservar y defender su existencia y su mundo. Su propósito obvio no era otro que expeler al invasor y mantener inalterado el sistema social y la cultura que les eran propios y levantar un muro alto y aislante contra la invasión europea. Si este propósito hubiera podido prosperar, contra toda la realidad del momento, América se hubiera convertido en una suerte de inmenso Tibet. Por su parte, los españoles traían la decisión de convertir al indio en un cristiano de Castilla, en un labrador del Viejo Mundo, absorbido e incorporado totalmente en lengua, creencia, costumbres y mentalidad, para convertir a América en una descomunal Nueva España. Tampoco lo lograron. La crónica de la población recoge los fallidos esfuerzos, los desesperanzados fracasos de esa tentativa imposible.[...]

Lo que vino a realizarse en América no fue ni la permanencia del mundo indígena, ni la prolongación de Europa. Lo que ocurrió fue otra cosa y por eso fue Nuevo Mundo desde el comienzo. El mestizaje comenzó de inmediato por la lengua, por la cocina, por las costumbres. Entraron las nuevas palabras, los nuevos alimentos, los nuevos usos.[...]

La gran época creadora del mestizaje en Europa ha terminado desde hace mucho tiempo. Los mitos de la superioridad racial, del pasado histórico, de la pureza de la herencia nacional actuaron como frenos y diques empobrecedores. Tal vez el romanticismo es la última tentativa mayor por volver a descubrir la veta del mestizaje cultural. En las artes plásticas, acaso los cubistas, con su importación de la escultura negra, intentaron la aventura de sacar el arte de Occidente del camino de abstracción y de pureza al que fatalmente iba a caer.

En cambio, la América Hispana es tal vez la única gran zona abierta en el mundo actual al proceso del mestizaje cultural creador. En lugar de mirar esa característica extraordinaria como una marca de atraso o de inferioridad, hay que considerarla como la más afortunada y favorable circunstancia para que se afirme y extienda la vocación de Nuevo Mundo que ha estado asociada desde el inicio al destino americano.

Es sobre la base de ese mestizaje fecundo y poderoso donde puede afirmarse la personalidad de la América Hispana, su originalidad y su tarea creadora. Con todo lo que le llega del pasado y del presente, puede la América Hispana definir un nuevo tiempo, un nuevo rumbo y un nuevo lenguaje para la expresión del hombre, sin forzar ni adulterar lo más constante y valioso de su ser colectivo que es su aptitud para el mestizaje viviente y creador.

Está ella ahora abierta y lista para recibir y transformar en una gran tentativa de unidad y síntesis el presente vivo de sus múltiples herencias y para realizar, en la víspera del siglo XXI, una hazaña de renovación y renacimiento cultural similar al que en su tiempo hizo Roma o hizo Occidente.

Su vocación y su oportunidad es la de realizar la nueva etapa de mestizaje cultural que va a ser la de su hora en la historia de la cultura. Todo lo que se aparte de eso será desviar a la América Latina de su vía natural y negarle su destino manifiesto, que no es otro que el de realizar en plenitud la promesa de los Garcilaso, de los Bolívar, de los Darío, de los constructores de catedrales, para la obra de un Nuevo Mundo.

ARTURO USLAR PIETRI, *En busca del Nuevo Mundo.* (1969). Fondo de Cultura Económica, Col. Popular, México, 1969. Pp. 13-15 y 25-26.

Poeta del aire de Anahuac y admirador del potencial humano del indígena, Alfonso Reyes busca en el mundo clásico y renacentista claves históricas y filosóficas que sustenten, desde un punto de vista racional, su desmesurado amor y confianza por «nuestra América». Su diáfana visión del futuro continental reúne así ingredientes afectivos e intelectuales (éticos, estéticos y metafísicos). Durante sus frecuentes viajes, difundió con prodigiosa capacidad integradora, un optimista magisterio que incluía el llamamiento a un esfuerzo, doloroso y exigente, para poder llevar a cabo el destino del Continente. América, que había sido soñada por el Viejo Mundo, nos dice Reyes, si potencia sus peculiaridades, alcanzará su plenitud y contribuirá a lograr la plenitud universal. Entre sus ilusionantes expectativas, el fundador de los *Cuadernos Americanos* pone especial esmero en destacar las amplias posibilidades de las Letras Hispanoamericanas que, según él, habrían de alcanzar su punto álgido al integrar armoniosamente elementos autóctonos y universales. Reproducimos fragmentos de dos de sus ensayos, parte de su fecunda labor americanista.

LA MADUREZ AMERICANA

I. 21. *El destino de América*

Ya tenemos descubierta a América. ¿Qué haremos con América? Comienza la inserción del espíritu: a la Cruzada Medieval sucede la Cruzada de América. A partir de este instante, el destino de América –cualesquiera sean las contingencias y los errores de la historia– comienza a definirse a los ojos de la humanidad como posible campo donde realizar una justicia más igual, una libertad mejor entendida, una felicidad más completa y mejor repartida entre los hombres, una soñada república, una Utopía. América se anuncia con fuertes toques de clarín a la mente de los más altos europeos. ¡Qué primavera de sueños! En cuanto América asoma la cabeza como la nereida en la égloga marina, la librería registra una producción casi viciosa de narraciones utópicas. Los humanistas resucitan el estilo de la novela política, a la manera de Platón, y empiezan, con los ojos puestos en el Nuevo Mundo, a idear una humanidad más dichosa. Los dogmatismos se quiebran ante el espectáculo de las nuevas costumbres. Se concibe la posibilidad de otras civilizaciones más fieles a la tierra; y el «filósofo desnudo» de Pedro Mártir prepara ya al «buen salvaje» de Rousseau, tan lleno de virtud natural como están naturalmente llenos de miel los frutos del suelo. El exotismo americano –que Chinard, Dermenghem y otros han estudiado cuidadosamente– da nueva sazón a las literaturas. A diferencia del exotismo oriental, que fue puramente pintoresco o estético, este exotismo americano lleva una intención política y moral; es decir, que la literatura quiere comprobar, con el espectáculo de América, una imagen propuesta *a priori*: la Edad de Oro de los antiguos, el estado de inocencia natural, sin querer darse por entendida de lo que había de herético en esta noción. ¿Quién, entre los más nobles maestros del pensamiento europeo, pudo escapar al deslumbramiento? Adviértase la huella en Erasmo, en Tomás Moro, Rabelais, Montaigne, el Tasso, Bacon y Tomás Campanella. Si Juan Ponce de León delira por encontrar la surgente de la juventud eterna en la Florida, los filósofos piden al Nuevo Mundo un estímulo para el perfeccionamiento político de los pueblos. Tal es la verdadera tradición del Continente, en que hay el deber de insistir.[...]

¡Qué radiante promesa, el Nuevo Mundo, para todos los descontentos y los reformadores! Mientras los mercaderes procuraban sus lucros, los apóstoles religiosos emprendían su obra de redención, y legiones de soñadores se movilizaban hacia la esperanza. América, puede decirse sin violencia, fue querida y descubierta (casi «inventada») como campo de operaciones para el desborde de los altos ímpetus quiméricos. Crearon, descubrieron a América los que tenían sed en el cuerpo o en el alma, los que necesitaban casas de oro para saciar su ansia de lujo, o conciencias libres donde sembrar e inculcar la idea de Dios y la idea del bien. Más tarde, América siguió siendo refugio del perseguido: ya es casa hospitalaria para religiones proscritas de hugonotes y puritanos, ya es tierra en que el ojo acusador da treguas a la regeneración de Caín.

Sobrevino la colonización europea. Durante unos siglos van a pesar sobre América los lentos procesos de la gestación, y entonces el ideal late dormido. Si la semilla cayó con el Descubrimiento, ahora, al canalizarse la energía espiritual en una administración de virreinatos, la semilla se calienta sordamente bajo la tierra. No está muerta: al contrario. A medida que las repúblicas se emancipan, el ideal se va despojando y definiendo, y se caracteriza por su universalidad. A lo largo del siglo XIX, los más ardientes utopistas –sean espiritualistas, socialistas o comunistas– tienden hacia el Nuevo Mundo como a un lugar de promisión, donde se realice la felicidad a que todos aspiran bajo diversos nombres. Hoy por hoy, el Continente se deja abarcar en una esperanza, y se ofrece a Europa como una reserva de humanidad. [...]

Concluyamos. Antes de ser descubierta, América era ya presentida en los sueños de la poesía y en los atisbos de la ciencia. A la necesidad de completar la figura geográfica respondía la necesidad de completar la figura política de la tierra. El rey de la fábula poseía la moneda rota: le faltaba el otro fragmento para descifrar la leyenda de sus destinos. Ora se hablaba, como en la Atlántida de Platón, de un continente desaparecido en el vértice de los océanos; ora, como en la Última Tule de Séneca, de un continente por aparecer más allá de los horizontes marinos. Antes de dejarse sentir por su presencia, América se dejaba sentir por su ausencia. En el lenguaje de la filosofía presocrática, digamos que el mundo, sin América, era un caso de desequilibrio en los elementos, de extralimitación, de *hybris*, de injusticia. América, por algún tiempo, parecía huir frente a la quilla de los fascinados exploradores.

X. *Ciencia social y deber social*

¡Quién sabe! América está esperando su hora y sintiéndola prefigurarse en los vaivenes del mundo. Algo prematuramente es llamada a su alto deber, su deber de continuadora de civilizaciones; pero alguna vez había que empezar y más vale pronto que tarde. En duro momento es convocada América a realizar su misión, pero todos los pueblos señalados para proseguir la historia lo fueron igualmente a causa de un desastre. El vuelo comienza contra el viento, no a favor del viento. La paloma de Kant se remonta gracias al obstáculo.

No hay tiempo de preguntarnos ya si estamos maduros para recoger la herencia de una cultura y transportarla definitivamente a nuestros cauces; para así, salvando la herencia, salvarnos de paso de nosotros mismos. Al fin y a la postre, sin conciencia de la responsabilidad el adolescente no se transforma en hombre. Basta que sintamos la responsabilidad y que abriguemos en nuestro pecho la voluntad de responder al destino. Este querer es sin duda el impulso determinante de la madurez que ya nos reclama. En cierto modo, la catástrofe europea ha venido a ser un aviso providencial que nos despierta de la infancia. Entre las ruinas se columbra, así, nuestro sino de creación positiva. Los peligros esclarecen la conciencia de las culturas. Hijos de la cultura europea, nuestros países, a través de sacudimientos, han ido revelándose a sí propios su autenticidad histórica, y hoy por hoy podemos ya decir que nuestra América no quiere imitar, sino que aplica las técnicas adquiridas de Europa a la investigación de los fenómenos propios, lo cual, al mismo tiempo, le va revelando la posibilidad de nuevas técnicas americanas. Y ésta es la operación en que nuestra ciencia debe insistir ante los sucesos mundiales. Es innegable que tales sucesos nos perturban. Posible es que alcancen a perturbarnos todavía más. Pero no creo que nos arrastren necesariamente hasta impedir lo que hemos llamado la madurez americana. !Al contrario! Hay que decirse y repetirse que ha llegado el momento. ¡Ahora o nunca!

ALFONSO REYES, *Obras completas:* «Última Tule». (1942). Fondo de Cultura Económica. Col. Letras mexicanas, México, D.F. 1960. Vol. XI, Pp. 57-61 y 114-115.

Biobibliografía

Alegría, Ciro (Sartibamba, Perú, 1909-Lima, 1967)

Presenta una visión idealista de la vida indígena. Encarcelado por su militancia política, desde la cárcel producirá su obras más importantes, apasionada defensa de la tierra y del indio. La civilización y el hombre blanco son para Alegría fuerzas destructoras que irrumpen en el paraíso idílico de la sierra y de la cuenca del Amazonas. *El mundo es ancho y ajeno* se desarrolla en los Andes, donde la Naturaleza comparte el protagonismo de la población indígena. La crítica social y política ocupan un lugar destacado en la novela. Además, hay que destacar *Los perros hambrientos*, obra más serena que también denuncia la agresión a la Naturaleza.

[1]**La serpiente de oro* (1935) es un canto a la vida primitiva y a la belleza sin par de la selva que bordea el río Marañón. Los indios que allí viven en contacto con la tierra son defendidos por Alegría con cierto maniqueísmo.

Allende, Isabel (Lima, 1942)

Novelista chilena, ha sabido recoger y desarrollar de forma personal las pautas del realismo mágico. Gran observadora de la realidad y de los mitos americanos, sus novelas y relatos han llegado al gran público y han sido llevados a la pantalla.

**La casa de los espíritus* (1982) constituye un gran mosaico de la vida chilena. Los acontecimientos fantásticos que acompañan a la familia patriarcal de Severo del Valle dan lugar a una revisión histórica de la llegada al poder de Salvador Allende y del Golpe Militar de 1973.

**Cuentos de Eva Luna* (1990) reúne los relatos que una misteriosa narradora cuenta a su amante. Eva Luna, con sutil penetración psicológica, se detiene en el retrato de sorprendentes personajes; los ritos y costumbres de los solitarios lugares que describe cautivan e interesan al lector.

Arciniegas, Germán (Bogotá, 1900)

Político, historiador y diplomático, ha centrado su actividad literaria en la crítica, el ensayo y el periodismo. La historia y vicisitudes de América Latina han sido el foco de su perspicaz atención. Su visión continental destierra localismos inútiles; sin embargo, el contenido anecdótico y la contemplación de elementos populares facilitan la comprensión de su obra.

1 Las obras marcadas con asterisco contienen textos seleccionados en la antología.

**El continente de siete colores* (1965) es un amplio y profundo recorrido por Hispanoamérica. En esta obra la historia, la vida política, los valores y los mitos del territorio son revisados ágilmente por el colombiano.

ARGUEDAS, Alcides (La Paz, 1879-Chulumani, 1946)

Liberal y preocupado por los abusos de la oligarquía boliviana, Alcides Arguedas participó en la lucha política para desterrar a los nuevos caciques que sustituyeron a autoridades y terratenientes coloniales. Desde la literatura, también inició la defensa de los desheredados indígenas que, a pesar de los avances del tiempo, padecían más injusticia y agresiones.

**Raza de bronce* (1919) tiene el valor de inaugurar el ciclo de la novela indigenista y de difundir el profundo clamor del campesinado americano. Arguedas da aquí rienda suelta a su sentimiento humanitario y a la contagiosa emoción que le produce el esplendor de la Naturaleza.

ARGUEDAS, José María (Andahuaylas, Perú, 1911-Lima, 1969)

La obra de José María Arguedas se conserva fresca y vigente. Su actualidad reside en la sinceridad de los planteamientos: su narrativa no surge del seguimiento de modas o corrientes literarias. Criado en una comunidad indígena, aprendió quechua* y practicó ritos y tradiciones autóctonas. Estudió Antropología en la Universidad de Lima, ampliando así sus vivencias e inquietud social. Su literatura se distancia de la corriente indigenista al enriquecer con honda emoción y grandes dosis de imaginación la contemplación de la realidad; su obra tiene, además, valor científico y testimonial.

**Los ríos profundos* (1958) es obra de gran contenido humano, poético y autobiográfico. La constante comunicación con la Naturaleza, el respeto por las creencias de los pueblos andinos y la honradez de los juicios de valor hacen de esta novela un sentido e inteligente alegato a favor de los indios peruanos.

ARLT, Roberto (Buenos Aires, 1900-1942)

Las innovaciones introducidas por Arlt en la narrativa argentina (novela de tema urbano, uso de la alegoría para la denuncia social y preocupación metafísica) han influido sobremanera en la Literatura Hispanoamericana. Después de *El juguete rabioso* (en la línea de la picaresca hispana) publicó, entre otros, *Los siete locos* y *Los lanzallamas.*

**Aguafuertes porteñas* (1933) es un recorrido periodístico por Buenos Aires, a menudo habitada por cínicos, locos, y marginados. Las frustraciones del autor y su necesidad de evasión hacen que sus estampas costumbristas se centren en los barrios castizos y bohemios.

ARREOLA, Juan José (Zapotlán, México, 1918)

La infancia en su provincia natal, Jalisco, ha dejado gran impronta en la obra de Arreola. Su sagaz observación de personas y acontecimientos es la base de una narrativa densa y escueta, que refleja tipos y costumbres de la más representativa región mexicana. Utiliza la fábula y la sátira para expresar su misoginia y escepticismo.

**Confabulario definitivo* (1962) recoge anteriores recopilaciones de breves relatos. La ironía y la exageración dan forma a originales narraciones (algunas de influencia kafkiana) que brotan de lo cotidiano, lo onírico y lo fantástico.

**La feria* (1963) es una singular reconstrucción, a modo de *collage* de la vida e historia de Zapotlán: la recopilación fragmentada de voces y retratos populares y de antiguos documentos consigue presentar una visión crítica de la sociedad rural mexicana. En esta corta obra, la ironía, la brevedad y la precisión se complementan con el ingenio para destacar lo relevante y característico de la realidad nacional.

ASTURIAS, Miguel Ángel (Ciudad de Guatemala, 1899-Madrid, 1974)

Embajador de Guatemala en varios países y viajero constante, consiguió renombre universal, el Premio Lenin de la Paz y el Nobel de Literatura. Su preocupación antropológica, política y social se manifestó en congresos internacionales y foros universitarios. Alternó los cargos oficiales con el exilio y siempre mantuvo activa su creatividad literaria. Ya en sus primeras poesías reveló gran sensibilidad ante el sufrimiento del pueblo y ante las fuerzas que interactúan en la selva: animales, mitos y leyendas, volcanes, movimientos telúricos, la presencia de la muerte... Continuos viajes le pusieron en contacto con las nuevas tendencias artísticas, lo que facilitó la expresión de su capacidad inventiva.

**Leyendas de Guatemala* (1930), que ha sido definida como compendio de "historias-sueños-poemas", presenta una visión mágica de la Naturaleza y del mundo indígena, al mismo tiempo que su comprometida percepción de la cruda realidad americana. Asturias es sin duda uno de los iniciadores del realismo mágico.

**El Señor Presidente* (1946) es una denuncia de la dictadura del guatemalteco Estrada Cabrera. El tema del tirano, ya tratado por Valle Inclán, será, a partir de la publicación de esta obra, una de las grandes preocupaciones de la Literatura Hispanoamericana. Las innovaciones literarias, producto del contacto que Asturias mantuvo con las vanguardias europeas, jalonan la novela de elementos surrealistas, esperpénticos y expresionistas.

**Viento fuerte* (1954) junto con *El Papa Verde* y *Los ojos de los enterrados* forma parte de su trilogía *bananera*. En ellas describe el sufrimiento de los indígenas y los abusos cometidos en su tierra natal por la United Fruit Company. En las tres novelas, fluye, ya con desgarro, ya con delicadeza, el sentimiento antiimperialista y la solidaridad ante las agresiones que sufren los indefensos nativos.

AZUELA, Mariano (Lagos de Morelos, México, 1873-México, D.F. 1952)

Inaugura el fecundo ciclo narrativo de la Revolución Mexicana e introduce nuevas técnicas literarias: monólogo interior, ruptura del tiempo lineal, superposición de sueños y alucinaciones...

**Los de abajo* es la obra más importante de Azuela. En ella conjuga inteligentemente experiencias personales e inquietudes literarias. Fue médico militar de las fuerzas revolucionarias y su imparcial testimonio enriquece el debate sobre la polémica contienda. Además, crea vigorosos personajes y describe con pasión el paisaje mexicano.

BENEDETTI, Mario (Paso de los Toros, Uruguay, 1920)

La obra de Benedetti se debate entre la angustia y la esperanza. Asimismo, su espíritu de búsqueda constante le empuja a cultivar la narrativa y la poesía, el ensayo y el teatro. El ámbito de su literatura es tanto la exploración de nuevas técnicas como la meditación sobre lo cotidiano, lo filosófico y lo político. Su comprometida denuncia será causa de frecuentes exilios. *Primavera con una esquina rota* (1982) trata de los daños morales que implican la cárcel y el destierro para los familiares de los perseguidos.

**La tregua* (1960) denuncia la vida gris y desilusionada de un oficinista. Ni siquiera el amor puede evitar la tragedia que conlleva la monotonía del trabajo y el vacío espiritual. Anteriormente había publicado con gran éxito *Poemas de la oficina*.

BIOY CASARES, Adolfo (Buenos Aires, 1914)

Escribió varias obras conjuntamente con su mujer, Silvina Ocampo, y con Jorge Luis Borges. La obsesión por la estructura de sus obras entraña preocupación por estudiar las relaciones humanas y los condicionamientos sociales. Por medio de la escritura minuciosa y del uso de la fábula, la ironía y la novela policiaca, Bioy Casares ha dejado una obra que alcanza la perfección técnica y una dimensión fantástica y metafísica. Consigue captar el interés del lector a través de tramas sutilmente elaboradas, de la creación de clímax inquietantes y de la presentación de temas que preocupan al hombre moderno: la dificultad de comunicación entre los seres humanos, la complejidad de la mente y lo absurdo de los acontecimientos. *El diario de la guerra del cerdo* y *Dormir al sol* están entre sus obras más representativas.

**La invención de Morel* (1940) sigue las pautas de la narrativa fantástica de preocupación filosófica, donde el laberinto de la mente y la obsesión amorosa son presentados de forma extravagante.

**La trama celeste* (1948) contiene imaginativos relatos iniciados por «Siempre quise a Paulina». Todos son fruto de una aguda percepción psicológica y del continuo rastreo de la conducta humana. El final sorprendente y ambivalente de casi todos los cuentos responde al deseo de Bioy Casares de comunicar al lector su desconcierto ante lo absurdo de la vida.

BORGES, Jorge Luis (Buenos Aires, 1899-Ginebra, 1986)

La fuerza creadora y la imaginación libérrima de Borges, su cultura y su conocimiento de la Historia han influido no solamente en la Literatura Hispanoamericana sino también en las letras universales, dejando honda huella en el arte contemporáneo. Su nihilista visión de los acontecimientos y su cuestionamiento de mitos y realidades ha producido una fecunda obra que se traduce en experimentación constante y sereno escepticismo. El sosiego y la elegancia han sido inherentes a la vida y obra de Borges, debiendo destacarse la estoica resignación que demostró al quedarse ciego. El juego intelectual, el deseo de desconcertar al lector y los finales de interpretación múltiple implican un ingenio refinado y un talante aperturista. Su argumentación es provocativa e inquietante, pero las conclusiones dejan abiertas las puertas a varias interpretaciones. Una curiosidad innata le llevó al estudio del mundo clásico y de otras literaturas. Sin embargo, Borges no fue un erudito ortodoxo; con el deseo de poner todo en duda llegó incluso a deformar documentos históricos. Escritor infatigable y siempre en contacto con Europa, su poética evoluciona desde el audaz vanguardismo al poema clásico. Su verso, riguroso y depurado, trasluce un exquisito lirismo y la misma problemática que su prosa. Ésta es, a menudo, difícil de clasificar: el ensayo, el cuento y la fábula se entremezclan con elegías irónicas o mitos de la Antigüedad, meditaciones sobre la vida y la muerte y descripciones urbanas o bucólicas. Es imposible resumir en pocas líneas su exuberante producción literaria. Destaquemos nada más, *Historia de la eternidad*, *Ficciones*, *El Aleph*, *El informe de Brodie* y *El libro de arena*.

**Historia universal de la infamia* (1935) recoge relatos protagonizados por personajes infames en diferentes ámbitos geográficos y culturales. En "Hombre de la esquina rosada" se aprecian rasgos de la novela policiaca, género que practicó con Bioy Casares. La breve narración es modélica en cuanto a estructura y demuestra el conocimiento del autor de los bajos fondos de Buenos Aires.

**El hacedor* (1960) contiene prosa y poesía. Es para muchos la obra más representativa de las inquietudes de Borges. En este corto volumen están condensadas las interrogantes que le persiguen sin llegar nunca, al parecer, a angustiarle: identidad personal, existencia de Dios, el paso del tiempo, la farsa de las convenciones...

BOSCH, Juan (La Vega, República Dominicana, 1909)

La preocupación social del político dominicano queda plasmada en su intensa actividad literaria. Ha escrito ensayos y dos novelas que describen la realidad de su tierra natal.

Sus **Cuentos*, recogidos en varios volúmenes, se centran tanto en los problemas del campesinado local como en las vicisitudes del exilio, que él mismo padeció.

BRYCE ECHENIQUE, Alfredo (Lima, 1939)

Durante mucho tiempo su principal preocupación ha sido la diferencia de clases existente en el Perú; la insensibilidad de los poderosos constituye el punto de mira de su irónica denuncia. Largas estancias en Europa le proporcionarían referencias comparativas sociales, literarias e intelectuales. Así en *La vida exagerada de Martín Romaña* cuenta el desconcierto e inquietudes de jóvenes burgueses que buscan trabajo en París. La penetración psicológica, el ácido sentido del humor y nuevas técnicas narrativas refuerzan patéticamente la soledad existencial de los itinerantes peruanos. *Dos señoras conversan* y *Los grandes señores son así. Y también asá* son relatos que resumen el estilo y la temática de Bryce Echenique.

**Un mundo para Julius* (1970) narra el estupor y soledad de un niño mimado por sus millonarios padres. El pequeño percibe una sociedad desequilibrada: las escandalosas diferencias de posibilidades entre ricos y pobres, a fuerza de ser frecuentes, parecen naturales. Recuerdos y experiencias personales, humor y ternura, y un peculiar estilo confieren a la novela carácter de tragicomedia. La reproducción, fresca y directa, de diálogos e introspecciones acercan al lector a los bien diseñados personajes.

CABRERA INFANTE, Guillermo (Gibara, Cuba, 1929)

Opositor visceral de Batista y de Fidel Castro, Cabrera Infante vive ahora en Londres preocupado por la literatura, el cine, el lenguaje y la situación cubana. Amante de innovaciones y polémicas, ha practicado el ensayo y el periodismo, y ha escrito guiones cinematográficos y grandes novelas, novedosas por la investigación estructural y linguística.

**Tres tristes tigres* (1967) es resultado de varias correcciones de un manuscrito anterior. Por tanto, queda bien clara la intención del autor de presentar una obra aparentemente caótica: mediante juegos gráficos y lingüísticos Cabrera Infante trata de reflejar las dificultades de comunicación del lenguaje convencional. Para hacer posible otro tipo de comunicación, experimenta nuevas formas de expresión y recoge espontáneos diálogos y monólogos de la juventud cubana, que se debate entre la desesperación y el hedonismo.

CARDENAL, Ernesto (Granada, Nicaragua, 1925)

Es el más destacado poeta de la Teología de la Liberación. No renunció al sacerdocio al ser nombrado Ministro de Cultura del Gobierno Sandinista. Antes, el retiro poético-religioso en la isla de Solentiname lo había consagrado como figura carismática; allí convocó auténticas peregrinaciones de poetas y teólogos revolucionarios, atrayendo las iras del dictador Somoza. Tras el conocimiento de la poesía norteamericana, su lírica tomó un rumbo personal y vanguardista: los viejos temas del amor y la guerra, la mujer, la nostalgia y el diálogo con Dios son tratados con símbolos y lenguaje cotidianos y gran simplicidad expresiva. Son obras importantes: *Epigramas*, *Salmos*, y *Oración por Marilyn Monroe*.

**Tocar el cielo* (1990) es una cuidada selección de su obra más importante.

CARPENTIER, Alejo (La Habana, 1904-París, 1980)

La sólida formación humanística y la preocupación social encontraron en la exquisita sensibilidad de Carpentier un ampuloso cauce para la expresión literaria. Fue el primero en formular la teoría de «lo real maravilloso» y en cultivar de forma consciente aspectos que luego tratarán muchos seguidores del realismo mágico. El cubano maneja, además, un sugerente estilo, integrado en el neobarroco hispanoamericano y enriquecido por abundantes términos locales y exóticos. En *Écue-Yamba-Ó* se sumerge en la cultura afrocubana, resaltando los aspectos fantásticos de ritos, cantos y leyendas de la negritud americana. Pasa después a bellas recreaciones históricas, donde la crítica política se codea con la exaltación de rasgos mágicos de la Naturaleza. *El reino de este mundo* sigue esta línea y sitúa la acción en el Haití del siglo XIX; narra el advenimiento, tiranía y trágico fin del primer monarca negro americano.

**Los pasos perdidos* (1953) supone la vuelta nostálgica a los orígenes de lo americano y la renuncia a los valores de la sociedad contemporánea. La selva del Orinoco y sus habitantes constituyen para el investigador que busca un antiguo instrumento musical, una «revelación privilegiada de la realidad».

**El siglo de las luces* (1962) recrea la vida antillana en tiempos de la Revolución Francesa. Tres huérfanos de la burguesía criolla son adoctrinados por un revolucionario, que los embarca en una libertaria aventura para luego traicionarlos. El amor, la personalización del mar Caribe, el desengaño político y los excesos del pequeño dictador Victor Hugues son temas centrales de la novela.

CASTELLANOS, Rosario (México D.F., 1925-Tel-Aviv, 1974)

Poetisa, ensayista y novelista, ejerció también funciones diplomáticas. La preocupación fundamental de su narrativa fue la problemática del estado sureño de Chiapas. Su apología de los indios es objetiva y se basa en observaciones y vivencias infantiles en Chamula. La ausencia de grandilocuencia, la objetividad y la ternura distancian su obra de la literatura indigenista. *Oficio de tinieblas* constituye una magistral descripción de la lucha de los indios por la supervivencia y de los conflictos originados por la posesión de la tierra. La novela tiene por tanto gran interés antropológico.

**Balún-Canán* (1957) está narrada por una adolescente de la burguesía chiapaneca que descubre con sorpresa la injusta situación del campesinado indígena. La frescura y veracidad de la obra reside precisamente en la sabiduría para reflejar la capacidad de asombro e indignación de la niña, que inmediatamente contagian al lector.

SANTOS CHOCANO, José (Lima, 1875-Santiago de Chile, 1934)

Poeta itinerante y aventurero, se proclamó «cantor de América, autóctono y salvaje». Su poesía, a pesar de haber sido tachada de oportunista y retórica, influyó notablemente en la de Miguel Ángel Asturias e inauguró la celebración de la naturaleza americana; impulsó además el interés popular por la historia, los mitos y pueblos precolombinos. Crea, para enaltecerlos, poderosas y ricas imágenes, proyectadas por audaces versos modernistas.

**Alma América* (1906) rescata, con gran riqueza cromática, el paisaje, la flora y la fauna continentales, con especial énfasis en lo exótico y lo local.

CORTÁZAR, Julio (Bruselas, 1914-París, 1984)

A pesar de haber nacido en Bruselas y haber vivido largos años en París, Cortázar es un escritor genuinamente argentino. El gusto por lo fantástico y el talante irónico de Macedonio Fernández, Borges, Bioy Casares y Felisberto Hernández están presentes en la obra del que, después de haber fracasado como burócrata, llegó a revolucionar las letras hispanas. Cortázar es un revolucionario nato que manifiesta su inconformismo luchando contra las formas literarias: de forma consciente, hace *antiliteratura* para destruir pautas y géneros tradicionales. Lógicamente, también las convenciones sociales son objeto del análisis y de la sátira. Sus contactos con los surrealistas europeos habían fomentado su afición por los temas fantásticos. La alegoría (mitológica y zoológica), los sueños y el enfrentamiento u ósmosis entre realidad/suprarrealidad ya están presentes en sus primeros libros de cuentos: *Bestiario*, *Las armas secretas*, *Todos los fuegos el fuego*... El humor, el juego intelectual, la revisión de lo cotidiano y el espíritu lúdico dominan su narrativa. La poesía, el ensayo y otras obras de difícil clasificación han ocupado también el quehacer de Julio Cortázar.

**Historias de cronopios y de famas* (1962) no se puede incluir en ningún género tradicional. Muestra las diferentes actitudes de sus criaturas de ficción ante la realidad: los místicos cronopios son soñadores y tienen gran capacidad para *recrear* lo cotidiano; los famas son prosaicos y aceptan la realidad con fatalismo y sin imaginación; finalmente, las esperanzas sueñan con un futuro optimista, diáfano y transparente. El libro también presenta «Manual de Instrucciones» y «Ocupaciones raras».

**Rayuela* (1963) supuso una auténtica conmoción literaria por sus innovaciones técnicas. Cortázar advierte que no quiere lectores pasivos, sino imaginativos y creativos. Por lo tanto, buscando la participación del lector e intentando crear una antinovela, le brinda la posibilidad de leer el libro en diferente orden. La audacia técnica esconde también el deseo de romper las ataduras convencionales que aprisionan al hombre moderno. *Rayuela* está profundamente inmersa en la problemática de nuestro tiempo y el autor deja traslucir compasión y ternura por los avatares cotidianos y existenciales de sus personajes, jóvenes latinoamericanos que estudian en París.

CUADRA, Pablo Antonio (Managua, 1912)

El co-editor del diario La Prensa y colaborador de Pedro Joaquín Chamorro es figura clave en la Literatura Nicaragüense. Su vasta y profunda obra poética (*Corona de Jilgueros*, *El jaguar y la luna*, *Cantos de Cifar*...) ensaya técnicas vanguardistas y, finalmente, se depura en un desgarrado lirismo que recoge tanto preocupaciones personales como los clamores del pueblo. El amor y la libertad, la literatura, los mitos indígenas, el drama político y las fuerzas de la Naturaleza desbordan su teatro, ensayos y poesía.

**El nicaragüense* es una recopilación de artículos periodísticos que recogen el interés del poeta por encontrar la identidad nacional. En ellos ensalza fisonomías y paisajes, se detiene en hechos históricos y proyecta trayectorias éticas y estéticas esperanzadoras.

DARÍO, Rubén (Metapa, Nicaragua, 1867-León, Nicaragua, 1916)

La palabra de Rubén irrumpe, exquisita, sonora y grandiosa en las literaturas hispánicas. Pronto la vocación poética empujó al adolescente a renovar su verso; conoció la poesía simbolista y parnasiana y se empapó de las Rimas de Bécquer. Tales lecturas y su gran talento habrían de inaugurar el movimiento modernista, del que siempre sería genial conductor. Darío inicia una obra y una corriente que no se caracterizan sólo por la renovación estética, sino también por reflejar una actitud ante la vida. El desencanto de los románticos, preludio del vacío existencial, el inconformismo ante la sociedad burguesa y la decadencia del *imperio hispánico* son las fuerzas que empujan al escapismo rubeniano. Asímismo, la desazón del fin de siglo propiciará la búsqueda de lo sensorial y el erotismo. Inmerso en su época, el nicaragüense rompe con la estética y valores vigentes y se refugia en paraísos espaciales y temporales diferentes. Sus temática, a menudo fantástica y exótica, se evade también a mundos aristocráticos, en un vuelo que busca plenitud y perfección. El amor (platónico o sensual), la mujer, la selva o los jardines versallescos, el sentimiento americanista y la defensa de la Hispanidad son cantados con lenguaje sonoro y colorista, amalgamado con innato sentido del ritmo. Consigue inusuales efectos musicales y, mediante audaces recursos estilísticos, logra imágenes de espléndidos efectos sonoros y gran movimiento. En *Azul* ya se estrena la personal métrica de Rubén que, poco a poco, habría de enriquecer las formas tradicionales con hallazgos insólitos.

**Prosas profanas* (1901) es la explosión modernista por excelencia. La música y el color, la erudición, la religión, el mito y un delicado erotismo se presentan en formas métricas ya clásicas, ya revolucionarias. Constituye un canto, sutilmente elaborado, al universo de los sentidos y una *profanación* de mitos y creencias tradicionales.

**Cantos de vida y esperanza* (1905) revela una veta más intimista y dolorida con la realidad. Los problemas familiares, la enfermedad y el alcoholismo, el vacío religioso y el desencanto político introducen la nostalgia en la meditación poética, política y filosófica. Supera también el hedonismo y escapismo de la primera época y su actitud cosmopolita evoluciona hacia la preocupación americana.

DONOSO, José (Santiago de Chile, 1925)

Aunque desde joven frecuentó las universidades norteamericanas y vivió largos años en los Estados Unidos por motivos docentes, Donoso ha practicado la literatura del exilio y ha estado en contacto con las nuevas corrientes literarias hispanas. Su *Historia personal del «boom»*, movimiento del que él mismo formó parte, ha analizado las características del espectacular estallido de la Literatura Hispanoamericana. Sus posibilidades narrativas son inmensas; la acción es exquisitamente simple o alucinantemente sobrecargada; sus personajes son seres refinados o aquejados por sórdidas enfermedades mentales.

**Veraneo y otros cuentos* (1955) obtuvo la aprobación de la crítica y gran éxito popular al reflejar con maestría hechos y estampas de la sociedad chilena. «China» es el más conocido de los relatos cortos de Donoso.

**El obsceno pájaro de la noche* (1970) muestra un mundo caótico, lúgubre y sofocante. El obsesivo delirio de un personaje y el siniestro entorno que le rodea forman parte del tratamiento simbólico de la realidad que percibe Donoso; la novela muestra cómo el individuo es enajenado y engullido por una sociedad decadente y perversa.

ESQUIVEL, Laura (México, D.F., 1950)

Practica el periodismo y ha escrito varios guiones para el cine. Su capacidad para observar y retratar gentes, mitos y costumbres le ha otorgado gran éxito en su iniciación literaria.

**Como agua para chocolate* (1989) ha sido llevada a la pantalla y traducida a varias lenguas. Narra la historia de un amor que parece imposible, ya que una norma familiar separa a Tita de la Garza y Pedro Muzquiz. Los toques de realismo mágico que adornan la ambientación en el México prerrevolucionario y la creación de sólidos personajes femeninos explican la aceptación popular de la novela.

FERNÁNDEZ, Macedonio (Buenos Aires, 1874-1952)

De acuerdo con su concepción metafísica, intenta también romper cánones estéticos: desbarata la estructura y unidades de los géneros literarios tradicionales para que el lector las recomponga a su antojo. El humorismo y la temática psico-fantástica que cultiva son también poco convencionales. Tales innovaciones no fueron comprendidas por el público pero influyeron notablemente en la vanguardia bonaerense posterior a la Primera Guerra Mundial. Borges reconoció la huella dejada por Macedonio en la Literatura Argentina y en su propia narrativa.

**Manera de una psique sin cuerpo* (1941) reúne cuentos fantásticos y otros escritos de difícil clasificación. En todos dominan la investigación de formas literarias, las situaciones extravagantes y el afán provocativo del autor.

FUENTES, Carlos (Ciudad de Panamá, 1928)

Hijo de diplomático, residió en México tras largas estancias en diferentes países de América. La amistad de Alfonso Reyes y Octavio Paz le contagió la *preocupación mexicana*; como Paz, vive todavía obsesionado por encontrar las raíces y los cauces de la identidad nacional. En la capital azteca participó en todo tipo de tertulias, revistas y proyectos culturales. En el campo literario destaca su obra narrativa, que sería uno de los detonantes de la literatura del *Boom*. Desde un principio ensaya diferentes géneros y las más variadas técnicas. *Cambio de piel* es una compleja novela donde palpitan la angustia existencial y los problemas de la comunicación humana.

**La región más transparente* (1958) es el resultado de su inquietud filosófica juvenil y del contacto que mantuvo con las altas esferas de la sociedad mexicana. Presenta una «visión caleidoscópica» de todos los sectores de la sociedad capitalina; para ello utiliza de forma personal las nuevas técnicas narrativas conocidas en sus estancias en los Estados Unidos. La novela implica un esfuerzo por destruir falsos valores y rescatar lo más valioso de México: la identidad, la lengua y la Historia.

Las buenas conciencias (1959) supone una vuelta a las formas tradicionales, quizás por la mala acogida de la obra anterior. La crítica social se centra ahora en la burguesía mexicana prerrevolucionaria.

**La muerte de Artemio Cruz* (1962) y **Gringo viejo* (1985) cuestionan los móviles y resultados de la Revolución Mexicana, etapa histórica que Fuentes revisa con especial inquietud. La primera, que narra la retrospección y pensamientos de un revolucionario agonizante, tiene gran valor humano e histórico. Es la más sugestiva y lograda experimentación literaria del autor: los cambios de tiempo, espacio y situaciones, a pesar de su complejidad, están sabiamente hilvanados.

**El espejo enterrado* (1993) y *Terra Nostra* rastrean en la Historia del mundo hispánico en busca de nuevos derroteros sociales y culturales. Esta temática preside los actuales periplos académicos de Fuentes por todo el mundo.

GALLEGOS, Rómulo (Caracas, 1884-1969)

En 1948 llegó a la Presidencia de su país, desde donde intentó llevar a cabo las reformas sociales que reclamaba en su literatura. Los temas que dominaron sus primeros cuentos y ensayos (los abusos de los poderosos frente a los débiles, la fuerza mítica de la tierra y la grandeza de la sabana venezolana) ocuparon también sus grandes narraciones. Su obra se enmarca en el ciclo de las novelas de la tierra.

**Doña Bárbara* (1929) encarna a la mujer que se hace a sí misma; surge, violenta y poderosa, de la brutalidad que engendran en la colosal llanura los rigores de la Naturaleza. La tensión dramática que Gallegos imprime a la lucha entre la rústica protagonista y su «culto» antagonista se resuelve en la conversión de la *devoradora de hombres* en «mujer civilizada». Tras la descripción de las relaciones de poder entre ambos y el triunfo del *bien* se perfila una visión esperanzadora para la sociedad venezolana.

**Canaima* (1935) cuenta los atropellos sufridos por el pueblo venezolano. El injusto reparto de incalculables riquezas de la tierra y las duras faenas que realizan los trabajadores para desentrañarlas son narradas con inefable halo poético o con gran crudeza. Intercalando bellas escenas del folclore campesino y crueles episodios de la lucha por la vida, Gallegos muestra su condena de la injusticia y su respeto por las gentes sencillas.

GARCÍA MÁRQUEZ, Gabriel (Aracataca, Colombia, 1928)

No en vano recibió el Premio Nobel de Literatura en 1982. A la difusión de su obra se debe, fundamentalmente, la atención que recibe todavía hoy la Literatura Hispanoamericana. El colombiano es el literato americano más universal de todos los tiempos pues, además de sus valiosos hallazgos estilísticos y temáticos, ha producido una narrativa fascinante y accesible para el gran público. La riqueza de recursos literarios, su capacidad para desenterrar viejas palabras y nombres de gran poder evocador confieren a su obra un sugerente estilo cuya resonancia «mágica» capta al lector. Ya en sus primeros relatos y novelas (*La hojarasca*, *El coronel no tiene quien le escriba* y *Los funerales de la Mamá grande*) demostró gran dominio de las técnicas narrativas y anticipó parcelas y personajes del universo macondiano al que más tarde daría forma definitiva. García Márquez ha ofrecido y sigue ofreciendo, dentro de una obra unitaria, nuevos mundos imaginarios y continuas innovaciones estéticas. Para conseguir esos inéditos ámbitos de ficción el autor ha sabido realizar una prodigiosa amalgama de magia y realidades, de acontecimientos excepcionales y quehaceres cotidianos, de cuentos y de Historia. También sus excepcionales protagonistas, hijos de la aguda penetración psicológica y dotados de poderes ocultos y facultades extraordinarias, son personajes que comparten rasgos de animadores de fábulas y de tragedias hondamente humanas. *El otoño del patriarca* aborda el tema del dictador hispanoamericano; *Crónica de una muerte anunciada* es un magistral relato de tenso clímax y bello escenario caribeño; *El amor en los tiempos del cólera* cuenta amores frustados de juventud que se consuman en la vejez; *Del amor y otros demonios*, de reciente aparición, habla de posesión demoníaca, ritos afroamericanos y el amor de una niña de doce años...

**Cien años de soledad* (1967) ha sido definido como «el foco del universo narrativo» de García Márquez; es también el eje y resumen de su renovación estética y, en cierto modo, el compendio de su temática. Del mismo modo, el libro es una esplendorosa síntesis de todos los elementos de la nueva narrativa hispanoméricana: protagonismo de la Naturaleza, planteamiento de problemas políticos y sociales, amor y humorismo, audaces cambios de tiempo, presencia de la muerte... La creación de Macondo, microcosmos mítico, y el transplante a América de escenas bíblicas son también originales logros del autor. Estos y otros temas están unitariamente tratados en la obra que, dada la riqueza e individualidad de cada personaje y acontecimiento, puede ser considerada una novela integrada por varios cuentos. Sin duda, *Cien años de soledad* es el mejor exponente de la obra de García Márquez, esa obra que a pesar del aparente humorismo refleja una visión trágica del pueblo latinoamericano, sujeto a un determinismo inevitable.

GARRO, Elena (Puebla, México, 1920)

Casada en primeras nupcias con Octavio Paz, inició su carrera literaria escribiendo obras de teatro. Sin embargo, ha sido su narrativa la que ha obtenido mayor reconocimiento. *La semana de colores*, de contenido autobiográfico, es una colección de cuentos que, al alternar magistralmente realidad y fantasía y utilizar espacios temporales imaginarios, preludia el realismo mágico.

**Los recuerdos del porvenir* (1963) es el nombre de una vieja cantina poblana*. El nombre de la novela es ya un anticipo del tratamiento temporal que realiza Elena Garro y de su análisis de los elementos populares mexicanos. La acción de la novela se sitúa en las guerras cristeras*, reacciones violentas surgidas tras el desengaño que supuso en muchos sectores sociales la Revolución Mexicana. Ixtepec, un pequeño pueblo, como testigo de la tragedia que cuenta Garro, es el narrador de la novela.

GUILLÉN, Nicolás (Camagüey, Cuba, 1902-1989)

La aventura poética de Guillén se basa en la intuitiva integración de lo culto y lo popular. La factura de sus poemas es, al principio, clásica o folclórica; luego alternará baladas y sonetos con el verso libre de los surrealistas. Los motivos, al igual que algunas formas, brotan directamente de la vida antillana para evolucionar más tarde hacia temas y formas más universales: la pobreza y la injusticia, el amor y la política serán versificados con gran virtuosismo y abundantes dosis de humor.

**Obra poética* (1974) es la recopilación de la poesía de Guillén, dirigida por el autor. Incluye, entre otros libros de poemas: *Sóngoro Cosongo* (1931), inspirado en el folclore y el alma de la negritud americana; *West Indies Limited* (1934), en la misma línea popular, profundiza más en problemas políticos y sociales; *La paloma del vuelo popular* (1958) es obra de madurez que, en lo accesorio, abandona los elementos locales; *Tengo* (1964) reúne textos para canciones, el teatro y la sátira y *El diario que a diario* (1972) es una recreación surrealista de recortes de periódicos.

GÜIRALDES, Ricardo (Buenos Aires, 1886-París, 1927)

Hijo de terratenientes, conoció a fondo el paisaje y el campesinado argentinos. Largas estancias en Europa le hicieron valorar aun más la idiosincrasia pampeña, que consideró necesario difundir y exaltar. La añoranza del mundo rural, la profunda meditación sobre lo esencial de la vida argentina y un sereno nacionalismo se desprenden de su literatura.

**Don Segundo Sombra* (1926) es su obra más importante e inaugura el género de la novela de la Pampa; destaca por la ternura y nostalgia que emanan de las palabras del autor tras haber abandonado la vida campesina. Güiraldes reconstruye en la novela inolvidables escenas, de solaz o de trabajo, de los aguerridos gauchos y describe poéticamente la severa belleza de la Pampa. Crea además un entrañable protagonista, Don Segundo, virtuoso en las artes gauchescas y señero por su integridad moral.

HENRÍQUEZ UREÑA, Pedro (Santo Domingo, 1884-La Plata, Argentina, 1946)

Fue eminente filólogo y, siguiendo las pautas de Menéndez Pidal, practicó una crítica literaria muy creativa. Estudiando las literaturas americanas y la española descubre la trayectoria unitaria que deben seguir los pueblos hispánicos. De su formación humanística fluye la exaltación de la racionalidad, la justicia, la paz y el sentido de la armonía. Hay que destacar, como síntesis serena de su pensamiento, la obra póstuma *Historia de la cultura en la América Hispánica.*

**La utopía de América* (1925) es un conocidísimo ensayo de este misionero del Americanismo y la Hispanidad. La cultura hispanoamericana, dice, tiene el suficiente arraigo para crear expectativas en el Continente; para hacerlas realidad, sólo queda fomentar los valores espirituales: justicia, bondad, autoexigencia...

HUIDOBRO, Vicente (Santiago de Chile, 1893-Llolleo, Chile, 1948)

Es vanguardista precoz y «enfant terrible» de la Literatura Hispanoamericana. Fundador del Creacionismo, proclama que no hay que imitar la realidad y la Naturaleza, sino crear. Su poética introduce en las letras hispánicas aires novísimos que habrían de llegar a España y legar a América la versificación libre y otros originales ámbitos de expresión.

**Altazor o el viaje en paracaídas* (1931) fue publicado en Madrid tras frecuentes viajes a París. Por lo tanto, es el resultado de una meditada rebeldía. Incluye deslumbrantes imágenes surrealistas y huye de la lógica y tópicos convencionales.

ICAZA, Jorge (Quito, 1906-1978)

Apasionado defensor de los indios, expresó con descarnado realismo su repulsa por la explotación racista que observó en la sociedad ecuatoriana. De forma virulenta expone en su narrativa que el origen de la injusticia está en el odio racial. En su obra, los indígenas, oprimidos durante siglos, son humillados y envilecidos por acomplejados mestizos y avariciosos blancos. En *Cholos** analiza la complejidad psicológica de los mestizos.

**Huasipungo* (1934) cuenta cómo numerosos indígenas son aplastados por un cruel terrateniente. Éste, con la colaboración del cura párroco y del Gobierno, y con la ayuda de cholos y blancos, se apodera de las pequeñas parcelas de los campesinos (huasipungos); posibilita así la construcción de una carretera que permite la entrada en la región de una compañía extranjera. La obra, donde abundan los diálogos y los términos locales, ha sido definida como «infierno inquietante» y dio gran fama a su autor.

KRAUZE, Enrique, (México, D.F., 1947)

Ingeniero industrial, compagina la actividad empresarial, el estudio histórico y la colaboración en la revista *Vuelta* que dirige Octavio Paz. Ha publicado *Biografía del poder* (ocho volúmenes) y *Siglo de caudillos.* Ambas analizan la trayectoria de las grandes figuras de la política que conformaron el México de hoy. En la actualidad participa en numerosos debates internacionales y escribe guiones históricos para el cine y la televisión.

LEZAMA LIMA, José (La Habana, 1910-1976)

Desde joven alternó poesía y burocracia. El conocimiento de las literaturas clásicas, su formación histórica y la dirección de varias revistas le convirtieron en paladín y conductor de la cultura cubana. Ocupó varios altos cargos en el gobierno de Fidel Castro del que fue progresivamente marginado y dejó una compleja y hermética obra literaria.

**Paradiso* recurre a exquisitas y opulentas imágenes para introducir al lector en el intrincado universo de José Cemí. Metáforas alucinantes, hipérboles, sátiras, parodias y elementos autobiográficos muestran la iniciación a la vida del joven cubano. La formación escolar, familiar y sexual de Cemí es narrada con poderosa imaginación y gran lujo de detalles.

LUGONES, Leopoldo (Santa María del Río Seco, Argentina, 1874-Tigre, Argentina, 1938)

Su poesía evoluciona del simbolismo y modernismo de tinte romántico a una obra sencilla de carácter íntimo y regionalista. Destaca como poeta en *Lunario sentimental* y como narrador fantástico en *Cuentos fatales*. Es precursor de Borges y Cortázar en su afán de sorprender al lector, la creación de extravagantes personajes y el gusto por los finales inesperados.

**Las fuerzas extrañas* (1906) inicia esta línea narrativa y reune historias de misterio. «La lluvia de fuego» introduce elementos suprarreales para crear una atmósfera lúgubre e inquietante.

MISTRAL, Gabriela (Vicuña, Chile,1889-Nueva York, 1957)

Su obra poética y la defensa de los valores humanitarios le valieron el Nobel de Literatura y el reconocimiento internacional. Sin embargo, la andadura personal de Lucila Godoy Alcayaga (usaba el nombre de Mistral como pseudónimo) no fue precisamente triunfal. Desgarrada por un amor frustrado, la maestra rural vivió anhelando ternura y la culminación de su ansias de maternidad. Éstas y otras obsesiones (la educación de la mujer, la exaltación del territorio chileno, la búsqueda de Dios) habrían de colmar su poesía. *Ternura*, *Desolación*, y *Lagar* son obras representativas de estas preocupaciones.

Tala (1938) es de factura y contenido más recio y universal. El dolor supera lo personal para centrarse en la tragedia humana; la contemplación de la Naturaleza local transciende fronteras y se convierte en glorificación de las gentes, mitos y paisaje del continente americano.

MONTERROSO, Augusto (Tegucigalpa, 1921)

El irónico guatemalteco es considerado como el narrador más breve de la historia de la literatura por haber escrito «El dinosaurio», cuento de una línea, que fascinó a la crítica internacional. Autodidacta, escritor personalísimo y de sólida formación humanística, cultiva la sátira y la fábula para expresar el desencanto que le produce la sociedad. La concisión, la sorprendente imaginación y el espíritu provocador son rasgos de su inclasificable creación literaria. Monterroso inició su carrera con *Obras completas (y otros cuentos)* y recientemente ha publicado *Esa fauna*.

**La oveja negra y demás fábulas* es un cáustico bestiario que, en el fondo, implica un rechazo de la condición humana y un intento por desenmascarar vicios e hipocresías. Las escasas líneas de cada fábula, rigurosamente seleccionadas y ordenadas con primor, condenan actitudes y estereotipos de la vida real.

MUJICA LÁINEZ, Manuel (Buenos Aires, 1910-1984)

Nacido en el seno de una familia aristocrática, se dedicó primero al ensayo y la poesía. Es autor de hermosas novelas históricas de ámbito internacional (*Bomarzo*, *El laberinto*...) y de jugosas biografías de castizos personajes bonaerenses. Su narrativa también recrea la historia argentina, con especial énfasis en los acontecimientos de finales del siglo XIX y principios del XX. Asimismo ridiculiza el deterioro de las clases dominantes: *Los ídolos*, *La casa*, *Los viajeros* e *Invitados en «El Paraíso»* esconden la nostalgia de un pasado que, para él, ofrecía hechos y personajes más transcendentes que sus contemporáneos. Mujica Laínez logra un ingenioso maridaje entre historia y ficción que consigue cautivar al lector.

**Misteriosa Buenos Aires* es una colección de relatos donde la continuidad cronológica y la unidad de lugar integran temas misceláneos. Diversos episodios narran la historia de la ciudad porteña; arrancan en 1536 con la fundación de Buenos Aires y concluyen con «El salón dorado» que se sitúa en 1904. Una elegante prosa da vuelos a la fantasía y lirismo del argentino, que maneja magistralmente las técnicas descriptivas y narrativas.

MUTIS, Álvaro (Bogotá, 1923)

Su prosa y poesía tienen el mismo origen y características: el aliento poético, la búsqueda de la identidad, el problema de la comunicación humana, los aspectos mágicos de la realidad y el hermanamiento con la Naturaleza. Aunque el verso fue su principal obsesión juvenil, desde el principio publicó deliciosos **Cuentos*.

**Diario de Lecumberri* (1960) es la primera gran obra en prosa del colombiano que penetra en el mundo de la marginación y soledad que imperan en Lecumberri, famoso penal mexicano.

**Summa de Maqroll el Gaviero* (1973) recoge poemas y prosa poética sobre el mítico personaje que siempre acompaña al autor y cuyos problemas existenciales Mutis comparte.

NERUDA, Pablo (Parral, Chile, 1904-Santiago de Chile, 1973)

Neftalí Ricardo Reyes (tal era su nombre) se sintió pronto inclinado a la poesía. A los 19 años publicó *Crepusculario* que inició una obra fecundísima. La estancia del poeta como cónsul de su país en Barcelona y la amistad con los poetas «del 27» cambió la inspiración modernista de sus primeras obras. Del mismo modo, el espectáculo de la Guerra Civil Española determinó su posicionamiento político. Militante del Partido Comunista Chileno, alternó el exilio con la diplomacia y la representación parlamentaria. Obtuvo el Premio Lenin de la Paz y el Nobel de Literatura. En su intensa actividad literaria pronto entró en contacto con las vanguardias y se dejó seducir por el Surrealismo. Encontró así cauce para su indómita imaginación y sus ansias de libertad formal. *Residencia en la tierra* y *Tercera residencia* sorprenden por la riqueza y novedad del lenguaje y el esplendor y contundencia de las imágenes. En la poesía de los años treinta y cuarenta se dan la mano la denuncia política y la esperanza de renovación social, la desolación del cosmos y la soledad personal. Después de la publicación del *Canto general* Neruda pasa a utilizar un lenguaje depurado y humano para cantar, serenamente, la realidad cotidiana y sentimientos *elementales*. Los temas de sus diferentes libros de odas son, entre otros, la claridad, el amor, la cebolla, el pan y la madera. Más tarde, Neruda se deja ganar por intrincadas problemáticas (*Estravagario*) o por la necesidad sosegada de expresar un amor maduro (*Cien sonetos de amor*). Continuó la lucha política y literaria hasta el momento de su muerte, siendo la última obra por él publicada *Iniciación al nixonicidio y alabanza de la Revolución chilena*. Su magisterio en las Letras Hispanas no tiene parangón. Por ejemplo, el valor simbólico que otorga a la tierra y a las fuerzas telúricas de la Naturaleza ha sido asimilado y expresado por numerosos autores.

**Veinte poemas de amor y una canción deseperada* (1924) revela ya a un Neruda personal, innovador y de grandes posibilidades expresivas. Los poemas siguen la tradición nostálgica de la poesía amorosa pero introducen imágenes sensuales audaces para su época y la idea del amor como un camino para curar la angustia existencial.

**Canto general* (1950) es una obra mucho más ambiciosa: presenta, en tono épico y desde un punto de vista cósmico, los orígenes y avatares del continente americano. El canto no consigue cubrir todas las etapas y contenido de la gesta americana; algunos críticos comentan, además, la falta de unidad de la obra y el tono panfletario de algunos poemas. Pero la intensidad dramática que confiere a algunos episodios y la fuerza expresiva de sus imágenes consagran a Neruda como el poeta de América. Su intención fue provocar *el renacimiento* (*«sube a nacer, conmigo, hermano»*) de la América *muerta* por agresiones de extranjeros y explotadores de todo tipo.

**Tercer libro de odas* (1957) incluye motivos otoñales que implican nostalgia y preocupación por el más allá. Viejos temas como la representación de la vida como largo viaje o tortuoso camino muestran a un poeta todavía preocupado por lo personal.

**Fin de mundo* (1969) es otro clamor desesperanzado ante el dolor de la Humanidad que, al no frenar las fuerzas del mal, camina hacia su destrucción.

**Confieso que he vivido* (1974), publicado después de su muerte, recoge las memorias del poeta. Datos fundamentales para la comprensión de su vida y obra y testimonios históricos relevantes son contados mediante una prosa que iguala en calidad y lirismo el inconfundible verso del chileno.

OCAMPO, Silvina (Buenos Aires, 1906-1994)

Casada con Adolfo Bioy Casares y colaboradora de Borges, publicó con ellos una *Antología de la literatura fantástica* y otras obras críticas y de ficción. Escribió también poesía y novelas muy personales.

**La furia y otros cuentos* (1959) le dio fama individual como narradora. Con la misma maestría técnica de la que hicieron gala sus colaboradores, Ocampo embelesa a sus lectores. Una profunda penetración psicológica y la magnificación de lo trivial adornan la ácida crítica social que esconde su narrativa.

ONETTI, Juan Carlos (Montevideo, 1909-Madrid, 1993)

Después de sus primeras obras (*El pozo*, *La vida breve*) pasa a construir un patético mundo de ficción que alcanza categoría mítica. Santa María, ciudad imaginaria, alberga desarraigadas criaturas que, enajenadas por la angustia, emprenden empresas imposibles. Larsen, el protagonista de *El astillero* y *Juntacadáveres*, se debate entre el sueño y la desilusión y es uno de los antihéroes literarios que mejor encarna el hastío y frustraciones del hombre moderno. A pesar de describir ambientes sombríos y situaciones deprimentes, la depurada prosa de Onetti no está exenta de halo poético. La compleja estructura de su narrativa y la ambigüedad de las situaciones que describe exigen del lector un esfuerzo de imaginación y colaboración. Exiliado en Madrid en 1975, el uruguayo multiplicó su actividad creadora publicando numerosas novelas y relatos: *Dejemos hablar al viento*, *Cuando entonces* y *Cuando ya no importe.*

**Los adioses* (1954), anticipa la problemática que dominará toda su obra: las dimensiones del tiempo, el desdoblamiento de personajes (cuyas vidas ya se disuelven en la monotonía), la búsqueda de la identidad, la enfermedad, la muerte y lo absurdo de la existencia.

**El astillero* (1961) constituye una metáfora del intento de reconstrucción espiritual de Larsen. Al describir el ruinoso astillero y la imposibilidad de recuperarlo, Onetti refleja la miseria moral del protagonista y el fracaso de cualquier tentativa de redención.

OTERO SILVA, Miguel (Barcelona, Venezuela, 1908-Caracas, 1985)

Poeta y periodista, su crítica política le valió la cárcel y el exilio. Sin embargo, desde una actitud desenfadada e ingeniosa, siguió cultivando la narrativa hasta poco antes de su muerte. En sus novelas «testimoniales» (*Casas muertas*, *La muerte de Honorio*...) el venezolano cuenta con doloroso detalle las miserias de su pueblo.

**Cuando quiero llorar no lloro* (1970) es un claro exponente de la narrativa agridulce de Otero Silva. Ligeros toques de ternura y amargas pinceladas de humor suavizan su visión del ambiente macabro en el que se debate la juventud venezolana.

PAZ, Octavio (México, D.F., 1914)

La potencia creadora de Paz inunda las artes y las letras hispanas del siglo XX. Poeta adolescente y precoz fundador de revistas literarias, participa desde joven en el debate poético, filosófico y artístico de la ciudad de México. Largas estancias en España, Francia y Estados Unidos le pondrán en contacto con las nuevas tendencias literarias, asimilando con gran fruición el movimiento surrealista. Su talante viajero se explayó en diferentes puestos diplomáticos. Los cargos de embajador de México en la India y en el Japón dejaron una huella inconfundible en su concepción metafísica. Desde entonces, su estética y su visión del universo se ven enriquecidos por el pensamiento y las formas orientales. La poesía, desgarradamente lírica y comprometida con la realidad social mexicana, ocupa gran parte de su quehacer artístico; también el ensayo, la política, la filosofía y las artes son cauces de expresión de su certero espíritu crítico. En 1990 le fue concedido el Premio Nobel de Literatura. Hoy continúa dirigiendo la revista Vuelta. Entre sus mejores libros de poemas se encuentran **Libertad bajo palabra*, *¿Águila o sol?*, *Ladera Este* y *Piedra de sol*. La obra ensayística del mexicano refleja un constante esfuerzo por recuperar la identidad, tanto la individual como la nacional. La meditación sobre el pasado y la reivindicación de los valores del universo azteca y de la Colonia le parecen la única vía para desterrar los vicios de los que adolece la sociedad mexicana. Son numerosos sus ensayos sobre la tradición y la creación poética y las formas del lenguaje (*Sor Juana Inés de la Cruz o las trampas de la fe*, *Conjunciones y disyunciones...)*. En la actualidad, publica abundantes artículos y ensayos sobre temas artísticos y políticos. Su última obra, *La llama doble*, es un penetrante ensayo sobre el amor y el erotismo.

**Libertad bajo palabra*, en la edición de 1960, recoge la poesía anterior y condensa la búsqueda de formas literarias y las inquietudes sociales y metafísicas del escritor. La rebeldía ante la injusticia, el valor del erotismo ante la imposibilidad de comunicación espiritual, y el poder liberador de los sueños son temas que brotan de sus directos y cuidados poemas.

**El laberinto de la soledad* es una profunda meditación sobre el modo de ser del mexicano de hoy. Paz busca, a través de la Historia y de la realidad próxima, lo auténticamente genuino de la identidad nacional y trata de desenmascarar los lastres y complejos que impiden a su pueblo marchar hacia el futuro. Insiste en que México, para encontrarse a sí mismo, tiene que salir de su aislamiento, despojarse del sentimiento de soledad que le impide la comunicación creadora y embarcarse en el camino de la libertad. La obra implica el análisis y la preocupación por la idiosincrasia de todo el pueblo latinoamericano.

PONIATOWSKA, Elena (París, 1933)

Su actividad literaria se reparte entre el periodismo y la narrativa. Sus crónicas y entrevistas (*La noche de Tlatelolco*, *Nada, nadie*, *El último guajolote*) conllevan una buena dosis de crítica social. Del mismo modo, sus famosos **Cuentos* y novelas (*Querido Diego, te abraza Quiela*, *Hasta no verte Jesús mío*) describen la realidad mexicana desde el punto de vista testimonial, con especial interés por la situación de la mujer.

QUIROGA, Horacio (Salto, Uruguay, 1878-Misiones, Argentina, 1937)

Es el primer gran prosista de la selva americana. También es pionero en la renovación del cuento hispanoamericano; su teoría sobre la forma de escribir relatos dejó muchos adeptos de un género que se consagraría como peculiar tradición continental. Al desarrollar los elementos fantásticos que se encuentran en lo cotidiano, Quiroga produce intrigas inquietantes y finales sorprendentes. Su pasión por la vida selvática le llevó a vivir insólitas aventuras en la región argentina de Misiones, donde finalmente se quitó la vida. En sus numerosos libros de cuentos (*Cuentos de la selva*, *Cuentos de amor, de locura y de muerte*, *Los desterrados*, etc.) personificó animales, ríos y árboles y narró los conflictos que surgen entre ellos y frente al hombre.

**Anaconda* (1921) recoge relatos de sus primeras incursiones en la selva de la región de Misiones. Personajes primitivos, ríos, vampiros, víboras o la noche estrellada son protagonistas de estas fascinantes narraciones.

REYES, Alfonso (Monterrey, México, 1899-México D.F.,1959)

Concienzudo investigador histórico y literario, también escribió bellos poemas y deliciosos cuentos. Su amor por México y el mundo de los clásicos gestó un renacimiento cultural que contagió a muchos en todo el Continente. Intentó integrar la cultura precolombina y la colonial para potenciar un americanismo esperanzador.

**Visión de Anahuac* (1917) presenta, al modo cinematográfico, exquisitas escenas del paisaje, flores o historia del Valle de México, al que bautizó como «la región más transparente del aire». La capacidad expresiva y la evocación poética de cosas y acontecimientos confieren a esta obra el carácter de poema en prosa.

**Última Tule* (1942) es un resumen de los numerosos ensayos y conferencias que divulgaron su «preocupación americana». Destaca por su rigor y profundidad y revela el acento apasionado de sus halagüeños presagios para el Continente.

RIVERA, José Eustasio (Neiva, Colombia, 1888-Nueva York, 1928)

Aventurero, poeta y maestro rural, pasó a ser parlamentario y diplomático. También se dedicó desde joven a investigar los daños (humanos y ecológicos) que ocasionaban en el territorio colombiano las compañías explotadoras de caucho y petróleo.

**La vorágine* (1924) inaugura el ciclo de la novela de la tierra y sigue la tradicional estructura del viaje para introducirnos en la selva virgen de la mano de un poeta que busca a su enamorada. Sin embargo, en realidad la obra es un gran poema en prosa que canta la grandeza, corpulencia y poder destructivo de la selva, verdadero protagonista de la novela. La revelación de Rivera consiste en mostrar la dinámica de la violencia desatada entre dos colosos: el hombre y la Naturaleza.

ROA BASTOS, Augusto (Asunción, 1917)

Ha vivido más de cuarenta años fuera de su país, generalmente en exilio forzoso. Sin embargo, la infancia transcurrida en un pequeño pueblo paraguayo marcó su trayectoria literaria. La contemplación directa del dolor y la injusticia sufrida por los campesinos originó una poesía comprometida y varios libros de cuentos sobre la problemática rural. *El trueno entre las hojas*, *Madera quemada* y *Contar un cuento y otros relatos* son títulos representativos de relatos de preocupación social. Introducen muchas novedades formales de la nueva narrativa, ya que, residente en Buenos Aires donde escribió casi toda su obra, Roa Bastos estuvo siempre en contacto con las vanguardias literarias.

**Hijo de hombre* (1960) ha sido definida como «la novela del dolor del pueblo paraguayo». Tiene lugar antes, después y durante la guerra del Chaco. Los cambios de tiempo y la sucesión de personajes y acontecimientos están sutilmente hilvanados, a pesar de que muchas situaciones pueden constituir relatos autónomos. Las referencias al pueblo paraguayo (localización geográfica, mitos y costumbres, y frecuentes inclusiones de términos guaraníes) no restan dimensión universal a la tragedia campesina.

**Yo, el Supremo* (1974) recrea, una vez más, la novela del tirano hispanoamericano. Una complicada y novedosa estructura enmarca la figura del Doctor Francia, histórico dictador del Paraguay. Reproduce confesiones del dictador y otros documentos supuestamente aportados por Francia para justificar la permanencia en el poder como «amor por la Patria». Merece destacarse la maestría de Roa Bastos al reflejar el colosal esfuerzo del déspota por exculpar el brutal o refinado aparato represivo.

RULFO, Juan (Apulco, México, 1918-México, D.F., 1986)

El dolor que siente Rulfo ante la realidad mexicana parece distorsionar las pautas tradicionales de la narrativa hispanoamericana. Aunque la influencia de la literatura sajona (Faulkner, Joyce y Woolf) es evidente en su parca obra, la ruptura violenta que Rulfo realiza con las clásicas nociones de realidad, tiempo y espacio parece surgir del descubrimiento de la miseria que contempló en Jalisco, su estado natal. El «tirón» de la tierra (que refleja con aliento místico) y la vivencia de las guerras cristeras*, recrean ambientes, personajes y acontecimientos del México revolucionario. La recreación de Rulfo, sin embargo, no busca la precisión, la exactitud o el detalle. La imagen de la muerte, el clímax de destrucción, las huellas ocultas que dejan la Historia y las instituciones, y las claves del subconsciente son los objetos de la exploración literaria del jalisciense*.

**El llano en llamas* (1953) recoge diecisiete cuentos del mundo rural mexicano. La cruda descripción de creencias, tabúes y pasiones del campesinado refleja una atmósfera primitivista, ruda y violenta. Sexo, fatalismo, pobreza, religión y sentimiento de culpa conducen inexorablemente a la miseria moral o a la muerte. Entre ellos, «Luvina» ocupa un lugar destacado por introducirnos al vacío de una realidad abismal -aunque incierta- y a una noción irreal del tiempo. También en este relato se manifiesta, magistral, el estilo rulfiano, que se caracteriza por la economía formal y el insólito acierto de elegir la palabra exacta, vulgar o culta, local o universal, para describir el paisaje, lo intemporal o lo deshabitado.

**Pedro Páramo* (1955) cuenta la historia de un cacique rural que, después de haber dispuesto de vidas y haciendas en Comala, permite, impasible, la desintegración del pueblo y sus habitantes. La acción se mueve alrededor del punto álgido de la Revolución pero no sigue un desarrollo cronológico consecutivo; está contada por diferentes narradores, con la intervención de fantasmas y difuntos. Sin embargo, a pesar de la complejidad estructural, Juan Rulfo consigue trasladar al lector a un mundo sofocante, donde el odio, la violencia, la soledad y el olvido aparecen y se disuelven en una realidad ambigua, dominada por la presencia de la muerte. Así, Comala pasa a ser un ámbito paradigmático del sufrimiento y enajenación del pueblo mexicano, y por extensión, de los ambientes rurales latinoamericanos.

**El gallo de oro* (1980) aparece tras un largo silencio editorial y recoge sus guiones cinematográficos. El que da nombre a la colección vuelve al tema campesino y al realismo tradicional.

SÁBATO, Ernesto (Rojas, Argentina, 1911)

Físico notable y militante comunista, al entrar en contacto con el Surrealismo parisino repudió el dogmatismo marxista y abandonó la actividad científica. Su vocación investigadora se volcó entonces en desentrañar, a través del arte, las claves ocultas de la conducta humana y de los problemas de nuestro tiempo. El ensayo de preocupación nacional y la novela metafísica han colmado su quehacer literario. La narrativa de Sábato busca, obsesivamente, respuesta a las incógnitas de la existencia: la incomunicación, la necesidad de Dios, la búsqueda de lo absoluto y el sentido de la muerte. La exploración psicoanalítica y el existencialismo conducen a sus protagonistas a un abismo desesperanzado. Sin embargo, en el fondo del precipicio todavía queda una expectativa: el impulso personal, una sociedad menos egoísta y la humanización del progreso pueden rescatarlos del angustioso vacío existencial. *La cosificación del hombre* es uno de sus ensayos más conocidos, mientras que *Abbadón el exterminador* es novela autobiográfica que resume la visión apocalíptica de su narrativa. A pesar de sufrir una ceguera progresiva, su dinamismo artístico sigue activo en el campo crítico y académico.

**El túnel* (1948) es una bella y amarga reflexión sobre la soledad. Mediante la introspección y la interpetación de los sueños de sus personajes, el argentino presenta el desolador panorama de la dificultad de comunicación que encuentra la juventud argentina, problemática extrapolable a la sociedad occidental.

**Sobre héroes y tumbas* (1961) constituye una crítica despiadada de la sociedad de Buenos Aires que, como Saturno, devora a sus propios hijos. La novela es el mejor exponente de la problemática que acosa a Sábato. De forma especial, el «Informe de ciegos» (incluido en la obra) supone un dantesco descenso a los infiernos del siglo XX y descubre, en un sótano bonaerense, los enigmas e inmundicias que imposibilitan el amor y la esperanza.

STORNI, Alfonsina (Sala Capriasca, Suiza, 1892-Mar del Plata, Argentina, 1938)

Es precursora de la defensa de los derechos de la mujer. Su primera poesía es vibrante y optimista; más tarde, la enfermedad y problemas personales le harán abandonar el aliento romántico; la melancolía deja paso al sentimiento agónico y al firme rechazo de las contradicciones de la sociedad en la que le tocó vivir. Después de serle diagnosticado un cáncer, escribió el famoso poema «Voy a dormir» y se arrojó al mar.

**El dulce daño* (1918) se debate entre el nostálgico desaliento y la fervorosa reivindicación de la justicia y los nobles sentimientos. Destaca de forma especial su desgarrada apología de la condición femenina.

USLAR PIETRI, Arturo (Caracas, 1906)

Vivió la cárcel y el destierro después de una agitada vida política y el ejercicio de misiones diplomáticas. Historiador y fecundo ensayista, también contribuyó a la renovación de la narrativa hispanoamericana. Pronto descubrió el sentido mágico de la realidad americana que supo reflejar en sus cuentos y novelas. También la superación del lenguaje academicista, el intento de teorizar las nuevas tendencias y el estudio la Historia de la Literatura hacen de Uslar Pietri uno de los valores más sólidos de las Letras Hispanoamericanas. Entre sus obras de ficción histórica destacan *El camino de El Dorado*, sobre la vida de Lope de Aguirre, y *Oficio de difuntos* que describe a dos dictadores venezolanos; ésta coincide en el tiempo con el apogeo de la novela del tirano americano. Su dinamismo y vitalidad siguen enriqueciendo el estudio de la Historia y de la Literatura, mientras que su vena creadora continúa aportando sorprendentes títulos.

**Las lanzas coloradas* (1931) es novela modélica por revisar acontecimientos históricos (la Guerra de la Independencia), realizar una soterrada crítica social y exaltar con gran fuerza expresiva la naturaleza venezolana, que participa en la acción.

**En busca del Nuevo Mundo* (1969) culmina su recorrido por Latinoamérica. Uslar Pietri reflexiona sobre los orígenes y rasgos arquetípicos del Nuevo Continente reiniciando el discurso americanista de entreguerras. Critica la sumisión ante extranjerismos conceptuales y formales y reivindica lo genuinamente americano. Su mérito radica, además, en la reconstrucción de bellas estampas históricas y del paisaje local.

VALLEJO, César (Santiago de Chuco, Perú, 1892-París, 1938)

Sus primeros trabajos en zonas mineras y rurales le proporcionaron contacto directo con el pueblo, mientras que la experiencia universitaria le dio acceso a la literatura peruana e internacional. Surge así, del ámbito obrero y del mundo de la cultura, uno de los grandes poetas hispanoamericanos. Contagiado primero por la corriente modernista, con el paso del tiempo su voz adquiere tono personal y compromiso con la realidad política y social. La militancia comunista, el encarcelamiento y el exilio europeo dejaron honda huella en la forma y contenido de su poesía. La inspiración surrealista habría de alumbrar *Trilce*, su gran obra poética, compleja, rebelde y torturada. En ella simultanea el génesis y apocalipsis de la palabra y de la Humanidad: la palabra nueva, que germina, es incapaz de expresar la totalidad de la emoción; la Humanidad, que sigue creando, no puede paliar la sensación de orfandad del poeta ni el derrumbamiento del mundo que le rodea.

**Los heraldos negros* (1918) es de factura modernista; sin embargo, la tonalidad patética de los poemas y la humanización de lo irracional distancian a este poemario de Vallejo de dicho movimiento literario. La temática (amor, vida, muerte, sufrimiento y Naturaleza) es también clásica, pero la obra muestra la tendencia vallejiana a desnudar la realidad de artificios para acercarla más al hombre.

**Poemas humanos* (1939) de aparición póstuma, agrupa setenta y seis poemas de estilo *telegráfico*, mensaje directo, rima libre, frecuentes neologismos y desprecio por la ortografía tradicional. La variada temática sigue teniendo el común denominador de la nostalgia y la rebeldía. Rebeldía ante la incertidumbre de la vida, el castigo del trabajo para los humildes, la explotación del hombre por el hombre y el asedio de la muerte.

VARGAS LLOSA, Mario (Arequipa, Perú, 1936)

Su obra puede ser definida como realismo doloroso que brota obstinadamente para denunciar la violencia y la corrupción. En efecto, el joven periodista se vio atraído por la literatura realista pero pronto renunció a las técnicas clásicas que presentaban, de forma ordenada, un único aspecto de la realidad. Para presentar «otras visiones» y dar libertad de interpretación, va introduciendo nuevas técnicas narrativas que incluyen la fragmentación de la acción, la ruptura de la sucesión cronológica y de la unidad sintáctica, la revitalización del monólogo y la introspección; también incorpora, de forma aparentemente arbitraria, varias líneas argumentales. Para el peruano, llegar a percibir o presentar «toda» la realidad constituye un deicidio, pues lograrlo supone aventajar la obra divina. El objeto de su narrativa es la crítica de la sociedad peruana, pero su denuncia (por llegar al fondo mismo de las personas o instituciones) adquiere dimensión universal. El profundo humanismo de Vargas Llosa le permite distinguir entre *pecado y pecador*: a pesar de delatar horrendos vicios y crímenes, personales y colectivos, presenta la dualidad y problemática de los agentes del mal. Su obra contiene una larga lista de títulos, que engloba algunos humorísticos y por el momento, se cierra con *Lituma en los Andes* (1994); es obra mayor que refleja, una vez más, su voluntad de comprender las raíces del mal nacional; para ello Vargas Llosa se interna en la laberíntica sierra andina, poblada por espíritus maléficos y guerrilleros senderistas. La preocupación obsesiva de Vargas Llosa por el Perú no se ha limitado a la literatura. Llegó a presentarse, sin éxito, como candidato a la Presidencia de la República. En la actualidad vive en Londres fustigando los sesgos autoritarios del actual gobierno y tras sufrir su acoso se ha convertido en ciudadano español.

**La ciudad y los perros* (1963) es la primera gran novela del autor. Inaugura la superposición de varios planos temporales. De contenido autobiográfico, denuncia la degradante educación que recibe la juventud peruana.

**La casa verde* (1965) narra varias historias del Perú profundo que se entrecruzan en la selva amazónica y se reencuentran en un prostíbulo.

**Conversación en La Catedral* (1970) es la novela total de Vargas Llosa. Numerosos personajes dan vida, durante la dictadura de Odría, a espeluznantes relatos, también entrecruzados. Siniestros gobernantes, sombríos torturadores y personajes oportunistas son encarados desde la indignación o la dolorosa ternura. La obra constituye el más valiente vituperio de Vargas Llosa contra el entramado del poder y su agónica voluntad de encontrar las raíces de la degradación moral que contempla en su país.

**La guerra del fin del mundo* (1981) narra la rebelión que tuvo lugar en Canudos, Brasil, liderada por Antonio Mendes Maciel. La sabia amalgama de historia y ficción reproduce episodios sorprendentes y un desfile desbordante de personajes que impactan por su veracidad y originalidad.

**Historia de Mayta* (1984) simultanea la crítica y apología de un compañero de colegio que ha sido utilizado políticamente por prebostes revolucionarios. Vargas Llosa, que aparece en la novela intentando desentrañar los móviles y estados de conciencia del guerrillero, desenmascara a personajes reales del Perú de los años 50 y los acusa de aprovecharse de jóvenes idealistas para terminar acomodándose en el viejo sistema.

**El hablador* (1987) alterna dos narraciones que terminan confluyendo. El autor se interna en la selva y sigue, perplejo, a un anónimo contador de mitos y de historias de los machiguengas, tribu primitiva de la zona amazónica.

**Como pez en el agua* (1993) entrecruza recuerdos de infancia, juventud y madurez, y contiene la crónica de la campaña y derrota electoral de Vargas Llosa en los comicios de 1990. En este libro testimonial sigue latiendo el atormentado y militante optimismo del «escribidor».

VASCONCELOS, José (Oaxaca, México, 1881-México, D.F. 1959)

Comprometido con la Revolución Mexicana, durante el gobierno de Obregón ocupó puestos relevantes. Su dedicación al Ministerio de Educación modernizó el mundo de las artes y de la cultura. Escribió obras filosóficas (*Estética* y *Tratado de metafísica*) e interesante narrativa de contenido autobiográfico. Sin embargo, es todavía más valioso su pensamiento americanista, que pregonó por todo el Continente la necesidad de encontrar y forjar la idiosincrasia iberoamericana.

**La raza cósmica* (1925) refleja, junto con *Indología*, los resultados de sus investigaciones científicas e históricas y sus anhelos por *culminar la misión divina de América*. Esta misión es viable, afirma, si los pueblos latinos se unen y recuperan su identidad, ya que constituyen una raza sintética de las razas más puras del universo: la negra, roja, blanca y amarilla.

YÁÑEZ, Agustin (Guadalajara, México, 1904-México, D.F., 1980)

Voluntarioso trabajador de la técnica narrativa, Yáñez intentó ofrecer un «retrato de México». Y no sólo consiguió retratar (con abrumadora cantidad de símbolos y elementos reales) su provincia natal, Jalisco; su narrativa logró reflejar también la vida costeña y capitalina. Los personajes del mundo ficticio de Yáñez personifican costumbres, mitos y tabúes de la época revolucionaria o dialogan con personajes reales que lograron la fama tras la Revolución (José Orozco, Diego Rivera, etc.).

**Al filo del agua* (1947) penetra en la decadente sociedad que gestó la Revolución Mexicana. Hipocresía, religión y valores trasnochados son encarnados por verídicos personajes y simbología recurrente. La original disposición de planos ensayada por Yáñez habría de influir en la narrativa contemporánea de México.

**La tierra pródiga* (1960) pasa a descubrir estados de conciencia o móviles ocultos de los que rigen los destinos de las gentes, tierras y recursos de la costa del Pacífico. Esta vez son la violencia y la ley del más fuerte las que condicionan la realidad mexicana.

**Las tierras flacas* (1962) está dividida en cinco capítulos o estancias, todos con nombres de ciudades bíblicas. La novela es una recreación del caciquismo rural y del encubrimiento de los abusos que se cometen en el reparto de las tierras. La iconografía, toponimia y gentilicios de la sociedad que describe están inspirados en el Antiguo Testamento; esto responde a la intención de Yáñez de penetrar en el componente definitivo de la cosmovisión del campesinado indígena de Jalisco.

Bibliografía general básica

Amorós, Andrés, *Introducción a la novela hispanoamericana actual*, Anaya, Salamanca, 1971.

Bellini, Giuseppe, *Historia de la literatura hispanoamericana*, Castalia, Madrid, 1986.

Cabrales Arteaga, José M., *Literatura Hispanoamericana: siglo XX* Editorial Playor, Lectura crítica de la Literatura Española, Madrid, 1985.

Donoso, José, *Historia personal del «boom»*, Anagrama, Barcelona, 1972.

Gálvez, Marina, *La novela hispanoamericana del siglo XX*, Editorial Cincel, Madrid, 1984.

—, *La novela hispanoamericana contemporánea*, Taurus, Historia crítica de la Literatura Hispánica, Madrid, 1987.

Gortari, Carlos, *Literatura hispano americana,* Editorial Doncel, Libro joven de bolsillo, Madrid, 1971.

Madrigal, Íñigo, *Historia de la Literatura hispanoamericana,* II, Editorial Cátedra, Madrid, 1992.

Sáinz de Medrano, Luis, *La novela hispanoamericana, una crisis aumentada*, Anales de Literatura Hispanoamericana, nº 1, 1972.

Saz, Agustín del, *Literatura Iberoamericana*, Editorial Juventud, Barcelona, 1978.

Shaw, Donald L., *Nueva narrativa hispanoamericana*, Cátedra, Crítica y estudios literarios, Madrid, 1992.

Varios autores, *Diccionario de Literatura Española e Hispanoamericana* dirigido por Ricardo Gullón, Alianza Editorial, Madrid, 1993.

Glosario de español de América[1]

Abarajar: tomar al vuelo
Aimara o aymara: grupo étnico que habita cerca del lago Titicaca, entre Perú y Bolivia; lengua hablada por este grupo
Ají (voz taína): pimiento dulce o picante; guiso
Alameda: parque público en zona céntrica de la ciudad
Alcancía: hucha
Alebrestado: alborotado, excitado
Aloja: bebida fermentada compuesta por agua, miel de caña y especias
Alpaca (voz aimara): mamífero de la familia de la llama cuyo pelo es muy apreciado
Amarrador: el que organiza las peleas de gallos
Amauta (voz quechua): sabio, con experiencia
Amolar: fastidiar, jorobar
Andar: llevar. Perífrasis de uso muy frecuente, estar, sentirse
Anticucho: Pedazos de carne asada ensartados en un palo y servido con diferentes salsas
Antioqueño: perteneciente o relativo a la ciudad y departamento colombiano de Antioquia
Aparte: separación de reses en un rodeo
Araucaria: pino grande de la zona de los araucanos
Argüende: enredo, chismorreo, averiguación
Argüendero: cotilla
Asquiles o asqueles: hormigas pequeñas
Asoleadero: lugar para secar al sol frutos y semillas
Atole (voz náhuatl): bebida de agua o leche con maíz molido

[1] Por su interés etimológico y a pesar de que su significado sea conocido, el presente glosario destaca palabras americanas integradas en la lengua española y en otras lenguas occidentales. También se incluyen algunas formas y términos españoles que tienen distinta acepción o frecuencia en América (por ejemplo, la muy usada perífrasis «andar») y otras que están en desuso en España. Algunos vocablos han sido listados por ser infrecuentes en la Península e imprescindibles en algunas regiones del Continente. La mayor parte de las voces están recogidas como americanismos por el D.R.A.E. Como regla general, no se registran indigenismos o voces populares no aceptados por las diferentes Academias de la Lengua Española. Este glosario se limita a definir el posible uso de las palabras en el texto o los textos estudiados.

Atorrantismo: desfachatez, desvergüenza
Ayahuasca (voz quechua): planta cuyas raíces producen efectos alucinógenos
Ayote (voz náhuatl): especie de calabaza
Azafate: bandeja
Azteca (voz náhuatl): perteneciente o relativo al pueblo que dominó el actual territorio mexicano y que llegó a formar un gran Imperio. Su lengua era el náhuatl
Bachata: juerga
Banano/a: planta musácea y su fruto; plátano
Bananal: plantación de bananos
Bananero: perteneciente o relativo al banano; persona que cultiva el plátano o negocia con él; aplicado a los países del Caribe, dependiente de los países y multinacionales compradoras de plátanos; fig. tercermundista
Balatá (voz caribe): árbol que produce una resina similar al caucho
Banqueta: acera de la calle
Bañado: terreno húmedo o encharcado
Barbear: asir por los cuernos a una res vacuna para reducirla
Basilisco: reptil americano, de color verde muy vivo
Bataclana: cabaretera
Batey (voz caribe): patio; pequeño poblado dentro de las haciendas
Bejucubí (voz taína): liana
Bocatero: hablador, jactancioso, fanfarrón
Bohío (voz taína): cabaña campesina de madera y cubierta de caña o palma
Bolacero: mentiroso, exagerado
Boleadora: juego de bolas usado para aprehender ganado, avestruces, etc.
Bolsa: bolsillo de las prendas de vestir
Breña: tierra quebrada y poblada de maleza
Brodequines: botines de hombre
Buganvilia o *buganvilla*: (galicismo) arbusto trepador americano de flores muy vistosas
Buitrón: horno, chimenea
Cabuya (voz caribe): pita y la fibra que se extrae de ella; cuerda
Cachito: cubilete para mezclar los dados
Cacho: chascarrillo
Café (adj.): de color marrón
Cafiche: alcahuete
Caimán: (voz taína) cocodrilo pequeño
Cajero: que toca la caja, instrumento musical de percusión
Calato (voz quechua): desnudo, desharrapado
Camanchaca (voz quechua): niebla espesa y baja
Camión: autobús
Canibalismo voz de or. caribe: antropofagia atribuida a los caníbales, salvajes de las Antillas que eran tenidos por antropófagos
Caña: aguardiente de tallo de caña de azúcar
Cañazo: V. *caña*

Caoba: árbol de América que alcanza 20 metros de altura; su madera, muy apreciada para muebles
Carata: variedad de palma, de aplicación industrial
Cargar: llevar consigo o en brazos
Caribe: perteneciente o relativo al pueblo que dominó gran parte de las Antillas; lengua hablada por este pueblo
Carro: coche, automóvil
Cayos (voz taína): pequeñas islas del mar de las Antillas
Centavo: moneda fraccionaria, céntimo
Ceviche: manjar de pescado o marisco crudo, macerado en jugo de limón
Cinchón: cincha estrecha
Cobija: manta de abrigo
Coca (voz quechua): arbusto cuya hoja mascan los indígenas desde tiempos inmemoriales para combatir el cansancio y el hambre
Cocinería: figón, casa de comidas
Coco: variedad de palmera americana y su fruto
Coger: fornicar
Cojudo: tonto, bobo
Colibrí (voz caribe): pequeño pájaro insectívoro
Comal (voz náhuatl): disco de barro o metal que se usa para calentar, cocer o tostar los alimentos
Comunario: comunero, propietario de tierras comunales
Conga: danza popular de Cuba, de orígen africano
Congresal: congresista
Copal (voz náhuatl): resina de ciertos arbustos utilizada para sahumar templos y casas
Corocora: garza roja
Corotos: trastos
Corrido: música y baile mexicanos
Coyote (voz náhuatl): especie de lobo
Cristeras, guerras: acciones populares y militares que surgieron contra la Revolución Mexicana
Cuadra: manzana de casas; en un cuartel, dormitorio colectivo
Cuarteador: mozo que se ocupa de la caballería de refuerzo
Chacra (voz quechua): finca agrícola cercana a un poblado
Chagual: plantación de chagual, planta utilizada para hacer cuerdas y cuyo tallo es comestible
Chalina: chal angosto usado por hombres y mujeres
Chamaco: niño, muchacho
Chamuchina: populacho
Chancho: cerdo
Chango: simio, mono. Familiarmente, niño
Chapalear: jugar en el agua
Chaparrear: golpear
Chaparro: arbusto de cuyo tallo se suelen hacer bastones
Chaquiñán (voz quechua): atajo, sendero corto

Chaquiras: cuentas de vidrio que llevaban los españoles para vender a los indios
Charol o charola: bandeja para servir alimentos
Che: interjeción para reclamar la atención o expresar asombro
Chicalote (voz náhuatl): arbusto de tallo espinoso, cuya sabia era ya utilizada por los aztecas para fines curativos
Chicotear: dar latigazos
Chicha (voz aborígen del Panamá): aguardiente de maíz fermentado en azúcar
Chícharo: guisante, arbeja
Chihuahuense: de Chihauhua, estado de México
Chile (voz náhuatl): pimiento picante o dulce
China: india o mestiza
Chiquipil (voz náhuatl): gran cantidad de dinero
Chirimía: instrumento musical indio semejante al clarinete; de sonido áspero y a veces estridente
Chiripá: prenda de vestir usada por los gauchos
Chocolate (voz nánuatl): pasta hecha con cacao y azúcar molidos
Cholo: mestizo de sangre europea e indígena. Indio que adopta los usos occidentales
Choro: pillo
Chuncho (voz quechua): indio de la selva amazónica
Chuzo: barra de hierro; arma blanca rudimentaria
Dizque: expresión popular: al parecer, dicen que...
Durazno: nombre genérico de varias especies de árboles, incluido el melocotonero; sus frutos
Elevador (anglicismo): ascensor
Elote (voz náhuatl): mazorca tierna de maíz que se consume cocida o asada
Encomienda: paquete postal
Encuetarse: emborracharse
Escobillar: zapatear; bailar moviendo los pies rapidamente
Escuincle (voz náhuatl): fam., niño, muchacho
Espartillo: planta forrajera
Esperma: cera de velas o candelas
Estampilla: sello de correos
Estancia: finca grande destinada especialmente al ganado
Excusado: retrete, de uso muy frecuente
Fajarse: pelearse
Falla: falta, error
Foco: bombilla de alumbrado
Flojera: pereza
Fregar: molestar, fastidiar, estropear
Frijol: alubia negra o marrón, base de la dieta de muchos países
Fuetazo (galicismo): latigazo
Fuete (galicismo): látigo
Galpón: cobertizo grande
Garçonnière (galicismo): apartamento o segunda casa que se usa para mantener relaciones amorosas

Gato: danza popular argentina
Gaucho: hombre de campo de las llanuras rioplatenses
Gaveta: cajón (de uso muy frecuente)
Godo: denominación para los españoles y españolistas durante la guerra de la Independencia
Grada: escalón, peldaño (de uso es muy frecuente)
Grande: adulto, persona mayor
Grapa: zumo de uva fermentado
Gringo: persona o cosa de los Estados Unidos; también persona rubia y de tez blanca; extranjero
Guacamayo (voz de Haití): ave trepadora de muchos colores y larga cola
Guagua (voz quechua): en América del Sur, niño pequeño. En zonas caribeñas, autobús
Guanábana (voz taína): fruto dulce y refrescante procedente de las Antillas
Guanaco (voz quechua): pequeño mamífero salvaje de los Andes meridionales
Guaracha: baile popular antillano semejante al zapateado
Guaraní: pueblo que se extendió desde el Amazonas hasta el Río de la Plata. Lengua hablada todavía hoy en Paraguay y su unidad monetaria
Guarapo (voz quechua): jugo de la caña; bebida fermentada hecha con este jugo
Guaricha (voz de Haiti): mujerzuela
Guaro (voz quechua): aguardiente de caña
Guaúnte (voz guaraní): «es broma», «no es cierto»
Güevón: ver *huevón*
Guineo: variedad de plátano, de tamaño muy pequeño
Güirirí: pato que vive en la sabana
Hamaca (voz taína): red que se sujeta a dos palos y que se usa como cama o vehículo en la América tropical; silla plegable con asiento de tela
Hembraje: despectivo, conjunto o grupo de mujeres
Hidrante (anglicismo): surtidor de agua
Horcón: madero vertical para sostener las vigas
Hoshotas (voz quechua): sandalias
Huasicama (voz quechua): mayordomo o encargado de la casa; criado indio
Huasipungo (voz quechua): pequeña propiedad de tierra que se facilita al indio para que lo cultive; éste, a cambio, debe trabajar las otras tierras del hacendado
Huella: baile popular campesino con acompañamiento de guitarra
Huevón: bobalicón, lento, indolente
Huracán (voz taína): viento impetuoso y devastador, ciclón
Inca: perteneciente o relativo a los habitantes del Imperio que, a la llegada de los españoles, ocupaba desde el Ecuador al norte de Chile y Argentina; sus descendientes y su cultura, sobre todo los de lengua quechua
Indiada: conjunto o muchedumbre de indios
Ipeca por *ipecacuana* (voz tupí): planta usada como purgante y sudorífico
Jacal (voz náhuatl): choza, generalmente con techo de paja
Jalisciense: del estado mexicano de Jalisco
Jaujino: de Jauja, ciudad peruana y el fértil valle que la rodea
Jerga: tela gruesa y tosca

Jícara (voz náhuatl): vasija hecha con la corteza de diferentes frutos
Joto: marica
Lechuguilla: especie de lechuga que flota en las lagunas
Loncheria (anglicismo): casa de comidas, cafetería
Longo (voz quechua): indígena joven
Lonja: tira de cuero sin curtir
Lustrar: limpiar y sacar brillo
Llama (voz quechua): mamífero propio de América Meridional cuya lana es muy apreciada
Machete: cuchillo muy grande usado en tareas agrícolas
Maguey (voz antillana): pita; de su fermentación se obtiene el tequila, el pulque y el mezcal.
Maíz (voz taína): gramínea indígena de la América tropical
Malacara: caballo que tiene blanca la frente y el cuerpo rojizo
Mamacita: diminutivo del diminutivo de madre
Mamey (del taíno): árbol y su fruto, muy aromático y sabroso
Mancornadora: mujer que engaña o «pone los cuernos» a su marido o compañero
Mandarse: propasarse
Mandioca (voz guaraní): arbusto de las regiones cálidas de cuya raíz se obtiene una nutritiva fécula. Alimento fundamental en grandes zonas de Sudamérica
Mangle (voz caribe): arbusto tropical que se emplea en construcciones rústicas
Mano: coloquial, amigo, hermano
Marimonda: mono oscuro muy jueguetón
Marugas: maracas
Masato: golosina de harina de maíz y miel o con plátano. En la selva es de uso ritual después de que las ancianas la hayan hecho fermentar con su saliva
Mastranto: hierbas aromáticas
Mate (voz quechua): infusión de yerbas medicinales. Recipiente hecho de cáscara de calabaza en el que se toma la infusión.
Matrero (voz inca): astuto, falso, pérfido
Maya: perteneciente o relativo a los pueblos que habitaban el Yucatán y Guatemala. Lenguas habladas por estos grupos y su cultura
Mediero: persona que va a medias en la explotación de una finca
Menestras: legumbres secas
Menta(s): fama, apodo
Merecure: árbol corpulento propio de la sabana
Merito: diminutivo de mero
Mero: puro, simple, mismamente
Metate (voz náhuatl): piedra o madera sobre la que se muele el grano
Mexica: (voz náhuatl): azteca
Mezcal (voz náhuatl): aguardiente obtenido de la fermentación del maguey que suele conservarse con el gusano que vive en dicha planta
Mico (voz antillana): mono pequeño, de cola larga; muy vivaracho y gesticulador
Milonga (voz negro-africana): tonada y baile popular del Río de la Plata
Milpa (voz náhuatl): terreno sembrado de maíz
Molcajete (voz náhuatl): mortero de tres patas para moler especies y preparar salsas

Montonera: pelotón de rebeldes a caballo. Guerrilla
Moronga: especie de chorizo; salchicha
Mordida: pago o soborno para comprar funcionarios o policías
Nafta: gasolina
Náhuatl o *nahua*: pertenenciente o relativo al pueblo que habitó Mesoamérica. Lengua de los aztecas y todavía hoy hablada en este territorio
Nana: niñera
Ni modo: imposible, no hay forma de
Niña: mujer, generalmente soltera y de cierta consideración social, aunque tenga muchos años. Tratamiento de respeto o subordinación recibido por éstas
Nomás o *no más*: pop., nada más, simplemente
Nopal (voz náhuatl): cactus de grandes hojas con espinas; su fruto
Ocote (voz náhuatl): pino muy resinoso cuya madera sirve para avivar el fuego
Ojota (voz quechua): sandalia usada por campesinos y gente pobre
Olán u *holán*: lienzo muy fino
Olería: fábrica de ladrillos
Opa (voz quechua): tonto, idiota
Paila: sartén, vasija
Pajonal: herbazal
Palomilla: plebe, vulgo; conjunto de chiquillos vagabundos
Pampa (del quechua): cualquiera de las grandes llanuras de la América Meridional que no tienen vegetación arbórea
Pampón: corral grande
Panzón: que tiene abultada panza o vientre; de uso muy frecuente
Papa (voz quechua): planta herbácea originaria de América; patata
Papagayo (voz inca): pájaro de muchos colores que aprende a repetir frases y palabras
Paquete/a: bien vestido, acicalado
Parar/se: estar o poner/se de pie; levantar/se
Paraulata: ave semejante al tordo, considerada de mal agüero
Parejero: caballo veloz y de buena casta
Parguete: homosexual
Pasaje: tonada musical
Pata de gallina: taburete
Payador: juglar americano, improvisador de coplas en ranchos y pulperías
Pechada: golpe que da el jinete con el pecho del caballo
Peinilla: especie de machete
Pelado: individuo de clase baja, poca cultura y sin dinero; grosero
Peso: unidad monetaria de varios países
Petaca (del náhuatl): maleta, baúl
Petate (voz náhuatl): estera de palma para dormir sobre ella
Petiso o petizo: caballo de baja estatura
Picarón: pestiño, especie de buñuelo
Pieza: habitación, dormitorio
Pililo: persona sucia y andrajosa sin ocupación conocida

Pingullo: instrumento musical de viento, hecho de caña
Piolín: cordel
Piquete: pinchazo producido por un insecto, espina u otro objeto punzante
Pisco: aguardiente de uva muy estimado, original de Pisco, localidad peruana
Pitahaya o *pithaya* (voz de Haití): cactus trepador de fruto muy aromático
Plaguearse: quejarse
Platense: perteneciente o relativo a los países de la cuenca del Río de la Plata
Platicar: hablar, charlar; de uso muy frecuente
Poblano: de la ciudad mexicana de Puebla
Pollera: falda
Pollerín/a: falda
Pongo (voz quechua): indio que trabaja en una hacienda a cambio del permiso para cultivar una parcela para su propio consumo; indígena
Poro (voz quechua): corteza de calabaza que se usa para cebar mate
Porteño: de la ciudad de Buenos Aires
Posadas: fiestas prenavideñas en las que se representa a José y María pidiendo posada en Belén.
Posar: alojarse
Prado: baile popular
Pucho (voz quechua): sobrante; colilla del cigarro
Pulpera/o: dueño o dependiente de una pulpería
Pulpería: tienda donde se venden géneros variados; algunas sirven bebidas y comidas
Pulque: bebida de aguamiel de maguey fermentado
Puma (voz quechua): mamífero carnicero parecido al tigre pero de color semejante al león
Puna (voz quechua): tierra alta, próxima a la Cordillera de los Andes
Puro: sólo, estrictamente, específicamente
Quechua o *quechúa*: habitante del antiguo Imperio Incaico; lengua hablada por los indígenas de este territorio; perteneciente o relativo a estos pueblos y a su lengua y cultura
Queltehue (voz araucana): ave zancuda que se adapta bien al cautiverio
Quena (del quechua): flauta quechua de cinco agujeros
Quetzal (voz náhuatl): ave trepadora de bellos colores y larga cola, símbolo de libertad, que vive en los bosques de Centroamérica y Yucatán.
Quiché: grupo étnico de orígen maya que todavía sobrevive en Guatemala. Lengua hablada por este grupo
Quihubo: ¿qué hubo? expresión popular, muy común y de múltiples significados: «¿qué tal?»; «y ¿qué?»; etc.
Quincha (del quechua): pared hecha de cañas y barro
Quinto: fracción de un billete de lotería
Ranchería: conjunto de ranchos
Ranchero: propietario o labriego de un rancho
Rancho: finca para cría de ganado. Vivienda campesina, pobremente construida
Realada: acción de reunir el ganado; apropiarse por la fuerza de las tierras, llevándose el ganado
Rebenque: látigo de jinete
Rebozo: chal indígena de seda, lana o algodón

Recámara: dormitorio
Recién: recientemente; en cuanto, después de. En América se antepone a verbos conjugados
Regatona: revendedora de objetos de poco valor en calles y mercados
Renguera: cojera
Resero: arreador de reses
Retar: insultar, reprender
Retobarse: rebelarse, enojarse, encapricharse
Rivense: de la ciudad nicaragüense de Rivas
Roto: andrajoso; que pertenece a la ínfima clase social
Rotoso: harapiento
Runa (voz quechua): hombre o mujer indio
Saco: americana, chaqueta que usan los hombres
Salar: terreno donde se encuentra el salitre, salina
saltaneja: ondulación o grieta en el suelo
Sarape: manta de colores vivos que puede tener una abertura para pasar la cabeza
Servicia: obligación de los indios de trabajar en las haciendas. Empleada doméstica
Sirope (anglicismo): jarabe para endulzar refrescos y comidas
Suspiros: postre similar a las natillas
Tabaco voz taína: planta originaria de América y su hoja; cigarro puro
Taco: tortilla de maíz enrollada y rellena de queso, carne u otros alimentos.
Taíno: perteneciente o relativo a las tribus arahuacas que habitaban la Española, Cuba y Puerto Rico; lengua hablada por estos indígenas
Taita: padre; tratamiento de respeto para el jefe de familia
Talacha: zapapico; col., marihuana
Tamal (del náhuatl): especie de empanada de maíz cocida al vapor y envuelta en hoja de plátano
Tambo: establecimiento ganadero. Tienda rural
Tango: baile en pareja de la región platense
Tantito: diminutivo de tanto: poco, un poco de
Tapesco (voz náhuatl): entramado de varas y cañas que puede servir de cama
Tebeján o *tejabán*: cobertizo
Tejamanil: tablas cortadas como tejas que se colocan en los techos de las casas
Tenamaste (voz azteca): piedras del fogón
Tepetate: piedra porososa blanquecina
Tianguis (voz náhuatl): mercado de los aztecas; en la actualidad, feria o mercadillo
Tiento: tira de cuero para hacer lazos o látigos
Tirar: atacar
Tiznada: borrachera
Tol: recipiente hecho de la corteza de una calabaza
Tolteca (voz náhuatl): pueblo que dominó el Valle de México antes que los aztecas
Torta: bocadillo; pastel
Tortilla: torta muy fina, hecha con harina de maíz, que realiza en América la función de pan
Totumo: güira, árbol de cuyo fruto se hacen vasos y vasijas
Trago: copa de licor

Trastes: cachibaches; utensilios de cocina
Tricota (galicismo): suéter, prenda de punto
Trinitaria: planta trepadora
Trinitario: de la ciudad cubana de Trinidad
Triunfo: danza popular argentina, muy viva y con zapateado
Trompearse: pelearse a puñetazos
Tronchar: proceder con audacia
Tropilla: manada de caballos, generalmente mansos, guiados por una yegua
Truje: forma arcaica del verbo traer
Tuco (voz quechua): insecto volador luminoso
Tule (voz náhuatl): planta que se emplea para hacer esteras o asientos de sillas
Tupí perteneciente o relativo a los indios que dominaban la costa del Brasil; su lengua
Tuza (voz nahuatl): roedor semejante a la rata; de color amarillento o rojizo
Usina (galicismo): gran instalación industrial; planta de energía eléctrica
Vaina: contrariedad
Vicuña (voz quechua): mamífero rumiante que vive en los Andes; tejido que se hace con su lana
Vichear: curiosear, mirar con atención
Viaje, de: de una vez por todas
Vieja: apelativo cariñoso para la esposa o la madre
Villista: seguidor del revolucionario Pancho Villa
Vivandera: mujer que vende víveres en el mercado
Vizcacha (voz quechua): roedor parecido a la liebre, pero de rabo muy largo
Volantinear: echar a volar una cometa
Vos: forma familiar del pronombre de segunda persona singular que requiere formas verbales especiales según los diferentes países
Vyro (voz guaraní): bobo
Yarará: víbora de gran longitud, muy venenosa, de color pardo con manchas blanquecinas.
Yararacusú: variedad de víbora, más larga que la yarará y de color negro intenso
Yaraví (voz quechua): canción andina dulce y melancólica
Yuca (voz haitiana): planta de raíz muy nutritiva; nombre vulgar de algunas especies de mandioca.
Yuyo: cizaña, malas hierbas
Zapote (voz náhuatl): árbol; su fruto, comestible y muy sabroso
Zonda: viento fuerte, cálido y seco que afecta desfavorablemente a los seres vivos produciendo inquietud y excitación.

CRÉDITOS

La autora agradece a los siguientes autores, sus herederos y/o representantes y editoriales la autorización para reproducir los textos antologados en esta obra:

Ciro ALEGRÍA y D.ª Dora Varona de Alegría: fragmento de *La serpiente de oro.*

Isabel ALLENDE: fragmentos de *La casa de los espíritus* © 1982 y de *Cuentos de Eva Luna* © 1989; autorización formalizada por Agencia Literaria Carmen Balcells.

Germán ARCINIEGAS: fragmentos de *El continente de siete colores.*

José María ARGUEDAS y Fundación Biblioteca Ayacucho: fragmento de *Los ríos profundos*

Juan José ARREOLA: fragmentos de *La feria* y de *Confabulario definitivo.*

Miguel Ángel ASTURIAS y Herederos: fragmentos de *El Señor Presidente, Leyendas de Guatemala* y *Viento fuerte.*

Mariano AZUELA y Antonio Azuela Rivera: fragmentos de *Los de abajo.*

Mario BENEDETTI: fragmentos de *La tregua*; autorización formalizada por Mercedes Casanovas.

Adolfo BIOY CASARES: fragmentos de *La invención de Morel* y de «Siempre quise a Paulina», con conocimiento de Agencia Literaria Carmen Balcells.

Jorge Luis BORGES y María Kodama, © 1989: fragmentos de *El Hacedor* y de *El informe de Brodie*, con la autorización de Wylie, Aitken & Stone.

Alfredo BRYCE ECHENIQUE: fragmentos de *Un mundo para Julius* © 1970; autorización formalizada por Agencia Literaria Carmen Balcells.

Juan BOSCH: fragmento de «La mujer».

Guillermo CABRERA INFANTE y Editorial Seix Barral; fragmentos de *Tres tristes tigres* © 1967; 1982 y 1994; autorización formalizada por Agencia Literaria Carmen Balcells.

Ernesto CARDENAL: poema «Luces».

Alejo CARPENTIER: fragmentos de *El siglo de las luces*, autorización de Fundación Schapire; fragmentos de *Los pasos perdidos,* autorización de Editorial Quetzal.

Rosario CASTELLANOS y Gabriel Guerra Castellanos: fragmentos de *Balun-Canán.*

Julio CORTÁZAR y Herederos de Julio Cortázar: fragmentos de *Rayuela* © 1963, fragmentos de *Historia de cronopios y de famas* © 1962; autorización formalizada por Agencia Literaria Carmen Balcells.

Pablo Antonio CUADRA: fragmentos de *El Nicaragüense.*

José DONOSO: fragmento de *El obsceno pájaro de la noche* © 1970, de *Cuentos* © 1971 y de «Ausencia y presencia» © 1992; autorización formalizada por Agencia Literaria Carmen Balcells.

Laura ESQUIVEL: fragmentos de *Como agua para chocolate;* autorización formalizada por Mercedes Casanovas.

Macedonio FERNÁNDEZ, Adolfo Obieta y Tusquets Editores: «Manera de una psique sin cuerpo» © 1973.

Carlos FUENTES: fragmentos de *La región más transparente* © 1958, *Las buenas conciencias* © 1959, *La muerte de Artemio Cruz* © 1962, *Gringo viejo* © 1985, *El espejo enterrado* © 1992, y de «Las dos orillas»; autorización formalizada por Agencia Literaria Carmen Balcells.

Rómulo GALLEGOS y Sonia Gallegos de Palomino: fragmentos de *Doña Bárbara* y de *Canaima.*

Gabriel GARCÍA MÁRQUEZ: fragmentos de *Cien años de soledad* © 1967, autorización formalizada por Agencia Literaria Carmen Balcells; fragmento de «La soledad de América Latina», por autorización de The Nobel Foundation.

Elena GARRO y Elena Paz: fragmentos de *Los recuerdos del porvenir.*

Nicolás GUILLÉN y Agencia Literaria Hispanoamericana: Poemas y fragmentos de *Summa poética.*

Pedro HENRÍQUEZ UREÑA y Sonia y Natalia Henríquez Ureña: fragmentos de *La utopía de América.*

Jorge ICAZA, herederos y Libresa: fragmento de *Huasipungo.*

Enrique KRAUZE y Diario ABC: fragmento de entrevista realizada por Tulio de Micheli.

José LEZAMA LIMA y Eloísa Lezama Lima: fragmentos de *Paradiso.*

Augusto MONTERROSO: fábulas de *La oveja negra y demás fábulas.*

Manuel MUJICA LÁINEZ y herederos: fragmentos de *Misteriosa Buenos Aires;* autorización formalizada por Mercedes Casanovas.

Álvaro MUTIS: fragmentos de *Diario de Lecumberri* © 1960 y de *Poesía y prosa* © 1982; autorización formalizada por Agencia Literaria Carmen Balcells.

Pablo NERUDA y Fundación Pablo Neruda: poemas y fragmentos de *Veinte poemas de amor y una canción desesperada* © 1924, *Canto General* © 1950, *Tercer libro de odas* © 1957, *Fin de Mundo* © 1969 y de *Confieso que he vivido* © 1974; autorización formalizada por Agencia Literaria Carmen Balcells.

Silvia OCAMPO y Adolfo Bioy Casares: fragmentos de *La furia y otros cuentos.*

Juan Carlos ONETTI y Herederos: fragmentos de *Los adioses* y de *El astillero*; con conocimiento de Agencia Literaria Carmen Balcells.

Miguel OTERO SILVA y Herederos: fragmentos de *Cuando quiero llorar no lloro* © 1970 y de *Sobre México y la Revolución Mexicana* © 1977; autorización tramitada por Agencia Literaria Carmen Balcells.

Octavio PAZ: fragmentos y poemas de *Libertad bajo palabra* y de *El laberinto de la soledad.*

Elena PONIATOWSKA: «El recado».

Alfonso REYES, Alicia Reyes y Capilla Alfonsina: fragmentos de *Visión de Anáhuac* y de *Última Tule.*

Augusto ROA BASTOS: fragmentos de *Hijo de hombre* © 1960 y 1984 y de *Yo el Supremo* © 1974; autorización formalizada por Agencia Literaria Carmen Balcells.

Juan RULFO y Herederos de Juan Rulfo: fragmentos de *El llano en llamas* © 1953, *Pedro Páramo* © 1955 y de *El gallo de oro* © 1980; autorización formalizada por Agencia Literaria Carmen Balcells.

Ernesto SÁBATO: fragmento de *El túnel* y de *Sobre héroes y tumbas.*

Arturo USLAR-PIETRI: fragmentos de *En busca del Nuevo Mundo* y de *Las lanzas coloradas;* con conocimiento de Agencia Literaria Carmen Balcells.

Mario VARGAS LLOSA y Editorial Seix Barral: fragmentos de *La ciudad y los perros* © 1962, *La casa verde* © 1966, *Conversación en La Catedral* © 1969, *la guerra del fin del mundo* © 1981, *Historia de Mayta* © 1984, *El hablador* © 1987, *El pez en el agua* © 1993; autorización tramitada por Agencia Literaria Carmen Balcells.

José VASCONCELOS y Héctor Vasconcelos: fragmento de *La raza cósmica.*

Agustín YÁÑEZ y Olivia de Yáñez: fragmentos de *al filo del agua*, *Las tierras flacas* y de *La tierra pródiga.*

A todos aquellos autores cuyos derechos han prescrito legalmente les queda también el agradecimiento de la autora.